بسم الله الرحمن الرحيم

"The house of al-Arqam is the house of Islām"

Al-Ḥākim (d.403h) in *al-Mustadrak 'ala al-Ṣaḥiḥayn* (6185)

شرف أصحاب الحديث

The Eminence of the *Ḥadīth* Adherents

al-Khaṭīb al-Baghdādī (d. 463/1071)

DAR AL-ARQAM

ISBN: 978-1-9164756-5-6

British Library Cataloguing in Publishing Data
A catalogue record for this book is available from the British Library

Prepared and published by Dar al-Arqam Publishing,
Birmingham, United Kingdom

Translated by

Ayman Jalal

He is from the Abualrub family, who are descendants of al-Shaykh ʿAbd al-Qādir Jīlānī. He studied various Islamic sciences and Qur'ānic memorisation from a young age under his father and other teachers. He has gained a number of *ijāzāt*, notably being an *ijāzah* and *sanad* in the *Muwaṭṭā* of al-Imām Mālik from the transmission of Muḥammad ibn al-Ḥasan al-Shaybānī, having studied it entirely with Dr. Muḥammad Shakūr al-Mayādinī.

Adnan Karim

Head of translation at Dar al-Arqam. He has translated and edited a number of works for Dar al-Arqam.

www.daral-arqam.co.uk
Email: daralarqam@hotmail.co.uk

If you would like to support our work, donations can be made via:

- www.daralarqam.bigcartel.com/product/donate
- www.patreon.com/daralarqam
- www.paypal.me/daralarqam

Printed in Turkey by Mega | export@mega.com

The Eminence of the

Ḥadīth Adherents

al-Khaṭīb al-Baghdādī (d. 463/1071)

الفهرس
Contents

تقديم المترجم
Translator's Foreword

إِنَّ الْحَمْدَ لِلَّهِ نَحْمَدُهُ وَنَسْتَعِينُهُ ونستغفره ونعوذ بالله من شرور أنفسنا ومن سيئات أعمالنا مَنْ يَهْدِهِ اللَّهُ فَلَا مُضِلَّ لَهُ وَمَنْ يُضْلِلْ فَلَا هَادِيَ لَهُ وَأَشْهَدُ أَنْ لَا إِلَهَ إِلَّا اللَّهُ وَحْدَهُ لَا شَرِيكَ لَهُ وَأَنَّ مُحَمَّدًا عَبْدُهُ وَرَسُولُهُ. أَمَّا بَعْدُ:

One of our earliest books was a translation of al-Khaṭīb's famous treatise *al-Riḥlatu fī Ṭalabi 'l-Ḥadīth*, and we are pleased that we have now been able to publish a further piece of his vast legacy.

This work consists of three parts:

One. Al-Khaṭīb's biography from *Siyar A'lām al-Nubalā*, by al-Dhahabī. This is an updated and improved version of an earlier translation of this, which was placed at the end of the book *Travelling in the Pursuit of Knowledge*.

Two. *Sharaf Aṣḥābi 'l-Ḥadīth*, translating to the *Eminence of the Ḥadīth Adherents* or *Disciples*.

Three. *Naṣīhatu Ahli 'l-Ḥadīth*, translating to *An Advice to the People of Ḥadīth*.

The footnotes of the biography from *Siyar A'lām al-Nubalā* are taken from the version edited by al-Shaykh Shu'ayb al-Arna'ūṭ. The footnotes of the other two books are taken from the work edited by the *muḥaqqiq* 'Amr 'Abd al-Mun'im Salīm (this was also the main edition we relied upon for the translation), and some benefits and variant wordings have been taken from other editions. Any content in the footnotes from the translation team have been marked with [t]. Additions within the translation have been marked with square brackets (i.e. [example]).

If the reader notes any typos or mistakes in this work, please contact us via email. Books are nearly always in need of revision and review, as Nawāb Ṣiddīq Ḥasan Khān transmitted in his book *Abjad al-'Ulūm* (1/71):

وقد كتب أستاذ العلماء البلغاء القاضي الفاضل عبد الرحيم البيساني إلى العماد الأصفهاني معتذرا عن كلام استدركه عليه (إنه قد وقع لي شيء وما أدري أوقع لك أم لا وها أنا أخبرك به وذلك أني رأيت أنه لا يكتب إنسان كتابا في يومه إلا قال في غده: لو غير هذا لكان أحسن، ولو زيد لكان يستحسن، ولو قدم هذا لكان أفضل، ولو ترك هذا لكان أجمل. وهذا من أعظم العبر وهو دليل على استيلاء النقص على جملة البشر) انتهى.

Al-Ustādh al-'Ulamā, al-Bulaghā, al-Qāḍī, al-Fāḍil 'Abd al-Raḥīm al-Baysānī wrote to al-'Imād al-Aṣfahānī apologising for commenting on a matter he discussed, "Something occurred to me but I am not sure if it has occurred to you, so I will inform you of it: I have noted that one does not write something during a day except that he states during the morrow, 'Had I changed such-and-such to such-and-such, it would have been better, if I added such-and-such, it would improve and if I moved such-and-such text to a different place it would be better, and if I left this it would look better.' This is from the greatest of sentiments, and a proof that humans are all overcome by shortcomings."

نَفَعَ اللهُ تَعَالى بِهذه التَرجَمَةِ، كَمَا نَفَعَ بِأَصْلِهَا، في الحَيَاةِ وَبَعْدَ المَمَاتِ.

Adnan Karim
30th April 2020
Birmingham, UK

سير أعلام النبلاء

الإمام شمس الدين محمد بن أحمد بن عثمان الذهبي

(٦٧٣-٧٤٨)

ترجمة المؤلف
Author's Biography

الإِمَامُ الأَوْحَدُ، العَلاَّمَةُ المُفْتِي، الحَافِظُ النَّاقِدُ، مُحَدِّثُ الوَقْتِ، أَبُو بَكْرٍ أَحْمَدُ بنُ عَلِيِّ بنِ ثَابِتِ بنِ أَحْمَدَ بنِ مَهْدِيٍّ البَغْدَادِيُّ، صَاحِبُ التَّصَانِيْفِ، وَخَاتِمَةُ الحُفَّاظ.

He is the incomparable *imām*, the well-learned *muftī*, the *ḥāfiẓ* and the critic, the ḥadīth scholar of his time. Abu Bakr, Aḥmad ibn ʿAlī ibn Thābit ibn Aḥmad ibn Mahdī al-Baghdādī, the prolific author, the seal of all *ḥuffāẓ*.

وُلِدَ سَنَةَ اثْنَتَيْنِ وَتِسْعِيْنَ وَثَلاَثِ مائَة.

He was born in the year 392.

وَكَانَ أَبُوْهُ أَبُو الحَسَنِ خَطِيْباً بقَرْيَة دَرْزِيجَان، وَمِمَّنْ تَلاَ القُرْآن عَلَى أَبِي حَفْصٍ الكَتَّانِي، فَحَضَّ وَلَده أَحْمَدَ عَلَى السَّمَاع وَالفِقْه، فَسَمِعَ وَهُوَ ابْنُ إِحْدَى عَشْرَةَ سَنَةً، وَارْتَحَلَ إِلَى البَصْرَةِ وَهُوَ ابْنُ عِشْرِيْنَ سَنَةً، وَإِلَى نَيْسَابُوْرَ وَهُوَ ابْنُ ثَلاَثٍ وَعِشْرِيْنَ سَنَةً، وَإِلَى الشَّامِ وَهُوَ كَهل، وَإِلَى مَكَّةَ، وَغَيْر ذَلِكَ. وَكَتَبَ الكَثِيْرَ، وَتَقدَّمَ فِي هَذَا الشَّأْن، وَبَذَّ الأَقْرَان، وَجَمَعَ وَصَنَّفَ وَصحَّح، وَعلَّلَ وَجرَّحَ، وَعدَّلَ وَأَرَّخ وَأَوضح، وَصَارَ أَحْفَظَ أَهْلِ عصره عَلَى الإِطلاَق.

His father, Abu ʿl-Ḥasan was a *khaṭīb* in the city of Darzījān[1] who learned the Qurʾān under the tutelage of Abu Ḥafṣ Al-Katānī. He used to urge his

1 Yaqūt said, "It is a large town to the south west of Baghdad by the Tigris." The actual name of the city is Darzindān and was adapted in Arabic as Darzijān. It was misnamed as Darb Rayhān in *al-Bidāyat wa ʾl-Nihāyah* (12/101) and as Darīhān in *Tahdhīb Ibn ʿAsākir* and *Muʿjam al-Buldān* (2/450).

son Aḥmad to listen [to narrations] and to learn jurisprudence; and so he began listening to aḥādīth when he was only eleven years old and travelled to al-Basrah when he was twenty years old. He then travelled to Naysābūr when he was twenty three years old, and to al-Shām in his thirties (lit. middle-aged). He also travelled to Makkah and other places. He produced a great amount of literature and was advanced in his works to the extent that he overshadowed his peers. He compiled works, authored his own and edited works verifying the authenticity of their contents and that which was unauthentic he deemed unsound. He also praised and criticised narrators and clarified in his writings his deductions. He eventually became indisputably the [greatest ḥadīth master] of his time.

سَمِعَ: أَبَا عُمَر بن مَهْدِيّ الفَارِسِيّ، وَأَحْمَدَ بنَ مُحَمَّدِ بنِ الصَّلْت الأَهْوَازِيّ، وَأَبَا الحُسَيْنِ بنَ المُتيَّم، وَحُسَيْنَ بنَ الحَسَنِ الجوَالِيقِي ابْن العرِيف يَرْوِي عَنِ ابْنِ مَخْلَد العَطَّار، وَسَعْدَ بنَ مُحَمَّدٍ الشَّيْبَانِيّ سَمِعَ مِنْ أَبِي عَلِيٍّ الحصَائِرِي، وَعَبْدِ العَزِيْزِ بن مُحَمَّدٍ السُّتُورِي حَدَّثَهُ عَنْ إِسْمَاعِيْلَ الصَّفَّار، وَإِبْرَاهِيْمَ بنَ مَخْلَدِ بنِ جَعْفَرٍ البَاقِرحِي، وَأَبَا الْفرج مُحَمَّدَ بنَ فَارِس الغُورِي، وَأَبَا الفَضْل عبدَ الوَاحِد بنَ عَبْدِ العَزِيْزِ التَّمِيْمِيّ، وَأَبَا بَكْرٍ مُحَمَّدَ بنَ عَبْدِ اللهِ بن أَبَانٍ الهيتِي، وَمُحَمَّدَ بنَ عُمَرَ بنِ عِيْسَى الحَطِرَانِي، حَدثهُ عَنْ أَحْمَدَ بنِ إِبْرَاهِيْمَ البَلَدِي، وَأَبَا نَصر أَحْمَدَ بنَ مُحَمَّدِ بنِ أَحْمَدَ بنِ حَسَنُوْنَ النَّرْسِيّ، وَأَبَا القَاسِمِ الحَسَنَ بنَ الحَسَنِ بنِ المُنْذِر، وَالحُسَيْنَ بنَ عُمَرَ بن بَرْهَان، وَأَبَا الحَسَنِ بنَ رَزْقُوَيْه، وَأَبَا الفَتْح هِلاَلَ بنَ مُحَمَّدٍ الحَفَّار، وَأَبَا الفَتْح بنَ أَبِي الفوَارس، وَأَبَا العَلاَءِ مُحَمَّدَ بن الحَسَنِ الوَرَّاق، وَأَبَا الحُسَيْنِ بنَ بِشْرَان. وَيَنْزِلُ إِلَى أَنْ يَكتب عَنْ عبد الصَّمد بن المَأْمُوْنِ، وَأَبِي الحُسَيْنِ بنِ النَّقُّوْرِ، بَلْ نَزل إِلَى أَنْ رَوَى عَنْ تلاَمِذتِهِ كَنَصر المَقْدِسِيّ، وَابْنِ مَاكُوْلا، وَالحُمَيْدِيّ - وَهَذَا شَأْن كُلِّ حَافظ يَرْوِي عَنِ الكِبَار وَالصِّغَار -.

He heard from the likes of Abu 'Umar ibn Mahdī al-Fārisī, Aḥmad ibn Muḥammad ibn al-Ṣalt al-Ahwāzī, Abu 'l-Ḥusayn ibn al-Mutayyam, Ḥusayn ibn al-Ḥasan al-Jawālīqī ibn al-'Arīf (who narrated from Ibn Makhlad al-'Aṭṭār), Sa'd ibn Muḥammad al-Shaybānī (who heard from

Abu ʿAli al-Ḥaṣāirī[2]), ʿAbd al-ʿAzīz ibn Muḥammad al-Sutūrī[3] (who narrated from Ismāʿīl al-Ṣaffār[4]), Ibrāhīm ibn Makhlad ibn Jaʿfar al-Bāqarḥī[5], Abu ʿl-Farj Muḥammad ibn Fāris al-Ghūrī, Abu ʿl-Faḍl ʿAbd al-Wāḥid ibn ʿAbd al-ʿAzīz al-Tamīmī, Abu Bakr Muḥammad ibn ʿAbdullāh Ibn Abān al-Hītī[6] and Muḥammad ibn ʿUmar ibn ʿIsā al-Ḥāṭirānī[7] who reported to him from Aḥmad ibn Ibrāhīm al-Baladī, Abu Naṣr Aḥmad ibn Muḥammad ibn Aḥmad ibn Ḥasnūn al-Narsī, Abu ʿl-Qāsim al-Ḥasan ibn al-Mundhir, al-Ḥusayn ibn ʿUmar ibn Barhān, Abu ʿl-Ḥasan ibn Razquwayh, Abu ʿl-Fatḥ Hilāl ibn Muḥammad al-Ḥaffar, Abu ʿl-Fatḥ ibn Abī al-Fawāris, Abu ʿl-ʿAlā Muḥammad ibn al-Ḥasan al-Warrāq, Abu Ḥusayn ibn Bishrān. He descended (i.e. reporting from narrators lower in the chains) to the extent that he recorded from ʿAbd al-Ṣamad ibn al-Māʾmūn and Abu ʿl-Ḥusayn ibn al-Naqqūr, and he even narrated from his students like Naṣr al-Maqdasī, Ibn Maqūlā and al-Ḥumaydī. The fact that he narrated from the old and young is a characteristic prevalent in each and every *hafiz*.

وَسَمِعَ بعُكْبَرَا مِنَ: الحُسَيْن بن مُحَمَّدٍ الصَّائِغ حَدَّثَهُ عَنْ نَافلَة عَلِيِّ بنِ حَرْبٍ.

In ʿUkbarā, he heard from al-Ḥusayn ibn Muḥammad al-Ṣāʾigh who narrated to him from Nāfilat ʿAlī ibn Ḥarb.

وَلحق بِالبَصْرَةِ أَبَا عُمَر الهَاشِمِيّ شَيْخه فِي (السُّنَن)، وَعَلِيُّ بنَ القَاسِمِ الشَّاهد، وَالحَسَنَ بنَ عَلِيٍّ السَّابورِي، وَطَائِفَة.

He met Abu ʿUmar al-Hāshimī in al-Basrah, his teacher of *al-Sunan* [Abī Dāwūd].[8] He also met ʿAlī ibn al-Qāsim al-Shāhid and al-Ḥasan ibn ʿAlī al-

2 His name was ʿAlī al-Ḥasan ibn Ḥabīb al-Dimashqi al-Ḥasāʾirī. It is mentioned in *al-Tawḍīḥ* (1/205/2) that he was known as al-Husrī.

3 He died in the year 415 H. His biography was mentioned in *al-Ansāb* (7/41) by al-Samaʿānī. The attribution al-Sutūrī is either for the custodian of the curtains and gates, as was the norm for kings to undertake, or due to carrying the curtains of the Kaʿbah.

4 His name was Ismāʿīl ibn Muḥammad ibn Ismāʿīl al-Ṣafār.

5 He died in the year 410 H. as was mentioned by the author in *Tadhkirat al-Ḥuffāẓ* (3/1051). His name was misspelt as (الباخرحي) in the same book (3/1136).

6 Referring to the city of Hīt which is on the banks of the Euphrates just beyond al-Anbar. See *al-Lubab* (3/397).

7 See *al-Ansab* (4/169) for his biography.

8 [T] Al-Khaṭīb said, "I heard *Sunan Abī Dāwūd* and other than it from him." (*Siyar:*

Sābūrī amongst others.

وَسَمِعَ بِنَيْسَابُوْرَ: القَاضِي أَبَا بَكْرٍ الحِيْرِيّ، وَأَبَا سَعِيْدٍ الصَّيْرَفِيّ، وَأَبَا القَاسِمِ عَبْد الرَّحْمَنِ السَّرَّاج، وَعَلِيّ بن مُحَمَّدٍ الطِّرَازِي، وَالحَافِظ أَبَا حَازِمٍ العَبدُوني، وَخَلْقاً.

While in Naysābūr he heard from al-Qāḍī Abu Bakr al-Ḥīrī, Abu Sa'īd al-Ṣayrafī, Abu 'l-Qāsim 'Abd al-Raḥmān al-Sirāj, 'Alī ibn Muḥammad al-Ṭirāzī, al-Ḥāfiẓ Abu Ḥāzim al-'Abadūnī amongst others.

وَبِأَصْبَهَانَ: أَبَا الحَسَنِ بنَ عبدكُويه، وَأَبَا عَبْدِ اللهِ الجَمَّال، وَمُحَمَّدَ بن عَبْد اللهِ بن شَهْرِيَار، وَأَبَا نُعَيْمٍ الحَافِظ.

And in Aṣbahān, he [took ḥadīth] from Abu 'l-Ḥasan ibn 'Abd Kuwayh, Abu 'Abdullāh al-Jammāl, Muḥammad ibn 'Abdullāh ibn Shariyār, Abu Nu'aym al-Ḥāfiẓ.

وَبَالدَّينور: أَبَا نَصْر الكسَّار.

In al-Daynūr he [took ḥadīth] from Abu Naṣr al-Kisār.

وَبِهَمَذَان: مُحَمَّدَ بنَ عِيْسَى، وَطَبَقَته.

In Hamadhān, he [took ḥadīth] from Muḥammad ibn 'Isā, and those in his generation.

وَسَمِعَ بِالرَّيّ وَالكُوْفَة وَصُوْر وَدِمَشْق وَمَكَّة.

He heard ḥadīth from scholars in al-Rayy, Kūfah, Ṣūr, Damascus and Makkah.

وَكَانَ قدومُهُ إِلَى دِمَشْقَ فِي سَنَةِ خَمْسٍ وَأَرْبَعِيْنَ، فَسَمِعَ مِنْ مُحَمَّدِ بنِ عَبْدِ الرَّحْمَنِ بنِ أَبِي نَصْرٍ التَّمِيْمِيّ، وَطَبَقَته. وَاسْتوطنهَا، وَمِنْهَا حَجَّ، وَقرَأَ (صَحِيْح البُخَارِيّ) عَلَى كَرِيْمَة فِي أَيَّامِ المَوْسِم.

17/226).

He arrived at Damascus in the year 445 and heard ḥadīth from Muḥammad ibn ʿAbd al-Raḥmān ibn Abī Naṣr al-Tamīmī and his ilk. He took up residence there and made the Hajj pilgrimage from Damascus. He recited *Ṣaḥīḥ al-Bukhārī* under the supervision of Karīmah[9] during the Hajj season.

وَأَعْلَى مَا عِنْدَهُ حَدِيثُ مَالِك، وَحَمَّاد بن زَيْد، بَيْنَهُ وَبَيْنَ كُلٍّ مِنْهُمَا ثَلَاثَةُ أَنْفُس.

The highest chain of narration he had is the ḥadīth reported from Mālik and Ḥammād ibn Zayd, there are three narrators between him and each one of them.

حَدَّثَ عَنْهُ: أَبُو بَكْرٍ البَرْقَانِيّ؛ وَهُوَ مِنْ شُيُوخِهِ، وَأَبُو نَصْرِ بنُ مَاكُوْلَا، وَالفَقِيهُ نَصْر، وَالحُمَيْدِيُّ، وَأَبُو الفَضْلِ بنُ خَيْرُوْنَ، وَالمُبَارَكُ بنُ الطُّيُوْرِيّ، وَأَبُو بَكْرِ بنُ الخَاضِبَة، وَأُبَيُّ النَّرْسِيّ، وَعَبْدُ اللهِ بنُ أَحْمَدَ بنِ السَّمَرْقَنْدِيّ، وَالمرتَضَى مُحَمَّدُ بنُ مُحَمَّدٍ الحُسَيْنِيّ، وَمُحَمَّدُ بنُ مَرْزُوْقٍ الزَّعْفَرَانِيّ، وَأَبُو القَاسِم النَّسِيْب، وَهِبَةُ اللهِ بنُ الأَكْفَانِي، وَمُحَمَّدُ بنُ عَلِيِّ بنِ أَبِي العَلَاءِ المَصِّيْصِيّ، وَغِيْثُ بنُ عَلِيٍّ الأَرْمَنَازِي، وَأَحْمَدُ بنُ أَحْمَدَ المتوكِلِي، وَأَحْمَدُ بنُ عَلِيٍّ بنِ المُجْلِي، وَهِبَةُ اللهِ بنُ عَبْدِ اللهِ الشُّرُوطِي، وَأَبُو الحَسَنِ بنُ سَعِيد، وَطَاهِرُ بنُ سَهْلٍ الإِسفَرَايِينِيّ، وَبَرَكَاتُ النَّجَاد، وَعَبْدُ الكَرِيْمِ بنُ حَمْزَةَ، وَأَبُو الحَسَنِ عَلِيُّ بنُ أَحْمَدَ بنِ قبيس المَالِكِيّ، وَأَبُو الفَتْحِ نَصْرُ اللهِ بن مُحَمَّدٍ المَصِّيْصِيّ، وَقَاضِي المَارِسْتَان أَبُو بَكْرٍ، وَأَبُو القَاسِم إِسْمَاعِيْلُ بنُ أَحْمَدَ بنِ السَّمَرْقَنْدِيّ، وَأَبُو بَكْرٍ مُحَمَّدُ بنُ الحُسَيْنِ المَزْرَفِي، وَأَبُو مَنْصُورٍ الشَّيْبَانِيّ؛ رَاوِي (تَارِيخِهِ)، وَأَبُو مَنْصُورٍ بنُ خَيْرُوْنَ المُقْرِئُ، وَبَدْرُ بنُ عَبْدِ اللهِ الشِّيحِي، وَالزَّاهِدُ يُوْسُفُ بنُ أَيُّوْبَ الهَمَذَانِيّ، وَهِبَةُ اللهِ بنُ عَلِيٍّ المُجْلِي، وَأَخُوْهُ أَبُو السعُوْد أَحْمَد، وَأَبُو الحُسَيْنِ بنُ أَبِي يَعْلَى، وَأَبُو الحُسَيْنِ بنُ بُوَيْه، وَأَبُو البَدْرِ الكَرْخِيّ، وَمفلحُ الدُّومِيُّ، وَيَحْيَى بنُ الطَّرَّاح، وَأَبُو الفَضْل

---

9 I.e. al-Marwaziyyah. [T] She was a famous narrator of *Ṣaḥīḥ al-Bukhārī*. She died during the year 463 H.

الأُرْمَوِيُّ، وَعددٌ يَطول ذكرهُم.

The following people narrated from him: Abu Bakr al-Barqānī, who was one of his teachers, Abu Naṣr ibn Makūlā, al-Faqīh Naṣr, al-Ḥumaydī, Abu 'l-Faḍl ibn Khayrūn, al-Mubārak ibn al-Ṭuyūrī, Abu Bakr ibn al-Khāḍibah, Abu al-Narsī, 'Abdullāh ibn Aḥmad ibn al-Samarqandī, al-Murtaḍā Muḥammad ibn Muḥammad al-Ḥusaynī, Muḥammad ibn Marzūq al-Za'farānī, Abu 'l-Qāsim al-Nasīb, Hibatullāh ibn al-Akfānī, Muḥammad ibn 'Alī ibn Abī al-'Alā al-Maṣīsī, Ghayth ibn 'Alī al-Armanāzī, Aḥmad ibn Aḥmad al-Mutawakkilī, Aḥmad ibn 'Alī ibn al-Mujlī, Hibatullahī ibn 'Abdullāh al-Shurūṭī, Abu 'l-Ḥasan ibn Sa'īd, Ṭāhir ibn Sahl al-Isfarāyīnī, Barkāt al-Najād, 'Abd al-Karīm ibn Ḥamzah, Abu 'l-Ḥasan 'Alī ibn Aḥmad ibn Qabīs al-Mālikī, Abu 'l-Fatḥ Naṣrullah ibn Muḥammad al-Miṣīṣī, the judge of al-Mārstān Abu Bakr, Abu 'l-Qāsim Ismā'īl ibn Aḥmad ibn al-Samarqandī, Abu Bakr Muḥammad ibn al-Ḥusayn al-Mazrafī, Abu Manṣūr al-Shaybānī—who narrated his *Tārīkh*, Abu Manṣūr ibn Khayrūn al-Muqrī, Badr ibn 'Abdullāh al-Shīhī, al-Zāhid Yūsuf ibn Ayyūb al-Hamdhānī, Hibatullāh ibn 'Alī al-Mujlī and his brother Abu 'l-Sa'ūd Aḥmad, Abu 'l-Ḥusayn ibn Abī Ya'lā, Abu 'l-Ḥusayn ibn Buwayh, Abu 'l-Badr al-Karkhī, Mufliḥ al-Dūmī, Yaḥyā ibn al-Ṭarrāḥ, Abu 'l-Faḍl al-Urmawī and many others.

وَكَانَ مِنْ كِبَارِ الشَّافِعِيَّة، تَفَقَّهَ عَلَى أَبِي الحَسَنِ بن المَحَامِلِيّ، وَالقَاضِي أَبِي الطَّيِّب الطَّبرِي.

He was amongst the great scholars of the Shāfi'ī school. He learnt the science of jurisprudence from Abu 'l-Ḥasan ibn al-Muḥāmilī and al-Qāḍī Abu 'l-Ṭayyib al-Ṭabarī.

قَالَ أَبُو مَنْصُورِ بنُ خَيْرُوْنَ: حَدَّثَنَا الخَطِيْبُ أَنَّهُ وُلِدَ فِي جُمَادَى الآخِرَة سَنَة ٣٩٢، وَأَوّل مَا سَمِعَ فِي المُحَرَّمِ سَنَة ثَلاَثٍ وَأَرْبَعِ مائَة.

Abu Manṣūr ibn Khayrūn[10] said, "Al-Khaṭīb narrated to us that he was born in the month of Jumādā al-Ākhirah during the year 392. His first listening [of ḥadīth] took place during the month of Muḥarram in the year 403.[11]

10 His name is Abu Manṣūr Muḥammad ibn 'Abd al-Malik ibn al-Ḥasan ibn Aḥmad ibn Khayrūn al-Baghdādī al-Muqri' al-Dabbās who died in the year 530 H.

11 See *al-Muntaẓam* (8/265) and *al-Mustafād min Dhayl Tārīkh Baghdād* by Ibn

قَالَ أَحْمَدُ بنُ صَالِحِ الجِيلِي: تَفَقَّهَ الخَطِيْبُ، وَقَرَأَ بِالقِرَاءات، وَارْتَحَلَ وَقَرب مِنْ رَئِيْس الرُّؤَسَاء، فَلَمَّا قبض عَلَيْهِ البَسَاسِيرِيُّ اسْتَتر الخَطِيْبُ، وَخَرَجَ إِلَى صُوْر، وَبِهَا عِزُّ الدَّوْلَة؛ أَحَدُ الأَجْوَاد، فَأَعْطَاهُ مَالاً كَثِيْراً. عمل نَيِّفاً وَخَمْسِيْنَ مُصَنّفاً، وَانْتَهى إِلَيْهِ الحِفْظُ، شَيَّعه خلقٌ عَظِيْم، وَتَصدَّق بِمائَتَيْ دِيْنَار، وَأَوْقَف كتبه، وَاحترق كَثِيْر مِنْهَا بَعْدَهُ بِخَمْسِيْنَ سَنَةً.

Aḥmad ibn Ṣāliḥ al-Jīlī said, "Al-Khaṭīb learned *fiqh* and the various recitations of the Qur'ān. He then travelled and was close to the leader of leaders (Raīs al-Ru'asā).[12] However, when the latter was captured by al-Basāsīrī, al-Khaṭīb kept out of sight and departed to Ṣūr. 'Izz al-Dawlah ruled there and was one of the most generous men, and so he gave him a large amount of money. He authored more than fifty works. He reached the utmost level of *ḥifẓ*. A large number of people partook in his funeral procession. He had given two hundred dinars as charity and had pledged his books as a *waqf*, most of which were burned fifty years after his demise."

وَقَالَ الخَطِيْبُ: اسْتَشرتُ البَرْقَانِي فِي الرّحلَة إِلَى أَبِي مُحَمَّدٍ بن النَّحَّاسِ بِمِصْرَ، أَوْ إِلَى نَيْسَابُوْرَ إِلَى أَصْحَاب الأَصَمّ، فَقَالَ: إِنَّك إِن خَرَجتَ إِلَى مِصْرَ إِنَّمَا تَخرُجُ إِلَى وَاحِد، إِنْ فَاتَكَ، ضَاعت رِحْلَتُكَ، وَإِن خَرَجتَ إِلَى نَيْسَابُوْرَ، فَفِيْهَا جَمَاعَة، إِنَّ فَاتك وَاحِدٌ، أَدْرَكْتَ مَنْ بَقِيَ. فَخَرَجتُ إِلَى نَيْسَابُوْر.

Al-Khaṭīb said, "I asked al-Barqanī for his advice on whether I should travel to hear from Abu Muḥammad ibn al-Naḥḥās in Egypt, or to Naysābūr to learn from the companions of al-Aṣam. He said to me, 'If you leave to Egypt, then you are leaving to see one individual. If you miss him then your journey would be wasted. However if you travel to Naysābūr there are many individuals gathered there. If you would miss one of them, you would still be able to hear from the rest.' Thus I left for Naysābūr."[13]

قَالَ الخَطِيْبُ فِي (تَارِيْخِهِ): كُنْتُ أُذَاكِرُ أَبَا بَكْرٍ البَرْقَانِي بِالأَحَادِيْث، فِيكتُبُهَا

al-Dimyāṭī (p. 57).

12 He was Abu 'l-Qāsim 'Alī ibn al-Ḥasan ibn al-Musallamah.

13 See *Tadhkirat al-Ḥuffāẓ* (3/1137) and *Ṭabaqāt al-Subkī* (4/30).

عَنِّي، وَيُضمنها جُمُوْعَه، وَحَدَّث عَنِّي وَأَنَا أَسْمَعُ وَفِي غَيبتِي، وَلَقَدْ حَدَّثَنِي عِيْسَى بنُ أَحْمَدَ الهَمَذَانِيّ، أَخْبَرَنَا أَبُو بَكْرٍ الخُوَارَزْمِي سَنَة عِشْرِيْنَ وَأَرْبَعِ مئَة، حَدَّثنَا أَحْمَدُ بنُ عَلِيّ بنِ ثَابِتٍ، حَدَّثَنَا مُحَمَّدُ بنُ مُوْسَى الصَّيْرَفِيّ، حَدَّثَنَا الأَصَمّ ... ، فَذَكَرَ حَدِيْثاً.

Al-Khaṭīb said in his *Tārīkh*, "I was reviewing ḥadīth with Abu Bakr al-Barqānī, and then he would write what he heard from me and included the narrations in his compilation. He narrated from me in my presence and when I was absent. 'Īsā ibn Aḥmad al-Hamadhānī narrated to me: Abu Bakr al-Khuwārazmī reported to us during the year 420—Aḥmad ibn 'Alī ibn Thābit—Muḥammad ibn Mūsā al-Ṣayrafī—al-Aṣam [...] then he mentioned the ḥadīth."

قَالَ ابْنُ مَاكُوْلا: كَانَ أَبُو بَكْرٍ آخِر الأَعيَان، مِمَّنْ شَاهدنَاهُ مَعْرِفَةً، وَحفظاً، وَإِتقَاناً، وَضبطاً لِحَدِيْث رَسُوْل اللهِ - صَلَّى اللَّهُ عَلَيْهِ وَسَلَّمَ - وَتَفَنُّناً فِي عِلَلِهِ وَأَسَانِيْده، وَعِلماً بصَحِيْحه وَغرِيبه، وَفردِه وَمنكره وَمَطْرُوحِه، وَلَمْ يَكُنْ لِلبغدَادِيين - بَعْد أَبِي الحَسَنِ الدَّارَقُطْنِيّ - مِثْله. سَأَلت أَبَا عَبْدِ اللهِ الصُّوْرِيّ عَنِ الخَطِيْب وَأَبِي نَصرٍ السِّجْزِيّ: أَيُّهُمَا أَحْفَظ؟ فَفَضَّل الخَطِيْب تَفْضِيْلاً بَيِّناً.

Ibn Mākūlā said, "Abu Bakr [al-Baghdādi] was the last[14] of the notables. I witnessed his sharp memory, great knowledge, accuracy and precision with the narrations of the Messenger ﷺ. He was a master in finding hidden mistakes and analysing the *isnāds*, in the knowledge of the authenticity of narrations and [the weak and rejected types.] There came no one in Baghdad after Abu 'l-Ḥasan al-Dāraquṭnī similar to him. I asked Abu 'Abdullāh al-Ṣūrī, 'Who possesses greater memorisation, al-Khaṭīb or Abu Naṣr al-Sijzī?' He replied, 'The merit of al-Khaṭīb excels that of the other.'"[15]

قَالَ المُؤْتَمَن السَّاجِيّ: مَا أَخرَجت بَغْدَادُ بَعْد الدَّارَقُطْنِيّ أَحْفَظَ مِنْ أَبِي بَكْرٍ الخَطِيْب.

14 In *al-Mustfād min Dhayl Tārīkh Baghdād* it says: "Was one of the ..."
15 See *Tadhkirat al-Ḥuffāẓ* (3/1137).

Al-Mu'taman al-Sājī said, "After al-Dāraquṭnī, a stronger *ḥafiẓ* than al-Khaṭīb has not emerged from Baghdad."[16]

وَقَالَ أَبُو عَلِيٍّ البَرَدَانِي: لَعَلَّ الخَطِيْبَ لَمْ يَرَ مِثْلَ نَفْسه.

Abu 'Alī al-Baradānī said, "It is possible that al-Khaṭīb did not meet one equal to himself."[17]

أَنْبَأَني بِالقولين المُسَلَّم بنُ مُحَمَّدٍ، عَنِ القَاسِمِ بنِ عَسَاكِر، حَدَّثنا أَبِي، حَدَّثَنَا أَخِي هِبَةُ اللهِ، حَدَّثَنَا أَبُو طَاهِرٍ السِّلَفِيُّ، عَنْهُمَا.

I heard the previous two statements from al-Musallam ibn Muḥammad who heard it from al-Qāsim ibn 'Asākir, from his father, from his brother Hibatullāh, from Abu Ṭāhir al-Salafī, who heard it from the two narrators.

وَقَالَ أَبُو إِسْحَاقَ الشيرَازِيُّ الفَقِيْهُ: أَبُو بَكْرٍ الخَطِيْبُ يُشَبَّهُ بِالدَّارَقُطْنِيّ وَنُظَرَائِهِ فِي مَعْرِفَةِ الحَدِيْث وَحفظه.

Abu Isḥāq al-Shayrāzī, the jurist said, "Abu Bakr al-Khaṭīb was the like of al-Dāraquṭnī and his peers in terms of his knowledge of ḥadīth and his *ḥifẓ*."[18]

وَقَالَ أَبُو الفتيَان الحَافِظ: كَانَ الخَطِيْبُ إِمَامَ هَذِهِ الصَّنعَة، مَا رَأَيْتُ مِثْله.

Abu Fatyān al-Ḥāfiẓ said, "Al-Khaṭīb was the *imām* of this science, I have not seen an individual similar to him."[19]

قَالَ أَبُو القَاسِمِ النَّسِيْب: سَمِعْتُ الخَطِيْب يَقُوْلُ: كتب مَعِي أَبُو بَكْرٍ البَرْقَانِيّ كِتَاباً إِلَى أَبِي نُعَيْمٍ الحَافِظ يَقُوْلُ فِيْهِ: وَقَدْ رَحَلَ إِلَى مَا عِنْدَكَ أَخونَا أَبُو بَكْرٍ - أَيَّده

16 *Tadhkirat al-Ḥuffāẓ* (3/1137), *Tahdhīb Ibn 'Asākir* (1/400) and *Ṭabaqāt al-Subkī* (4/31).

17 *Tadhkirat al-Ḥuffāẓ* (3/1138), *Ṭabaqāt al-Subkī* (4/32), and *Tahdhīb Ibn 'Asākir* (1/300-301).

18 *Tadhkirat al-Ḥuffāẓ* (3/1138), *Ṭabaqāt al-Subkī* (4/32) and *Tahdhīb Ibn 'Asākir* (1/301).

19 See *Ṭabaqāt al-Subkī* (4/32).

الله وَسلَّمه - لِيقتبِسَ مِنْ علُومك، وَهُوَ - بِحَمْد الله - مِمَّنْ لَهُ فِي هَذَا الشَّأْن سَابِقَةٌ حَسَنَة، وَقَدَمٌ ثَابِت، وَقَدْ رَحل فِيْهِ وَفِي طلبه، وَحصل لَهُ مِنْهُ مَا لَمْ يَحصل لِكَثِيْرٍ مِنْ أَمثَاله، وَسيظهر لَكَ مِنْهُ عِنْد الاجتمَاع مِنْ ذَلِكَ مَعَ التَّورُّع وَالتَّحفُّظ مَا يَحْسُنُ لديك موقعُه.

Abu 'l-Qāsim al-Nasīb said, "I heard al-Khaṭīb say, 'Abu Bakr al-Barqānī wrote a letter to al-Ḥafiẓ Abu Nu'aym and sent it with me wherein he said, 'Our brother, Abu Bakr [al-Khaṭīb], may Allah aid and protect him, wishes to travel to learn from the knowledge you have; and he is from those—praise be to Allah—who have a strong footing in this field and those who have travelled to pursue knowledge of it and to seek it. He succeeded in [his pursuit of] it in a manner that many of his peers could not achieve. This is something that you will notice once you come to meet him, alongside his piety and cautiousness, qualities that will cause you to like him immensely.'''[20]

قَالَ عَبْدُ العَزِيْزِ بنُ أَحْمَدَ الكَتَّانِي: سَمِعَ مِنَ الخَطِيْب شَيْخه أَبُو القَاسِمِ عُبَيْد اللهِ الأَزْهَرِيّ فِي سَنَةِ اثْنَتَيْ عَشْرَةَ وَأَرْبَعِ مئَة. وَكَتَبَ عَنْهُ شَيْخُهُ البَرْقَانِيّ، وَرَوَى عَنْهُ.

'Abd al-'Azīz ibn Aḥmed al-Katānī said, "Al-Khaṭīb narrated ḥadīth to his teacher, Abu 'l-Qāsim 'Ubaydullāh al-Azharī during the year 412, and his teacher al-Barqānī narrated and recorded from him.

وَعلَّقَ الفِقْهَ عَنْ أَبِي الطَّيِّب الطَّبَرِيّ، وَأَبِي نَصْرٍ بن الصَّبَّاغ، وَكَانَ يَذْهَبُ إِلَى مَذْهَب أَبِي الحَسَنِ الأَشْعَرِيّ رَحِمَهُ اللهُ.

In *fiqh* he studied with Abu 'l-Ṭayyib al-Ṭabarī and Abu Naṣr ibn al-Ṣabbāgh. He followed the *madhhab* of Abu 'l-Ḥasan al-Ash'arī ﵀."[21]

قُلْتُ: صَدَقَ. فَقَدْ صرَّح الخَطِيْبُ فِي أَخْبَار الصِّفَات أَنَّهَا تُمَرُّ كَمَا جَاءت بِلاَ تَأْوِيل.

I (al-Dhahabī) say: He stated the truth. Al-Khaṭīb has declared explicitly in

20 See *Mu'jam al-Udabā'* (4/41-42) and *Tahdhīb Ibn 'Asākir* (1/401).
21 See *Ṭabaqāt al-Subkī* (4/32) and *al-Wāfī* (7/196).

the narrations of the *ṣifāt* (attributes of Allah) that they are mentioned how they come and without *taʾwīl*.

قَالَ الحَافِظُ أَبُو سَعْدٍ السَّمْعَانِيُّ فِي (الذَّيل) :كَانَ الخَطِيْب مَهِيْباً وَقُوْراً، ثِقَة مُتحرياً، حُجّة، حَسَنَ الخطّ، كَثِيْرَ الضَّبْطِ، فَصِيْحاً، خُتِمَ بِهِ الحُفَّاظ، رَحَلَ إِلَى الشَّامِ حَاجّاً، وَلقِي بِصُوْر أَبَا عَبْدِ اللهِ القُضَاعِي، وَقرَأَ (الصَّحِيْح) فِي خَمْسَة أَيَّام عَلَى كَرِيْمَة المروزِيَّة، وَرجع إِلَى بَغْدَادَ، ثُمَّ خَرَجَ مِنْهَا بَعْد فِتْنَة البسَاسيري لِتشويش الوَقْت إِلَى الشَّامِ، سَنَة إِحْدَى وَخَمْسِيْنَ، فَأَقَامَ بِهَا، وَكَانَ يَزورُ بَيْتَ المَقْدِس، وَيَعُوْدُ إِلَى صُوْر، إِلَى سَنَةِ اثْنَتَيْنِ وَسِتِّيْنَ، فتوجّه إِلَى طَرَابُلُس، ثُمَّ مِنْهَا إِلَى حلب، ثُمَّ إِلَى الرَّحبَة، ثُمَّ إِلَى بَغْدَادَ، فَدَخلهَا فِي ذِي الحِجَّةِ. وَحَدَّثَ بِحَلَب وَغَيْرِهَا.

Al-Ḥāfiẓ Abu Saʿd al-Samʿānī said in *al-Dhayl*, "Al-Khaṭīb was majestic yet dignified, he was reliable and investigative, he was a *ḥujjah*. He possessed beautiful handwriting and an abundance of precision and eloquence. He was the seal of the *ḥuffaẓ*. He travelled towards Shām on the way to Hajj and he met Abu ʿAbdullah al-Qudāʿī in Ṣūr and read *Ṣaḥīḥ al-Bukhārī* before Karīmah al-Marwaziyyah in five days. Then he returned to Baghdad and left there for Shām in the year 451 after the *fitnah* of al-Basāsīrī arose, which caused turmoil during that time. He took residence there and he would visit Bayt al-Maqdis and return to Ṣūr and remained doing so until the year 462, when he travelled to Tarābulus, then to Ḥalab, then to al-Rahbah, and finally returning to Baghdad in the month of Dhu ʿl-Ḥijjah. He narrated ḥadīth in Ḥalab and the other locations [on the way].[22]

السَّمْعَانِيّ: سَمِعْتُ الخَطِيْب مَسْعُوْدَ بنَ مُحَمَّد بِمَرْو، سَمِعْتُ الفَضْلَ ابن عُمَرَ النَّسَوِي يَقُوْلُ: كُنْتُ بِجَامِع صُوْر عِنْد أَبِي بَكْرٍ الخَطِيْب، فَدَخَلَ عَلوِي وَفِي كُمِّه دَنَانِيْر، فَقَالَ: هَذَا الذَّهبُ تَصرِفُهُ فِي مُهِمَّاتِكَ. فقطّب فِي وَجهه، وَقَالَ: لاَ حَاجَةَ لِي فِيْهِ. فَقَالَ: كَأَنَّكَ تَسْتَقِلُّهُ، وَأَرْسَله مِنْ كُمِّهِ عَلَى سَجَّادَةَ الخَطِيْب. وَقَالَ: هَذِهِ ثَلاَثُ مئة دِيْنَارٍ. فَقَامَ الخَطِيْبُ خَجِلاً مُحْمَراً وَجهُهُ، وَأَخَذَ سجَادَته،

22 See *al-Wāfī* (7/194), *al-Muntaẓam* (8/265) and *Muʿjam al-Udabāʾ* (4/18).

وَرَمَى الدَّنَانِيْر، وَرَاح. فَمَا أَنَى عِزَّهُ وَذُلَّ العَلَوِيّ وَهُوَ يَلْتَقِطُ الدَّنَانِيْر مِنْ شُقُوق الحصِيْر.

Al-Sam'ānī narrated that he heard al-Khaṭīb Mas'ūd ibn Muḥammad in Marw say that he heard al-Faḍl ibn 'Amr al-Nasawī say, "I was in the *masjid* of Ṣūr with Abu Bakr al-Khaṭīb. An individual who was an 'Alawi (a group that claims to follow 'Alī ibn Abī Ṭālib ﷺ) entered and he had some dinars in his sleeve. He said, 'This gold is at your disposal in order to cover your expenses.'

Al-Khaṭīb frowned and said, 'I have no need for this.'

He said, "It seems you find it a small amount," and then removed the dinars from his sleeve, placing them upon the rug of al-Khaṭīb and stating, "These coins amount to three hundred dinars."

Al-Khaṭīb's face became red out of shame. He stood and took his rug, dropping the coins upon the floor and then he departed. He demonstrated dignity, leaving that 'Alawi man in humiliation picking up the dinars from the cracks of the mat.

ابْنُ نَاصِرٍ: حَدَّثَنَا أَبُو زَكَرِيَّا التبريزيُّ اللُّغَوِيّ قَالَ: دَخَلْتُ دِمَشْق، فَكُنْتُ أَقرَأُ عَلَى الخَطِيْب بحلْقَته بِالجَامِع كُتُبَ الأَدب المسموعَة، وَكُنْت أَسكنُ منارَة الجَامِع، فَصَعِدَ إِلَيَّ، وَقَالَ: أَحْبَبْتُ أَنْ أَزورَكَ فِي بَيْتك. فَتحدّثنَا سَاعَةً. ثُمَّ أَخرج ورقَة، وَقَالَ: الهديَّةُ مُسْتحبَة، تَشترِي بِهَذَا أَقلاَماً. وَنهضَ، فَإِذَا خَمْسَةُ دَنَانِيْر مصريَّة، ثُمَّ صَعِدَ مَرَّةً أُخْرَى، وَوَضَعَ نَحْواً مِنْ ذَلِكَ. وَكَانَ إِذَا قرَأَ الحَدِيْثَ فِي جَامِع دِمَشْق يُسْمَعُ صَوْتُهُ فِي آخِر الجَامِع، وَكَانَ يَقرَأُ مُعْرَباً صَحِيْحاً.

Ibn Nāṣir narrates from Abu Zakariyyā al-Tabrīzi, the linguist, "I travelled to Damascus where I used to read to al-Khaṭīb in his circle of knowledge in the *Jāmi'* [mosque] some of the known works of literature. At the time I lived in the minaret of the *Jāmi'*. [One day] he ascended the minaret to visit me. He said to me, "I wanted to visit you in your home." We had a conversation for a while and then he took out some papers to offer to me. He said, "Exchanging gifts is recommended (*mustaḥabb*), you can use to it buy some pens." He then got up and left. After he left, I found that he left [for me] five Egyptian dinars. In another incident, he visited me at the minaret again, and gave me something similar to the previous gift. When he would narrate ḥadīth in the *Jāmiʿ* mosque of Damascus, his voice could be heard on the far side of mosque, and he would read each word with the correct grammatical declension.[23]

قَالَ السَّمْعَانِيّ: سَمِعْتُ مِنْ سِتَّةَ عَشَرَ نَفْساً مِنْ أَصْحَابِهِ، وَحَدَّثَنَا عَنْهُ يَحْيَى بن عَلِيٍّ الخَطِيْب، سَمِعَ مِنْهُ بِالأَنبار، قَرَأْتُ بخطِّ أَبِي، سَمِعْتُ أَبَا مُحَمَّدٍ بن الآبَنُوْسِيّ، سَمِعْتُ الخَطِيْب يَقُوْلُ: كُلَّمَا ذكرتُ فِي (التَّارِيْخ) رَجُلاً اخْتلفتْ فِيْهِ أَقَاوِيلُ النَّاسِ فِي الْجرْح وَالتَّعديل، فَالتَّعويلُ عَلَى مَا أَخَّرْتُ وَخَتَمْتُ بِهِ التَّرْجَمَة.

Al-Samʿānī said, "I heard ḥadīth from sixteen individuals from his companions, and Yaḥyā ibn ʿAlī al-Khāṭīb narrated to us from him as he heard him in al-Anbār. I read in the handwriting of my father, that my father heard Abu Muḥammad ibn al-Abanūsī state, 'I heard al-Khaṭīb say, 'Every time I mention a person in *al-Tārīkh* whom the scholars disputed over his credibility, my view [of the person] is that which I mention at the end of his biography.''"[24]

قَالَ ابْنُ شَافع: خَرَجَ الخَطِيْبُ إِلَى صُوْر، وَقصدهَا وَبِهَا عِزُّ الدَّوْلَة، المَوْصُوْفُ بِالكرم، فتقرب مِنْهُ، فَانْتَفَعَ بِهِ، وَأَعْطَاهُ مَالاً كَثِيْراً. قَالَ: وَانْتَهَى إِلَيْهِ الحِفْظُ وَالإِتْقَان، وَالقِيَامُ بعلُوْم الحَدِيْث.

Ibn Shāfiʿī said, "Al-Khaṭīb left for Ṣūr when it was ruled by ʿIzzu 'l-Dawlah, who was known for being generous. He drew close to him and he availed of his company and gave him great amounts of money. He was crowned as the master of *ḥifẓ* and precision, and he was the most knowledgeable in the sciences of ḥadīth."[25]

قَالَ الحَافِظُ ابْنُ عَسَاكِرَ: سَمِعْتُ الحُسَيْنَ بن مُحَمَّد يَحكِي، عَنِ ابْنِ خَيْرُوْنَ

23 *Tadhkirat al-Ḥuffāẓ* (3/1138-1139).
24 *Tadhkirat al-Ḥuffāẓ* (3/1138-1139).
25 *Tadhkirat al-Ḥuffāẓ* (3/1139).

أَوْ غَيْره، أَنَّ الخَطِيْبَ ذكر أَنَّهُ لَمَّا حَجَّ شَرِبَ مِنْ مَاء زَمْزَم ثَلاَث شَرْبَات، وَسَأَل الله ثَلاَث حَاجَات، أَنْ يُحَدِّث بـ(تَارِيخ بَغْدَاد) بِهَا، وَأَنَّ يُمْلِي الحَدِيْث بِجَامِع المَنْصُوْر، وَأَنَّ يُدْفَنَ عِنْد بشر الحَافِي. فَقُضِيَت لَهُ الثَّلاَث.

Al-Ḥāfiẓ Ibn 'Asākir [...] narrates from Ibn Khayrūn (or other than him) that al-Khaṭīb stated that when he performed Hajj, he took three sips of Zamzam water and asked Allah to fulfil three needs. These were: (i) that he narrates the history of Baghdad in the city (i.e. Baghdad), (ii) that he could be able to dictate ḥadīth in the [mosque] Jāmi' al-Manṣūr, (iii) and that he is buried by Bishr al-Ḥāfī. All three of his requests were ordained for him."[26]

قَالَ غِيثُ بنُ عَلِيٍّ: حَدَّثَنَا أَبُو الفَرَجِ الإِسفرَايِينِي قَالَ: كَانَ الخَطِيْبُ مَعَنَا فِي الحَجِّ، فَكَانَ يَخْتِم كُلَّ يَوْمٍ خَتْمَةً قِرَاءَةَ تَرْتِيْل، ثُمَّ يَجْتَمِعُ النَّاسُ عَلَيْهِ وَهُوَ رَاكِب يَقُوْلُوْنَ: حَدِّثْنَا فَيُحَدِّثُهُم. أَوْ كَمَا قَالَ.

Ghayth ibn 'Alī narrates from Abu 'l-Faraj al-Isfarāyīnī, "Al-Khaṭīb was with us during the Ḥajj and he would complete the Qur'ān every day with a lengthy recitation with no haste. Then the people would gather around him whilst he was riding and ask him to narrate for them ḥadīth and he would do so." Or he said words to that effect.[27]

قَالَ المُؤْتَمَن: سَمِعْتُ عبد الْمُحسن الشِّيحِي يَقُوْلُ: كُنْتُ عديلَ أَبِي بَكْرٍ الخَطِيْب مِنْ دِمَشْقَ إِلَى بَغْدَادَ، فَكَانَ لَهُ فِي كُلِّ يَوْمٍ وَلَيلَة خَتمَة.

Al-Mu'taman narrated that he heard 'Abd al-Muḥsin al-Shīḥī say, "I accompanied Abu Bakr al-Khaṭīb on a journey from Damascus to Baghdad. On each day and night he would finish the Qur'ān."[28]

قَالَ الخَطِيْبُ فِي تَرْجَمَةِ إِسْمَاعِيْلَ بنِ أَحْمَدَ النَّيْسَابُوْرِيّ الضَّرِير: حَجَّ وَحَدَّث،

---

26 See *Tahdhīb Ibn 'Asākir* (1/400), *Tadhkirat al-Ḥuffāẓ* (3/1139) and *Ṭabaqāt al-Subkī* (4/30).

27 See *Tadhkirat al-Ḥuffāẓ* (3/1139), *Ṭabaqāt al-Subkī* (4/34) and *Tahdhīb Ibn 'Asākir* (1/401).

28 *Tadhkirat al-Ḥuffāẓ* (3/1139).

وَنِعْمَ الشَّيْخُ كَانَ، وَلَمَّا حَجَّ، كَانَ مَعَهُ حِمل كتبٍ لِيُجَاور، مِنْهُ (صَحِيْح البُخَارِيّ) ؛سَمِعَهُ مِنَ الكُشْمِيهَنِي، فَقَرَأْتُ عَلَيْهِ جمِيْعه فِي ثَلاَثَة مَجَالِس، فَكَانَ المَجْلِسُ الثَّالِث مِنْ أَوّل النَّهَار وَإِلَى اللَّيْل، فَفرغ طُلُوْعَ الفَجْر.

Al-Khaṭīb said in the biography of Ḥāfiẓ Ismāʿīl ibn Aḥmad al-Naysābūrī al-Ḍarīr, the blind man,[29] "He performed Ḥajj and narrated ḥadīth, he was an excellent *shaykh*. When he performed Ḥajj, he brought with him books and from them was *Ṣaḥīḥ al-Bukhārī*, which he heard from al-Kushmīhanī. I read it to him in three sittings. The third sitting took place from the start of the day until the night, ending at the rise of *fajr*."

قُلْتُ: هَذِهِ - وَاللهِ - القِرَاءةُ الَّتِي لَمْ يُسْمَعْ قَطُّ بِأَسرعَ مِنْهَا.

I [al-Dhahabī] say: This, by Allah, is a type of reading of which the speed is unheard of.

وَفِي (تَاريخ) مُحَمَّد بن عَبْدِ المَلِكِ الهَمَذَانِيّ: تُوُفِّيَ الخَطِيْب فِي كَذَا، وَمَاتَ هَذَا العِلْم بِوَفَاته. وَقَدْ كَانَ رَئِيْسُ الرُّؤَسَاء تَقدَّمَ إِلَى الخُطَبَاء وَالوعَّاظ أَنْ لاَ يَروُوا حَدِيْثاً حَتَّى يَعرضوهُ عَلَيْهِ، فَمَا صَحَّحَهُ أَوْرَدُوْهُ، وَمَا رَدَّهُ لَمْ يذكروهُ. وَأَظهر بَعْضُ اليَهُوْد كِتَاباً ادَّعَى أَنَّهُ كِتَابُ رَسُوْل اللهِ - صَلَّى اللَّهُ عَلَيْهِ وَسَلَّمَ - بِإِسقَاطِ الجِزْيَة عَنْ أَهْل خَيْبَر، وَفِيْهِ شهَادَةُ الصَّحَابَة، وَذكرُوا أَنَّ خطَّ عليّ - رَضِيَ اللهُ عَنْهُ - فِيْهِ. وَحُمِلَ الكِتَابُ إِلَى رَئِيْس الرُّؤَسَاء، فَعرضه عَلَى الخَطِيْب، فَتَأَمَّله وَقَالَ: هَذَا مُزوَّر، قِيْلَ: مِنْ أَيْنَ قُلْت؟ قَالَ: فِيْهِ شهَادَةُ مُعَاوِيَة وَهُوَ أَسْلَم عَام الفَتْحِ، وَفُتِحت خيبرُ سَنَة سَبْعٍ، وَفِيْهِ شهَادَةُ سَعْدِ بن مُعَاذٍ وَمَاتَ يَوْمَ بنِي قُرِيظَة قَبْل خَيْبَر بِسنتين. فَاسْتحسن ذَلِكَ مِنْهُ.

In the *Tarīkh* of Muḥammad ibn ʿAbd al-Malik al-Hamadhānī, [it is written,] "Al-Khaṭīb passed away and this knowledge passed with him. A rule was put in place by Raʾīsu ʿl-Raʾusā upon *khaṭībs* and preachers in that they could not narrate a ḥadīth until they verified it with al-Khatīb. If he authen-

29 In *Tārīkh Baghdād* (6/314).

ticated it, then it was fine to narrate but if he refuted it then it was not to be narrated. An incident took place where a group of Jews brought forth a text to Ra'īsu 'l-Ra'usā that they claimed was from the Prophet ﷺ and was regarding him removing the obligation of *jizyah* from the people of Khaybar. On the text was testimony from companions and what they claimed was the writing of 'Alī ﷺ. Ra'īsu 'l-Ra'usā presented it to al-Khaṭīb. Al-Khaṭīb looked at it and stated that it was a forgery. It was asked, 'Upon what basis?' He said, 'There is testimony from Mu'āwiyah, however he accepted Islām in the year of the conquest, whereas Khaybar was conquered in the year 7. Also upon it is the testimony of Sa'd ibn Mu'ādh, who passed away during the battle with Banī Qurayẓah two years before Khaybar.' Al-Khaṭīb's response was celebrated."[30]

قَالَ السَّمْعَانِيّ: سَمِعْتُ يُوْسُفَ بنَ أَيُّوْبَ بِمَرْو يَقُوْلُ: حضَر الخَطِيْبُ درس شَيْخنَا أَبِي إِسْحَاقَ، فَرَوَى أَبُو إِسْحَاقَ حَدِيْثاً مِنْ رِوَايَةِ بَحْر بن كَنِيْزٍ السقَّاء، ثُمَّ قَالَ لِلْخطيب: مَا تَقُوْلُ فِيْهِ؟ فَقَالَ: إِنْ أَذِنْتَ لِي ذكرتُ حَاله. فَانحرف أَبُو إِسْحَاقَ، وَقَعَدَ كَالتِّلْمِيْذ، وَشرع الخَطِيْبُ يَقُوْلُ: وَشرح أَحْوَاله شرحاً حسناً، فَأَثنَى الشَّيْخ عَلَيْهِ، وَقَالَ: هَذَا دَارقُطْنِيُّ عصرنَا.

Al-Sam'ānī narrates that Yūsuf ibn Ayyūb in Marw said, "Al-Khaṭīb was present in a class with our *shaykh* Abu Isḥāq. Abu Isḥāq narrated a ḥadīth narrated by Baḥr ibn Kanīz al-Saqqā'. He then said to al-Khaṭīb, 'What do you say regarding this?' He replied, 'If you give me permission I will speak regarding his state.' Abu Isḥāq did so, moving from his place and sitting like a student. Al-Khaṭīb then commenced in explaining his condition and he explained it in an excellent manner. The *shaykh* praised him, stating, "This is the Dāraquṭnī of our age."[31]

قَالَ أَبُو عَلِيٍّ البَرَدَانِي: حَدَّثَنَا حَافظُ وَقْتِهِ أَبُو بَكْرٍ الخَطِيْبُ، وَمَا رَأَيْتُ مِثْله، وَلاَ أَظنّه رَأَى مِثْلَ نَفْسه.

Abu 'Alī al-Baradānī said, "The *ḥāfiẓ* of our time, Abu Bakr al-Khaṭīb narrated to us. I have never seen the like of him, nor do I think he witnessed

30 See *Tadhkirat al-Ḥuffāẓ* (3/1131).

31 See *Ṭabaqāt al-Subkī* (4/35-36) and *al-Wāfī* (7/196).

anyone similar to him."[32]

وَقَالَ السِّلَفِيّ: سَأَلْتُ شُجَاعاً الذُّهْلِيّ عَنِ الخَطِيْب، فَقَالَ: إِمَامٌ مُصَنِّفٌ حَافظ، لَمْ نُدرك مِثْلَه.

Al-Salafī asked Shujāʿan al-Dhuhlī about al-Khaṭīb and he replied, "He was an *imām*, a great author and *ḥāfiẓ*, and we have not come across the like of him."[33]

وَعَنْ سَعِيْدٍ المُؤَدِّب قَالَ: قُلْتُ لأَبِي بَكْرٍ الخَطِيْب عِنْد قُدُوْمِي: أَنْتَ الحَافِظُ أَبُو بَكْرٍ؟ قَالَ: انْتَهَى الحِفْظ إِلَى الدَّارَقُطْنِيّ.

Saʿīd al-Mu'addib said, "I asked Abu Bakr al-Khaṭīb when I met him, 'Are you *al-Ḥāfiẓ* Abu Bakr?' He replied, '*Ḥifẓ* ended with al-Dāraquṭnī.'"[34]

قَالَ ابْنُ الآبَنُوْسِيّ: كَانَ الحَافِظُ الخَطِيْب يَمْشِي وَفِي يَدِهِ جُزءٌ يُطَالعه.

Ibn al-Abanūsī said, "Al-Ḥāfiẓ al-Khatīb used to walk and in his hands was a *juz* (portion) from which he would read."[35]

وَقَالَ المُؤتَمَن: كَانَ الخَطِيْبُ يَقُوْلُ: مَنْ صَنّف فَقَدْ جَعَلَ عقله عَلَى طبق يَعرضه عَلَى النَّاسِ.

Al-Mu'taman narrates that al-Khaṭīb would say, "The one who authors, he presents his knowledge upon a plate for people to view."[36]

مُحَمَّدُ بنُ طَاهِرٍ: حَدَّثَنَا مَكِّيُّ بنُ عبد السَّلاَم الرُّمَيْلِي قَالَ: كَانَ سَبَبُ خُرُوْج الخَطِيْب مِنْ دِمَشْقَ إِلَى صُوْر، أَنَّهُ كَانَ يَختلف إِلَيْهِ صَبِيٌّ مليح، فَتكلّم النَّاسُ فِي ذَلِكَ.

---

32 This has been mentioned in a previous footnote.
33 *Tadhkirat al-Ḥuffāẓ* (3/1141).
34 *Tadhkirat al-Ḥuffāẓ* (3/1141).
35 See *Tadhkirat al-Ḥuffāẓ* (3/1141), *al-Wāfī* (7/196) and *al-Muntaẓam* (8/267).
36 *Tadhkirat al-Ḥuffāẓ* (3/1141) and *al-Mustafād* (59-60).

Muḥammad ibn Ṭāhir narrates from Makkī ibn 'Abd al-Salām al-Rumaylī, "The reason behind al-Khaṭīb leaving Damascus to Ṣūr was a controversy the people spread regarding him in relation to a handsome boy who used to visit him.

وَكَانَ أَمِيْرُ البَلَد رَافِضِيّاً مُتَعَصِّباً، فَبلغته القِصَّةُ، فَجَعَلَ ذَلِكَ سَبَباً إِلَى الفتكِ بِهِ، فَأَمر صَاحِبَ شُرطته أَنْ يَأْخذ الخَطِيْبَ بِاللَّيْلِ، فِيقتُلَهُ، وَكَانَ صَاحِبُ الشُّرطَة سُنِّياً، فَقصدهُ تِلْكَ اللَّيْلَة فِي جَمَاعَةٍ، وَلَمْ يُمكنه أَنْ يُخَالِف الأَمِيْر، فَأَخَذَهُ، وَقَالَ: قَدْ أُمِرْتُ فِيك بكَذَا وَكَذَا، وَلاَ أَجِدُ لَكَ حِيْلَةً إِلاَّ أَنِّي أَعبرُ بِك عِنْد دَار الشَّرِيْف ابْنِ أَبِي الجِنّ، فَإِذَا حَاذيتُ الدَّار، اقفِزْ وَادْخُل، فَإِنِّي لاَ أَطلُبكَ، وَأَرْجعُ إِلَى الأَمِيْر، فَأُخْبِرُهُ بِالقِصَّة.

The ruler of the land was an extremely sectarian Rāfiḍī and this story reached him, so he took advantage of the rumour to eliminate him. So, he ordered the chief of security to arrest al-Khaṭīb in the night and execute him. However, the chief of security was a Sunni, he headed to the *masjid* that night as instructed, and it was not possible for him to disobey his leader's commands. He took al-Khaṭīb and said to him, 'I was ordered to arrest you and do such and such. I do not see a way out for you except if I take you to the abode of al-Sharīf ibn Abī 'l-Jinn. After we reach the border of the house, run and enter it, for I will not be able to follow you [in his land.]" The man left al-Khaṭīb and returned to his leader to inform him of what took place.

فَفعَل ذَلِكَ، وَدَخَلَ دَار الشَّرِيْف، فَأَرْسَل الأَمِيْرُ إِلَى الشَّرِيْف أَنْ يَبْعَثَ بِهِ، فَقَالَ: أَيُّهَا الأَمِيْر! أَنْتَ تَعرف اعْتِقَادِي فِيْهِ وَفِي أَمثَاله، وَلَيْسَ فِي قَتْلِهِ مصلحَة، هَذَا مَشْهُوْرٌ بِالعِرَاقِ، إِن قتَلْته، قُتِلَ بِهِ جَمَاعَة مِنَ الشِّيْعَة، وَخُرِّبَتِ المَشَاهِد. قَالَ: فَمَا تَرَى؟ قَالَ: أَرَى أَنْ يَنْزَحَ مِنْ بَلَدك. فَأَمر بِإِخرَاجه، فَرَاح إِلَى صُوْر، وَبَقِيَ بِهَا مُدَّة.

[Al-Khaṭīb] did what he ordered and entered the house of al-Sharīf. Subsequently, the leader requested from al-Sharīf that he send al-Khaṭīb to him. Al-Sharīf replied, 'O *amīr* (leader), you know my opinion of his like, it is not wise to execute this man as he is extremely famous in Iraq. If you were to kill him, killed alongside him would be many from the Shīʿah and the lands would fall into ruin.'

The leader asked, 'What should be done in your opinion?'

He said, 'In my view he should be exiled from this land.'

Thus it was ordered that al-Khaṭīb be exiled from the land and he left for Ṣūr, where he remained for a period."[37]

قَالَ أَبُو القَاسِمِ بنُ عَسَاكِرَ: سَعَى بِالخَطِيْب حُسَيْنُ بنُ عَلِيٍّ الدَّمَنْشِي إِلَى أَمِيْر الجُيُوْش، فَقَالَ: هُوَ نَاصبِيٌّ يَرْوِي فَضَائِل الصَّحَابَة وَفضَائِل العَبَّاس فِي الجَامِع.

Abu 'l-Qāsim ibn ʿAsākir said, "Al-Khaṭīb was conspired against by a man named Ḥusayn ibn ʿAlī al-Damanshī. He said to the head of the army, "He is a *naṣibī* who narrates the virtues of the companions and al-ʿAbbās in the *Jāmiʿ* [mosque.]"

وَرَوَى ابْنُ عَسَاكِر عَمَّنْ ذَكَرَهُ أَنَّ الخَطِيْب وَقَعَ إِلَيْهِ جُزءٌ فِيْهِ سَمَاعُ القَائِم بِأَمْرِ اللهِ، فَأَخَذَهُ، وَقصد دَارَ الخِلاَفَة، وَطلب الإِذن، فِي قِرَاءته. فَقَالَ الخَلِيْفَة: هَذَا رَجُل كَبِيْرٌ فِي الحَدِيْثِ، وَلَيْسَ لَهُ فِي السَّمَاع حَاجَةٌ، فَلَعَلَّ لَهُ حَاجَةً أَرَادَ أَنْ يَتَوَصَّلَ إِلَيْهَا بِذَلِكَ، فَسلُوْهُ مَا حَاجتُهُ؟ فَقَالَ: حَاجَتِي أَنْ يُؤذن لِي أَنْ أُملِي بِجَامِع المَنْصُوْر. فَأَذِنَ لَهُ، فَأَملَى.

Ibn ʿAsākir narrates from some source that al-Khaṭīb had access to a parchment in which there was a narration that al-Qāʾim bi ʾAmrillāh had heard. So, he took it and went to the house of the caliph and asked permission to read it. However the caliph said, 'He is a highly esteemed man in the knowledge of ḥadīth and [obviously] he does not need to hear a narration [from me]. Perhaps, he used it as an excuse to approach us to ask for a need he wants to fulfil. So, ask him about his need.' He answered, to teach ḥadīth in [the mosque] Jāmīʿ al-Manṣūr. So, he gave him permission and he did so [therein.][38]

---

37 *Tadhkirat al-Ḥuffāẓ* (3/1141-1142).

38 *Tahdhīb Ibn ʿAsākir* (1/400), *Tadhkirat al-Ḥuffāẓ* (3/1142) and *al-Wāfī* (9/192).

قَالَ ابْنُ طَاهِرٍ: سَأَلْتُ هِبَةَ اللهِ بنِ عَبْدِ الوَارِثِ الشِّيرَازِي: هَلْ كَانَ الخَطِيْبُ كَتَصَانِيْفِه فِي الحِفْظِ؟ قَالَ: لاَ، كُنَّا إِذَا سَأَلْنَاهُ عَنْ شَيْءٍ أَجَابَنَا بَعْدَ أَيَّامٍ، وَإِنْ أَلْحَحْنَا عَلَيْهِ، غَضِبَ، كَانَتْ لَهُ بَادِرَةٌ وَحْشَةٌ، وَلَمْ يَكُنْ حِفْظُهُ عَلَى قَدَرِ تَصَانِيْفِه.

Ibn Ṭāhir said that he asked Hibatullāh 'Abd al-Wārith al-Shīrāzī, "Was al-Khaṭīb similar in strength in his memory as he was in his writing?" He replied, "No. If we asked al-Khaṭīb regarding an issue he would answer after a few days. And if we pressed him, he would become angry; for he was inclined to solitude and disliked mixing with people. And he was not as strong in his memory as he was in his authorship."[39]

وَقَالَ أَبُو الحُسَيْنِ بنُ الطُّيُورِي: أَكْثَرُ كُتُبِ الخَطِيْبِ - سِوَى (تَارِيخِ بَغْدَادَ) - مُسْتَفَادَةٌ مِنْ كُتُبِ الصُّوْرِيّ، كَانَ الصُّوْرِيُّ ابْتَدَأَ بِهَا، وَكَانَتْ لَهُ أُخْتٌ بِصُوْرٍ، خَلَّفَ أَخُوْهَا عِنْدَهَا اثْنَيْ عَشَرَ عِدْلاً مِنَ الكُتُبِ، فَحَصَّلَ الخَطِيْبُ مِنْ كتبه أَشيَاء. وَكَانَ الصُّوْرِيُّ قَدْ قَسَمَ أَوْقَاتَهُ فِي نَيِّفٍ وَثَلاَثِيْنَ شَيْئاً.

Abu 'l-Ḥusayn ibn al-Ṭuyūrī said, "Most of al-Khaṭīb's books except for *Tārīkh Baghdād* depend upon the books of the scholar al-Ṣūrī, who authored his books before al-Khaṭīb, and he had a sister in Ṣūr and left with her twelve cases of his books. From these books al-Khaṭīb benefited [in his own authorship.] Al-Ṣūrī divided his time on more than thirty things."[40]

قُلْتُ: مَا الخَطِيْبُ بِمُفْتَقِرٍ إِلَى الصُّوْرِيّ، هُوَ أَحْفَظُ وَأَوْسَعُ رِحْلَةً وَحَدِيْثاً وَمَعْرِفَةً.

I say: Al-Khaṭīb was not in need of dependence upon al-Ṣūrī, for he was of a higher level in *ḥifẓ* and had a wider scope of knowledge, ḥadīth, understanding and travels [for studying.]

أَخْبَرَنَا أَبُو عَلِيٍّ بنُ الخَلاَّلِ، أَخْبَرَنَا أَبُو الفَضْلِ الهَمْدَانِيّ، أَخْبَرَنَا أَبُو طَاهِرٍ السِّلَفِيُّ، أَخْبَرَنَا مُحَمَّدُ بنُ مَرْزُوْقٍ الزَّعْفَرَانِيّ، حَدَّثَنَا الحَافِظُ أَبُو بَكْرٍ الخَطِيْبُ قَالَ:

Abu 'Alī ibn al-Khallāl reported to us [...] that al-Ḥāfiẓ Abu Bakr al-Khaṭīb

---

39 *Tadhkirat al-Ḥuffāẓ* (3/1142) and *al-Wāfī* (7/194).
40 See *al-Muntaẓam* (8/266).

said:

أَمَّا الكَلَامُ فِي الصِّفَات، فَإِنَّ مَا رُوِيَ مِنْهَا فِي السُّنَنِ الصِّحَاح، مَذْهَبُ السَّلَف إِثْبَاتُهَا وَإِجْرَاؤُهَا عَلَى ظَوَاهِرهَا، وَنَفْيُ الكَيْفِيَة وَالتَّشبيه عَنْهَا، وَقَدْ نَفَاهَا قَوْمٌ، فَأَبْطَلُوا مَا أَثْبَتَهُ الله، وَحققها قَوْمٌ مِنَ المُثبتين، فَخَرَجُوا فِي ذَلِكَ إِلَى ضَرْب مِنَ التَّشبيه وَالتَّكْيِيف، وَالقَصدُ إِنَّمَا هُوَ سُلُوْكُ الطَّرِيقَة المتوسطَة بَيْنَ الأَمرَين، وَدِينُ الله تَعَالَى بَيْنَ الغَالِي فِيهِ وَالمُقصِّر عَنْهُ. وَالأَصْلُ فِي هَذَا أَنَّ الكَلَامَ فِي الصِّفَات فَرْعُ الكَلَامِ فِي الذَّات، وَيُحتَذَى فِي ذَلِكَ حَذْوُهُ وَمِثَاله، فَإِذَا كَانَ معلُوماً أن إِثْبَاتَ رَبِّ العَالَمِين إِنَّمَا هُوَ إِثْبَاتُ وَجُوْدٍ لاَ إِثْبَاتُ كَيْفِيَة، فَكَذَلِكَ إِثْبَاتُ صِفاته إِنَّمَا هُوَ إِثْبَاتُ وَجُوْدٍ لاَ إِثْبَاتُ تحديدٍ وَتَكْيِيف.

"As for the *ṣifāt* (attributes of Allah), the *madhhab* of the *salaf,* according to that which has been narrated in the authentic reports, is to affirm them and take them upon their apparent meanings whilst rejecting delving into their modality and likening them to the attributes of creation. There are some people who have negated them, thus they invalidate that which Allah has affirmed. In contrast, there are some people who have affirmed them, but they delved into their modality and likening. The correct manner is to tread the middle path between these two approaches. The religion of Allah is between those who are extreme and those who show laxity. The foundational rule of this matter is that speaking regarding the *ṣifāt* is part of speaking about the essence of Allah; therefore, the same methodology should be followed. That being said, if it is known that affirming Allah, the Lord of the worlds is to affirm His existence and not *kayfiyyah* (modality), then it follows that affirming His *ṣifāt* means affirming that they exist and not affirming that they are *taḥdīd* (restricted) or *takyīf* ([affirming] a modality).

فَإِذَا قُلْنَا: للهِ يَد وَسَمْع وَبصر، فَإِنَّمَا هِيَ صِفَاتٌ أثبتها الله لِنَفْسِهِ، وَلاَ نَقُوْل: إِنَّ مَعْنَى اليَد القدرَة، وَلاَ إِنَّ مَعْنَى السَّمْع وَالبصر: العِلْم، وَلاَ نَقُوْل: إِنَّهَا جَوَارح. وَلاَ نُشَبِّهُهَا بِالأيدي وَالأَسْمَاع وَالأَبْصَار الَّتِي هِيَ جَوَارح وَأَدَواتٌ لِلفعل، وَنَقُوْل: إِنَّمَا وَجب إِثْبَاتُهَا لأَنَّ التَّوقيف وَرَدَ بِهَا، وَوجب نَفِيُ التَّشبيه عَنْهَا لِقَوْلِهِ: ﴿لَيْسَ

كَمِثْلِهِ شَيْءٌ﴾ [الشُّوْرَى: ١١] ﴿وَلَمْ يَكُن لَّهُ كُفُوًا أَحَدٌ﴾ [الإخلاص: ٤] .

If we were to say: Allah has a hand, is hearing, and seeing, then these are attributes that Allah has confirmed for Himself. It would be wrong for one to say that the meaning of hand is power, likewise it would be wrong to say that the meaning of hearing and seeing is having knowledge. We do not say that they are limbs; and we do not liken these mentioned attributes to [our] hands, hearing and seeing which are limbs and tools or means to performing an act. We say that it is *wājib* (mandatory) to affirm them because they are established by religion without further information. Likewise it is *wājib* that we do not give them likeness, about which Allah states: **{There is nothing like unto him.}**[41] **{Nor is there to him an equivalent.}**[42]"

[In the book *Mukhtaṣar al-'Ulū*,[43] al-Imām al-Dhahabī commentates on al-Khaṭīb's above statement:

وقال نحو هذا القول قبل الخطيب أحد الأعلام، وهذا الذي علمت من مذهب السلف، والمراد بظاهرها، أي: لا باطن لألفاظ الكتاب والسنة غير ما وضعت له، كما قال مالك وغيره: الاستواء معلوم. وكذلك القول في السمع والبصر والعلم والكلام والإرادة والوجه ونحو ذلك، هذه الأشياء معلومة، فلا تحتاج إلى بيان وتفسير، لكن كيف في جميعها مجهول عندنا، والله أعلم.

"A similar statement to this was made by one of the notables before al-Khaṭīb and this is what I know from the *madhhab* of the *salaf*. And what is intended by 'Upon their apparent meanings' is that there is no hidden meaning to the words of the Book and the Sunnah other than the meanings designated for them [by custom], as has been stated by Mālik and others, '*al-istiwā* is known.' And the saying regarding [attributes such as] hearing, seeing, knowledge, speech, will, face etc. is the same. These things are known and so we do not need any further clarification and explanation. However, the true reality in all of them is not known to us. And Allah knows best.

41 Shūra: 11

42 Ikhlās: 4

43 *Mukhtaṣar al-'Ulū* (p. 273). Maktab al-Islāmī, 1981. Summarised by Nāsir al-Dīn al-Albānī.

وقد كان الخطيب رحمه الله الدارقطني الثاني، لم يكن ببغداد بعده مثله في معرفة هذا الشأن، توفي سنة ثلاث وستين وأربعمائة، وأول سماعاته بعد الأربعمائة.

And al-Khaṭīb was the second al-Daraquṭnī, there was not any person in Baghdad after him who was similar in knowledge of this affair. He died in 463, and his first hearings of ḥadīth were after the year 400."] **[End.]**

قَالَ ابْنُ النَّجَّار: وُلِدَ الخَطِيْبُ بقَرْيَة مِنْ أَعْمَالِ نَهْر الْملك، وَكَانَ أَبُوْهُ خَطِيْباً بدَرْزِيجَان، وَنَشَأَ هُوَ بِبَغْدَادَ، وَقرَأَ القِرَاءات بِالروَايَات، وَتَفَقَّهَ عَلَى الطَّبَرِيّ، وَعلق عَنْهُ شَيْئاً مِنَ الخلاَف ... ، إِلَى أَنْ قَالَ: وَرَوَى عَنْهُ: مُحَمَّدُ بنُ عَبْدِ المَلِكِ بنِ خَيْرُوْنَ، وَأَبُو سَعْدٍ أَحْمَدُ بنُ مُحَمَّدٍ الزَّوْزَنِي، وَمفلحُ بنُ أَحْمَدَ الدومِي، وَالقَاضِي مُحَمَّدُ بنُ عُمَرَ الأُرْمَوِيّ، وَهُوَ آخِرُ مَنْ حَدَّثَ عَنْهُ - يَعْنِي بِالسَّمَاع -.

Ibn al-Najjār said, "Al-Khaṭīb was born in a village in the district of Nahr al-Malik and his father was a *khaṭīb* in Darzījān. He grew up in Baghdad and studied the different modes of recitation of the Qur'ān and he studied *fiqh* from al-Tabarī and learned from him some topics that are considered from the matters of *al-khilāf*. [...] From the people who narrated from him are Muḥammad ibn 'Abd al-Malik ibn Khayrūn, Abu Sa'd Aḥmad ibn Muḥammad al-Zawzanī, Mufliḥ ibn Aḥmad al-Dūmī, and al-Qāḍi Muḥammad ibn 'Umar al-Urmawī—who was the last person who narrated from him directly i.e. through direct hearing."[44]

وَرَوَى عَنْهُ بِالإِجَازَة طَائِفَةٌ عددتُ فِي (تَارِيخ الإِسْلاَم)، آخرُهم مَسْعُوْد بن الحَسَنِ الثَّقفِيّ، ثُمَّ ظَهرت إِجَازتُه لَهُ ضَعِيْفَةٌ مطعوناً فِيْهَا، فَلْيُعْلَم ذَلِكَ.

There are a number of individuals who narrated from him through the means of *al-ijāzah* (authorisation), who were mentioned in the book *Tarīkh al-Islām*, the last of whom was Mas'ūd ibn al-Ḥasan al-Thaqafī. However, his *ijāzah* was then found out to be weak and questionable, so this should be noted.

---

44 See *Tadhkirat al-Ḥuffāẓ* (3/1143).

وَكِتَابَة الخَطِيْبِ مليحَةٌ مُفسَّرَةٌ، كَامِلَةُ الضَّبط، بِهَا أَجزَاء بِدِمَشْقَ رَأَيْتُهَا، وَقرَأْت بخطِّه: أَخْبَرَنَا عَلِيُّ بنُ مُحَمَّدٍ السِّمْسَار، أَخْبَرَنَا ابْنُ المُظفر، حَدَّثَنَا عَبْدُ الرَّحْمَنِ بنُ مُحَمَّدِ بنِ أَحْمَدَ بنِ مُحَمَّدِ بنِ الحجَاج، حَدَّثنَا جَعْفَرُ بنُ نُوْح، حَدَّثنَا مُحَمَّدُ بنُ عِيْسَى، سَمِعْتُ يَزِيْدَ بنَ هَارُوْنَ يَقُوْلُ: مَا عَزَّتِ النِّيَّةُ فِي الحَدِيْثِ إِلاَّ لِشرفه.

The handwriting of al-Khaṭīb is beautiful, clear and complete in its lettering/dotting; I read some of his writings in Damascus. I read in his writing the narration [...] to Yazīd ibn Harūn, that he said, "The reason sincerity is heavy in [the field] of ḥadīth is due to its honourable nature."

قَالَ أَبُو مَنْصُوْرٍ عَلِيُّ بنُ عَلِيٍّ الأَمِيْن: لَمَّا رَجعَ الخَطِيْبُ مِنَ الشَّام كَانَتْ لَهُ ثروَةٌ مِنَ الثِّيَاب وَالذَّهب، وَمَا كَانَ لَهُ عَقِبٌ، فَكَتَبَ إِلَى القَائِم بِأَمْرِ اللهِ: إِن مَالِي يَصِيْرُ إِلَى بَيْت مَال، فَائذنْ لِي حَتَّى أُفَرِّقَهُ فِيْمَنْ شِئْتُ. فَأَذنَ لَهُ، فَفرَّقَهَا عَلَى المُحَدِّثِيْنَ.

Abu Manṣūr 'Alī said, "When al-Khaṭīb returned from al-Shām, he had a good amount of wealth from gold and cloth. However he did not have any descendants. Due to this he wrote to al-Qā'im Bi Amrillāh, 'My wealth will go into the Bayt al-Māl, so give me permission so that I can benefit with this whomsoever I like.' He was given permission and thus he distributed his wealth amongst the ḥadīth masters."[45]

قَالَ الحَافِظُ ابْنُ نَاصِرٍ: أَخْبَرَتنِي أُمِّي أَن أَبِي حدثهَا قَالَ: كُنْتُ أَدخل عَلَى الخَطِيْب، وَأُمَرِّضه، فَقُلْتُ لَهُ يَوْماً: يَا سَيِّدي! إِنَّ أَبَا الفَضْل بنَ خَيْرُوْنَ لَمْ يُعْطِنِي شَيْئاً مِنَ الذَّهب الَّذِي أَمرتَه أَنْ يُفرِّقه عَلَى أَصْحَابِ الحَدِيْث. فَرفَعَ الخَطِيْبُ رَأْسَه مِنَ المخدَة، وَقَالَ: خُذْ هَذِهِ الخِرقَة، بارك الله لَكَ فِيْهَا. فَكَانَ فِيْهَا أَرْبَعُوْنَ دِيْنَاراً، فَأَنفقتُهَا مُدَّة فِي طَلَبِ العِلْمِ.

Al-Ḥāfiẓ Ibn Nāṣir narrates from his mother that his father told her, "I used to look after al-Khaṭīb when he was ill. One day, I said to him, "O sire! Abu

45 *Tadhkirat al-Ḥuffāẓ* (3/1143), *al-Muntaẓam* (8/269) and *Ṭabaqāt al-Subkī* (4/35).

'l-Faḍl ibn Khayrūn did not give me from the gold that you ordered him to divide between the ḥadīth adherents. He raised his head from his pillow and said, 'Take this cloth, may Allah bless it for you.' Within it was forty dinars, and I utilised this money for a long period of time in my seeking of knowledge."[46]

وَقَالَ مَكِّيّ الرُّمِيْلِي: مرض الخَطِيْبُ فِي نِصْفِ رَمَضَان، إِلَى أَنِ اشتدَّ الحَالُ بِهِ فِي غُرَّةِ ذِي الحِجَّةِ، وَأَوْصَى إِلَى ابْنِ خَيْرُوْنَ، وَوَقَّفَ كتبَهُ عَلَى يَده، وفرَّق جمِيْعَ مَاله فِي وُجُوه البِرِّ وَعَلَى المُحَدِّثِيْنَ. وَتُوُفِّيَ: فِي رَابع سَاعَة مَنْ يَوْم الاثْنَيْن سَابعِ ذِي الحِجَّةِ مِنْ سَنَةِ ثَلاَثٍ وَسِتِّيْنَ، ثُمَّ أُخرج بُكْرَةَ الثُّلاَثَاء، وَعبرُوا بِهِ إِلَى الجَانب الغربِي، وَحضره القُضَاةُ وَالأَشْرَافُ وَالخلق، وَتقدَّم فِي الإِمَامَة أَبُو الحُسَيْنِ بنُ الْمُهْتَدي بِاللهِ، فكَبَّرَ عَلَيْهِ أَرْبَعاً، وَدُفِنَ بِجنب قَبْر بِشرٍ الحَافِي.

Makkī al-Rumīlī said, "Al-Khaṭīb fell sick half way through the month of Ramaḍān and his illness intensified with the onset of Dhul Hijjah. He gave Ibn Khayrūn his bequest and made his books a *waqf* in his hand, and gave away the majority of his wealth to charity and to the ḥadīth masters. He passed away during the fourth hour of Monday on the 7th of Dhul Hijjah of the year 463. He was carried from his house during the morning of Tuesday, they carried him to al-Jānib al-Gharbī (the west side) and his funeral was attended by judges, noble men and the masses. Abu 'l-Ḥusayn ibn al-Muhtadī Billāh led the funeral prayer, making four *takbīrs* over him and then he was laid down in a grave next to Bishr al-Ḥafī.[47]

وَقَالَ ابْنُ خَيْرُوْنَ: مَاتَ ضَحْوَةَ الاثْنَيْن، وَدُفِنَ بِبَابِ حَرْب. وَتَصدَّق بِمَاله وَهُوَ مئتَا دِيْنَار، وَأَوْصَى بِأَنَّ يُتَصَدَّق بِجمِيْع ثِيَابه، وَوَقَفَ جمِيْع كتبه، وَأُخْرِجت جِنَازَته مِنْ حُجْرَة تلِي النِّظَامِيَّة، وَشَيَّعَهُ الفُقَهَاءُ وَالخلقُ، وَحملُوْهُ إِلَى جَامِع المَنْصُوْر، وَكَانَ بَيْنَ يَدي الجَنَازَة جَمَاعَةٌ يُنَادُوْنَ: هَذَا الَّذِي كَانَ يَذُبُّ عَنِ النَّبِيِّ - صَلَّى اللَّهُ عَلَيْهِ وَسَلَّمَ - الكذبَ، هَذَا الَّذِي كَانَ يَحفظُ حَدِيْث رَسُوْل اللهِ - صَلَّى اللَّهُ

46 *Tadhkirat al-Ḥuffāẓ* (3/1144).
47 *Tahdhīb Ibn 'Asākir* (1/402).

عَلَيْهِ وَسَلَّمَ -. وَخُتِمَ عَلَى قَبْرِهِ عِدَّة خَتمَات.

Ibn Khayrūn said, "He died on the morning of Monday and he was buried in *bāb ḥarb*. Al-Khaṭīb gave away his wealth in charity and it amounted to two hundred dinars. He included in his bequest that all of his clothes were to be donated and made his entire collection of books an endowment. His funeral started from a room by al-Niẓāmiyyah and a large number of jurists and general people walked in his funeral procession and carried his body to the Jāmiʿ al-Manṣūr mosque. In his funeral there were scores of people chanting, "This is the one who thwarted lies attributed to the Prophet ﷺ, this is the man who preserved the ḥadīth of the Prophet ﷺ." People completed the recitation of the Qur'ān many times on his grave.[48]

وَقَالَ الكَتَّانِي فِي (الوفِيَات) :وَرد كِتَابُ جَمَاعَة أَنَّ الحَافِظ أَبَا بَكْرٍ تُوُفِّيَ فِي سَابع ذِي الحِجَّةِ، وَحَمَلَ جِنَازَته الإِمَامُ أَبُو إِسْحَاقَ الشيرَازِي. وَكَانَ ثِقَةً حَافِظاً، مُتْقِناً متحرِياً مُصَنّفاً.

Al-Kattānī, in his work *al-Wafiyāt* mentioned that it is recorded by many [chronologists] that the date of al-Khaṭīb's passing was on the 7th Dhi 'l-Ḥijjah, and that al-Imām Abu Isḥāq al-Shīrāzī was one of the carriers of al-Khaṭīb's body. And he further stated that he was a *thiqah* (accepted, trustworthy narrator), a *ḥāfiẓ* (major ḥadīth scholar), possessing precision, and [strength in] investigation and authorship.

قَالَ أَبُو البَرَكَات إِسْمَاعِيل ابْنُ أَبِي سَعْدٍ الصُّوفِيّ: كَانَ الشَّيْخُ أَبُو بَكْرٍ ابْن زَهْرَاء الصُّوْفِيّ بِرباطِنَا، قَدْ أَعدَّ لِنَفْسِهِ قَبْراً إِلَى جَانب قَبْر بشر الحَافِي، وَكَانَ يَمضِي إِلَيْهِ كُلّ أُسْبُوْع مرَّةً، وَيَنَامُ فِيْهِ، وَيَتلو فِيْهِ القُرْآن كُلَّهُ، فَلَمَّا مَاتَ أَبُو بَكْرٍ الخَطِيْبُ، كَانَ قَدْ أَوْصَى أَنْ يُدفن إِلَى جَنْبِ قَبْر بشر، فَجَاءَ أَصْحَاب الحَدِيْث إِلَى ابْنِ زَهْرَاء، وَسَأَلُوْهُ أَنْ يَدفنُوا الخَطِيْب فِي قَبْره، وَأَنَّ يُؤْثره بِهِ، فَامْتَنَعَ، وَقَالَ: مَوْضِعٌ قَدْ أَعددتُه لِنَفْسِي يُؤْخَذ مِنِّي! فَجَاؤُوا إِلَى وَالِدِي، وَذكرُوا لَهُ ذَلِكَ، فَأَحضر ابْنَ زَهْرَاء وَهُوَ أَبُو بَكْرٍ أَحْمَدُ بنُ عَلِيٍّ الطُّرَيْثِيْثِيّ فَقَالَ: أَنَا لاَ أَقُوْل لَكَ أَعْطهم القَبْر،

48 See *Tadhkirat al-Ḥuffāẓ* (3/1144).

وَلَكِنْ أَقُوْل لَكَ: لَوْ أَنَّ بشراً الحَافِي فِي الأَحْيَاء وَأَنْتَ إِلَى جَانبه، فَجَاءَ أَبُو بَكْرٍ الخَطِيْبُ لِيقْعد دُونك، أَكَانَ يَحسُن بِكَ أَنْ تقعدَ أَعْلَى مِنْهُ؟ قَالَ: لاَ، بَلْ كُنْت أُجْلِسُهُ مَكَانِي. قَالَ: فَهَكَذَا يَنْبَغِي أَنْ تَكُوْن السَّاعَةَ. قَالَ: فطَابَ قَلْبُه، وَأَذِن.

Abu 'l-Barakāt Ismā'īl ibn Abī Sa'd al-Ṣūfī said, "Al-Shaykh Abu Bakr ibn Zahrā al-Ṣūfī was in our *ribaṭ*. He had prepared for himself a grave next to Bishr al-Ḥāfī. He would visit it once a week and sleep in it, reading the entire Qur'ān during each visit. When Abu Bakr al-Khaṭīb passed away with the wish of being buried in the grave next to Bishr al-Ḥāfī, the scholars of ḥadīth went to Ibn Zahrā and asked if they could bury al-Khaṭīb in the grave he had set aside for himself and to favour him with it over himself. He rejected this request and he said, "I have reserved this position for myself and you desire to take this from me?" They then went to my father[49] and spoke to him regarding this matter. My father met with Ibn Zahrā (his name was Abu Bakr Aḥmad ibn 'Alī al-Ṭuraythīthī) and said to him, 'I am not asking you to give up your grave to them. I am asking you to think about the following: If Bishr al-Ḥāfī was alive and you were sitting at his side and then Abu Bakr al-Khaṭīb came and sat in a lower position to you, would you be happy sitting in a higher position than him?' He replied, 'No. I would certainly sit him in my position.' My father replied, 'And this is how this situation must be [looked at.]' This eased the heart of Ibn Zahrā and he gave his permission.[50]

قَالَ أَبُو الفَضْلِ بنُ خَيْرُوْنَ: جَاءنِي بَعْضُ الصَّالِحِيْنَ وَأَخْبَرَنِي لَمَّا مَاتَ الخَطِيْب أَنَّهُ رَآهُ فِي النَّوْمِ، فَقَالَ لَهُ: كَيْفَ حَالك؟ قَالَ: أَنَا فِي روح وَرَيْحَان وَجنَّةِ نَعيم.

Abu 'l-Faḍl ibn Khayrūn said, "One of the righteous people visited me and informed me that when al-Khaṭīb passed away, he saw him in a dream and asked him, "How are you?" He replied, "I am [endowed with] rest, bounty and gardens of pleasure."[51]

وَقَالَ أَبُو الحَسَنِ عَلِيُّ بنُ الحُسَيْنِ بنِ جَدَّا: رَأَيْتُ بَعْد مَوْتِ الخَطِيْب كَأَنَّ

49 He was al-Imām Abu Sa'd Aḥmad ibn Muḥammad ibn Dūsat Dādā, the scholar nicknamed as *Shaykh al-Shuyūkh*, who died in 479.

50 *Tadhkirat al-Ḥuffāẓ* (3/1144-1145) and *Tahdhīb Ibn 'Asākir* (1/400).

51 *Al-Wāfī bi al-Wafayāt* (7/197).

شَخْصاً قَائِماً بِحِذَائِي، فَأَردتُ أَنْ أَسَأَلَهُ عَنْ أَبِي بَكْرٍ الخَطِيْب، فَقَالَ لِي ابْتدَاءً: أُنزل وَسط الجَنَّة حَيْثُ يَتعَارفُ الأَبرَار. رَوَاهَا البردَانِي فِي كِتَابِ (المَنَامَات) عَنْهُ.

Abu 'l-Ḥasan 'Alī ibn al-Ḥasan ibn Jaddā said, "After the death of al-Khaṭīb I saw [in my sleep] a man as if he was standing alongside me. I felt the urge to ask him regarding Abu Bakr al-Khaṭīb. He said to me as I was about to ask, 'Go to the middle point of Paradise where *al-abrār* (the pious) meet.'" This was narrated from him by al-Baradānī in *Kitāb al-Manāmāt*.[52]

قَالَ غيثٌ الأَرْمنَازِي: قَالَ مَكِّيٌّ الرُّمَيْلِي: كُنْتُ نَائِماً بِبَغْدَادَ فِي رَبِيْعٍ الأَوَّلِ سَنَة ثَلاَثٍ وَسِتِّيْنَ وَأَرْبَعِ مئة، فَرَأَيْتُ كَأَنَا اجْتمَعْنَا عِنْد أَبِي بَكْرٍ الخَطِيْب فِي مَنْزِلِهِ لِقرَاءة (التَّارِيْخ) عَلَى العَادَة، فَكَأَنَّ الخَطِيْب جَالِسٌ، وَالشَّيْخ أَبُو الفَتْحِ نَصْرُ بنُ إِبْرَاهِيْمَ المَقْدِسِيّ عَنْ يَمِيْنه، وَعَنْ يَمِيْن نَصْرٍ رَجُلٌ لَمْ أَعْرفه، فَسَأَلت عَنْهُ، فَقِيْلَ: هَذَا رَسُوْل اللهِ - صَلَّى اللَّهُ عَلَيْهِ وَسَلَّمَ - جَاءَ ليسمع (التَّارِيْخ). فقُلْتُ فِي نَفْسِي: هَذِهِ جَلاَلَةٌ لأَبِي بَكْرٍ إِذْ يَحضر رَسُوْلُ اللهِ مَجْلِسه، وَقُلْتُ: هَذَا ردٌّ لِقَوْل مَنْ يَعيب (التَّارِيْخ) وَيذكر أَن فِيْهِ تحَامِلاً عَلَى أَقْوَام.

Ghayth al-Armnāzī reports that Makkī al-Rumaylī said, "I was sleeping in Baghdad in the month of Rabī' al-Awwal of the year 463. It appeared as if I was sitting in a gathering with Abu Bakr al-Khaṭīb in his home to read *al-Tārīkh,* as was our custom. Al-Khaṭīb appeared to be sitting and to his right was Shaykh Abu 'l-Fatḥ Naṣr ibn Ibrāhīm al-Maqdisī. The man sitting to Naṣr's right I did not recognise. I asked regarding his identity and I was informed, 'This is the Messenger of Allah, and he has come to listen to *al-Tārīkh.*' I said to myself, this is an honour for Abu Bakr al-Khaṭīb that the Prophet ﷺ attends his gathering." I say:[53] Furthermore this is a refutation of those who disparage *al-Tarīkh* by saying that it contains undue criticism of certain people.[54]

52 *Tadhkirat al-Ḥuffāẓ* (3/1145).

53 [T] It appears that this is al-Dhahabī, as it was not mentioned in *Tadhkirat al-Ḥuffāẓ*. And Allah knows best.

54 *Tadhkirat al-Ḥuffāẓ* (3/1154).

قَالَ أَبُو الحَسَنِ مُحَمَّدُ بنُ مَرْزُوق الزَّعْفَرَانِيّ: حَدَّثَنِي الفَقِيْهُ الصَّالِحُ حسنُ بنُ أَحْمَدَ البَصْرِيّ قَالَ: رَأَيْتُ الخَطِيْبُ فِي المَنَامِ وَعَلَيْهِ ثِيَابٌ بيضٌ حِسَان وَعِمَامَةٌ بيضَاء، وَهُوَ فرحَانُ يَتبسَّمُ، فَلاَ أَدْرِي قُلْتُ: مَا فعَلَ اللهُ بِكَ؟ أَوْ هُوَ بدَأَنِّي. فَقَالَ: غَفَرَ اللهُ لِي، أَوْ رحمنِي، وَكُلّ مَنْ يَجِيْءُ - فَوَقَعَ لِي أَنَّهُ يَعْنِي بِالتَّوحيد - إِلَيْهِ يَرحمُه، أَوْ يغْفر لَهُ، فَأَبشِرُوا، وَذَلِكَ بَعْد وَفَاته بِأَيَّام.

Abu 'l-Ḥasan Muhammad ibn Marzūq al-Zaʿfrānī narrates that Ḥasan ibn Aḥmad al-Baṣrī, the pious jurist said, "I saw al-Khaṭīb in a dream and he was wearing beautiful white garments with a white turban and he was cheerful and smiling. I do not remember if I asked what Allah had done with him or if he said the following without me initiating the conversation, 'Allah has forgiven me (or granted mercy upon me), and whoever comes (I understood it in the dream to mean [whoever comes] with *tawḥīd*) to Him, He will forgive him or grant His mercy upon him. So be happy.' This took place a few days after his passing."

قَالَ المُؤتَمن: تحَامِلتِ الحنَابلَةُ عَلَى الخَطِيْب حَتَّى مَال إِلَى مَا مَال إِلَيْهِ.

Ibn Mu'taman said, "The Ḥanābilah had prejudice towards al-Khaṭīb and pushed him until he changed (i.e. he turned against them)."[55]

قُلْتُ: تنَاكد ابْنُ الجَوْزِيّ - رَحِمَهُ اللهُ - وَغضَّ مِنَ الخَطِيْبِ، وَنسبه إِلَى أَنَّهُ يَتعَصَّبُ عَلَى أَصْحَابنَا الحنَابلَة.

I say: Ibn al-Jawzī was extremely critical of al-Khaṭīb and this was due to him seeing fanaticism on his part against our companions from the Ḥanābilah.

قُلْتُ: لَيْتَ الخَطِيْبَ ترك بَعْض الحطِّ عَلَى الكِبَار فَلَمْ يَرْوِه.

I say: It would have been better if al-Khaṭīb left off some of his disparagement of the major figures and his narrations against them.

قَالَ أَبُو سَعْدٍ السَّمْعَانِيُّ: لِلْخطيب سِتَّةٌ وَخَمْسُوْنَ مُصَنّفاً: (التَّارِيْخ) مئة جُزْء وَسِتَّة

55 *Tabaqāt al-Subkī* (4/34).

أَجزَاء، (شرف أَصْحَاب الحَدِيْث) ثَلاثَة أَجزَاء، (الجَامِع) خَمْسَةَ عَشَرَ جُزْءاً، (الكفَايَة) ثَلاثَة عَشَرَ جُزْءاً، (السَّابِق وَاللاحق) عَشْرَة أَجزَاء. (الْمُتَّفق وَالمفترق) ثَمَانِيَة عشرَ جُزْءاً، (الْمُكمل فِي الْمُهْمل) سِتَّة أَجزَاء، (غنيَة الْمُقْتَبس فِي تَمييز الْمُلْتَبس)، (منْ وَافقت كُنْيَته اسْم أَبِيْهِ)، (الأَسْمَاء المبهمَة) مُجَلَّد، (الْموضح) أَرْبَعَة عَشَرَ جُزْءاً، (منْ حَدَّثَ وَنسِي) جُزء، (التطفِيل) ثَلاثَة أَجزَاء، (الْقُنُوت) ثَلاثَة أَجزَاء، (الرُّوَاة عَنْ مَالِك) سِتَّة أَجزَاء، (الفَقِيْه وَالمتفقه) مُجَلَّد، (تَمِييز مُتَّصِل الأَسَانِيْد) مُجَلد، (الْحِيَل) ثَلاثَة أَجزَاء، (الإِنبَاء عَنِ الأَبْنَاء) جُزْء، (الرّحلَة) جُزْء، (الاحْتِجَاج بِالشَّافِعِيّ) جُزْء، (البخلاَء) فِي أَرْبَعَة أَجزَاء، (الْمُؤتنف فِي تكمِيْل الْمُؤتلف)، (كِتَاب البسملَة وَأَنَّهَا مِنَ الفَاتِحَة)، (الْجَهْر بِالبسملَة) جُزآن، (مقْلُوْب الأَسْمَاء وَالأَنسَاب) مُجَلَّد، (جُزْء اليَمِين مَعَ الشَّاهد)، (أَسْمَاء الْمُدَلِّسين)، (اقتضَاء العِلْم الْعَمَل)، (تَقيِيد العِلْم) ثَلاثَة أَجزَاء، (القَوْل فِي النُّجُوْم) جُزء، (رِوَايَة الصَّحَابَة عَنْ تَابِعِيّ) جُزْء، (صَلاَة التّسبيح) جُزْء، (مُسْنَد نُعَيْم بن حَمَّاد) جُزْء، (النَّهْي عَنْ صَوْم يَوْم الشّك)، (إِجَازَة الْمَعْدُوم وَالمَجْهُول) جُزْء، (مَا فِيْهِ سِتَّة تَابعيون) جُزْء.

Abu Sa'd al-Sama'ānī said, "Al-Khaṭīb wrote fifty six works. Amongst them are: *al-Tārīkh* in 106 volumes, *Sharaf Aṣḥābi 'l-Ḥadīth* in three volumes, *al-Jāmi'* in fifteen volumes, *al-Kifāyah* in thirteen volumes, *al-Sābiq wa 'l-Lāḥiq* in ten volumes, *al-Muttafaq wa 'l-Muftaraq* in eighteen volumes, *al-Mukmil fī 'l-Muhmal* in six volumes, *Ghuniyatu 'l-Muqtabis fī Tamyīzi 'l-Multabis, Man Wāfaqtu Kunyatuhu Isma Abīhi*, and *al-Ismā'u 'l-Mubhama*, each one in one volume, *al-Muwaḍḍiḥ* in fourteen volumes, *Man Ḥadatha wa Nasī* in one volume, *al-Taṭfīl* in three volumes, *al-Qunūt* in three volumes, *al-Ruwāt 'an Mālik* in six volumes, *al-Faqīh wa 'l-Mutafaqih* in one volume, *Tamyīz Muṭṭaṣil al-Asānīd* in one volume, *al-Ḥīl* in three volumes, *al-Inbā'i 'an al-Abnā'i* in one volume, *al-Riḥla* in one volume, *al-Iḥtijāj bi 'l-Shāfi'ī* in one volume, *al-Bukhalā'* in four volumes, *al-Mu'tānif fī Takmīli 'l-Mu'talif, Kitāb al-Basmallah wa Anhā min al-Fātiḥah, al-Jahar bi 'l-Basmallah*, each of which is in two volumes, *Maqlū-*

bu 'l-Asmā'i wa 'l-Ansāb, *Juz al-Yamīn ma' 'l-Shāhid*, *Asmā'u 'l-Mudallisīn*, *Iqtidā'u 'l-'Ilm wa 'l-'Amal*, and *Taqyīdu 'l-'Ilm*, each in three volumes, *al-Qawl fī 'l-Nujūm*, *Riwāyatu 'l-Ṣaḥābah 'an Tābi'ī*, *Ṣalātu 'l-Tasbīḥ*, *Musnad Nu'aym ibn Ḥammād*, *al-Nahī 'an Ṣawm Yawm al-Shak*, *Ijāzatu 'l-Ma'dūm wa 'l-Majhūl*, and *Mā fihi Sitatun Tābi'ūn*, each in one volume."

وَقَدْ سرد ابْنُ النَّجَّار أَسْمَاء تَوَالِيف الخَطِيْب، وَزَادَ أَيْضاً لَهُ: (مُعْجَم الرُّوَاة عَنْ شُعْبَة) ثَمَانِيَة أَجزَاء، (المُؤتلف وَالمختلف) أَرْبَعَة وَعِشْرُوْنَ جُزْءاً، (حَدِيْث مُحَمَّد بن سُوْقَة) أَرْبَعَة أَجزَاء، (المسلسلاَت) ثَلاَثَة أَجزَاء، (الربَاعِيَات) ثَلاَثَة أَجزَاء، (طرق قبض العِلْم) ثَلاَثَة أَجزَاء، (غسل الجُمُعَة) ثَلاَثَة أَجزَاء، (الإِجَازَة لِلمَجْهُول).

Ibn al-Najjār listed the titles of the works that al-Khaṭīb authored but added the following titles, "*Mu'jamu 'l-Ruwāt 'an Shu'bah* in eight volumes, *al-Mu'talaf wa 'l-Mukhtalaf* in twenty four volumes, *Ḥadīth Muḥammad ibn Sūqah* in four volumes, *al-Musalsalāt* in three volumes, *al-Rubā'iyāt* in three volumes, *Ṭuruq Qabd al-'Ilm* in three volumes, *Ghuslu 'l-Jumu'ah* in three volumes, and *al-Ijāzā li 'l-Majhūl*."

وَمَاتَ مَعَ الخَطِيْب: حَسَّانُ بنُ سَعِيْدٍ المَنِيْعِيّ، وَأَبُو الوَلِيْدِ أَحْمَدُ بنُ عَبْدِ اللهِ بن أَحْمَدَ بنِ زَيدُوْنَ شَاعِر الأَنْدَلُس، وَأَبُو سَهْلٍ حَمْدُ بنُ وَلْكيز بِأَصْبَهَانَ، وَعبد الوَاحِد بن أَحْمَدَ المَلِيْحِي، وَأَبُو الغَنَائِمِ مُحَمَّد بن عَلِيٍّ الدَّجَاجِي، وَأَبُو بَكْرٍ مُحَمَّدُ بنُ أَبِي الهَيْثَمِ التُّرَابِي بِمَرْو، وَأَبُو عَلِيٍّ مُحَمَّدُ بنُ وشَاح الزَّيْنَبِيّ، وَالحَافِظُ أَبُو عُمَرَ بنُ عَبد البَر، وَأَبُو طَاهِرٍ أَحْمَدُ بنُ مُحَمَّدٍ العُكْبَرِيّ، عَنْ ثَلاَث وَسَبْعِيْنَ سَنَةً، وَهُوَ أَخُو أَبِي مَنْصُوْرٍ النّدِيم، وَشيخ الشِّيْعَة أَبُو يَعْلَى مُحَمَّدُ بنُ حَسَنِ بنِ حَمْزَةَ الطَّالكِي الجَعْفَرِيّ؛ صِهر الشَّيْخ المُفِيد.

Those who passed away at the approximate time of al-Khaṭīb include: Ḥassān ibn Sa'īd al-Manī'ī, Abu 'l-Walīd Aḥmad ibn 'Abdullāh ibn Aḥmad ibn Zaydūn, the poet of Andalusia, Abu Sahl Ḥamdu ibn Walkīz in Asbahān, ʻAbd al-Wāḥid ibn Aḥmad al-Malīḥī, Abu ʻl-Ghanā'im Muḥammad ibn ʻAlī al-Dajājī, Abu Bakr Muḥammad ibn Abi ʻl-Haytham al-Turābī in Marw, Abu ʻAlī Muḥammad ibn Washāḥ al-Zaynabī, al-Ḥāfiẓ Abu ʻUmar ibn ʻAbd al-Barr, Abu Ṭāhir Aḥmad ibn Muḥammad al-ʻUkbarī at the age of seventy three (he was the brother of Abu Manṣūr al-Nadīm), and Shaykh al-Shīʻah Abu Yaʻlā Muḥammad ibn Ḥasan ibn Ḥamzah al-Ṭālakī al-Jaʻfarī, son in law of Shaykhu ʻl-Mufīd.

شرف أصحاب الحديث

للإمام الحافظ أحمد بن علي بن ثابت

المعروف بـ: «الخطيب البغدادي»

(٣٩٢ - ٤٦٣)

[مقدمة المؤلف]
[Author's Foreword]

[The chain of narration of the book:]

حدثنا الشيخ الإمام العالم الحافظ جمال الدين أبو محمد عبد القادر ابن عبد الله الرهاوي، قراءة من لفظه، وأنا حاضر أسمع بالموصل، يوم السبت ثالث عشرين ذو الحجة سنة اثنتين وستين وخمس مائة، قال: أخبرنا الشيخ أبو عبد الله محمد بن حمزة بن محمد بن أبي جميل القرشي، قال: أخبرنا الشيخ أبو محمد هبة الله بن أحمد الأكفاني، قال:

❁❁❁

حدثنا الشيخ الإمام أبو بكر، أحمد بن علي بن ثابت، الخطيب البغدادي - رحمه الله - فيما حدثنا به:

It was narrated to us by al-Shaykh, al-Imām, Abu Bakr Aḥmad ibn 'Alī ibn Thābit, al-Khaṭīb al-Baghdādī ﷺ, from what he narrated to us:

الْحَمْدُ لِلَّهِ الَّذِي اصْطَفَى الْإِسْلَامَ دِينًا لِصَفْوَةِ بَرِيَّتِهِ وَبَعَثَ بِهِ الْمُرْسَلِينَ الَّذِينَ اخْتَارَهُمْ مِنْ خَلِيقَتِهِ وَجَعَلَنَا قَوَّامِينَ بِشَرِيعَتِهِ وَعَلَى مِلَّتِهِ ذَابِّينَ عَنْ حَرِيمِهِ عَامِلِينَ بِسُنَّتِهِ نَحْمَدُهُ حَقَّ حَمْدِهِ وَنَسْأَلُهُ التَّوْفِيقَ لِرُشْدِهِ وَنَرْغَبُ إِلَيْهِ فِي الْمَزِيدِ مِنْ فَضْلِهِ.

All praise is due to Allah Who has favoured Islam as a religion for His chosen creation, Who has sent His messengers with it whom He selected from amongst His creation; Who has made us firm upon His legislation and religion, avoiding what He prohibited, and following His way. We praise Him as He deserves to be praised, we ask Him to give us success in reaching His guidance, and we hope from Him more of His blessings.

وَصَلَّى اللَّهُ عَلَى خَاتَمِ رُسُلِهِ سَيِّدُنَا مُحَمَّدٌ، أَفْضَلُ النَّبِيِّينَ وَخِيَرَةُ اللَّهِ مِنْ الْخَلْقِ أَجْمَعِينَ وَعَلَى صَحَابَتِهِ الْأَخْيَارِ الْمُنْتَجَبِينَ وَتَابِعِيهِمْ بِالْإِحْسَانِ إِلَى يَوْمِ الدِّينِ.

May Allah bless the seal of His messengers, our master, Muḥammad, the best of the prophets and whom Allah made the finest from amongst all of creation, and [may He bless] his righteous and noble companions, and all those who follow them in goodness until the Day of Judgment.

أَمَّا بَعْدُ:

As to what follows:

وَفَّقَكُمُ اللَّهُ لِعَمَلِ الخَيْرَاتِ وَعَصَمَنَا وَإِيَّاكُمْ مِنَ اقْتِحَامِ البِدَعِ وَالشُّبُهَاتِ، فَقَدْ وَقَفْنَا عَلَى مَا ذَكَرْتُمْ مِنْ عَيْبِ المُبْتَدِعَةِ أَهْلَ السُّنَنِ وَالْآثَارِ، وَطَعْنِهِمْ عَلَى مَنْ شَغَلَ نَفْسَهُ بِسَمَاعِ الْأَحَادِيثِ، وَحِفْظِ الْأَخْبَارِ، وَتَكْذِيبِهِمْ بِصَحِيحِ مَا نَقَلَهُ إِلَى الْأُمَّةِ الْأَئِمَّةُ الصَّادِقُونَ، وَاسْتِهْزَائِهِمْ بِأَهْلِ الْحَقِّ فِيمَا وَضَعَهُ عَلَيْهِمُ الْمُلْحِدُونَ: ﴿ اللَّهُ يَسْتَهْزِئُ بِهِمْ وَيَمُدُّهُمْ فِي طُغْيَانِهِمْ يَعْمَهُونَ﴾.

May Allah give you success in performing good actions, and may He protect us and you from falling into innovation and doubt. We are aware of what you have mentioned in regards to the aspersions that the people of innovation cast upon the people of the *sunan* and *āthār*, and their criticisms levied against those who busy themselves with hearing the *aḥādīth* and memorising narrations, as well as their rejection of what was authentically transmitted from the honest, renowned scholars unto the Muslim nation, and their ridicule of the people of truth with that which the disbelievers have lied about them: **{[But] Allah mocks them and prolongs them in their transgression [while] they wander blindly.}**[56]

وَلَيْسَ ذَاكَ عَجِيبًا مِنْ مُتَّبِعِي الْهَوَى، وَمَنْ أَضَلَّهُمُ اللَّهُ عَنْ سُلُوكِ سَبِيلِ الْهُدَى وَمِنْ

56 Al-Baqarah: 15

وَاضِحِ شَأْنِهِمُ الدَّالُّ عَلَى خِذْلَانِهِمْ: صُدُوفُهُمْ عَنِ النَّظَرِ فِي أَحْكَامِ الْقُرْآنِ، وَتَرْكِهِمُ الْحِجَاجَ بِآيَاتِهِ الْوَاضِحَةِ الْبُرْهَانِ، وَاطِّرَاحِهِمُ السُّنَنَ مِنْ وَرَائِهِمْ، وَتَحَكُّمِهِمْ فِي الدِّينِ بِآرَائِهِمْ.

It is not a strange occurrence for this to emerge from those who follow their desires, and those whom Allah has led astray from following the way of the truth. Amongst the illuminations of their affair which shows their betrayal is that they avoid looking into the rulings of the Qurʾān; that they abandon using its clear and evident *āyāt* as evidence, and that they throw the *sunan* behind them and give rulings in the religion based upon their own opinions.

فَالْحَدَثُ مِنْهُمْ مَنْهُومٌ بِالْغَزَلِ، وَذُو السِّنِّ مَفْتُونٌ بِالْكَلَامِ وَالْجَدَلِ، قَدْ جَعَلَ دِينَهُ غَرَضًا لِلْخُصُومَاتِ، وَأَرْسَلَ نَفْسَهُ فِي مَرَاتِعِ الْهَلَكَاتِ، وَمَنَّاهُ الشَّيْطَانُ دَفْعَ الْحَقِّ بِالشُّبُهَاتِ، إِنْ عُرِضَ عَلَيْهِ بَعْضُ كُتُبِ الْأَحْكَامِ الْمُتَعَلِّقَةِ بِآثَارِ نَبِيِّنَا عَلَيْهِ أَفْضَلُ السَّلَامِ، نَبَذَهَا جَانِبًا، وَوَلَّى ذَاهِبًا عَنِ النَّظَرِ فِيهَا، يَسْخَرُ مِنْ حَامِلِهَا وَرَاوِيهَا، مُعَانَدَةً مِنْهُ لِلدِّينِ وَطَعْنًا عَلَى أَئِمَّةِ الْمُسْلِمِينَ، ثُمَّ هُوَ يَفْتَخِرُ عَلَى الْعَوَامِ بِذَهَابِ عُمْرِهِ فِي دَرْسِ الْكَلَامِ، وَيَرَى جَمِيعَهُمْ ضَالِّينَ سِوَاهُ، وَيَعْتَقِدُ أَنْ لَيْسَ يَنْجُو إِلَّا إِيَّاهُ لِخُرُوجِهِ - زَعَمَ - عَنْ حَدِّ التَّقْلِيدِ، وَانْتِسَابِهِ إِلَى الْقَوْلِ بِالْعَدْلِ وَالتَّوْحِيدِ، وَتَوْحِيدُهُ إِذَا اعْتُبِرَ كَانَ شِرْكًا وَإِلْحَادًا، لِأَنَّهُ يَجْعَلُ لِلَّهِ مِنْ خَلْقِهِ شُرَكَاءَ وَأَنْدَادًا، وَعَدْلُهُ عُدُولٌ عَنْ نَهْجِ الصَّوَابِ إِلَى خِلَافِ مُحْكَمِ السُّنَّةِ وَالْكِتَابِ.

The young amongst them are infatuated with love poetry, and the old amongst them are enamoured with *kalām* and arguing, and they have made their religion a matter to dispute about. They sent themselves into the pastures of destruction, and the devil inspired them to reject the truth with doubts, and hence, if they were to be presented with some books of rulings that pertain to the *āthār* of our Prophet ﷺ, they would throw them aside, and leave without looking into them. They deride those who carry and narrate them, displaying through this obstinateness towards the religion and malignance towards the *imāms* of the Muslims. Then, they boast to the laity about how they spent their entire lives in the study of *kalām*, and they view them all to be misguided except themselves. Moreover, they believe that they are the only ones who will be saved because—they think—that they have exited the remit of blind following, and because they ascribe themselves to stating justness and monotheism. However, if their monotheism were to be scrutinised, it would emerge as polytheism and disbelief, as it makes partners and equals to Allah from His creation. Their justness is actually deviation from the correct methodology, contrary to the absolutes of the Sunnah and the Qur'ān.

وَكَمْ يُرَى الْبَائِسُ الْمِسْكِينُ إِذَا ابْتُلِيَ بِحَادِثَةٍ فِي الدِّينِ، يَسْعَى إِلَى الْفَقِيهِ يَسْتَفْتِيهِ، وَيَعْمَلُ عَلَى مَا يَقُولُهُ وَيَرْوِيهِ، رَاجِعًا إِلَى التَّقْلِيدِ بَعْدَ فِرَارِهِ مِنْهُ، وَمُلْتَزِمًا حُكْمَهُ بَعْدَ صُدُوفِهِ عَنْهُ، وَعَسَى أَنْ يَكُونَ فِي حُكْمِ حَادِثَتِهِ مِنَ الْخِلَافِ مَا يَحْتَاجُ إِلَى إِنْعَامِ النَّظَرِ فِيهِ وَالِاسْتِكْشَافِ، فَكَيْفَ اسْتَحَلَّ التَّقْلِيدَ بَعْدَ تَحْرِيمِهِ؟! وَهَوَّنَ الْإِثْمَ فِيهِ بَعْدَ تَعْظِيمِهِ؟! وَلَقَدْ كَانَ رَفْضُهُ مَا لَا يَنْفَعُهُ فِي الْآخِرَةِ وَالْأُولَى، وَاشْتِغَالُهُ بِأَحْكَامِ الشَّرِيعَةِ أَحْرَى وَأَوْلَى.

[Furthermore], when such a miserable and poor person faces a novel matter related to the religion, he is seen going to a jurist seeking a *fatwā*, and he acts upon what the jurist says and narrates, returning to the blind imitation that he [supposedly] abandoned, and abiding by his ruling after he had turned away from him. Perhaps the ruling regarding their situation has some difference of opinion that would need close examination and investigation, so how could they allow blind imitation after they forbade it?! And how could they lessen the sin after they had considered it so grave?! Their abandoning of that which will not benefit them in the hereafter or this world, and them busying themselves with the rulings of religious legislation is more appropriate and worthy.

۱- أَخْبَرَنَا أَبُو سَعِيدٍ مُحَمَّدُ بْنُ مُوسَى بْنِ الْفَضْلِ بْنِ شَاذَانَ الصَّيْرَفِيُّ بِنَيْسَابُورَ قَالَ: حَدَّثَنَا أَبُو الْعَبَّاسِ مُحَمَّدُ بْنُ يَعْقُوبَ الْأَصَمُّ قَالَ: حَدَّثَنَا مُحَمَّدُ بْنُ إِسْحَاقَ الصَّغَانِيُّ، قَالَ: حَدَّثَنَا إِسْحَاقُ بْنُ عِيسَى قَالَ: سَمِعْتُ مَالِكَ بْنَ أَنَسٍ يَعِيبُ

الْجِدَالَ فِي الدِّينِ، وَيَقُولُ: كُلَّمَا جَاءَنَا رَجُلٌ أَجْدَلُ مِنْ رَجُلٍ، أَرَادَنَا أَنْ نَرُدَّ مَا جَاءَ بِهِ جِبْرِيلُ إِلَى النَّبِيِّ صَلَّى اللهُ عَلَيْهِ وَسَلَّمَ.

1. Abu Saʿīd reported to us in Naysābūr [...][57] that Isḥāq ibn ʿĪsā said, "I heard Malik ibn Anas criticise arguing about the religion and state, 'Every time a person came to us who was more argumentative than the other, he wanted us to reject that which Jibrīl brought to the Prophet ﷺ.'"

٢- أَخْبَرَنَا أَبُو الْقَاسِمِ عَبْدُ الرَّحْمَنِ بْنُ مُحَمَّدِ بْنِ عَبْدِ اللَّهِ السَّرَّاجُ بِنَيْسَابُورَ قَالَ: أَخْبَرَنَا بِشْرُ بْنُ أَحْمَدَ الْإِسْفَرَايِينِيُّ، قَالَ: حَدَّثَنَا جَعْفَرُ بْنُ مُحَمَّدٍ الْفِرْيَابِيُّ، قَالَ: حَدَّثَنَا بِشْرُ بْنُ الْوَلِيدِ، قَالَ: سَمِعْتُ أَبَا يُوسُفَ يَقُولُ: كَانَ يُقَالُ: مَنْ طَلَبَ الدِّينَ بِالْكَلَامِ تَزَنْدَقَ، وَمَنْ طَلَبَ غَرِيبَ الْحَدِيثِ كَذَبَ، وَمَنْ طَلَبَ الْمَالَ بِالْكِيمْيَاءِ أَفْلَسَ.

2. Abu 'l-Qāsim ʿAbd al-Raḥmān ibn Muḥammad ibn ʿAbdullāh al-Sarrāj reported to us in Naysābūr [...] that Bishr ibn Walīd said: "I heard Abu Yūsuf say: 'It has been said that whoever seeks the religion through *kalām* (Islamised philosophy) has committed blasphemy, and whoever seeks out the *gharīb* (strange) narrations has lied, and whoever seeks out wealth through alchemy has made himself insolvent.'"

٣- أَخْبَرَنَا أَبُو مَنْصُورٍ مُحَمَّدُ بْنُ عِيسَى بْنِ عَبْدِ الْعَزِيزِ الْبَزَّازُ بِهَمَذَانَ قَالَ: حَدَّثَنَا عُبَيْدُ اللَّهِ بْنُ سَعِيدٍ الْقَاضِي، بِبَرُوجِرْدَ قَالَ: حَدَّثَنَا عَبْدُ اللَّهِ بْنُ وَهْبٍ الْحَافِظُ الدِّينَوَرِيُّ، قَالَ: حَدَّثَنَا زَيْدُ بْنُ أَخْزَمَ، قَالَ: حَدَّثَنَا أَبُو دَاوُدَ الطَّيَالِسِيُّ، قَالَ: قَالَ سُفْيَانُ الثَّوْرِيُّ: إِنَّمَا الدِّينُ بِالْآثَارِ لَيْسَ بِالرَّأْيِ، إِنَّمَا الدِّينُ بِالْآثَارِ لَيْسَ بِالرَّأْيِ، إِنَّمَا الدِّينُ بِالْآثَارِ لَيْسَ بِالرَّأْيِ.

3. Abu Manṣūr Muḥammad ibn ʿĪsā ibn ʿAbd al-ʿAzīz al-Bazzāz reported to us in Hamadhān [...] that Sufyān al-Thawrī said: "Indeed, the religion is

57 [T] This denotes the chain of narration between the direct reporter to al-Khaṭīb and the last reporter.

based upon *āthār* (reports) and not opinion; indeed, the religion is based upon *āthār* and not opinion; indeed, the religion is based upon *āthār* and not opinion."

٤- أَخْبَرَنَا أَبُو الْحَسَنِ عَلِيُّ بْنُ أَحْمَدَ بْنِ مُحَمَّدِ بْنِ بَكْرَانَ الْفُوِّي بِالْبَصْرَةِ قَالَ: حَدَّثَنَا أَبُو عَلِيٍّ الْحَسَنُ بْنُ مُحَمَّدِ بْنِ عُثْمَانَ الْفَسَوِيُّ، قَالَ: حَدَّثَنَا يَعْقُوبُ بْنُ سُفْيَانَ، قَالَ: حَدَّثَنَا الْفَضْلُ بْنُ زِيَادٍ، قَالَ: سَأَلْتُ أَبَا عَبْدِ اللَّهِ - يَعْنِي أَحْمَدَ بْنَ حَنْبَلٍ - عَنِ الْكَرَابِيسِيِّ وَمَا أَظْهَرَ، فَكَلَحَ وَجْهُهُ، ثُمَّ قَالَ: إِنَّمَا جَاءَ بَلَاؤُهُمْ مِنْ هَذِهِ الْكُتُبِ الَّتِي وَضَعُوهَا، تَرَكُوا آثَارَ رَسُولِ اللَّهِ صَلَّى اللهُ عَلَيْهِ وَسَلَّمَ وَأَصْحَابِهِ، وَأَقْبَلُوا عَلَى هَذِهِ الْكُتُبِ.

4. Abu 'l-Ḥasan 'Alī ibn Aḥmad ibn Muḥammad ibn Bakrān al-Fuwwī reported to us in Baṣrah [...] that al-Faḍl ibn Ziyād said: "I asked Abu 'Abdillāh—i.e. Aḥmad ibn Ḥanbal—regarding al-Karābīsī and what he proclaimed, to which he frowned and said, 'Their troubles have come from these books that they composed. They abandoned the narrations of the Messenger of Allah ﷺ and his companions, and turned to these books.'"

٥- أَخْبَرَنَا أَبُو الْحَسَنِ مُحَمَّدُ بْنُ عُبَيْدِ اللَّهِ بْنِ مُحَمَّدٍ الْحِنَّائِيُّ، قَالَ: أَخْبَرَنَا [أَبُو بَكْرٍ] أَحْمَدُ بْنُ سَلْمَانَ النَّجَّادُ، قَالَ: حَدَّثَنَا عَبْدُ اللَّهِ بْنُ أَحْمَدَ بْنِ حَنْبَلٍ، قَالَ: حَدَّثَنَا أَبِي قَالَ: حَدَّثَنَا عَبْدُ الرَّحْمَنِ بْنُ مَهْدِيٍّ، قَالَ: سَمِعْتُ مَالِكَ بْنَ أَنَسٍ يَقُولُ: سَنَّ رَسُولُ اللَّهِ صَلَّى اللهُ عَلَيْهِ وَسَلَّمَ وَوُلَاةُ الْأَمْرِ بَعْدَهُ سُنَنًا، الْأَخْذُ بِهَا تَصْدِيقٌ لِكِتَابِ [اللَّهِ عَزَّ وَجَلَّ]، وَاسْتِكْمَالٌ لِطَاعَةِ اللَّهِ، وَقُوَّةٌ عَلَى دِينِ اللَّهِ، مَنْ عَمِلَ بِهَا مُهْتَدٍ، وَمَنِ اسْتَنْصَرَ بِهَا مَنْصُورٌ، وَمَنْ خَالَفَهَا اتَّبَعَ غَيْرَ سَبِيلِ الْمُؤْمِنِينَ، وَوَلَّاهُ اللَّهُ مَا تَوَلَّى.

5. Abu 'l-Ḥasan Muḥammad ibn 'Ubaydillāh ibn Muḥammad al-Ḥinnā'ī reported to us [...] that 'Abd al-Raḥmān ibn Mahdī said: "I heard Mālik ibn Anas say, 'The Messenger of Allah ﷺ and the rulers after him established traditions; accepting [and acting upon] them is attestation to the book of

Allah, perfection of obedience to Allah, and [an increasing of] strength for the religion of Allah. Whoever acts by it is guided, whoever seeks support from it is supported, and whoever contradicts it has followed a path other than that of the faithful, and Allah [instead] makes that which they have followed their supporter.'"

٦- أَخْبَرَنَا أَبُو سَعِيدٍ مُحَمَّدُ بْنُ مُوسَى الصَّيْرَفِيُّ، قَالَ: حَدَّثَنَا أَبُو الْعَبَّاسِ مُحَمَّدُ بْنُ يَعْقُوبَ الْأَصَمُّ، قَالَ: أَخْبَرَنَا الْعَبَّاسُ بْنُ الْوَلِيدِ بْنِ مَزْيَدَ الْبَيْرُوتِيُّ، قَالَ: أَخْبَرَنِي أَبِي قَالَ،: سَمِعْتُ الْأَوْزَاعِيَّ، يَقُولُ: عَلَيْكَ بِآثَارِ مَنْ سَلَفَ، وَإِنْ رَفَضَكَ النَّاسُ. وَإِيَّاكَ وَرَأْيَ الرِّجَالِ، وَإِنْ زَخْرَفُوهُ بِالْقَوْلِ، فَإِنَّ الْأَمْرَ يَنْجَلِي وَأَنْتَ عَلَى طَرِيقٍ مُسْتَقِيمٍ.

6. Abu Sa'īd Muḥammad ibn Mūsā al-Ṣayrafī reported to us [...] that al-'Abbās ibn al-Walīd ibn Mazyad al-Bayrūtī said: "My father said to me, 'I heard al-Awzā'ī state: "Adhere to the *āthār* of the *salaf*, even if people reject you, and beware of the opinions of men, even if they beautify it in speech. Then indeed, when the matter becomes clear, you will find yourself upon the straight path."'"

٧- أَخْبَرَنَا الْحَسَنُ بْنُ أَبِي بَكْرٍ، قَالَ أَخْبَرَنَا عَبْدُ اللَّهِ بْنُ إِسْحَاقَ بْنِ إِبْرَاهِيمَ الْبَغَوِيُّ، قَالَ: حَدَّثَنَا الْحَسَنُ بْنُ عَلِيلٍ، قَالَ: حَدَّثَنَا أَحْمَدُ بْنُ الْحُسَيْنِ، صَاحِبُ الْقُوهِي، قَالَ: سَمِعْتُ يَزِيدَ بْنِ زُرَيْعٍ، رَحِمَهُ اللَّهُ، يَقُولُ: أَصْحَابُ الرَّأْيِ أَعْدَاءُ السُّنَّةِ.

7. Al-Ḥasan ibn Abī Bakr reported to us [...] that Aḥmad ibn al-Ḥusayn said: "I heard Yazīd ibn Zuray' state, 'The people of opinion are the enemies of the Sunnah.'"

قَالَ [أَبُو بَكْرٍ]:

He (i.e. Abu Bakr, the author) said:

وَلَوْ أَن صَاحِبَ الرَّأْيِ الْمَذْمُومِ شَغَلَ نَفْسَهُ بِمَا يَنْفَعُهُ مِنَ الْعُلُومِ، وَطَلَبَ سُنَنَ رَسُولِ رَبِّ الْعَالَمِينَ، وَاقْتَفَى آثَارَ الْفُقَهَاءِ وَالْمُحَدِّثِينَ، لَوَجَدَ فِي ذَلِكَ مَا يُغْنِيهِ عَمَّا سِوَاهُ، وَاكْتَفَى بِالْأَثَرِ عَنْ رَأْيِهِ الَّذِي رَآهُ، لِأَنَّ الْحَدِيثَ يَشْتَمِلُ عَلَى مَعْرِفَةِ أُصُولِ التَّوْحِيدِ، وَبَيَانِ مَا جَاءَ مِنْ وُجُوهِ الْوَعْدِ وَالْوَعِيدِ، وَصِفَاتِ رَبِّ الْعَالَمِينَ تَعَالَى عَنْ مَقَالَاتِ الْمُلْحِدِينَ، وَالْإِخْبَارِ عَنْ صِفَاتِ الْجَنَّةِ وَالنَّارِ، وَمَا أَعَدَّ اللَّهُ تَعَالَى فِيها[58] لِلْمُتَّقِينَ وَالْفُجَّارِ، وَمَا خَلَقَ اللَّهُ فِي الْأَرَضِينَ وَالسَّمَوَاتِ مِنْ صُنُوفِ الْعَجَائِبِ وَعَظِيمِ الْآيَاتِ، وَذِكْرِ الْمَلَائِكَةِ الْمُقَرَّبِينَ، وَنَعْتِ الصَّافِّينَ وَالْمُسَبِّحِينَ.

If the one who adheres to dispraised *rảy* (opinion) were to busy himself with the sciences that benefit him, by seeking the *sunan* of the Messenger of the Lord of all that exists, and by following in the steps of the work of the jurists and the scholars of ḥadīth, he will find that it suffices in place of everything else, and he would be satisfied with the *āthār* instead of the opinion he holds. This is because the ḥadīth is comprised of knowledge regarding the principles of *tawḥīd*, and explanation of the various promises and threats, as well as the attributes of the Lord of the worlds in opposition to what the disbelievers [and deviants] say. Also, it describes the characteristics of paradise and the hellfire, and what Allah has prepared in either of them for the righteous and the sinners, in addition to details regarding what Allah has created in the earth and heavens, from the different types of wondrous things and magnificent signs. It also mentions the close angels, and describes those who are pure and frequent in their praise [of Allah].

وَفِي الْحَدِيثِ قَصَصُ الْأَنْبِيَاءِ، وَأَخْبَارُ الزُّهَّادِ وَالْأَوْلِيَاءِ، وَمَوَاعِظُ الْبُلَغَاءِ، وَكَلَامُ الْفُقَهَاءِ، وَسِيَرُ مُلُوكِ الْعَرَبِ وَالْعَجَمِ، وَأَقَاصِيصُ الْمُتَقَدِّمِينَ مِنَ الْأُمَمِ، وَشَرْحُ مَغَازِي الرَّسُولِ صَلَّى اللهُ عَلَيْهِ وَسَلَّمَ، وَسَرَايَاهُ وَجُمَلُ أَحْكَامِهِ وَقَضَايَاهُ، وَخُطَبُهُ وَعِظَاتُهُ، وَأَعْلَامُهُ وَمُعْجِزَاتُهُ، وَعِدَّةُ أَزْوَاجِهِ وَأَوْلَادِهِ وَأَصْهَارِهِ وَأَصْحَابِهِ. وَذِكْرُ فَضَائِلِهِمْ وَمَآثِرِهِمْ. وَشَرْحُ أَخْبَارِهِمْ وَمَنَاقِبِهِمْ، وَمَبْلَغُ أَعْمَارِهِمْ، وَبَيَانُ أَنْسَابِهِمْ.

The ḥadīth include the stories of the prophets, and reports regarding the

58 In another manuscript this is (فِيهِمَا).

ascetics and the saints. Also, the sermons of the eloquent, the words of the jurists, and biographies of the kings of both the Arabs and non-Arabs. Likewise, the stories of the nations that preceded, and they detail the battles of the Messenger ﷺ as well as his expeditions, his rulings and judgements in general, his sermons and speeches, his signs and miracles, and they give detail of his wives, children, in-laws, and companions. [In regards to them (i.e. the Companions),] it mentions their virtues and exploits, explains their reports and merits, how old they lived, and states their ancestries.

وَفِيهِ تَفْسِيرُ الْقُرْآنِ الْعَظِيمِ، وَمَا فِيهِ مِنَ النَّبَإِ وَالذِّكْرِ الْحَكِيمِ. وَأَقَاوِيلُ الصَّحَابَةِ فِي الْأَحْكَامِ الْمَحْفُوظَةِ عَنْهُمْ، وَتَسْمِيَةُ مَنْ ذَهَبَ إِلَى قَوْلِ كُلِّ وَاحِدٍ مِنْهُمْ مِنَ الْأَئِمَّةِ الْخَالِفِينَ وَالْفُقَهَاءِ الْمُجْتَهِدِينَ.

It also includes exegesis of the Glorious Qur'ān, and the tidings and wise remembrance found within it. [It] also [includes] the views of the Companions regarding the rulings [of the Sharīʿah] that have been narrated from them, and names each person from among the *imāms* that came after them, and the *mujtahid* jurists, who held each of their opinions.

وَقَدْ جَعَلَ اللَّهُ تَعَالَى أَهْلَهُ أَرْكَانَ الشَّرِيعَةِ، وَهَدَمَ بِهِمْ كُلَّ بِدْعَةٍ شَنِيعَةٍ. فَهُمْ أُمَنَاءُ اللَّهِ مِنْ خَلِيقَتِهِ، وَالْوَاسِطَةُ بَيْنَ النَّبِيِّ صَلَّى اللهُ عَلَيْهِ وَسَلَّمَ وَأُمَّتِهِ، وَالْمُجْتَهِدُونَ فِي حِفْظِ مِلَّتِهِ. أَنْوَارُهُمْ زَاهِرَةٌ، وَفَضَائِلُهُمْ سَائِرَةٌ، وَآيَاتُهُمْ بَاهِرَةٌ، وَمَذَاهِبُهُمْ ظَاهِرَةٌ، وَحُجَجُهُمْ قَاهِرَةٌ.

Furthermore, Allah made its (i.e. ḥadīth's) people the pillars of the Sharīʿah, and through them He destroyed every hideous innovation. They are the trustees of Allah from amongst His slaves, and the intermediaries between the Prophet ﷺ and his nation, those who strive in the preservation of his creed. Their lights are bright, their virtues are boundless, their signs are magnificent, their doctrines are pure, and their evidences are powerful.

وَكُلُّ فِئَةٍ تَتَحَيَّزُ إِلَى هَوًى تَرْجِعُ إِلَيْهِ، أَوْ تَسْتَحْسِنُ رَأْيًا تَعْكُفُ عَلَيْهِ، سِوَى أَصْحَابِ الْحَدِيثِ، فَإِنَّ الْكِتَابَ عُدَّتُهُمْ، وَالسُّنَّةَ حُجَّتُهُمْ، وَالرَّسُولُ فِئَتُهُمْ، وَإِلَيْهِ

نِسْبَتُهُمْ، لَا يُعَرِّجُونَ عَلَى الْأَهْوَاءِ، وَلَا يَلْتَفِتُونَ إِلَى الْآرَاءِ، يُقْبَلُ مِنْهُمْ مَا رَوَوْا عَنِ الرَّسُولِ، وَهُمُ الْمَأْمُونُونَ عَلَيْهِ وَالْعُدُولُ، حَفَظَةُ الدِّينِ وَخَزَنَتُهُ، وَأَوْعِيَةُ الْعِلْمِ وَحَمَلَتُهُ، إِذَا اخْتُلِفَ فِي حَدِيثٍ، كَانَ إِلَيْهِمُ الرُّجُوعُ، فَمَا حَكَمُوا بِهِ، فَهُوَ الْمَقْبُولُ الْمَسْمُوعُ، وَمِنْهُمْ كُلُّ عَالِمٍ فَقِيهٌ، وَإِمَامٌ رَفِيعٌ نَبِيهٌ، وَزَاهِدٌ فِي قَبِيلَةٍ، وَمَخْصُوصٌ بِفَضِيلَةٍ، وَقَارِئٌ مُتْقِنٌ، وَخَطِيبٌ مُحْسِنٌ.

Every group is prejudiced towards a desire that they fall back to, or favour an opinion to lean on, except the ḥadīth adherents, for the Qur'ān is their tool, the Sunnah is their proof, and the Messenger is their group, to which (i.e. to him ﷺ) they are ascribed. They do not stumble on their desires, nor do they turn to opinion. That which they narrate from the Messenger is accepted, [for] they are the ones entrusted with it and the ones who possess the requisite trustworthiness. They are the preservers of the religion and its treasurers, the vessels of knowledge and its carriers. If there is a dispute regarding a ḥadīth, it is to them one returns, and what they decide is accepted and heard. From them comes every juristic scholar, exquisite and astute *imām*, ascetic between an entire tribe, person specified with virtue, meticulous reciter, and eloquent speaker.

وَهُمُ الْجُمْهُورُ الْعَظِيمُ، وَسَبِيلُهُمُ السَّبِيلُ الْمُسْتَقِيمُ. وَكُلُّ مُبْتَدِعٍ بِاعْتِقَادِهِمْ يَتَظَاهَرُ، وَعَلَى الْإِفْصَاحِ [بِغَيْرِ مَذَاهِبِهِمْ] لَا يَتَجَاسَرُ، مَنْ كَادَهُمْ قَصَمَهُ اللَّهُ، وَمَنْ عَانَدَهُمْ خَذَلَهُمُ اللَّهُ. لَا يَضُرُّهُمْ مَنْ خَذَلَه[59]، وَلَا يُفْلِحُ مَنِ اعْتَزَلَهُمْ، الْمُحْتَاطُ لِدِينِهِ إِلَى إِرْشَادِهِمْ فَقِيرٌ، وَبَصَرُ النَّاظِرِ بِالسُّوءِ إِلَيْهِمْ حَسِيرٌ، وَإِنَّ اللَّهَ عَلَى نَصْرِهِمْ لَقَدِيرٌ.

They are the great consensus, theirs is the straight path, those who innovate pretend to follow their creed, and they do not dare to express [their innovation] outright. Whoever plots against them is destroyed by Allah, and whoever opposes them Allah will forsake him. They are immune to the harm of those who failed them, and those who separate themselves from them are doomed to failure. The one who is vigilant towards his religion is in dire need of their guidance, and regretful is the sight of whomsoever looks at them in an evil manner. Indeed, in their support Allah is able.

59 In another manuscript this is (خَذَلَهُمْ).

۸- أَخْبَرَنَا أَبُو بَكْرٍ أَحْمَدُ بْنُ عُمَرَ الدَّلَّالُ، قَالَ: حَدَّثَنَا أَبُو مُحَمَّدٍ جَعْفَرُ بْنُ مُحَمَّدِ بْنِ نُصَيْرٍ الْخُلْدِيُّ، قَالَ: حَدَّثَنَا خَلَفُ بْنُ عَمْرٍو الْعُكْبَرِيُّ، قَالَ: حَدَّثَنَا سَعِيدُ بْنُ مَنْصُورٍ، قَالَ: حَدَّثَنَا عَبْدُ الرَّحْمَنِ بْنُ زِيَادٍ، قَالَ: حَدَّثَنَا شُعْبَةُ، عَنْ مُعَاوِيَةَ بْنِ قُرَّةَ، عَنْ أَبِيهِ، عَنِ النَّبِيِّ صَلَّى اللهُ عَلَيْهِ وَسَلَّمَ قَالَ: ((لَا يَزَالُ أُنَاسٌ مِنْ أُمَّتِي مَنْصُورِينَ، لَا يَضُرُّهُمْ مَنْ خَذَلَهُمْ حَتَّى تَقُومَ السَّاعَةُ)).

8. Abu Bakr Aḥmad ibn ʿUmar al-Dallāl reported to us [...] that Muʿāwiyah ibn Qurrah narrated from his father, that the Prophet ﷺ said: "Some people of my nation will continuously prevail, and they will not be harmed by those who forsake them until the commencement of the [last] hour."[60]

۹- أَنْبَأَنَا مُحَمَّدُ بْنُ أَحْمَدَ بْنِ رِزْقٍ الْبَزَّازُ، قَالَ: أَخْبَرَنَا مُحَمَّدُ بْنُ الْعَبَّاسِ الْعَصَمِيُّ، قَالَ: حَدَّثَنَا أَبُو إِسْحَاقَ أَحْمَدُ بْنُ مُحَمَّدِ بْنِ ياسين الْهَرَوِيُّ الْحَافِظُ، قَالَ: حَدَّثَنَا عُثْمَانُ بْنُ سَعِيدٍ الدَّارِمِيُّ، قَالَ: قَالَ عَلِيُّ بْنُ الْمَدِينِيِّ فِي حَدِيثِ النَّبِيِّ صَلَّى اللهُ عَلَيْهِ وَسَلَّمَ ((لَا تَزَالُ طَائِفَةٌ مِنْ أُمَّتِي ظَاهِرِينَ عَلَى الْحَقِّ، لَا يَضُرُّهُمْ مَنْ خَالَفَهُمْ)): (هُمْ أَهْلُ الْحَدِيثِ، وَالَّذِينَ يَتَعَاهَدُونَ مَذَاهِبَ الرَّسُولِ وَيَذُبُّونَ عَنِ الْعِلْمِ، لَوْلَاهُمْ، لَمْ تَجِدْ عِنْدَ الْمُعْتَزِلَةِ وَالرَّافِضَةِ وَالْجَهْمِيَّةِ وَأَهْلِ الْإِرْجَاءِ وَالرَّأْيِ شَيْئًا مِنَ السُّنَنِ).

9. Muḥammad ibn Aḥmad ibn Rizq al-Bazzār reported to us [...]that ʿUthmān ibn Saʿīd al-Dārimī said: "ʿAlī ibn al-Madīnī said regarding the statement of the Prophet ﷺ, 'There will remain a group of my nation who prevail upon the truth, and they will not be harmed by those who oppose them.' [He said:] 'They are the people of ḥadīth, and those who serve as custodians for the ways of the Messenger and as the sentinels for knowledge. If it were not for them, you would not find some of the *sunan* amongst the Muʿtazilah, the Rāfiḍah, the Jahmiyyah, the people of *irjā'*, and the people

60 *Ṣaḥīḥ*. Reported by Aḥmad (5/34), Ibn Abī ʿĀṣim (2/333), al-Ṭayalīsī (1076), al-Tirmidhī (2192), Ibn Mājah (6) and others.

of *rảy* (opinion).'"[61]

[قَالَ أَبُو بَكْرٍ:]

[Abu Bakr (i.e. the author) said:]

فَقَدْ جَعَلَ رَبُّ الْعَالَمِينَ الطَّائِفَةَ الْمَنْصُورَةَ حُرَّاسَ الدِّينِ، وَصَرَفَ عَنْهُمْ كَيْدَ الْمُعَانِدِينَ؛ لِتَمَسُّكِهِمْ بِالشَّرْعِ الْمَتِينِ، وَاقْتِفَائِهِمْ آثَارَ الصَّحَابَةِ وَالتَّابِعِينَ.

Allah has made the prevailing sect the guardians of the religion, and he deflected from them the plots of their opposition. This is due to their adherence to the firm legislation, and their following of the *āthār* of the Companions and their disciples (lit. followers).

فَشَأْنُهُمْ حِفْظُ الْآثَارِ وَقَطْعُ الْمَفَاوِزِ وَالْقِفَارِ، وَرُكُوبُ الْبَرَارِيِّ وَالْبِحَارِ فِي اقْتِبَاسِ مَا شَرَعَ الرَّسُولُ الْمُصْطَفَى، لَا يُعَرِّجُونَ عَنْهُ إِلَى رَأْيٍ وَلَا هَوًى.

Hence, their primary desire is to preserve the *āthār*, to pass over deserts and wastelands, and to ride across lands and upon the seas, in order to attain that which the chosen messenger has legislated, and they do not turn away from it to follow an opinion or a desire.

قَبِلُوا شَرِيعَتَهُ قَوْلًا وَفِعْلًا، وَحَرَسُوا سُنَّتَهُ حِفْظًا وَنَقْلًا حَتَّى ثَبَّتُوا بِذَلِكَ أَصْلَهَا، وَكَانُوا أَحَقَّ بِهَا وَأَهْلَهَا. وَكَمْ مِنْ مُلْحِدٍ يَرُومُ أَنْ يَخْلِطَ بِالشَّرِيعَةِ مَا لَيْسَ مِنْهَا، وَاللَّهُ تَعَالَى يَذُبُّ بِأَصْحَابِ الْحَدِيثِ عَنْهَا، فَهُمُ الْحُفَّاظُ لِأَرْكَانِهَا، وَالْقَوَّامُونَ بِأَمْرِهَا وَشَأْنِهَا إِذَا صَدَفَ عَنِ الدِّفَاعِ عَنْهَا فَهُمْ دُونَهَا يُنَاضِلُونَ، ﴿أُولَئِكَ حِزْبُ اللهِ أَلَا إِنَّ حِزْبَ

61 The chain of narration is weak, due to the narrator Abu Isḥāq Aḥmad ibn Muḥammad ibn Yāsīn al-Harawī. Al-Dāraquṭnī declared him a liar and called him "*matrūk*" (rejected), and al-Khalīlī said, "He has no strength, he narrated from a manuscript which none others [narrated] (يروى نسخا لا يتابع عليها)." However, the report itself is established from Ibn al-Madīnī. After reporting the previous ḥadīth, al-Tirmidhī said, "Muḥammad ibn Ismā'īl (i.e. al-Bukhārī) said that 'Alī ibn al-Madīnī said, "They are the people of ḥadīth."

اللهِ هُمُ الْمُفْلِحُونَ﴾ [المجادلة: ٢٢]

They accepted his Sharīʿah in word and in practice, and they protected his Sunnah through memorisation and transmission, which firmly established its roots, and [thus] they were the most worthy of it and of being from its people. How many disbelievers desire to mix with the Sharīʿah that which is not from it, whilst Allah protects against this via the ḥadīth adherents. They are the ones who preserved its pillars, and who are the caretakers of its matter[s] and affair[s], and they are its defenders if the need to do so arises, **{Those are the party of Allah. Unquestionably, the party of Allah—they are the successful.}**[62]

١٠- أَخْبَرَنَا أَبُو الْحُسَيْنِ مُحَمَّدُ بْنُ الْحَسَنِ بْنِ أَحْمَدَ الْأَهْوَازِيُّ، قَالَ: حَدَّثَنَا الْحَسَنُ بْنُ عَبْدِ اللَّهِ بْنِ سَعِيدٍ الْعَسْكَرِيُّ، قَالَ: حَدَّثَنَا عَبْدَانُ يَعْنِي عَبْدَ اللَّهِ بْنَ أَحْمَدَ بْنِ مُوسَى، قَالَ: حَدَّثَنَا زَيْدُ بْنُ الْحَرِيشِ، قَالَ: حَدَّثَنَا عَبْدُ اللَّهِ بْنُ خِرَاشٍ، عَنِ الْعَوَّامِ بْنِ حَوْشَبٍ، عَنْ شَهْرِ بْنِ حَوْشَبٍ: عَنْ مُعَاذِ بْنِ جَبَلٍ، عَنِ النَّبِيِّ صَلَّى اللهُ عَلَيْهِ وَسَلَّمَ، مِثْلَ حَدِيثٍ قَبْلَهُ، قَالَ: ((يَحْمِلُ هَذَا الْعِلْمَ مِنْ كُلِّ خَلَفٍ عُدُولُهُ، يَنْفُونَ عَنْهُ تَحْرِيفَ الْغَالِينَ وَانْتِحَالَ الْمُبْطِلِينَ وَتَأْوِيلَ الْجَاهِلِينَ)).

10. Abu ʿl-Ḥusayn Muḥammad ibn al-Ḥasan ibn Aḥmad al-Ahwāzī reported to us [...] that Muʿādh ibn Jabal narrated a similar narration to the previous one, that the Prophet ﷺ said: "The trustworthy of every succeeding people will carry this knowledge. They will safeguard it from the deviation of the extremists, the undue assumption of those who reject, and the interpretation of the ignorant."[63]

62 Al-Mujādilah: 22

63 *Mawḍūʿ* (fabricated) with this *isnād*. The *shaykh* of al-Khaṭīb was not only accused (متهم) of lying, but he would also misappropriate and fabricate. The narrator ʿAbdullāh ibn Khirāsh is of his like. The narrator Zayd ibn al-Ḥarīsh has some softness (*layyin*) and *jahālah* (being unknown), as for the *layyin*, it is due to the statement of Ibn Ḥibbān regarding him in *al-Thiqāt* (8/251), "Sometimes he makes mistakes (ربما أخطأ)", as for the *jahālah*, it is based upon the transmission of al-Ḥāfiẓ in *al-Lisān* (2/620) from Ibn al-Qaṭṭān, "He is *majhūl al-ḥāl* (having an unknown state)."

١١- حَدَّثَنِي الْحَسَنُ بْنُ أَبِي طَالِبٍ، قَالَ: حَدَّثَنَا أَبُو عُمَرَ مُحَمَّدُ بْنُ الْعَبَّاسِ الْخَزَّازُ، قَالَ: حَدَّثَنَا أَبُو بَكْرِ بْنُ أَبِي دَاوُدَ، قَالَ: حَدَّثَنَا أَحْمَدُ بْنُ سِنَانٍ، عَنْ رَجُلٍ، ذَكَرَهُ أَنَّهُ رَأَى النَّبِيَّ صَلَّى اللهُ عَلَيْهِ وَسَلَّمَ فِي الْمَنَامِ، وَكَانَ النَّبِيُّ صَلَّى اللهُ عَلَيْهِ وَسَلَّمَ قَائِمًا فِي الْمَسْجِدِ بَيْنَ حَلْقَتَيْنِ، فِي إِحْدَاهُمَا أَحْمَدُ بْنُ حَنْبَلٍ، وَفِي الْأُخْرَى ابْنُ أَبِي دُؤَادٍ، وَالنَّبِيُّ صَلَّى اللهُ عَلَيْهِ وَسَلَّمَ يَقُولُ: ((**﴿فَإِنْ يَكْفُرْ بِهَا هَؤُلَاءِ﴾** [الأنعام: ٨٩] - وَأَشَارَ النَّبِيُّ صَلَّى اللهُ عَلَيْهِ وَسَلَّمَ إِلَى ابْنِ أَبِي دُؤَادٍ وَأَصْحَابِهِ - **﴿فَقَدْ وَكَّلْنَا بِهَا قَوْمًا لَيْسُوا بِهَا بِكَافِرِينَ﴾** [الأنعام: ٨٩] - وَأَشَارَ النَّبِيُّ صَلَّى اللهُ عَلَيْهِ وَسَلَّمَ إِلَى أَحْمَدَ بْنِ حَنْبَلٍ وَأَصْحَابِهِ -)).

11. Al-Ḥasan ibn Abī Ṭālib narrated to us [...] that Aḥmad ibn Sinān narrated from a man he mentioned who said that he saw the Prophet ﷺ in a dream, and the Prophet ﷺ was standing in the *masjid* between two gatherings, in one was Aḥmad ibn Ḥanbal, and in the other was Ibn Abī Du'ād. The Prophet ﷺ was stating: "**{But if the disbelievers deny it ...}**"—whilst pointing to Ibn Abī Du'ād and his companions, "**{then We have entrusted it to a people who are not therein disbelievers}**[64]"—whilst pointing to Aḥmad ibn Ḥanbal and his companions.[65]

۞۞۞

[قَالَ أَبُو بَكْرٍ]:

[Abu Bakr said:]

قَدْ ذَكَرَ أَبُو مُحَمَّدٍ عَبْدُ اللَّهِ بْنُ مُسْلِمِ بْنِ قُتَيْبَةَ فِي كِتَابِهِ الْمُؤَلَّفِ فِي (تَأْوِيلِ مُخْتَلِفِ الْحَدِيثِ) مَا يَتَعَلَّقُ بِهِ أَهْلُ الْبِدَعِ مِنَ الطَّعْنِ عَلَى أَصْحَابِ الْحَدِيثِ، ثُمَّ ذَكَرَ مِنْ فَسَادِ مَا تَعَلَّقُوا بِهِ، مَا فِيهِ مُقْنِعٌ لِمَنْ وَفَّقَهُ اللَّهُ لِرُشْدِهِ، وَرَزَقَهُ السَّدَادَ فِي قَصْدِهِ.

---

64 Al-Anʿām: 89

65 Its *isnād* is *ṣaḥīḥ* to Aḥmad ibn Sinān. Al-Ḥasan ibn Abī Ṭālib is al-Ḥasan ibn Muḥammad al-Khallāl.

Abu Muḥammad ʿAbdullāh ibn Muslim ibn Qutaybah in his book *Tảwīl Mukhtalaf al-Ḥadīth*, mentioned that which the people of innovation cling on to when criticising the ḥadīth adherents, and then mentions the invalidity of that. Such matters are not comprised of anything which would convince the one whom Allah has allowed to reach His guidance, and bestowed upon him rightness in his aim.

وَأَنَا أَذْكُرُ فِي كِتَابِي هَذَا، إِنْ شَاءَ اللَّهُ تَعَالَى، مَا رُوِيَ عَنْ رَسُولِ اللَّهِ صَلَّى اللهُ عَلَيْهِ وَسَلَّمَ فِي الْحَثِّ عَلَى التَّبْلِيغِ عَنْهُ، وَفَضْلِ النَّقْلِ لِمَا سُمِعَ مِنْهُ، ثُمَّ مَا رُوِيَ عَنِ الصَّحَابَةِ وَالتَّابِعِينَ وَمَنْ بَعْدَهُمْ مِنَ الْعُلَمَاءِ الْخَالِفِينَ فِي شَرَفِ أَصْحَابِ الْحَدِيثِ وَفَضْلِهِمْ، وَعُلُوِّ مَرْتَبَتِهِمْ وَنُبْلِهِمْ، وَمَحَاسِنِهِمُ الْمَذْكُورَةِ وَمَعَالِمِهِمُ الْمَأْثُورَةِ.

I will mention in this book of mine, by the will of Allah, that which was narrated from the Messenger of Allah ﷺ which encourages reporting from him, and the virtue of transmitting what was heard from him, and also that which was narrated from the Companions and their followers, and from the scholars who succeeded them, pertaining to the honour of the ḥadīth adherents and their virtue, high status and nobility, their mentioned merits, and transmitted characteristics.

نَسْأَلُ اللَّهَ أَنْ يَنْفَعَنَا بِمَحَبَّتِهِمْ، وَيُحْيِينَا عَلَى سُنَّتِهِمْ، وَيُمِيتَنَا عَلَى مِلَّتِهِمْ، وَيَحْشُرَنَا فِي زُمْرَتِهِمْ، إِنَّهُ بِنَا خَبِيرٌ بَصِيرٌ، وَهُوَ عَلَى كُلِّ شَيْءٍ قَدِيرٌ.

We ask Allah to benefit us from our love of them, to give us a life upon their footsteps, to allow us to die upon their religion, and to gather us amongst them, for He is all-knowing and all-seeing of us, and He is over all things able.

باب ما روي عن رسول الله صلى الله عليه وسلم في الحث على التبليغ والحفظ عنه

Chapter: That Which Was Narrated From the Messenger of Allah ﷺ in Encouragement of Conveying and Memorising From Him

---

قَوْلُهُ صَلَّى اللهُ عَلَيْهِ وَسَلَّمَ: ((بَلِّغُوا عَنِّي وَلَوْ آيَةً، وَحَدِّثُوا عَنِّي، وَلَا تَكْذِبُوا عَلَيَّ)).

His ﷺ statement, "Convey from me even if it were one verse, narrate from me, and do not lie upon me."

١٢- أَخْبَرَنَا أَبُو نُعَيْمٍ أَحْمَدُ بْنُ عَبْدِ اللَّهِ بْنِ أَحْمَدَ بْنِ إِسْحَاقَ الْحَافِظُ بِأَصْبَهَانَ، قَالَ: حَدَّثَنَا عَبْدُ اللَّهِ بْنُ جَعْفَرِ بْنِ أَحْمَدَ بْنِ فَارِسٍ، قَالَ حَدَّثَنَا أَبُو مَسْعُودٍ أَحْمَدُ بْنُ الْفُرَاتِ الرَّازِيُّ، قَالَ: أَخْبَرَنَا ابْنُ نُمَيْرٍ عَبْدُ اللَّهِ:

ح وَأَخْبَرَنَا أَبُو سَعِيدٍ مُحَمَّدُ بْنُ مُوسَى بْنِ الْفَضْلِ الصَّيْرَفِيُّ بِنَيْسَابُورَ قَالَ: حَدَّثَنَا أَبُو حَامِدٍ أَحْمَدُ بْنُ مُحَمَّدِ بْنِ شُعَيْبٍ، قَالَ: حَدَّثَنَا سَهْلُ بْنُ عَمَّارٍ الْعَتَكِيُّ، قَالَ: حَدَّثَنَا مُحَمَّدُ بْنُ الْقَاسِمِ يَعْنِي الْأَسَدِيَّ:

ح وَأَخْبَرَنَا أَبُو الْحُسَيْنِ مُحَمَّدُ بْنُ الْحُسَيْنِ بْنِ مُحَمَّدِ بْنِ الْفَضْلِ الْقَطَّانُ، قَالَ: أخبرنا عَبْدُ اللَّهِ بْنُ جَعْفَرِ بْنِ دُرُسْتَوَيْهِ النَّحْوِيُّ، قَالَ حَدَّثَنَا يَعْقُوبُ بْنُ سُفْيَانَ.

ح وَأَخْبَرَنَا أَبُو الْحَسَنِ عَلِيُّ بْنُ أَحْمَدَ بْنِ عُمَرَ الْمُقْرِئُ، قَالَ: حَدَّثَنَا حَبِيبُ بْنُ الْحَسَنِ الْقَزَّازُ، قَالَ: حَدَّثَنَا أَبُو مُسْلِمٍ إِبْرَاهِيمُ بْنُ عَبْدِ اللَّهِ الْبَصْرِيُّ، قَالَا: حَدَّثَنَا

أَبُو عَاصِمٍ.

ح وَأَخْبَرَنَا أَبُو الْقَاسِمِ عَلِيُّ بْنُ مُحَمَّدِ بْنِ عَلِيٍّ الْإِيَادِيُّ، قَالَ: أَخْبَرَنَا أَحْمَدُ بْنُ يُوسُفَ بْنِ خَلَّادٍ الْعَطَّارُ، قَالَ: حَدَّثَنَا الْحَارِثُ بْنُ مُحَمَّدٍ التَّمِيمِيُّ، قَالَ: حَدَّثَنَا عَاصِمُ بْنُ عَلِيٍّ، قَالَ: حَدَّثَنَا أَخِي، الْحَسَنُ بْنُ عَلِيٍّ.

ح وَأَخْبَرَنَا الْقَاضِي أَبُو الْعَلَاءِ مُحَمَّدُ بْنُ عَلِيِّ بْنِ يَعْقُوبَ الْوَاسِطِيُّ، قَالَ: أَخْبَرَنَا أَحْمَدُ بْنُ جَعْفَرِ بْنِ حَمْدَانَ، قَالَ: حَدَّثَنَا بَشرُ بْنُ مُوسَى، قَالَ: حَدَّثَنَا مُعَاوِيَةُ بْنُ عَمْرٍو، عَنْ أَبِي إِسْحَاقَ يَعْنِي الْفَزَارِيَّ.

كُلُّهُمْ عَنِ الْأَوْزَاعِيِّ.

ح وَأَخْبَرَنَا أَبُو الْحُسَيْنِ عَلِيُّ بْنُ مُحَمَّدِ بْنِ عَبْدِ اللَّهِ بْنِ بِشْرَانَ الْمُعَدِّلُ، قَالَ أَخْبَرَنَا أَبُو بَكْرٍ مُحَمَّدُ بْنُ جَعْفَرِ بْنِ مُحَمَّدٍ الْأَدَمِيُّ الْقَارِئُ، قَالَ: حَدَّثَنَا ابْنُ الطَّبَّاعِ، قَالَ: حَدَّثَنَا مُحَمَّدُ بْنُ مُصْعَبٍ.

ح وَأَخْبَرَنَا عَلِيُّ بْنُ عَلِيٍّ الْمُعَدِّلُ، قَالَ: أَخْبَرَنَا الْحَسَنُ بْنُ جَعْفَرِ بْنِ مُحَمَّدٍ السِّمْسَارُ، قَالَ: حَدَّثَنَا أَبُو شُعَيْبٍ الْحَرَّانِيُّ، قَالَ: حَدَّثَنِي يَحْيَى بْنُ عَبْدِ اللَّهِ.

ح وَأَخْبَرَنَا مُحَمَّدُ بْنُ عَلِيِّ بْنِ الْفَتْحِ الْحَرْبِيُّ، وَلَفْظُ الْخَبَرِ لَهُ، قَالَ: أخبرنا عُمَرُ بْنُ إِبْرَاهِيمَ الْمُقْرِئُ، قَالَ: أَخْبَرَنَا عَبْدُ اللَّهِ بْنُ مُحَمَّدِ بْنِ عَبْدِ الْعَزِيزِ، قَالَ: حَدَّثَنَا أَبُو خَيْثَمَةَ، قَالَ: حَدَّثَنَا الْوَلِيدُ بْنُ مُسْلِمٍ، قَالوا: حَدَّثَنَا الْأَوْزَاعِيُّ.

حَدَّثَنِي حَسَّانُ بْنُ عَطِيَّةَ، قَالَ: حَدَّثَنِي أَبُو كَبْشَةَ، أَنَّ عَبْدَ اللَّهِ بْنَ عَمْرٍو حَدَّثَهُ أَنَّهُ سَمِعَ رَسُولَ اللَّهِ صَلَّى اللهُ عَلَيْهِ وَسَلَّمَ يَقُولُ: ((بَلِّغُوا عَنِّي وَلَوْ آيَةً، وَحَدِّثُوا عَنْ بَنِي إِسْرَائِيلَ وَلَا حَرَجَ، وَمَنْ كَذَبَ عَلَيَّ مُتَعَمِّدًا فَلْيَتَبَوَّأْ مَقْعَدَهُ مِنَ النَّارِ)).

12. It was reported to us [through a number of chains to al-Awzāʿī] [...] that

Abu Kabshah reported ʿAbdullāh ibn ʿAmr stating to him that he heard the Messenger of Allah ﷺ state: "Convey from me even if it were one verse, and talk about the Children of Israel and there is no sin [in doing so], and whoever purposely lies upon me then let them take his seat in the Hellfire."[66]

وَأَلْفَاظُهُمْ عَلَى الْمَتْنِ سَوَاءٌ.

The wordings of the text are the same in all of the above transmissions.

۞۞۞

[قَالَ أَبُو بَكْرٍ:] وهَذَا رَوَاهُ عَبْدُ الرَّحْمَنِ بْنُ ثَابِتِ بْنِ ثَوْبَانَ، عَنْ حَسَّانَ بْنِ عَطِيَّةَ.

[Abu Bakr said:] This was also reported by ʿAbd al-Rahmān ibn Thābit ibn Thawbān from Ḥassān ibn ʿAṭiyyah.

۞۞۞

١٣- أَخْبَرَنَاهُ أَبُو مُحَمَّدٍ الْحَسَنُ بْنُ عَلِيِّ بْنِ أَحْمَدَ بْنِ بَشَّارٍ النَّيْسَابُورِيُّ بِالْبَصْرَةِ، قَالَ: حَدَّثَنَا أَبُو بَكْرٍ مُحَمَّدُ بْنُ أَحْمَدَ بْنِ مَحْمَوَيْهِ الْعَسْكَرِيُّ، قَالَ: حَدَّثَنَا مُحَمَّدُ بْنُ إِبْرَاهِيمَ بْنِ كَثِيرٍ الصُّورِيُّ، قَالَ: حَدَّثَنَا الْفِرْيَابِيُّ، عَنِ ابْنِ ثَوْبَانَ، عَنْ حَسَّانَ بْنِ عَطِيَّةَ، عَنْ أَبِي كَبْشَةَ السَّلُولِيِّ، عَنْ عَبْدِ اللَّهِ بْنِ عَمْرِو بْنِ الْعَاصِ، قَالَ: قَالَ رَسُولُ اللَّهِ صَلَّى اللهُ عَلَيْهِ وَسَلَّمَ: ((بَلِّغُوا عَنِّي وَلَوْ آيَةً، وَحَدِّثُوا عَنْ بَنِي إِسْرَائِيلَ وَلَا حَرَجَ، وَمَنْ كَذَبَ عَلَيَّ مُتَعَمِّدًا فَلْيَتَبَوَّأْ مَقْعَدَهُ مِنَ النَّارِ)).

13. Abu Muḥammad al-Ḥasan ibn ʿAlī ibn Aḥmad ibn Bashār al-Naysābūrī reported to us in Baṣrah [...] that ʿAbdullāh ibn ʿAmr ibn al-ʿĀṣ said: "The Messenger of Allah ﷺ said: 'Convey from me even if it were one verse, and narrate from the Children of Israel and there is no sin [in doing so], and whoever purposely lies about me then let him take his seat in the Hellfire.'"[67]

---

66 *Ṣaḥīḥ*. Reported by ʿAbd al-Razzāq (10157), al-Imām Aḥmad (2/159, 202 and 214), al-Bukhārī (2/258), al-Tirmidhī (5/40), al-Dārimī (542), al-Ṭaḥāwī in *Sharḥ Maʿānī al-Āthār* (4/128), al-Quḍāʿī in *al-Shihāb* (162), Abu Nuʿaym in *al-Ḥilyah* (6/78) and the author in *Tārīkh Baghdād* (13/157) via routes to al-Awzāʿī.

67 The ḥadīth is *ṣaḥīḥ* (being a *mutābiʿ* to the previous narration of al-Awzāʿī) but this

١٤- أَخْبَرَنَا الْقَاضِي أَبُو بَكْرٍ أَحْمَدُ بْنُ الْحَسَنِ بْنِ أَحْمَدَ الْحَرَشِيُّ بِنَيْسَابُورَ، قَالَ: حَدَّثَنَا أَبُو الْعَبَّاسِ مُحَمَّدُ بْنُ يَعْقُوبَ الْأَصَمُّ، قَالَ: أَخْبَرَنَا الرَّبِيعُ بْنُ سُلَيْمَانَ، قَالَ: أَخْبَرَنَا الشَّافِعِيُّ، قَالَ: أَخْبَرَنَا سُفْيَانُ، عَنْ مُحَمَّدِ بْنِ عَمْرٍو، عَنْ أَبِي سَلَمَةَ، عَنْ أَبِي هُرَيْرَةَ، أَنَّ رَسُولَ اللَّهِ صَلَّى اللهُ عَلَيْهِ وَسَلَّمَ قَالَ: ((حَدِّثُوا عَنْ بَنِي إِسْرَائِيلَ وَلَا حَرَجَ، وَحَدِّثُوا عَنِّي وَلَا تَكْذِبُوا عَلَيَّ)).

14. Al-Qāḍī Abu Bakr Aḥmad ibn al-Ḥasan ibn Aḥmad al-Ḥarashī reported to us in Naysābūr [...] from Abu Hurayrah that the Messenger of Allah ﷺ said: "Narrate from the Children of Israel and there is no sin [in doing so], and narrate from me, and do not lie upon me."[68]

✡✡✡

قَوْلُهُ صَلَّى اللهُ عَلَيْهِ وَسَلَّمَ: ((لِيُبَلِّغِ الشَّاهِدُ مِنْكُمُ الْغَائِبَ)).

His ﷺ statement: "Let the present from you inform the absent."

١٥- أَخْبَرَنَا أَبُو الْحَسَنِ أَحْمَدُ بْنُ مُحَمَّدِ بْنِ أَحْمَدَ بْنِ مُوسَى بْنِ هَارُونَ بْنِ الصَّلْتِ الْأَهْوَازِيُّ، قَالَ: حَدَّثَنَا الْقَاضِي أَبُو عَبْدِ اللَّهِ الْحُسَيْنُ بْنُ إِسْمَاعِيلَ الْمَحَامِلِيُّ، قَالَ: حَدَّثَنَا يُوسُفُ بْنُ مُوسَى، قَالَ: حَدَّثَنَا هَوْذَةُ، قَالَ: حَدَّثَنِي عَبْدُ اللَّهِ بْنُ عَوْنٍ:

---

specific *isnād* is *ḍaʿīf* due to the narrator ʿAbd al-Raḥmān ibn Thābit [al-Thawbān]. It was also reported through this route by al-Tirmidhī (2669).

68 *Ḥasan*. It was reported by al-Imām Aḥmad (2/474 and 502), al-Ḥumaydī (1165), Abu Dāwūd (3662), Ibn Mājah (34) and Ibn Ḥibbān from the route Muḥammad ibn ʿAmr ibn ʿAlqamah—Abī Salamah—Abī Hurayrah. I say: Muḥammad ibn ʿAmr is deemed weak in his narrations from Abī Salamah. However, there is an abundance of narrators from him who reported the same, thus displaying that he was accurate in this narration. This is further cemented when considering the aforementioned ḥadīth of Ibn ʿUmar, which serves as a witness for it.

ح وَأَخْبَرَنَا عَلِيُّ بْنُ مُحَمَّدٍ الْمَالِكِيُّ، قَالَ أَخْبَرَنَا أَحْمَدُ بْنُ يُوسُفَ الْعَطَّارُ، قَالَ: حَدَّثَنَا الْحَارِثُ بْنُ مُحَمَّدٍ، قَالَ: حَدَّثَنَا هَوْذَةُ.

ح وَأَخْبَرَنَا أَبُو بَكْرٍ أَحْمَدُ بْنُ عَلِيِّ بْنِ مُحَمَّدٍ الْيَزْدِيُّ الْحَافِظُ بِنَيْسَابُورَ، قَالَ: أنبأنا زَاهِرُ بْنُ أَحْمَدَ، قَالَ: أنبأنا إِبْرَاهِيمُ بْنُ عَبْدِ اللَّهِ الزَّيْنَبِيُّ، قَالَ: حَدَّثَنَا مُحَمَّدٌ - يَعْنِي ابْنَ عَبْدِ الْأَعْلَى الصَّنْعَانِيَّ -، قَالَ: حَدَّثَنَا بِشْرُ بْنُ الْمُفَضَّلِ، قَالَا: حَدَّثَنَا ابْنُ عَوْنٍ، عَنْ مُحَمَّدِ بْنِ سِيرِينَ، عَنْ عَبْدِ الرَّحْمَنِ بْنِ أَبِي بَكْرَةَ، عَنْ أَبِي بَكْرَةَ.

ح وَأَخْبَرَنَا عَلِيُّ بْنُ مُحَمَّدِ بْنِ عَبْدِ اللَّهِ بْنِ بِشْرَانَ، قَالَ: أَخْبَرَنَا أَبُو جَعْفَرٍ مُحَمَّدُ بْنُ عَمْرِو بْنِ الْبَخْتَرِيِّ الرَّزَّازُ، قَالَ: حَدَّثَنَا مُحَمَّدُ بْنُ أَحْمَدَ بْنِ أَبِي الْعَوَّامِ، وَعَبْدُ الْمَلِكِ بْنُ مُحَمَّدٍ، قَالَا: حَدَّثَنَا أَبُو عَامِرٍ.

ح وَأَخْبَرَنِي أَبُو الْحَسَنِ عَلِيُّ بْنُ أَحْمَدَ بْنِ مُحَمَّدِ بْنِ دَاوُدَ الرَّزَّازُ، قَالَ: حَدَّثَنَا أَحْمَدُ بْنُ سَلْمَانَ النَّجَّادُ، قَالَ: حَدَّثَنَا عَبْدُ الْمَلِكِ بْنُ مُحَمَّدٍ، قَالَ: حَدَّثَنَا عَبْدُ الْمَلِكِ بْنُ عَمْرٍو أَبُو عَامِرٍ الْعَقَدِيُّ، قَالَ: حَدَّثَنَا قُرَّةُ بْنُ خَالِدٍ، عَنْ مُحَمَّدِ بْنِ سِيرِينَ، قَالَ: حَدَّثَنِي عَبْدُ الرَّحْمَنِ بْنُ أَبِي بَكْرَةَ، وَرَجُلٌ، أَفْضَلُ فِي نَفْسِي مِنْ عَبْدِ الرَّحْمَنِ - حُمَيْدُ بْنُ عَبْدِ الرَّحْمَنِ -، عَنْ أَبِي بَكْرَةَ قَالَ: قَالَ رَسُولُ اللَّهِ صَلَّى اللهُ عَلَيْهِ وَسَلَّمَ: ((أَلَا فَلْيُبَلِّغِ الشَّاهِدُ مِنْكُمُ الْغَائِبَ، فَرُبَّ مُبَلَّغٍ أَوْعَى مِنْ سَامِعٍ)).

15. It was reported to us via multiple chains that Abu Bakrah said, "The Messenger of Allah ﷺ said: 'Let those present from you inform the absent, for perhaps the one who is informed may have better comprehension than the one who heard.'"[69]

وَاللَّفْظُ لِحَدِيثِ قُرَّةَ.

The wording of the above ḥadīth is that of [the narrator] Qurrah.

---

69 *Ṣaḥīḥ*. It was reported by Aḥmad (5/37 and 49), al-Bukhārī (1/23), Muslim (3/1306-1305), and Ibn Mājah (233).

١٦- أَخْبَرَنَا الْقَاضِي أَبُو بَكْرٍ أَحْمَدُ بْنُ الْحَسَنِ الْجِيرِيُّ بِنَيْسَابُورَ، قَالَ: أَخْبَرَنَا أَبُو عَلِيٍّ مُحَمَّدُ بْنُ أَحْمَدَ بْنِ مُحَمَّدِ بْنِ مَعْقِلٍ الْمَيْدَانِيُّ، قَالَ: حَدَّثَنَا أَبُو عَبْدِ اللَّهِ مُحَمَّدُ بْنُ يَحْيَى - يَعْنِي الذُّهْلِيَّ -، قَالَ: حَدَّثَنَا عَبْدُ الرَّزَّاقِ، عَنْ مَعْمَرٍ، عَنْ أَيُّوبَ، عَنِ ابْنِ سِيرِينَ، عَنْ عَبْدِ الرَّحْمَنِ بْنِ أَبِي بَكْرَةَ، عَنْ أَبِيهِ، أَنَّ النَّبِيَّ صَلَّى اللهُ عَلَيْهِ وَسَلَّمَ قَالَ فِي حَجَّةِ الْوَدَاعِ: ((لِيُبَلِّغْ شَاهِدُكُمْ غَائِبَكُمْ، فَرُبَّ مُبَلَّغٍ أَحْفَظُ مِنْ سَامِعٍ)).

16. Al-Qāḍī Abu Bakr Aḥmad ibn al-Ḥasan al-Jīrī reported to us in Naysābūr [...] that Abu Bakrah said: "The Messenger of Allah ﷺ said: 'Then let the present amongst you inform your absentees, for perhaps the one who is informed may memorise better than the one who hears.'"[70]

١٧- أَخْبَرَنَا عَلِيُّ بْنُ مُحَمَّدِ بْنِ عَلِيٍّ الْإِيَادِيُّ، قَالَ: أَخْبَرَنَا أَحْمَدُ بْنُ يُوسُفَ بْنِ خَلَّادٍ، قَالَ: حَدَّثَنَا الْحَارِثُ بْنُ مُحَمَّدٍ، قَالَ: حَدَّثَنَا دَاوُدُ بْنُ الْمُحَبَّرِ، قَالَ: حَدَّثَنَا عَبْدُ الْحَمِيدِ بْنُ بَهْرَامَ، عَنْ شَهْرٍ، قَالَ: حَدَّثَتْنِي أَسْمَاءُ بِنْتُ يَزِيدَ، أَنَّ رَسُولَ اللَّهِ صَلَّى اللهُ عَلَيْهِ وَسَلَّمَ قَالَ: ((فَلْيُبَلِّغِ الشَّاهِدُ مِنْكُمُ الْغَائِبَ))، فِي حَدِيثٍ طَوِيلٍ.

17. 'Alī ibn Muḥammad ibn 'Alī al-Iyādī informed us [...] that Asmā' bint Yazīd narrated from the Messenger of Allah ﷺ: "Let the present amongst you inform the absent."[71]

قَالَ أَبُو بَكْرٍ: أَنَا اخْتَصَرْتُهُ.

Abu Bakr said: I have abbreviated this.

١٨- أَخْبَرَنَا أَبُو بَكْرٍ مُحَمَّدُ بْنُ عَبْدِ اللَّهِ بْنِ صَالِحٍ الْعَطَّارُ بِأَصْبَهَانَ، قَالَ: أَخْبَرَنَا أَبُو مُحَمَّدٍ عَبْدُ اللَّهِ بْنُ مُحَمَّدِ بْنِ جَعْفَرِ بْنِ حَيَّانَ، قَالَ: حَدَّثَنَا خَالِي، عَنْ أَبِي

---

70 *Ṣaḥīḥ*. Reported by Aḥmad (5/39), Abī Dāwūd (1947) and al-Nasā'ī (7/127).

71 Its *isnād* is *wāhin jiddan* (very weak) due to it having Dāwūd ibn al-Muḥabbar within it, who is *matrūk al-ḥadīth*.

حَاتِمٍ الرَّازِيِّ، قَالَ: نَشْرُ الْعِلْمِ حَيَاتُهُ، وَالْبَلَاغُ عَنْ رَسُولِ اللَّهِ صَلَّى اللهُ عَلَيْهِ وَسَلَّمَ رَحْمَةٌ، يَعْتَصِمُ بِهِ كُلُّ مُؤْمِنٍ، وَيَكُونُ حُجَّةً عَلَى كُلِّ مُصِرٍّ بِهِ وَمُلْحِدٍ، وَقَالَ الْأَوْزَاعِيُّ: إِذَا ظَهَرَتِ الْبِدَعُ، فَلَمْ يُنْكِرْهَا أَهْلُ الْعِلْمِ صَارَتْ سُنَّةً.

18. Abu Bakr Muḥammad ibn ʿAbdillāh ibn Ṣāliḥ al-ʿAṭṭār informed us in Aṣbahān [...] that Abu Ḥātim al-Rāzī said, "Spreading knowledge is his life, and conveying from the Messenger of Allah ﷺ is a mercy. Every faithful believer holds tightly to him, and his presence serves as an evidence against every persistent denier and deviant." And al-Awzāʿī said, "If innovations become manifest and they are not criticised by the people of knowledge, they become *sunnah[s]*."

قَوْلُهُ صَلَّى اللهُ عَلَيْهِ وَسَلَّمَ: ((نَضَّرَ اللَّهُ امْرَأً سَمِعَ مِنَّا حَدِيثًا فَبَلَّغَهُ)).

His ﷺ statement, "May Allah make blessed (lit. bright) the affair[72] of one who hears a ḥadīth from us and conveys it."

١٩- أَخْبَرَنَا الْقَاضِي أَبُو بَكْرٍ أَحْمَدُ بْنُ الْحَسَنِ الْحَرَشِيُّ، قَالَ: حَدَّثَنَا أَبُو الْعَبَّاسِ مُحَمَّدُ بْنُ يَعْقُوبَ الْأَصَمُّ، قَالَ: حَدَّثَنَا أَبُو عُتْبَةَ أَحْمَدُ بْنُ الْفَرَجِ، قَالَ: حَدَّثَنَا بَقِيَّةُ.

ح وَأَخْبَرَنَا أَبُو نُعَيْمٍ أَحْمَدُ بْنُ عَبْدِ اللَّهِ الْحَافِظُ، قَالَ: حَدَّثَنَا عَبْدُ اللَّهِ بْنُ جَعْفَرِ بْنِ أَحْمَدَ بْنِ فَارِسٍ، قَالَ: حَدَّثَنَا يُونُسُ بْنُ حَبِيبٍ، قَالَ: حَدَّثَنَا أَبُو دَاوُدَ.

قَالَا: حَدَّثَنَا شُعْبَةُ، عَنْ عُمَرَ بْنِ سُلَيْمَانَ بْنِ عَاصِمِ بْنِ عُمَرَ بْنِ الْخَطَّابِ، عَنْ عَبْدِ الرَّحْمَنِ بْنِ أَبَانَ بْنِ عُثْمَانَ، عَنْ أَبِيهِ، عَنْ زَيْدِ بْنِ ثَابِتٍ، قَالَ: قَالَ رَسُولُ

72 [T] The translation of this phrase is based upon one of the meanings given in *Tuḥfat al-Ahwadhī*.

اللَّهِ صَلَّى اللهُ عَلَيْهِ وَسَلَّمَ: ((نَضَّرَ اللَّهُ امْرَأً سَمِعَ مِنَّا حَدِيثًا، فَحَفِظَهُ حَتَّى يُبَلِّغَهُ كَمَا سَمِعَهُ، فَرُبَّ حَامِلِ فِقْهٍ غَيْرُ فَقِيهٍ، وَرُبَّ حَامِلِ فِقْهٍ إِلَى مَنْ هُوَ أَفْقَهُ مِنْهُ)). وَهَذَا لَفْظُ حَدِيثِ بَقِيَّةَ.

19. We were informed through two chains to al-Shu'bah [...] that Zayd ibn Thābit reported from the Messenger of Allah ﷺ: "May Allah make his affair blessed, the one who hears a ḥadīth from us, and memorises it until he conveys it as he heard it. Perhaps one who carries knowledge is not versed in it, and perhaps one who carries knowledge may convey it to someone who has better understanding than him." The wording of the ḥadīth is that of Baqiyyah.[73]

٢٠- أَخْبَرَنَا الْحَسَنُ بْنُ أَبِي بَكْرٍ، قَالَ: حَدَّثَنَا عَلِيُّ بْنُ مُحَمَّدِ بْنِ الزُّبَيْرِ الْقُرَشِيُّ الْكُوفِيُّ، قَالَ: حَدَّثَنَا إِبْرَاهِيمُ بْنُ إِسْحَاقَ بْنِ أَبِي الْعَنْبَسِ الْقَاضِي الزُّهْرِيُّ، قَالَ: حَدَّثَنَا مُحَمَّدُ بْنُ عُبَيْدٍ، عَنْ مُحَمَّدِ بْنِ إِسْحَاقَ، عَنِ الزُّهْرِيِّ، عَنْ مُحَمَّدِ بْنِ جُبَيْرِ بْنِ مُطْعِمٍ، عَنْ أَبِيهِ، قَالَ: قَامَ فِينَا رَسُولُ اللَّهِ صَلَّى اللهُ عَلَيْهِ وَسَلَّمَ بِالْخَيْفِ مِنْ مِنًى، فَقَالَ: ((نَضَّرَ اللَّهُ عَبْدًا سَمِعَ مَقَالَتِي فَوَعَاهَا، ثُمَّ أَدَّاهَا إِلَى مَنْ لَمْ يَسْمَعْهَا، فَرُبَّ حَامِلِ فِقْهٍ لَا فِقْهَ لَهُ، وَرُبَّ حَامِلِ فِقْهٍ إِلَى مَنْ هُوَ أَفْقَهُ مِنْهُ)).

20. Al-Ḥasan ibn Abī Bakr informed us [...] that Muḥammad ibn Jubayr ibn Muṭ'im reported from his father: "The Messenger of Allah stood among us at al-Khif, which is in Mina, and said: 'May Allah make bright, a slave who hears my statement and memorises it, and then conveys it to those who did not hear it. Perhaps one who carries knowledge has no understanding, and perhaps one who carries knowledge will convey it to someone who has better understanding than him.'"[74]

---

73 *Ṣaḥīḥ*. Reported by al-Imām Aḥmad (5/183), Abu Dāwūd (3660), al-Tirmidhī (2656), al-Nasā'ī in *al-Kubrā* and Ibn Ḥibbān (72 and 73).

74 The *isnād* is *ḍa'īf jiddan* (very weak), as Ibn Ishāq is a *mudallis*, and he utilised the *'an'anah* form of transmission here. Furthermore, this was reported by Ibn Mājah (231) from the route Ibn Numayr—Muḥammad ibn Isḥāq—'Abd al-Salām—al-Zuhrī. One can see that he added 'Abd al-Salām ibn al-Janūb [in Ibn Mājah's report,] displaying that he performed *tadlīs* here. This 'Abd al-Salām was deemed *ḍa'īf jiddan*

٢١- حَدَّثَنِي أَبُو طَالِبٍ يَحْيَى بْنُ عَلِيِّ بْنِ الطَّيِّبِ الدَّسْكَرِيُّ بِحُلْوَانَ قَالَ: حَدَّثَنَا أَبُو بَكْرٍ مُحَمَّدُ بْنُ إِبْرَاهِيمَ بْنِ الْمُقْرِئِ بِأَصْبَهَانَ.

ح وَأَخْبَرَنَا أَبُو جَعْفَرٍ مُحَمَّدُ بْنُ جَعْفَرِ بْنِ عَلَّانَ الْوَرَّاقُ، وَاللَّفْظُ لَهُ، قَالَ: أَخْبَرَنَا مُحَمَّدُ بْنُ الْحُسَيْنِ الْأَزْدِيُّ الْحَافِظُ، قَالَا: حَدَّثَنَا أَبُو يَعْلَى أَحْمَدُ بْنُ عَلِيٍّ قَالَ: حَدَّثَنَا عَبْدُ اللَّهِ بْنُ مُحَمَّدِ بْنِ سَالِمٍ الْمَفْلُوجُ، قَالَ: حَدَّثَنَا عُبَيْدَةُ بْنُ الْأَسْوَدِ، عَنِ الْقَاسِمِ بْنِ الْوَلِيدِ الْهَمَذَانِيِّ، عَنِ الْحَارِثِ، عَنْ إِبْرَاهِيمَ، عَنِ الْأَسْوَدِ، عَنْ عَبْدِ اللَّهِ بْنِ مَسْعُودٍ، قَالَ: قَالَ رَسُولُ اللَّهِ صَلَّى اللهُ عَلَيْهِ وَسَلَّمَ: ((نَضَّرَ اللَّهُ امْرَأً سَمِعَ مَقَالَتِي فَوَعَاهَا فَحَفِظَهَا، فَإِنَّهُ رُبَّ حَامِلِ فِقْهٍ غَيْرُ فَقِيهٍ، وَرُبَّ حَامِلِ فِقْهٍ إِلَى مَنْ هُوَ أَفْقَهُ مِنْهُ)).

21. It was reported to us via two chains to Abu Yaʿlā Aḥmad ibn ʿAlī [...] that ʿAbdullāh ibn Masʿūd narrated from the Messenger of Allah ﷺ: "May Allah make his affair bright, a slave who hears my statement and grasps it, then preserves it. Perhaps one who carries knowledge does not have understanding, and perhaps one who carries knowledge may convey it to one who has better understanding than him."[75]

٢٢- حَدَّثَنِي مَنْ سَمِعَ عَبْدَ الْغَنِيِّ بْنَ سَعِيدٍ الْمِصْرِيَّ الْحَافِظَ، يَقُولُ: أَصَحُّ حَدِيثٍ يُرْوَى فِي هَذَا الْبَابِ حَدِيثُ عُبَيْدَةَ بْنِ الْأَسْوَدِ هَذَا.

22. It was narrated to me by one who heard from him, that ʿAbd al-Ghanī

(very weak). Ibn al-Madīnī said, "He is *munkar al-ḥadīth*." Abu Ḥātim said, "He is a *shaykh* who is *matrūk* (left)." He was deemed weak by multiple ḥadīth masters, and he solely reported this ḥadīth from al-Zuhrī, displaying the feebleness of this chain of narration. And Allah knows best.

75 Its *isnād* is *ḥasan* and the ḥadīth is *ṣaḥīḥ*. Ibn Ḥibbān mentioned one of its narrators, ʿUbaydah ibn al-Aswad, in *al-Thiqāt*, stating, "His ḥadīth are given consideration if his hearing of them is evident, and *thiqah* narrators are above and below him [in the chain.]" It has a different route from Ibn Masʿūd's son ʿAbd al-Raḥmān which is *ṣaḥīḥ*. It was reported by Aḥmad (1/437), al-Tirmidhī (2657 and 2658), Ibn Mājah (232) and Abu Nuʿaym (7/331).

ibn Sa'īd al-Miṣrī al-Ḥāfiẓ said, "The most authentic ḥadīth reported regarding this is this ḥadīth of 'Ubaydah ibn al-Aswad (i.e. ḥadīth twenty one here).

٢٣- حَدَّثَنَا أَبُو حَازِمٍ عُمَرُ بْنُ أَحْمَدَ بْنِ إِبْرَاهِيمَ الْعَبْدَوِيُّ الْحَافِظُ بِنَيْسَابُورَ قَالَ: سَمِعْتُ نَصْرَ بْنَ مُحَمَّدِ بْنِ يَعْقُوبَ، يَقُولُ: حَدَّثَنَا إِبْرَاهِيمُ بْنُ الْمُوَلَّدِ، قَالَ: حَدَّثَنَا أَحْمَدُ بْنُ مَرْوَانَ، قَالَ: حَدَّثَنَا مُحَمَّدُ بْنُ إِسْمَاعِيلَ بْنِ سَالِمٍ، قَالَ: حَدَّثَنِي الْحُمَيْدِيُّ قَالَ: سَمِعْتُ سُفْيَانَ بْنَ عُيَيْنَةَ يَقُولُ: مَا مِنْ أَحَدٍ يَطْلُبُ الْحَدِيثَ إِلَّا وَفِي وَجْهِهِ نَضْرَةٌ؛ لِقَوْلِ النَّبِيِّ صَلَّى اللهُ عَلَيْهِ وَسَلَّمَ: ((نَضَّرَ اللَّهُ امْرَأً سَمِعَ مِنَّا حَدِيثًا فَبَلَّغَهُ)).

23. It was narrated to us by Abu Ḥāzim 'Umar ibn Aḥmad ibn Ibrāhīm al-'Abdawī al-Ḥāfiẓ in Naysābūr [...] that al-Ḥumaydī said: "I heard Sufyān ibn 'Uyaynah say, 'There is no person who pursues ḥadīth except that there is brightness in his face, due to the statement of the Prophet ﷺ, 'May Allah make his affair bright, a person who hears a ḥadīth from us and conveys it.'"[76]

قَوْلُهُ صَلَّى اللهُ عَلَيْهِ وَسَلَّمَ: ((مَنْ حَفِظَ عَلَى أُمَّتِي أَرْبَعِينَ حَدِيثًا)).

The Prophet's ﷺ statement: "Whoever preserves forty ḥadīth for my nation..."

٢٤- أَخْبَرَنَا أَبُو نُعَيْمٍ الْحَافِظُ، قَالَ: حَدَّثَنَا عَبْدُ اللَّهِ بْنُ جَعْفَرِ بْنِ أَحْمَدَ بْنِ فَارِسٍ، قَالَ: حَدَّثَنَا مُحَمَّدُ بْنُ عُمَرَ بْنِ يَزِيدَ، أَخُو رُسْتَةَ، قَالَ: حَدَّثَنَا مُحَمَّدُ بْنُ أَبَانَ،

76 Its *isnād* is *ḍa'īf*, due to the two narrators Ibrāhīm ibn al-Muwallad and Aḥmad ibn Marwān, the latter of which was deemed weak by al-Dāraquṭnī. As for Ibrāhīm ibn al-Muwallad, he is from the *shaykhs* of the *ṣūfiyyah*, and I have not come across anything clarifying his state [as a narrator,] for him being known for worship and goodness is one thing, whereas precision [in narration] is something else.

قَالَ: حَدَّثَنَا مُعَلَّى - يَعْنِي ابْنَ هِلَالٍ -، عَنْ أَبَانَ، عَنْ أَنَسٍ، قَالَ: قَالَ رَسُولُ اللَّهِ صَلَّى اللهُ عَلَيْهِ وَسَلَّمَ: ((مَنْ حَفِظَ عَلَى أُمَّتِي أَرْبَعِينَ حَدِيثًا مِنْ أَمْرِ دِينِهِمْ، بَعَثَهُ اللَّهُ يَوْمَ الْقِيَامَةِ فَقِيهًا عَالِمًا)).

24. Abu Nuʿaym al-Ḥāfiẓ informed us [...] that Anas reported from the Messenger of Allah ﷺ, 'Whoever preserves forty ḥadīth for my nation that pertain to their religion, Allah will resurrect him upon the Day of Resurrection as one of understanding and knowledge.'"[77]

٢٥- أَخْبَرَنَا أَبُو سَعْدٍ أَحْمَدُ بْنُ مُحَمَّدِ بْنِ أَحْمَدَ الْمَالِينِيُّ، قَالَ: أنبأنا عَلِيُّ بْنُ عِيسَى بْنِ الْمُثَنَّى الْمَالِينِيُّ، قَالَ: أَخْبَرَنَا الْحَسَنُ بْنُ سُفْيَانَ، قَالَ: حَدَّثَنَا حُمَيْدُ بْنُ زَنْجُوَيْهِ، قَالَ: حَدَّثَنَا الْحَجَّاجُ بْنُ نُصَيْرٍ، قَالَ: حَدَّثَنَا حَفْصُ بْنُ جَمِيعٍ، عَنْ أَبَانَ، عَنْ أَنَسِ بْنِ مَالِكٍ، قَالَ: قَالَ رَسُولُ اللَّهِ صَلَّى اللهُ عَلَيْهِ وَسَلَّمَ: ((مَنْ حَفِظَ عَلَى أُمَّتِي أَرْبَعِينَ حَدِيثًا مِمَّا يَحْتَاجُونَ إِلَيْهِ مِنَ الْحَلَالِ وَالْحَرَامِ، كَتَبَهُ اللَّهُ فَقِيهًا عَالِمًا)).

25. Abu Saʿd Aḥmad ibn Muḥammad ibn Aḥmad al-Mālīnī informed us [...] that Anas ibn Mālik reported from the Messenger of Allah ﷺ: "Whoever preserves forty ḥadīth for my nation from what they need which pertain to the *ḥalāl* and the *ḥarām*, Allah will record him as being one of understanding and knowledge."[78]

٢٦- أَخْبَرَنَا أَبُو سَعْدٍ الْمَالِينِيُّ، قَالَ: أَخْبَرَنَا عَلِيُّ بْنُ عِيسَى بْنِ الْمُثَنَّى، قَالَ: أَخْبَرَنَا الْحَسَنُ بْنُ سُفْيَانَ، قَالَ: أَخْبَرَنَا عَلِيُّ بْنُ حُجْرٍ السَّعْدِيُّ، قَالَ: حَدَّثَنَا إِسْحَاقُ بْنُ نَجِيحٍ، عَنِ ابْنِ جُرَيْجٍ، عَنْ عَطَاءٍ، عَنِ ابْنِ عَبَّاسٍ، قَالَ: قَالَ رَسُولُ اللَّهِ صَلَّى اللهُ عَلَيْهِ وَسَلَّمَ: ((مَنْ حَفِظَ عَلَى أُمَّتِي أَرْبَعِينَ حَدِيثًا فِي السُّنَّةِ كُنْتُ

77 It is *mawḍūʿ* (fabricated), due to the narrator Abān ibn Abī ʿIyāsh, who is *matrūk*, and Muʿallā ibn Hilāl, who is agreed upon to be a liar.
78 It is *mawḍūʿ*, it includes the aforementioned Abān amongst other issues. The ḥadīth was reported from this route by Ibn al-Jawzī in *al-ʿIlal* (1/125).

لَهُ شَفِيعًا يَوْمَ الْقِيَامَةِ)).

26. Abu Sa'd al-Mālīnī informed us [...] that Ibn 'Abbās reported from the Messenger of Allah ﷺ: "Whoever preserves forty ḥadīth for my nation of the Sunnah, I will intercede for him on the Day of Resurrection."[79]

٢٧- أَخْبَرَنِي مُحَمَّدُ بْنُ جَعْفَرِ بْنِ عَلَّانَ الشُّرُوطِيُّ، قَالَ: حَدَّثَنَا سَعْدُ بْنُ مُحَمَّدِ بْنِ إِسْحَاقَ الصَّيْرَفِيُّ، قَالَ: حَدَّثَنَا مُحَمَّدُ بْنُ عُثْمَانَ بْنِ أَبِي شَيْبَةَ، قَالَ: حَدَّثَنَا مُحَمَّدُ بْنُ حَفْصٍ الْحَزَامِيُّ - كُوفِيٌّ -، قَالَ: حَدَّثَنَا دُحَيْمُ بْنُ مُحَمَّدٍ الصَّيْداويّ النَّحَّاسُ، قَالَ: حَدَّثَنَا أَبُو بَكْرِ بْنُ عَيَّاشٍ، عَنْ عَاصِمٍ، عَنْ زِرٍّ، عَنْ عَبْدِ اللَّهِ، قَالَ: قَالَ رَسُولُ اللَّهِ صَلَّى اللهُ عَلَيْهِ وَسَلَّمَ: ((مَنْ حَفِظَ عَلَى أُمَّتِي أَرْبَعِينَ حَدِيثًا، يَنْفَعُهُمُ اللَّهُ بِهَا، قِيلَ لَهُ: ادْخُلْ مِنْ أَيِّ أَبْوَابِ الْجَنَّةِ شِئْتَ)).

27. Muḥammad ibn Ja'far ibn 'Allān al-Shurūṭī informed us [...] that 'Abdullah reported from the Messenger of Allah ﷺ, "He who preserves forty ḥadīth for my nation which Allah benefits them with, it will be said to him: 'Enter from any door of paradise you wish.'"[80]

79 It is *mawḍū'*, as there is a narrator within it named Isḥāq ibn Najīḥ who is a liar (*kadhāb*) and would fabricate ḥadīth. Al-Khaṭīb reported this ḥadīth within his biography in *Tārīkh* (the history of) *Baghdad* (6/322), and transmitted Ṣālīh ibn Muḥammad's statement, "This ḥadīth is *bāṭil* (baseless)" with its defectiveness being based upon this Isḥāq. The ḥadīth was reported from this route by al-Ḥasan ibn Sufyān in his *Musnad* and *al-'Arba'īn*, as in *Talkhīṣ al-Ḥabīr* (3/93).

80 It is *mawḍū'*, with a severe defect arising from the narrator Muḥammad ibn Ḥafṣ al-Ḥazāmī or his *shaykh* Duḥaym—who is 'Abd al-Raḥmān ibn Muḥammad al-Ṣaydāwī. Both individuals are *majhūl* (unknown), and al-Dhahabi reported this ḥadīth within his biography of Duḥaym in *al-Mīzān* (2/588), stating, "This [ḥadīth] is *bāṭil*, it was solely reported from him by Muḥammad ibn Hafṣ al-Hazāmī." He said in his biography of al-Ḥāzāmī (3/526), "The serious defect is him or his *shaykh*." The ḥadīth was reported from the route of al-Ḥāzamī by Abu Nu'aym in *al-Ḥilyah* (4/189), Ibn 'Asākir in *al-Arba'īn* (4) and Ibn al-Jawzī in *al-'Ilal* (1/19).

وصية النبي صلى الله عليه وسلم بإكرام أصحاب الحديث

The Bequest of the Prophet ﷺ to Honour the People of Ḥadīth

٢٨- أَخْبَرَنَا أَبُو عُمَرَ مُحَمَّدُ بْنُ مُحَمَّدِ بْنِ عَلِيِّ بْنِ حُبَيْشٍ التَّمَّارُ، قَالَ: حَدَّثَنَا أَبُو عَلِيٍّ إِسْمَاعِيلُ بْنُ مُحَمَّدٍ الصَّفَّارُ، إِمْلَاءً، قَالَ: حَدَّثَنَا مُحَمَّدُ بْنُ عَلِيٍّ السَّرَخْسِيُّ، قَالَ: حَدَّثَنَا عَلِيُّ بْنُ عَاصِمٍ:

ح وَأَخْبَرَنَا عَلِيُّ بْنُ مُحَمَّدِ بْنِ عَبْدِ اللَّهِ بْنِ بِشْرَانَ الْمُعَدِّلُ، قَالَ: حَدَّثَنَا أَبُو عَمْرٍو عُثْمَانُ بْنُ أَحْمَدَ الدَّقَّاقُ، إِمْلَاءً، قَالَ: حَدَّثَنَا أَبُو بَكْرٍ يَحْيَى بْنُ جَعْفَرٍ الْوَاسِطِيُّ، قَالَ: أَخْبَرَنَا عَلِيُّ بْنُ عَاصِمٍ قَالَ:

أَخْبَرَنَا أَبُو هَارُونَ الْعَبْدِيُّ، قَالَ: كُنَّا إِذَا أَتَيْنَا أَبَا سَعِيدٍ الْخُدْرِيَّ قَالَ: مَرْحَبًا بِوَصِيَّةِ رَسُولِ اللَّهِ صَلَّى اللهُ عَلَيْهِ وَسَلَّمَ. قَالَ: قُلْنَا: وَمَا وَصِيَّةُ رَسُولِ اللَّهِ صَلَّى اللهُ عَلَيْهِ وَسَلَّمَ؟ قَالَ: قَالَ لَنَا رَسُولُ اللَّهِ صَلَّى اللهُ عَلَيْهِ وَسَلَّمَ: ((إِنَّهُ سَيَأْتِي مِنْ بَعْدِي قَوْمٌ يَسْأَلُونَكُمُ الْحَدِيثَ عَنِّي، فَإِذَا جَاءُوكُمْ، فَأَلْطِفُوا بِهِمْ وَحَدِّثُوهُمْ)).

28. We were informed via two chains to ʿAlī ibn ʿĀṣim [...] that Abu Hārūn al-ʿAbdīʿ said: "When we would go to Abu Saʿīd al-Khudrī, he would say, 'Welcome with the Prophet's ﷺ bequest (i.e. welcome whom the Prophet ﷺ has enjoined upon me).' We asked, 'And what is the bequest of the Messenger of Allah ﷺ?' He said, 'The Messenger of Allah ﷺ said to us, 'There will come after me a group who will ask you for ḥadīth from me; if they come to you, be gentle with them and narrate to them.'''"[81]

81 It is *mawḍūʿ*, due to the narrator Abu Hārūn al-ʿAbdi (his name is ʿAmārah ibn Juwayn) who is *matrūk* (rejected), and was deemed a liar by a number of ḥadīth masters, from them were: Ibn ʿUlayyah, Ḥammād ibn Zayd and Ibn Maʿīn. He was the

لَفْظُ ابْنِ بِشْرَانَ.

The wording of the above narration is that of Ibn Bishrān.

٢٩- أَخْبَرَنِي أَبُو الْحُسَيْنِ مُحَمَّدُ بْنُ الْحُسَيْنِ بْنِ الْفَضْلِ الْقَطَّانُ، قَالَ: أَخْبَرَنَا مُحَمَّدُ بْنُ الْحَسَنِ بْنِ زِيَادٍ الْمُقْرِئُ، قَالَ: حَدَّثَنَا أَبُو عَبْدِ الرَّحْمَنِ مُحَمَّدُ بْنُ مَكِّيِّ بْنِ جَمِيلِ بْنِ زِيَادٍ، قَالَ: حَدَّثَنَا عَلِيُّ بْنُ حُجْرٍ، قَالَ: حَدَّثَنَا الرَّبِيعُ بْنُ بَدْرٍ، عَنْ أَبِي هَارُونَ الْعَبْدِيُّ، عَنْ أَبِي سَعِيدٍ الْخُدْرِيِّ، عَنِ النَّبِيِّ صَلَّى اللهُ عَلَيْهِ وَسَلَّمَ قَالَ: ((سَيَأْتِيكُمْ شَبَابٌ مِنْ أَقْطَارِ الأَرْضِ يَطْلُبُونَ الْحَدِيثَ، فَإِذَا جَاءُوكُمْ فَاسْتَوْصُوا بِهِمْ خَيْرًا)).

29. Abu 'l-Ḥusayn Muḥammad ibn al-Ḥusayn ibn al-Faḍl al-Qaṭṭān informed us [...] that Abu Hārūn al-'Abdī' reported from Abu Sa'īd al-Khudrī: "The Prophet ﷺ said, "Young people will come to you from the corners of the earth seeking ḥadīth, when they come to you treat them well."[82]

٣٠- وَأَخْبَرَنَا ابْنُ الْفَضْلِ، قَالَ: حَدَّثَنَا أَبُو سَهْلٍ أَحْمَدُ بْنُ مُحَمَّدِ بْنِ عَبْدِ اللَّهِ بْنِ زِيَادٍ الْقَطَّانُ، قَالَ: حَدَّثَنَا مُحَمَّدُ بْنُ الْجَهْمِ السِّمَرِيُّ، قَالَ: حَدَّثَنَا الْهَيْثَمُ بْنُ خَالِدٍ الْمُقْرِئُ، قَالَ: حَدَّثَنَا يَحْيَى بْنُ الْمُتَوَكِّلِ الْبَاهِلِيُّ، قَالَ: حَدَّثَنَا مُحَمَّدُ بْنُ ذَكْوَانَ الأَزْدِيُّ، قَالَ: حَدَّثَنَا أَبُو هَارُونَ الْعَبْدِيُّ، عَنْ أَبِي سَعِيدٍ الْخُدْرِيِّ، أَنَّهُ كَانَ إِذَا رَأَى الشَّبَابَ قَالَ: مَرْحَبًا بِوَصِيَّةِ رَسُولِ اللَّهِ صَلَّى اللهُ عَلَيْهِ وَسَلَّمَ، أَوْصَانَا رَسُولُ اللَّهِ صَلَّى اللهُ عَلَيْهِ وَسَلَّمَ أَنْ نُوَسِّعَ لَكُمْ فِي الْمَجْلِسِ، وَأَنْ نُفْهِمَكُمُ الْحَدِيثَ، فَإِنَّكُمْ خُلُوفُنَا، وَأَهْلُ الْحَدِيثِ بَعْدَنَا.

30. Ibn al-Faḍl informed us [...] that Abu Hārūn al-'Abdī' reported that

---

sole narrator of this from Abu Sa'īd. It was reported from Abu Ḥārūn by al-Tirmidhī (2650 and 2651), Ibn Mājah (247) al-Rāmahurmuzī in *al-Muḥaddith al-Fāṣil* (22) and Ibn Khayr al-Ishbīlī in his *Fahrasah* (p/ 8). Al-Tirmidhī said, "We do not know of this ḥadīth except from the narration of Abī Hārūn from Abī Sa'īd."

82 It is *mawḍū'*, al-Rabī' ibn Badr is *matrūk al-ḥadīth*, and see what preceded it.

Abu Saʿīd al-Khudrī used to say when he would see young people: "Welcome with the bequest of the Messenger of Allah ﷺ. The Messenger of Allah ﷺ advised us to make space for you in our gatherings, and to teach you ḥadīth, for you will succeed us, and you are the people of ḥadīth after us."[83]

٣١- أَخْبَرَنَا أَبُو الْحَسَنِ مُحَمَّدُ بْنُ أَحْمَدَ بْنِ مُحَمَّدِ بْنِ أَحْمَدَ بْنِ رِزْقٍ الْبَزَّازُ، قَالَ: أَخْبَرَنَا مُحَمَّدُ بْنُ الْحَسَنِ بْنِ زِيَادٍ النَّقَّاشُ قَالَ: حَدَّثَنَا مُحَمَّدُ بْنُ جَعْفَرٍ الْقَتَّاتُ، بِالْكُوفَةِ، قَالَ: حَدَّثَنَا جَعْفَرُ بْنُ مُسْلِمٍ، قَالَ: ازْدَحَمْنَا عَلَى حُسَيْنٍ الْجُعْفِيِّ، فَقَطَعْنَا شِرَاكَ نَعْلِهِ، فَغَضِبَ، فَأَسْنَدَ لَنَا حَدِيثًا قَالَ: مَنْ طَلَبَ الْحَدِيثَ لِيُحَدِّثَ بِهِ النَّاسَ، لَمْ يَجِدْ رَوْحَ الْجَنَّةِ. قَالَ: فَلَمَّا سَكَنَ غَضَبُهُ، أَسْنَدَ لَنَا حَدِيثًا قَالَ: ((يَأْتِي فِي آخِرِ الزَّمَانِ قَوْمٌ يَطْلُبُونَ الْعِلْمَ وَالْحَدِيثَ. إِذَا جَاءُوكُمْ فَآذِنُوهُمْ وَأَكْرِمُوهُمْ وَحَدِّثُوهُمْ)).

31. Abu 'l-Ḥasan Muḥammad ibn Aḥmad ibn Muḥammad ibn Aḥmad ibn Rizq al-Bazzāz informed us [...] that Jaʿfar ibn Muslim said: "We crowded around Ḥusayn al-Jaʿfī and caused the lace of his sandal to be cut, so he became angry and narrated a ḥadīth to us saying, 'Whomsoever seeks ḥadīth so that people speak well of him, he will not smell the fragrance of paradise.' When he calmed down, he narrated to us a ḥadīth saying, 'There will come a people at the end of time seeking knowledge and ḥadīth. If they come to you then permit them, honour them, and narrate to them.'"[84]

---

83 It is *mawḍūʿ*, in addition to its source defect, Muḥammad ibn Dhakwān and Yaḥyā ibn al-Muttawakkil are *ḍaʿīf* narrators.

84 This ḥadīth is *wāhin jiddan* (very weak). There is within its chain the narrator Muḥammad ibn al-Ḥasan al-Naqqāsh, and al-Khaṭīb mentioned in regards to him that which displays his infirmity (وهنه) within his biography in *Tārīkh Baghdād*, he was deemed a liar by Ṭalḥah ibn Muḥammad al-Shāhid and al-Barqānī said, "Every ḥadīth of al-Naqqāsh is *munkar.*" Furthermore, the narrator Muḥammad ibn Jaʿfar al-Qattān was deemed weak by al-Khaṭīb (2/129). Also, I do not know of the narrator Jaʿfar ibn Muslim, rather, a Jaʿfar ibn Muḥammad ʿImrān narrated from al-Ḥusayn al-Juʿfī, and the most likely case to me is that this is from the mix-ups (*takhlīṭāt*) of al-Naqqāsh, which have been detailed in his biographies.

قول النبي صلى الله عليه وسلم:
The Statement of the Prophet ﷺ:

((بَدَأَ الْإِسْلَامُ غَرِيبًا وَسَيَعُودُ غَرِيبًا، فَطُوبَى لِلْغُرَبَاءِ)).

Islam began as something strange, and it will return to being strange, so glad tidings to the strangers.

٣٢- أَخْبَرَنَا أَبُو الْحَسَنِ عَلِيُّ بْنُ أَحْمَدَ بْنِ عُمَرَ الْمُقْرِئُ، وَأَبُو الْقَاسِمِ عَبْدُ الْمَلِكِ بْنُ مُحَمَّدِ بْنِ عَبْدِ اللَّهِ الْوَاعِظُ، قَالَا: أَخْبَرَنَا أَبُو بَكْرٍ مُحَمَّدُ بْنُ الْحُسَيْنِ الْآجُرِّيُّ بِمَكَّةَ، قَالَ: حَدَّثَنَا أَبُو أَحْمَدَ هَارُونُ بْنُ يُوسُفَ التَّاجِرُ، قَالَ: حَدَّثَنَا مُحَمَّدُ بْنُ أَبِي عُمَرَ الْعَدَنِيُّ، قَالَ: حَدَّثَنَا مَرْوَانُ بْنُ مُعَاوِيَةَ الْفَزَارِيُّ، عَنْ يَزِيدَ بْنِ كَيْسَانَ، عَنْ أَبِي حَازِمٍ، عَنْ أَبِي هُرَيْرَةَ، قَالَ: قَالَ رَسُولُ اللَّهِ صَلَّى اللهُ عَلَيْهِ وَسَلَّمَ: ((إِنَّ الْإِسْلَامَ بَدَأَ غَرِيبًا وَسَيَعُودُ غَرِيبًا، فَطُوبَى لِلْغُرَبَاءِ)).

32. Abu 'l-Ḥasan 'Alī ibn Aḥmad ibn 'Umar al-Muqri' informed us [...] that Abu Hurayrah reported from the Messenger of Allah ﷺ: "Indeed Islam began as something strange, and it will return to being strange, so glad tidings to the strangers.""[85]

٣٣- أَخْبَرَنَا أَبُو مُحَمَّدٍ عَبْدُ اللَّهِ بْنُ أَحْمَدَ بْنِ عَبْدِ اللَّهِ بْنِ إِبْرَاهِيمَ الْأَصْبَهَانِيُّ، قَالَ: حَدَّثَنَا أَبُو سُلَيْمَانَ مُحَمَّدُ بْنُ الْحُسَيْنِ الْحَرَّانِيُّ، قَالَ: حَدَّثَنَا النُّعْمَانُ بْنُ مُدْرِكٍ، قَالَ: حَدَّثَنَا جَعْفَرُ بْنُ الْفُضَيْلِ، قَالَ: أَخْبَرَنَا إِسْحَاقُ بْنُ إِبْرَاهِيمَ الْحُنَيْنِيُّ،

85 *Ṣaḥīḥ*. It was reported by Muslim (1/130), Ibn Mājah (3986), al-Ājurrī in *al-Ghurabā* (4) and the author in *Tārīkh Baghdād*.

عَنْ كَثِيرِ بْنِ عَبْدِ اللَّهِ، عَنْ أَبِيهِ، عَنْ جَدِّهِ، قَالَ: قَالَ رَسُولُ اللَّهِ صَلَّى اللهُ عَلَيْهِ وَسَلَّمَ: ((إِنَّ الْإِسْلَامَ بَدَأَ غَرِيبًا وَسَيَعُودُ غَرِيبًا فَطُوبَى لِلْغُرَبَاءِ)). قِيلَ: يَا رَسُولَ اللَّهِ وَمَنِ الْغُرَبَاءُ؟ قَالَ: ((الَّذِينَ يُحْيُونَ سُنَّتِي مِنْ بَعْدِي، وَيُعَلِّمُونَهَا عِبَادَ اللَّهِ)).

33. Abu Muḥammad 'Abdullāh ibn Aḥmad ibn 'Abdullāh ibn Ibrāhīm al-Aṣbahānī informed us [...] that Kathīr ibn 'Abdullāh narrated from his father, who narrated from his grandfather who reported from the Messenger of Allah ﷺ: "Indeed Islam began as something strange, and it will return to being strange, so glad tidings to the strangers." It was asked: "O Messenger of Allah, who are the strangers?" He replied: "Those who resurrect my Sunnah after me, and teach it to the slaves of Allah."[86]

٣٤- أَخْبَرَنَا مُحَمَّدُ بْنُ الْحَسَنِ بْنِ أَبِي عَلِيٍّ الْأَصْبَهَانِيُّ، قَالَ: حَدَّثَنَا أَبُو حَكِيمٍ أَحْمَدُ بْنُ مُحَمَّدٍ الْبَيِّعُ بِالْأَهْوَازِ، قَالَ: حَدَّثَنَا عَبْدَانُ الْقَاضِي، قَالَ: حَدَّثَنَا أَبُو بَكْرِ بْنُ أَبِي شَيْبَةَ، قَالَ: حَدَّثَنَا حَفْصُ بْنُ غِيَاثٍ، عَنِ الْأَعْمَشِ، عَنْ أَبِي إِسْحَاقَ، عَنْ أَبِي الْأَحْوَصِ، عَنْ عَبْدِ اللَّهِ، قَالَ: قَالَ رَسُولُ اللَّهِ صَلَّى اللهُ عَلَيْهِ وَسَلَّمَ: ((إِنَّ الْإِسْلَامَ بَدَأَ غَرِيبًا وَسَيَعُودُ كَمَا بَدَأَ)) قِيلَ: يَا رَسُولَ اللَّهِ وَمَنِ الْغُرَبَاءُ؟ قَالَ: ((النُّزَّاعُ مِنَ الْقَبَائِلِ)).

34. Muḥammad ibn al-Ḥasan ibn Abī 'Alī al-Aṣbahānī informed us [...] that 'Abdullāh reported from the Messenger of Allah ﷺ: "Islam began as something strange, and it will return to how it was at the start." It was asked: "O Messenger of Allah, who are the strangers?" He said: "They are those who live as strangers amongst [their own] tribes."[87]

---

86 Its *isnād* is *wāhin jiddan* (very weak) due to the narrator Kathīr ibn 'Abdullāh ibn 'Amr ibn 'Awf who is *wāhin* (flimsy) and has been deemed a liar by a number of scholars, and the narrator al-Ḥunaynī is very weak. It was reported by al-Bazzār in his *Musnad* (3287), al-Quḍā'ī in *al-Shihāb* (1152 and 1153) and Ibn 'Abd al-Barr in *Jāmi' Bayān al-'Ilm wa Faḍlihi* (2/120).

87 Reported by al-Imām Aḥmad and his son 'Abdullāh in *Zawā'id 'alā al-Musnad* (1/398), al-Ājurrī in *al-Ghurabā* (2), Ibn Waḍāḥ in *al-Bida' wa al-Nahī 'Anhā* (169) and al-Khaṭṭābī in *Gharīb al-Ḥadīth* (1/174). The men in this chain of narration are *thiqāt*, however [Abī Isḥāq] al-Sabī'ī was a *mudallis*, and in this report he utilised the

قَالَ عَبْدَانُ: هُمْ أَصْحَابُ الْحَدِيثِ الْأَوَائِلُ.

ʿAbdan said: "They are the first ḥadīth adherents."

ʿanʿana form of transmission. In my view, he is from those whose ḥadīth cannot be relied upon except when his hearing of them is made explicit, or there is an indication to show that he did not perform *tadlīs* in the narration.

قوله صلى الله عليه وسلم:

The Statement of the Prophet ﷺ:

((سَتَفْتَرِقُ أُمَّتِي عَلَى نَيِّفٍ وَسَبْعِينَ فِرْقَةً))

"My nation will divide into seventy-odd sects..."

٣٥- أَخْبَرَنَا الْحَسَنُ بْنُ أَحْمَدَ بْنِ إِبْرَاهِيمَ الْبَزَّازُ، قَالَ: حَدَّثَنَا أَحْمَدُ بْنُ إِسْحَاقَ بْنِ نيخاب الطِّيبِيُّ، قَالَ: حَدَّثَنَا إِسْحَاقُ بْنُ إِبْرَاهِيمَ بْنِ بَهْرَامَ الرَّيْحَانِيُّ، بِهَمَذَانَ، قَالَ: حَدَّثَنَا الْحَجَّاجُ بْنُ يُوسُفَ بْنِ قُتَيْبَةَ بْنِ مُسْلِمٍ الْأَصْبَهَانِيُّ، قَالَ: حَدَّثَنَا بِشْرُ بْنُ الْحُسَيْنِ عَنِ الزُّبَيْرِ بْنُ عَدِيٍّ، عَنْ أَنَسٍ، أَنَّ رَسُولَ اللَّهِ صَلَّى اللهُ عَلَيْهِ وَسَلَّمَ قَالَ: ((افْتَرَقَتْ بَنُو إِسْرَائِيلَ عَلَى إِحْدَى وَسَبْعِينَ فِرْقَةً، وَالنَّصَارَى عَلَى ثِنْتَيْنِ وَسَبْعِينَ فِرْقَةً، وَسَتَفْتَرِقُ أُمَّتِي عَلَى ثَلَاثٍ وَسَبْعِينَ فِرْقَةً، كُلُّهَا فِي النَّارِ إِلَّا فِرْقَةً وَاحِدَةً)).

35. Al-Ḥasan ibn Aḥmad ibn Ibrāhīm al-Bazzār informed us [...] that Anas reported from the Messenger of Allah ﷺ: "The Children of Israel divided into seventy-one sects, the Christians divided into seventy-two sects, and my nation will divide into seventy-three sects, all of them are in the hellfire except one of them."[88]

---

88 Its *isnād* is *wāhin jiddan* (very weak). The narrator Bishr ibn al-Ḥusayn was subject to aspersion from al-Bukhāri, who said, "*Fihi naẓar* (he has issues)". Abu Ḥātim said, "He lied upon al-Zubayr." Al-Dāraquṭnī said, "He is *matrūk*." Ibn Ḥibbān said, "Bishr ibn al-Ḥusayn reported from al-Zubayr a manuscript containing one hundred and fifty ḥadīths, the majority of which were forged."

٣٦- أَخْبَرَنَا أَبُو نُعَيْمٍ الْحَافِظُ، قَالَ: حَدَّثَنَا سُلَيْمَانُ بْنُ أَحْمَدَ بْنِ أَيُّوبَ الطَّبَرَانِيُّ، قَالَ: حَدَّثَنَا أَحْمَدُ بْنُ مُحَمَّدِ بْنِ هَاشِمٍ الْبَعْلَبَكِّيُّ، قَالَ: حَدَّثَنَا عَبْدُ الْمَلِكِ بْنُ الأَصْبَغِ الْبَعْلَبَكِّيُّ، قَالَ: حَدَّثَنَا الْوَلِيدُ بْنُ مُسْلِمٍ، قَالَ: أَخْبَرَنَا الْأَوْزَاعِيُّ، قَالَ: حَدَّثَنِي قَتَادَةُ، عَنْ أَنَسِ بْنِ مَالِكٍ، قَالَ: قَالَ رَسُولُ اللَّهِ صَلَّى اللهُ عَلَيْهِ وَسَلَّمَ: ((إِنَّ بَنِي إِسْرَائِيلَ افْتَرَقَتْ عَلَى إِحْدَى وَسَبْعِينَ فِرْقَةً، وَإِنَّ أُمَّتِي سَتَفْتَرِقُ عَلَى ثِنْتَيْنِ وَسَبْعِينَ فِرْقَةً. كُلُّهَا فِي النَّارِ إِلَّا وَاحِدَةً: وَهِيَ الْجَمَاعَةُ)).

36. Abu Nuʿaym al-Ḥāfiẓ informed us [...] that Anas ibn Mālik reported from the Messenger of Allah ﷺ: "The Children of Israel divided into seventy-one sects, and my nation will divide into seventy-two sects, all of them are in the Hellfire except one, and it is the *Jamāʿah*."[89]

٣٧- حَدَّثَنِي عَبْدُ اللَّهِ بْنُ أَحْمَدَ بْنِ عَلِيٍّ السُّوذَرْجَانِيُّ، بِأَصْبَهَانَ، قَالَ سَمِعْتُ عَبْدَ اللَّهِ بْنَ أَبِي الْقَاسِمِ، يَقُولُ سَمِعْتُ أَحْمَدَ بْنَ مُحَمَّدِ بْنِ رَوْهٍ، يَقُولُ: أَخْبَرَنَا إِبْرَاهِيمُ بْنُ مُحَمَّدِ بْنِ الْحَسَنِ، قَالَ: حُدِّثْتُ عَنْ أَحْمَدَ بْنِ حَنْبَلٍ، وَذَكَرَ حَدِيثَ النَّبِيِّ صَلَّى اللهُ عَلَيْهِ وَسَلَّمَ: ((تَفْتَرِقُ الْأُمَّةُ عَلَى نَيِّفٍ وَسَبْعِينَ فِرْقَةً، كُلُّهَا فِي النَّارِ إِلَّا فِرْقَةً))، فَقَالَ: إِنْ لَمْ يَكُونُوا أَصْحَابَ الْحَدِيثِ فَلَا أَدْرِي مَنْ هُمْ.

37. ʿAbdullāh ibn Aḥmad ibn ʿAlī al-Sūdharjānī informed us in Aṣbahān [...] that Ibrāhīm ibn Muḥammad ibn al-Ḥasan said: "I was informed about Aḥmad ibn Ḥanbal, who mentioned the statement of the Prophet ﷺ: 'My nation will divide into seventy-odd sects, all of which are in the hellfire except one sect,' and said, 'If they are not the ḥadīth disciples, then I do not know who they are!'"

---

89 Its *isnād* is *shādh* (irregular). It was reported by Ibn Abī Āṣim in *al-Sunnah* (64) and Ibn Mājah (3993). Al-Buṣayrī said in *Miṣbāḥ al-Zujājah* (2/96), "This *isnād* is *ṣaḥīḥ* and its men are *thiqāt*." However, I say: It has a hidden defect. It was narrated by a number of reporters—from them: Muʿāwiyah ibn Ṣāliḥ, ʿĪsā ibn Yūnus, Fuḍayl ibn ʿIyāḍ and Abu Isḥāq al-Fazārī—from al-Awzāʿī, that he said, "It was narrated to me by Yazīd al-Ruqāshī from Anas." This was reported by Abu 'l-Qāsim al-Aṣbahānī in *al-Hujjah* (1/108). Al-Ruqāshī is *ḍaʿīf*.

٣٨- حَدَّثَنِي مُحَمَّدُ بْنُ أَبِي الْحَسَنِ، قَالَ: أَخْبَرَنَا أَبُو الْقَاسِمِ بْنُ سَخْتَوَيْهِ، قَالَ: سَمِعْتُ أَبَا الْعَبَّاسِ أَحْمَدَ بْنَ مَنْصُورٍ الْحَافِظَ بِصُورَ، يَقُولُ: سَمِعْتُ أَبَا الْحَسَنِ مُحَمَّدَ بْنَ عَبْدِ اللَّهِ بْنِ بِشْرٍ بِفَسَا يَقُولُ: رَأَيْتُ النَّبِيَّ صَلَّى اللهُ عَلَيْهِ وَسَلَّمَ فِي الْمَنَامِ، فَقُلْتُ: مَنِ الْفِرْقَةُ النَّاجِيَةُ مِنْ ثَلَاثٍ وَسَبْعِينَ فِرْقَةً؟ قَالَ: أَنْتُمْ يَا أَصْحَابَ الْحَدِيثِ.

38. Muḥammad ibn Abī al-Ḥasan informed us [...] that Muḥammad ibn 'Abdullāh ibn Bishr said in Fasā: "I saw the Prophet ﷺ in a dream, and I said, 'Who are the saved sect from amongst the seventy-three?' He said: 'You, O disciples of ḥadīth.'"

قوله صلى الله عليه وسلم:

The Statement of the Prophet ﷺ:

((لَا تَزَالُ طَائِفَةٌ مِنْ أُمَّتِي عَلَى الْحَقِّ، لَا يَضُرُّهُمْ مَنْ خَذَلَهُمْ)).

"There will continue to be a group of my nation who prevail upon the truth, and they will not be harmed by those who forsake them."

٣٩- أَخْبَرَنَا أَبُو نُعَيْمٍ الْحَافِظُ، قَالَ: حَدَّثَنَا عَبْدُ اللَّهِ بْنُ جَعْفَرٍ، قَالَ: حَدَّثَنَا يُونُسُ بْنُ حَبِيبٍ، قَالَ: حَدَّثَنَا أَبُو دَاوُدَ، قَالَ: حَدَّثَنَا شُعْبَةُ، قَالَ: أَخْبَرَنِي مُعَاوِيَةُ بْنُ قُرَّةَ، عَنْ أَبِيهِ، قَالَ: قَالَ النَّبِيُّ صَلَّى اللهُ عَلَيْهِ وَسَلَّمَ: ((لَا تَزَالُ طَائِفَةٌ مِنْ أُمَّتِي مَنْصُورِينَ، لَا يَضُرُّهُمْ مَنْ خَذَلَهُمْ حَتَّى تَقُومَ السَّاعَةُ)).

39. Abu Nu'aym al-Ḥāfiẓ informed us [...] that Mu'āwiyah ibn Qurrah narrated from his father: "The Prophet ﷺ said: 'There will continue to be a group from my nation who are victorious, and they will not be harmed by those who forsake them until the [Last] Hour.'"[90]

٤٠- أَخْبَرَنَاه مُحَمَّدُ بْنُ طَلْحَةَ النَّعَّالِيُّ، قَالَ: حَدَّثَنَا مُحَمَّدُ بْنُ الْحَسَنِ بْنِ كَوْثَرٍ، قَالَ: حَدَّثَنَا مُحَمَّدُ بْنُ يُونُسَ، قَالَ: حَدَّثَنَا أَبُو زَيْدٍ سَعِيدُ بْنُ [زيد بن] الرَّبِيعِ،

---

90 It is *ṣaḥīḥ*. It was reported by al-Imām Aḥmad (3/436, 5/34 and 35), Ibn Abī 'Āṣim in *al-Āḥād wa 'l-Mathānī* (2/333), Ibn Abī Shaybah in *al-Muṣannaf* (6/409), al-Tirmidhī (2192), Ibn Mājah (6), al-Ṭabarānī in *al-Kabīr* (19/27) and al-Ḥākim in *Ma'rifat 'Ulūm al-Ḥadīth* (p. 2). Some of them added, "When the inhabitants of al-Shām become corrupt, then there is no good in you." Al-Tirmidhī said after his transmission of this ḥadīth, "Muḥammad ibn Ismā'īl (i.e. al-Bukhārī) said, "Alī al-Madīnī said, 'They are the ḥadīth disciples.'""

قَالَ: أَخْبَرَنَا شُعْبَةُ، قَالَ: أَخْبَرَنِي مُعَاوِيَةُ بْنُ قُرَّةَ، عَنْ أَبِيهِ، قَالَ: قَالَ رَسُولُ اللَّهِ صَلَّى اللهُ عَلَيْهِ وَسَلَّمَ: ((لَا تَزَالُ طَائِفَةٌ مِنْ أُمَّتِي عَلَى الْحَقِّ لَا يَضُرُّهُمْ مَنْ خَذَلَهُمْ حَتَّى تَقُومَ السَّاعَةُ)).

40. Muḥammad ibn Ṭalhah al-Naʿālī informed us [...] that Muʿāwiyah ibn Qurrah narrated from his father who said: "The Messenger of Allah ﷺ said: 'There will continue to be a group from my nation who prevail upon the truth, and they will not be harmed by those who forsake them until the [Last] Hour.'"[91]

٤١- أَخْبَرَنِي مُحَمَّدُ بْنُ الْحَسَنِ الْأَهْوَازِيُّ، قَالَ: حَدَّثَنَا مُحَمَّدُ بْنُ إِسْحَاقَ بْنِ إِبْرَاهِيمَ الْقَاضِي بِالْأَهْوَازِ، قَالَ: حَدَّثَنَا الْحَسَنُ بْنُ عُثْمَانَ، قَالَ: حَدَّثَنَا أَحْمَدُ بْنُ أَبِي سُرَيْجٍ الرَّازِيُّ، أَبُو جَعْفَرٍ، قَالَ: حَدَّثَنَا يَزِيدُ بْنُ هَارُونَ، عَنْ حَمَّادِ بْنِ سَلَمَةَ، عَنْ قَتَادَةَ، عَنْ مُطَرِّفٍ، عَنْ عِمْرَانَ بْنِ حُصَيْنٍ، قَالَ: قَالَ رَسُولُ اللَّهِ صَلَّى اللهُ عَلَيْهِ وَسَلَّمَ: ((لَا تَزَالُ طَائِفَةٌ مِنْ أُمَّتِي يُقَاتِلُونَ عَلَى الْحَقِّ حَتَّى تَقُومَ السَّاعَةُ)).

41. Muḥammad ibn al-Ḥasan al-Ahwāzī informed me [...] that ʿImrān ibn Ḥuṣayn reported from the Messenger of Allah ﷺ: "There will be a group of my nation who do not cease fighting for the truth until the [Last] Hour."[92]

قَالَ يَزِيدُ بْنُ هَارُونَ: إِنْ لَمْ يَكُونُوا أَصْحَابَ الْحَدِيثِ، فَلَا أَدْرِي مَنْ هُمْ.

Yazīd ibn Hārūn said: "If they are not the ḥadīth adherents, then I do not

91 It is *ṣaḥīḥ*. See the previous narration.

92 The ḥadīth is *ṣaḥīḥ* but this chain is *mawqūf* due to Ḥammād ibn Salamah. Despite him being a *thiqah* narrator, he solely narrated this from Qatādah, and it was not narrated from the other firmly grounded *thiqāt* amongst Qatādah's disciples, such as Shuʿbah, Hishām al-Dastuwāʾī, and Saʿīd ibn Abī ʿArūbah, and such a scenario (i.e. where a *thiqah* reports a narration from a *ḥāfiẓ* whilst the remainder of his disciples do not) brings an element of questionableness to a transmission, as indicated to by al-Imām Muslim in the introduction to his *Ṣaḥīḥ*. A different *ṣaḥīḥ* route was reported by al-Imām Aḥmad (4/434). The report of Ḥammād ibn Salamah was collected by al-Imām Aḥmad (4/469 and 437), Abu Dāwūd (2484), al-Ḥākim (4/450) and al-Lālikāʾī in *Sharḥ Uṣūl al-Iʿtiqād* (168 and 169).

know who they are."

٤٢- أَخْبَرَنِي عُبَيْدُ اللَّهِ بْنُ أَبِي الْفَتْحِ، وَالْحَسَنُ بْنُ أَبِي طَالِبٍ، قَالَا: حَدَّثَنَا مُحَمَّدُ بْنُ الْعَبَّاسِ، أَبُو عُمَرَ الْخَزَّازُ، قَالَ: حَدَّثَنَا أَبُو بَكْرِ بْنُ أَبِي دَاوُدَ، قَالَ: حَدَّثَنَا أَبِي، عَنْ سَعِيدِ بْنِ يَعْقُوبَ الطَّالْقَانِيِّ أَوْ غَيْرُهُ قَالَ: ذَكَرَ ابْنُ الْمُبَارَكِ حَدِيثَ النَّبِيِّ صَلَّى اللهُ عَلَيْهِ وَسَلَّمَ: ((لَا تَزَالُ طَائِفَةٌ مِنْ أُمَّتِي ظَاهِرِينَ عَلَى الْحَقِّ لَا يَضُرُّهُمْ مَنْ نَاوَأَهُمْ حَتَّى تَقُومَ السَّاعَةُ))، قَالَ ابْنُ الْمُبَارَكِ: هُمْ عِنْدِي أَصْحَابُ الْحَدِيثِ.

42. 'Ubaydullāh ibn Abī al-Fatḥ and al-Ḥasan ibn Abī Ṭālib informed me [...] that Sa'īd ibn Ya'qūb al-Ṭālqānī or another said: "'Abdullāh ibn al-Mubārak mentioned the ḥadīth of the Prophet ﷺ: 'There will continue to be a group from my nation who prevail upon the truth, and they will not be harmed by those who oppose them until the [Last] Hour.' Then Ibn al-Mubārak said, "To me, they are the ḥadīth adherents."

٤٣- أَخْبَرَنَا أَبُو نُعَيْمٍ الْحَافِظُ، قَالَ: حَدَّثَنَا مُحَمَّدُ بْنُ جَعْفَرٍ الْمُؤَدِّبُ، قَالَ: حَدَّثَنَا عَبْدُ اللَّهِ بْنُ مُحَمَّدِ بْنِ الْخَلِيلِ، قَالَ: سَمِعْتُ الْفَضْلَ بْنَ زِيَادٍ يَقُولُ: سَمِعْتُ أَحْمَدَ بْنَ حَنْبَلٍ، وَذَكَرَ حَدِيثَ: ((لَا تَزَالُ طَائِفَةٌ مِنْ أُمَّتِي ظَاهِرِينَ عَلَى الْحَقِّ))، فَقَالَ: إِنْ لَمْ يَكُونُوا أَصْحَابَ الْحَدِيثِ فَلَا أَدْرِي مَنْ هُمْ.

43. Abu Nu'aym al-Ḥāfiẓ informed us [...] that al-Faḍl ibn Ziyād said: "I heard Aḥmad ibn Ḥanbal mention the ḥadīth: 'There will continue to be a group of my nation who prevail upon the truth.' He said, 'If they are not the ḥadīth adherents, then I do not know who they are!'"

٤٤- وَأَخْبَرَنَا أَبُو نُعَيْمٍ، أَيْضًا، قَالَ: حَدَّثَنَا عَبْدُ اللَّهِ بْنُ مُحَمَّدِ بْنِ جَعْفَرٍ، قَالَ: حَدَّثَنَا مُحَمَّدُ بْنُ الْفَضْلِ بْنِ الْخَطَّابِ، قَالَ: حَدَّثَنَا أَبُو حَاتِمٍ قَالَ: سَمِعْتُ أَحْمَدَ بْنَ سِنَانٍ، وَذَكَرَ حَدِيثَ: ((لَا تَزَالُ طَائِفَةٌ مِنْ أُمَّتِي عَلَى الْحَقِّ))، فَقَالَ: هُمْ أَهْلُ الْعِلْمِ وَأَصْحَابُ الْآثَارِ.

44. Abu Nu'aym also informed us [...] that Abu Ḥātim said: "I heard Aḥmad ibn Sinān, and he mentioned the ḥadīth: 'There will continue to be group from my nation who prevail upon the truth.' He said, 'They are the people of knowledge and *āthār*.'"

٤٥- أَخْبَرَنَا أَبُو يَعْلَى أَحْمَدُ بْنُ عَبْدِ الْوَاحِدِ الْوَكِيلُ، قَالَ: أَخْبَرَنَا الْحَسَنُ بْنُ مُحَمَّدِ بْنِ شُعْبَةَ الْمَرْوَزِيُّ، قَالَ: حَدَّثَنَا مُحَمَّدُ بْنُ أَحْمَدَ بْنِ مَحْبُوبٍ، قَالَ: حَدَّثَنَا أَبُو عِيسَى التِّرْمِذِيُّ، وَذَكَرَ حَدِيثَ مُعَاوِيَةَ بْنَ قُرَّةَ، عَنْ أَبِيهِ، قَالَ: قَالَ رَسُولُ اللَّهِ صَلَّى اللهُ عَلَيْهِ وَسَلَّمَ: ((لَا تَزَالُ طَائِفَةٌ مِنْ أُمَّتِي مَنْصُورِينَ، لَا يَضُرُّهُمْ مَنْ خَذَلَهُمْ))، قَالَ أَبُو عِيسَى: قَالَ مُحَمَّدُ بْنُ إِسْمَاعِيلَ: قَالَ عَلِيُّ بْنُ الْمَدِينِيِّ: هُمْ أَصْحَابُ الْحَدِيثِ.

45. Abu Ya'lā Aḥmad ibn 'Abd al-Wāḥid al-Wakīl informed us [...] that Abu 'Īsā al-Tirmidhī mentioned the ḥadīth of Mu'āwiyyah ibn Qurrah from his father, "The Messenger of Allah ﷺ said: 'There will be continue to be a group of my nation who are victorious, and they will not be harmed by those who forsake them,'" Abu 'Īsā said, "They are the ḥadīth disciples."

٤٦- أَخْبَرَنَا أَبُو نُعَيْمٍ الْحَافِظُ، قَالَ: حَدَّثَنَا أَبُو مُحَمَّدِ بْنُ حَيَّانَ، قَالَ: حَدَّثَنَا إِسْحَاقُ بْنُ أَحْمَدَ، قَالَ: حَدَّثَنَا مُحَمَّدُ بْنُ إِسْمَاعِيلَ الْبُخَارِيُّ، وَذَكَرَ حَدِيثَ مُوسَى بْنِ عُقْبَةَ، عَنْ أَبِي الزُّبَيْرِ، عَنْ جَابِرٍ، عَنِ النَّبِيِّ صَلَّى اللهُ عَلَيْهِ وَسَلَّمَ: ((لَا تَزَالُ طَائِفَةٌ مِنْ أُمَّتِي))، فَقَالَ الْبُخَارِيُّ: يَعْنِي أَصْحَابَ الْحَدِيثِ.

46. Abu Nu'aym al-Ḥāfiẓ informed us [...] that Muḥammad ibn Ismā'īl al-Bukhāri mentioned the ḥadīth of Jābir, who reported that the Prophet ﷺ said: "There will continue to be a group of my nation..." Al-Bukhāri said, "Meaning, the ḥadīth disciples."

قول النبي صلى الله عليه وسلم:
The Statement of the Prophet ﷺ:

((يَحْمِلُ هَذَا الْعِلْمَ مِنْ كُلِّ خَلَفٍ عُدُولُهُ)).

"The trustworthy from among every generation will carry this knowledge."

٤٧- أَخْبَرَنَا الْقَاضِي أَبُو مُحَمَّدٍ الْحَسَنُ بْنُ الْحُسَيْنِ بْنِ رَامِينَ الْإِسْتِرَآبَاذِيُّ، قَالَ: حَدَّثَنَا أَبُو أَحْمَدَ عَبْدُ اللَّهِ بْنُ عَدِيٍّ الْجُرْجَانِيُّ الْحَافِظُ، قَالَ: حَدَّثَنَا أَبُو قُصَيٍّ إِسْمَاعِيلُ بْنُ مُحَمَّدِ بْنِ إِسْحَاقَ الْعُذْرِيُّ بِدِمَشْقَ، قَالَ: حَدَّثَنَا سُلَيْمَانُ بْنُ عَبْدِ الرَّحْمَنِ الدِّمَشْقِيُّ، قَالَ: حَدَّثَنَا مَسْلَمَةُ يَعْنِي ابْنَ عَلِيٍّ، حَدَّثَنِي عَبْدُ الرَّحْمَنِ بْنُ يَزِيدَ السُّلَمِيُّ، عَنْ عَلِيِّ بْنِ مُسْلِمٍ الْبَكْرِيِّ، عَنْ أَبِي صَالِحٍ الْأَشْعَرِيِّ، عَنْ أَبِي هُرَيْرَةَ، قَالَ: قَالَ رَسُولُ اللَّهِ صَلَّى اللهُ عَلَيْهِ وَسَلَّمَ: ((يَحْمِلُ هَذَا الْعِلْمَ مِنْ كُلِّ خَلَفٍ عُدُولُهُ، يَنْفُونَ عَنْهُ تَحْرِيفَ الْغَالِينَ، وَانْتِحَالَ الْمُبْطِلِينَ، وَتَأْوِيلَ الْجَاهِلِينَ)).

47. Al-Qāḍī Abu Muḥammad al-Ḥasan ibn al-Ḥusayn ibn Rāmīna 'l-Istirābādhī informed us [...] that Abu Hurayrah reported from the Messenger of Allah ﷺ: "The trustworthy from amongst every generation will carry this knowledge. They will safeguard it from the deviation of the extremists, the undue assumption of the repudiators, and the interpretation of the ignorant."[93]

---

93 Its *isnād* is *wāhin* (flimsy) due to the presence within it of Maslamah ibn 'Alī al-Khushanī, who is *matrūk al-ḥadīth*. Al-Bukhārī and Abu Zur'ah said that he is *munkar al-ḥadīth*, Ibn Ma'īn said, "He has no worth (*laysa bi shay'*)", al-Nasā'ī said, "He is not reliable (*laysa bi thiqah*)" and he was considered to be defective (*wāhin*) by a number of scholars. Furthermore, his *shaykh* [in the *isnād*] 'Abd al-Raḥmān ibn Yazīd

٤٨- أَخْبَرَنِي أَبُو الْحُسَيْنِ أَحْمَدُ بْنُ عُمَرَ بْنِ عَلِيٍّ الْقَاضِي بِدَرزِيجَانَ، قَالَ: أَخْبَرَنَا أَحْمَدُ بْنُ عَلِيِّ بْنِ مُحَمَّدِ بْنِ الْجَهْمِ الْكَاتِبُ، قَالَ: حَدَّثَنَا مُحَمَّدُ بْنُ جَرِيرٍ الطَّبَرِيُّ، قَالَ: حَدَّثَنِي عُثْمَانُ بْنُ يَحْيَى، قَالَ: حَدَّثَنِي عَمْرُو بْنُ هَاشِمٍ الْبَيْرُوتِيُّ، عَنْ مُحَمَّدِ بْنِ سُلَيْمَانَ - يَعْنِي ابْنَ أَبِي كَرِيمَةَ -، عَنْ مُعَانِ بْنِ رِفَاعَةَ السَّلَامِيِّ، عَنْ أَبِي عُثْمَانَ النَّهْدِيِّ، عَنْ أُسَامَةَ بْنِ زَيْدٍ، قَالَ: قَالَ رَسُولُ اللَّهِ صَلَّى اللهُ عَلَيْهِ وَسَلَّمَ: ((يَحْمِلُ هَذَا الْعِلْمَ مِنْ كُلِّ خَلَفٍ عُدُولُهُ، يَنْفُونَ عَنْهُ تَحْرِيفَ الْجَاهِلِينَ، وَانْتِحَالَ الْمُبْطِلِينَ)).

48. Abu al-Ḥusayn Aḥmad ibn 'Umar ibn 'Alī al-Qāḍī informed me in Darzījān [...] that Usāmah ibn Zayd reported that the Messenger of Allah ﷺ said: 'The trustworthy from amongst every generation will carry this knowledge. They will disallow the corruption of the ignorant, and the undue assumption of the deniers.'"[94]

٤٩- أَخْبَرَنَا عُبَيْدُ اللَّهِ بْنُ أَحْمَدَ بْنِ عُثْمَانَ الصَّيْرَفِيُّ، قَالَ: حَدَّثَنَا مُحَمَّدُ بْنُ الْمُظَفَّرِ الْحَافِظُ، قَالَ: حَدَّثَنَا أَحْمَدُ بْنُ يَحْيَى بْنِ زُكَيْرٍ، قَالَ: حَدَّثَنَا مُحَمَّدُ بْنُ مَيْمُونِ بْنِ كَامِلٍ الْحَمْرَاوِيُّ، قَالَ: حَدَّثَنَا أَبُو صَالِحٍ، قَالَ: حَدَّثَنَا اللَّيْثُ بْنُ سَعْدٍ، عَنْ يَحْيَى بْنِ سَعِيدٍ، عَنْ سَعِيدِ بْنِ الْمُسَيِّبِ، عَنْ عَبْدِ اللَّهِ بْنِ مَسْعُودٍ، قَالَ: سَمِعْتُ رَسُولَ اللَّهِ صَلَّى اللهُ عَلَيْهِ وَسَلَّمَ يَقُولُ: ((يَرِثُ هَذَا الْعِلْمَ مِنْ كُلِّ خَلَفٍ عُدُولُهُ)).

49. 'Ubaydullāh ibn Aḥmad ibn 'Uthmān al-Ṣayrafī informed us [...] that 'Abdullāh ibn Mas'ūd reported from the Messenger of Allah ﷺ: "The trustworthy of every generation will inherit this knowledge."[95]

---

al-Sulamī is *ḍa'īf jiddan*. This narration was reported by Ibn 'Adī in *al-Kāmil* (1/153).

94 Its *isnād* is *ḍa'īf jiddan*, due to the presence within it of Muḥammad ibn Sulaymān ibn Abī Karīmah, who was deemed weak by Abu Ḥātim, as found in *al-Jarḥ wa al-Ta'dīl* (2/3/268). Al-'Uqaylī said that he narrated falsities (*bawāṭīl*) from Hishām.

95 Its *isnād* is *munkar*. It has within it Aḥmad ibn Yaḥyā ibn Zukayr and Muḥammad ibn Maymūn ibn Kāmil who were both weakened by al-Dāraquṭnī, as found in *Lisān*

٥٠- أَخْبَرَنَا مُحَمَّدُ بْنُ أَحْمَدَ بْنِ رِزْقٍ الْبَزَّازُ، قَالَ: حَدَّثَنَا عُمَرُ بْنُ جَعْفَرِ بْنِ سَلْمٍ، قَالَ: حَدَّثَنَا عَلِيُّ بْنُ مُحَمَّدِ بْنِ عَبْدِ الْمَلِكِ بْنِ أَبِي الشَّوَارِبِ، وَيَعْقُوبُ بْنُ يُوسُفَ الْمَطْوَعِيُّ، قَالَا: حَدَّثَنَا أَبُو الرَّبِيعِ، قَالَ: حَدَّثَنَا حَمَّادُ بْنُ زَيْدٍ، قَالَ: حَدَّثَنَا بَقِيَّةُ بْنُ الْوَلِيدِ، قَالَ: حَدَّثَنَا مُعَانُ بْنُ رِفَاعَةَ، عَنْ إِبْرَاهِيمَ بْنِ عَبْدِ الرَّحْمَنِ الْعُذْرِيِّ، قَالَ: قَالَ رَسُولُ اللَّهِ صَلَّى اللهُ عَلَيْهِ وَسَلَّمَ: ((يَحْمِلُ هَذَا الْعِلْمَ مِنْ كُلِّ خَلَفٍ عُدُولُهُ، يَنْفُونَ عَنْهُ تَحْرِيفَ الْغَالِينَ وَانْتِحَالَ الْمُبْطِلِينَ وَتَأْوِيلَ الْجَاهِلِينَ)).

50. Muḥammad ibn Aḥmad ibn Rizq al-Bazzāz informed us [...] that Ibrāhīm ibn ʿAbd al-Raḥmān al-ʿUdhrī reported from the Messenger of Allah ﷺ: 'The trustworthy from amongst every generation will carry this knowledge. They will prevent the corruption of the fanatics, the undue assumption of the deniers, and the interpretation of the ignorant."[96]

٥١- حُدِّثْتُ عَنْ عَبْدِ الْعَزِيزِ بْنِ جَعْفَرٍ الْفَقِيهِ، قَالَ: حَدَّثَنَا أَبُو بَكْرٍ الْخَلَّالُ، قَالَ: قَرَأْتُ عَلَى زُهَيْرِ بْنِ صَالِحِ بْنِ أَحْمَدَ، قَالَ: حَدَّثَنَا مهنا - وَهُوَ ابْنُ يَحْيَى - قَالَ: سَأَلْتُ أَحْمَدَ - يَعْنِي ابْنَ حَنْبَلٍ - عَنْ حَدِيثِ مُعَانِ بْنِ رِفَاعَةَ، عَنْ إِبْرَاهِيمَ بْنِ عَبْدِ الرَّحْمَنِ الْعُذْرِيِّ، قَالَ: قَالَ رَسُولُ اللَّهِ صَلَّى اللهُ عَلَيْهِ وَسَلَّمَ: ((يَحْمِلُ هَذَا الْعِلْمَ مِنْ كُلِّ خَلَفٍ عُدُولُهُ، يَنْفُونَ عَنْهُ تَحْرِيفَ الْجَاهِلِينَ وَانْتِحَالَ الْمُبْطِلِينَ وَتَأْوِيلَ الْغَالِينَ)). فَقُلْتُ لِأَحْمَدَ: كَأَنَّهُ كَلَامٌ مَوْضُوعٌ! قَالَ: لَا، هُوَ صَحِيحٌ. فَقُلْتُ [له]: مِمَّنْ سَمِعْتَهُ أَنْتَ؟ قَالَ: مِنْ غَيْرِ وَاحِدٍ، قُلْتُ: مَنْ هُمْ؟ قَالَ: حَدَّثَنِي بِهِ

---

al-Mīzān (1/356). He said about the former, "He has no value in al-ḥadīth."

96 Its *isnād* is *ḍaʿīf*. Within it there is Muʿān ibn Rifāʿah, who is *layyin* (soft) in al-ḥadīth, and Ibrāhīm al-ʿUdhrī, whom al-Dhahabī stated about in his biography within *al-Mīzān* (1/45), "He is a minor Tābiʿī, I do not know him to be weak (ما علمته واهيا)." And his narrations from the Prophet ﷺ are *mursal*. The ḥadīth was reported by Ibn Abī Ḥātim in his introduction to *al-Jarḥ wa ʾl-Taʿdīl* (p. 17), Ibn ʿAdī in *al-Kāmil* (1/153), al-ʿUqaylī (4/256), al-Bayhaqī in *al-Kubrā* (10/209) and *Dalāʾil al-Nubuwwah* (1/37) and Ibn Waḍḍāḥ in *al-Bidaʿu wa ʾl-Nahī ʿAnhā* (1) from routes through Muʿān.

مِسْكِينٌ، إِلَّا أَنَّهُ يَقُولُ: مُعَانٌ، عَنِ الْقَاسِمِ بْنِ عَبْدِ الرَّحْمَنِ. قَالَ أَحْمَدُ: مُعَانُ بْنُ رِفَاعَةَ، لَا بَأْسَ بِهِ.

51. 'Abd al-'Azīẓ ibn Ja'far al-Faqīh narrated to us [...] that Ibn Yaḥyā said: "I asked Aḥmad (meaning Ibn Ḥanbal) about the ḥadīth of Mu'ān ibn Rifā'ah from Ibrāhīm ibn 'Abd al-Raḥmān al-'Udhrī that the Messenger of Allah ﷺ said: 'The trustworthy from amongst every generation will carry this knowledge. They will prevent the corruption of the ignorant, the undue assumption of the deniers, and the interpretation of the fanatics.'

I said to him, 'It is as if these words are fabricated!'

He replied, 'No, they are authentic.'

I said to him, 'Who did you hear it from?'

He replied, 'From more than one [person].'

I then said, 'Who were they?'

He replied, 'Miskīn narrated it to me,'—except he called him Mu'ān—'From al-Qāsim ibn 'Abd al-Raḥmān.'

Aḥmad said, 'Mu'ān ibn Rifā'ah is okay.'"

٥٢- أَخْبَرَنِي عُبَيْدُ اللَّهِ بْنُ أَبِي الْفَتْحِ الْفَارِسِيُّ، قَالَ: أَخْبَرَنَا عَبْدُ الرَّحْمَنِ بْنُ عُمَرَ الْخَلَّالُ قَالَ: قَالَ مُحَمَّدُ بْنُ أَحْمَدَ بْنِ يَعْقُوبَ بْنِ شَيْبَةَ: رَأَيْتُ رَجُلًا قَدَّمَ رَجُلًا إِلَى إِسْمَاعِيلَ بْنِ إِسْحَاقَ الْقَاضِي، فَادَّعَى عَلَيْهِ دَعْوَى، فَسَأَلَ الْمُدَّعَى عَلَيْهِ، فَأَنْكَرَ. فَقَالَ لِلْمُدَّعِي: أَلَكَ بَيِّنَةٌ؟ قَالَ: نَعَمْ، فُلَانٌ وَفُلَانٌ. قَالَ: أَمَّا فُلَانٌ، فَمِنْ شُهُودِي، وَأَمَّا فُلَانٌ، فَلَيْسَ مِنْ شُهُودِي. قَالَ: فَيَعْرِفُهُ الْقَاضِي؟ قَالَ: نَعَمْ. قَالَ: بِمَاذَا؟ قَالَ: أَعْرِفُهُ بِكَتْبِ الْحَدِيثِ. قَالَ: فَكَيْفَ تَعْرِفُهُ فِي كَتْبِهِ الْحَدِيثَ؟ قَالَ: مَا عَلِمْتُ إِلَّا خَيْرًا. قَالَ: فَإِنَّ النَّبِيَّ صَلَّى اللهُ عَلَيْهِ وَسَلَّمَ قَالَ: ((يَحْمِلُ هَذَا الْعِلْمَ مِنْ كُلِّ خَلَفٍ عُدُولُهُ))، فَمَنْ عَدَّلَهُ رَسُولُ اللَّهِ صَلَّى اللهُ عَلَيْهِ وَسَلَّمَ أَوْلَى مِمَّنْ عَدَّلْتَهُ أَنْتَ. قَالَ: فَقُمْ، فَهَاتِهِ، فَقَدْ قَبِلْتُ شَهَادَتَهُ.

52. We were informed by ʿUbaydullāh ibn Abī al-Fatḥ al-Fārisī [...] that Muḥammad ibn Aḥmad ibn Yaʿqūb ibn Shaybah said: "I saw a man present another man to the judge Ismāʿīl ibn Isḥāq, and claimed something about him, so [the judge] asked the one being accused, and he denied it, so [the judge] said to the accuser, 'Do you have proof?'

He replied, 'Yes, so-and-so, and so-and-so.'

[The judge] said: 'As for so-and-so he is a witness of mine, and as for the other he is not.'

[The man] said, 'So the judge knows him?'

He replied, 'Yes.'

[The man] then asked, 'From what?'

He replied, "I know him through his writing of ḥadīth.'

[The man] said, 'And what do you know of him through his writing?'

He replied, 'I know nothing but good, for indeed the Prophet ﷺ said, 'The trustworthy of every generation will carry this knowledge,' and hence whomever the Messenger of Allah ﷺ proclaimed to be trustworthy is more trustworthy than one whom you deem so.' Then he said, 'Get up, bring him, for I have accepted his testimony.'"

كون أصحاب الحديث خلفاء الرسول صلى الله عليه وسلم في التبليغ عنه

The Ḥadīth Disciples Being the Successors of the Messenger ﷺ in Conveying From Him:

٥٣: أَخْبَرَنِي مُحَمَّدُ بْنُ أَبِي عَلِيٍّ الْأَصْبَهَانِيُّ، قَالَ: حَدَّثَنَا أَحْمَدُ بْنُ مَحْمُودٍ الْقَاضِي بِالْأَهْوَازِ، قَالَ: قُرِئَ عَلَى أَبِي حُصَيْنٍ مُحَمَّدِ بْنِ الْحُسَيْنِ، حَدَّثَكُمْ أَحْمَدُ بْنُ عِيسَى بْنِ عَبْدِ اللَّهِ الْعَلَوِيُّ:

ح وَأَخْبَرَنَا عَلِيُّ بْنُ أَبِي عَلِيٍّ الْبَصْرِيُّ، قَالَ: حَدَّثَنَا أَبُو الْقَاسِمِ عُبَيْدُ اللَّهِ بْنُ الْحُسَيْنِ بْنِ جَعْفَرِ بْنِ أَبِي مُوسَى الْقَاضِي الْمَوْصِلِيُّ، قَالَ: حَدَّثَنَا سَعِيدُ بْنُ عَلِيِّ بْنِ الْخَلِيلِ، قَالَ: حَدَّثَنَا عَبْدُ السَّلَامِ بْنُ عُبَيْدٍ، قَالَا: حَدَّثَنَا ابْنُ أَبِي فُدَيْكٍ، عَنْ هِشَامِ بْنِ سَعْدٍ، عَنْ زَيْدِ بْنِ أَسْلَمَ، عَنْ عَطَاءِ بْنِ يَسَارٍ، عَنِ ابْنِ عَبَّاسٍ، قَالَ: سَمِعْتُ عَلِيَّ بْنَ أَبِي طَالِبٍ يَقُولُ: خَرَجَ عَلَيْنَا رَسُولُ اللَّهِ صَلَّى اللهُ عَلَيْهِ وَسَلَّمَ فَقَالَ: ((اللَّهُمَّ ارْحَمْ خُلَفَائِي)). قَالَ قُلْنَا: يَا رَسُولَ اللَّهِ وَمَنْ خُلَفَاؤُكَ؟ قَالَ: ((الَّذِينَ يَأْتُونَ مِنْ بَعْدِي، يَرْوُونَ أَحَادِيثِي وَسُنَّتِي وَيُعَلِّمُونَهَا النَّاسَ)).

53. We were informed via two chains to Ibn Abī Fudayk [...] that Ibn ʿAbbās said: "I heard ʿAlī ibn Abī Ṭālib saying, 'The Messenger of Allah ﷺ came to us and said, 'O Allah have mercy upon my successors.'' ʿAlī said, 'We said, 'O Messenger of Allah who are your successors?' He replied, 'Those who come after me who narrate my *aḥādīth* and Sunnah, and teach it to the people.''''[97]

97 It is *mawḍūʿ* (fabricated). In the first route, there is Aḥmad ibn ʿĪsā ibn ʿAbdullāh al-ʿAlawī, al-Dāraquṭnī said about him, "*kadhāb* (liar)", and al-Dhahabī said in *al-Mīzān* (1/127) after transmitting this ḥadīth, "*bāṭil* (baseless)". As for the second route, there is ʿAbd al-Salām ibn ʿUbayd, whom Ibn Ḥibbān stated about, "He would steal al-ḥadīth, and narrate fabrications." Al-Awzāʿī said about him, "Do not write down his

وَفِي حَدِيثِ الْعَلَوِيِّ، قَالَ: سَمِعْتُ عَلِيًّا يَقُولُ: خَرَجَ [عَلَيْنَا] النَّبِيُّ صَلَّى اللهُ عَلَيْهِ وَسَلَّمَ قَالَ: ((اللَّهُمَّ ارْحَمْ خُلَفَائِي)) فَقُلْنَا ... وَالْبَاقِي مِثْلُهُ سَوَاءٌ.

[The wording] of the ḥadīth of al-'Alawī (i.e. with the first chain of narration) has: "I heard 'Alī saying: 'The Prophet ﷺ came to us and said: 'O Allah have mercy upon my successors.' So we said...'" and the rest is the same.

أَخْبَرَنِيهِ عَلِيُّ بْنُ أَحْمَدَ بْنِ مُحَمَّدٍ الرَّزَّازُ، قَالَ: أَخْبَرَنَا عَلِيُّ بْنُ إِبْرَاهِيمَ بْنِ حَمَّادٍ الْقَاضِي الْأَزْدِيُّ، قَالَ: حَدَّثَنَا أَبُو حُصَيْنٍ الْقَاضِي، قَالَ: حَدَّثَنَا أَحْمَدُ بْنُ عِيسَى بْنِ عَبْدِ اللَّهِ، بِإِسْنَادِهِ ... نَحْوَهُ، غَيْرَ أَنَّهُ قَالَ: عَنْ عَطَاءِ بْنِ أَبِي رَبَاحٍ، عَنِ ابْنِ عَبَّاسٍ. [قَالَ أَبُو بَكْرٍ:] وَالْأَوَّلُ أَشْبَهُ بِالصَّوَابِ، وَاللَّهُ أَعْلَمُ.

It was also narrated to me by 'Alī ibn Aḥmad ibn Muḥammad al-Razzāz—'Alī ibn Ibrāhīm ibn Ḥammād al-Qāḍī al-Azdī—Abu Ḥuṣayn al-Qāḍī—Aḥmad ibn Īsā ibn 'Abdullāh with a similar *isnād*, except that he said, "From 'Aṭā' ibn Abī Rabāh—Ibn 'Abbās." [Abu Bakr said:] However, the former is more likely to be correct, and Allah knows best.

٥٤- أَخْبَرَنِي أَبُو بَكْرٍ عَبْدُ اللَّهِ بْنُ مُحَمَّدِ بْنِ أَحْمَدَ بْنِ الْفُلُوِّ الْكَاتِبُ، قَالَ: أَخْبَرَنَا أَبُو بَكْرٍ أَحْمَدُ بْنُ عَبْدِ الرَّحْمَنِ الدَّقَّاقُ، الْمَعْرُوفُ بِالْوَلِيِّ، قَالَ: حَدَّثَنَا أَبُو جَعْفَرٍ الْحَسَنُ بْنُ عَلِيِّ بْنِ الْوَلِيدِ بْنِ النُّعْمَانِ الْفَارِسِيُّ الْفَسَوِيُّ الْكَرَابِيسِيُّ، قَالَ: حَدَّثَنَا خَلَفُ بْنُ عَبْدِ الْحَمِيدِ بْنِ أَبِي الْحَسْنَاءِ، قَالَ: حَدَّثَنَا أَبُو الصَّبَّاحِ عَبْدُ الْغَفُورِ، عَنْ أَبِي هَاشِمٍ الرُّمَّانِيِّ، عَنْ زَاذَانَ، عَنْ عَلِيٍّ، عَنِ النَّبِيِّ صَلَّى اللهُ عَلَيْهِ وَسَلَّمَ أَنَّهُ قَالَ: ((أَلَا أَدُلُّكُمْ عَلَى آيَةِ الْخُلَفَاءِ مِنِّي وَمِنْ أَصْحَابِي وَمِنَ الْأَنْبِيَاءِ قَبْلِي؟ هُمْ حَمَلَةُ الْقُرْآنِ وَالْأَحَادِيثِ عَنِّي وَعَنْهُمْ فِي اللَّهِ وَلِلَّهِ عَزَّ وَجَلَّ)).

54. I was informed by Abu Bakr 'Abdullāh ibn Muḥammad ibn Aḥmad ibn Fuluwwi 'l-Kātib [...] that 'Ali reported from the Prophet ﷺ: "Shall I not inform you of the sign of the successors of me, my companions, and of the prophets before me? They are those who carry the Qur'ān and *aḥādīth* from

---

ḥadīth."

me and from them, of Allah, and for Allah."[98]

٥٥- أَخْبَرَنَا مُحَمَّدُ بْنُ عَبْدِ اللَّهِ بْنِ صَالِحِ الْعَطَّارُ بِأَصْبَهَانَ، قَالَ: أَخْبَرَنَا أَبُو مُحَمَّدِ بْنُ حَيَّانَ، قَالَ: حَدَّثَنَا مُحَمَّدُ بْنُ الْفَضْلِ، قَالَ: حَدَّثَنَا أَبُو حَاتِمٍ، قَالَ: سَمِعْتُ إِسْحَاقَ بْنَ مُوسَى الْخَطْمِيَّ يَقُولُ: مَا مُكِّنَ لِأَحَدٍ مِنْ هَذِهِ الْأُمَّةِ مَا مُكِّنَ لِأَصْحَابِ الْحَدِيثِ، لِأَنَّ اللَّهَ عَزَّ وَجَلَّ قَالَ فِي كِتَابِهِ: ﴿**وَلَيُمَكِّنَنَّ لَهُمْ دِينَهُمُ الَّذِي ارْتَضَى لَهُمْ**﴾ [النور: ٥٥]. فَالَّذِي ارْتَضَاهُ اللَّهُ قَدْ مَكَّنَ لِأَهْلِهِ فِيهِ، وَلَمْ يُمَكِّنْ لِأَصْحَابِ الْأَهْوَاءِ فِي أَنْ يُقْبَلَ مِنْهُمْ حَدِيثٌ وَاحِدٌ عَنْ أَصْحَابِ النَّبِيِّ صَلَّى اللهُ عَلَيْهِ وَسَلَّمَ، وَأَصْحَابُ الْحَدِيثِ يُقْبَلُ مِنْهُمْ حَدِيثُ رَسُولِ اللَّهِ صَلَّى اللهُ عَلَيْهِ وَسَلَّمَ، وَحَدِيثُ أَصْحَابِهِ. ثُمَّ إِنْ كَانَ بَيْنَهُمْ رَجُلٌ أَحْدَثَ بِدْعَةً سَقَطَ حَدِيثُهُ، وَإِنْ كَانَ مِنْ أَصْدَقِ النَّاسِ.

55. We were informed by Muḥammad ibn 'Abdullāh ibn Ṣāliḥ al-'Aṭṭār in Aṣbahān [...] that Abu Ḥātim said, "I heard Isḥāq ibn Mūsā al-Khaṭmī state, 'No one in this nation has been granted authority like that of the ḥadīth adherents, as Allah states in His Book: **{And that He will surely establish for them [therein] their religion which He has preferred for them.}**[99] Hence, that which Allah is pleased with is what he establishes its people firmly within, and He did not allow one narration of the people of desires [which they narrated] from the companions to be accepted, whereas the ḥadīth of the Messenger of Allah ﷺ and that of his companions are accepted from the people of ḥadīth. Moreover, if one of them were to deviate, then their narrations were no longer accepted, even if he was one of the most trustworthy people.'"

98 It is *mawḍū'*. In regards to the narrator 'Abd al-Ghafūr Abu 'l-Ṣabāḥ al-Wāsiṭī, Ibn Ma'īn said, "His ḥadīth are of no worth", Ibn Ḥibbān said, "He is from those who fabricate al-ḥadīth", al-Bukhārī said, "They left him (*tarakūhu*)", and Ibn 'Adī said, "He is *ḍa'īf* (weak), *munkar al-ḥadīth* (rejected in ḥadīth)." The ḥadīth was reported by Abu Nu'aym in *Akhbār Aṣbahān* (2/134) and al-Sahmī in *Tārīkh Jurjān* (p. 372).
99 Al-Nūr: 55

وصف الرسول صلى الله عليه وسلم إيمان أصحاب الحديث

The Prophet's ﷺ Description of the Faith of the Ḥadīth Adherents

٥٦- أَخْبَرَنَا أَبُو عُمَرَ عَبْدُ الْوَاحِدِ بْنُ مُحَمَّدِ بْنِ عَبْدِ اللَّهِ بْنِ مَهْدِيٍّ الدِّيَبَاجِيُّ، وَأَبُو الْحَسَنِ مُحَمَّدُ بْنُ أَحْمَدَ بْنِ مُحَمَّدِ بْنِ أَحْمَدَ بْنِ رِزْقٍ التَّانِيُّ، وَأَبُو الْحسين مُحَمَّدُ بْنُ الْحُسَيْنِ بْنِ الْفَضْلِ الْقَطَّانُ، وَأَبُو مُحَمَّدٍ بْنُ يَحْيَى بْنِ عَبْدِ الْجَبَّارِ السُّكَّرِيُّ، وَأَبُو الْحَسَنِ مُحَمَّدُ بْنُ مُحَمَّدِ بْنِ مُحَمَّدِ بْنِ إِبْرَاهِيمَ بْنِ مَخْلَدٍ الْبَزَّارُ، قَالُوا: أَخْبَرَنَا أَبُو عَلِيٍّ إِسْمَاعِيلُ بْنُ مُحَمَّدٍ الصَّفَّارُ، قَالَ: حَدَّثَنَا الْحَسَنُ بْنُ عَرَفَةَ، قَالَ: حَدَّثَنَا إِسْمَاعِيلُ بْنُ عَيَّاشٍ الْحِمْصِيِّ، عَنِ الْمُغِيرَةِ بْنِ قَيْسٍ التَّمِيمِيِّ، عَنْ عَمْرِو بْنِ شُعَيْبٍ، عَنْ أَبِيهِ، عَنْ جَدِّهِ، قَالَ: قَالَ رَسُولُ اللَّهِ صَلَّى اللهُ عَلَيْهِ وَسَلَّمَ: ((أَيُّ الْخَلْقِ أَعْجَبُ إِلَيْكُمْ إِيمَانًا؟)) قَالُوا: الْمَلَائِكَةُ. قَالَ: ((وَمَا لَهُمْ لَا يُؤْمِنُونَ وَهُمْ عِنْدَ رَبِّهِمْ!)) قَالُوا: فَالنَّبِيُّونَ، قَالَ: ((وَمَا لَهُمْ لَا يُؤْمِنُونَ وَالْوَحْيُ يَنْزِلُ عَلَيْهِمْ!)) قَالُوا: نَحْنُ. قَالَ: ((وَمَا لَكُمْ لَا تُؤْمِنُونَ وَأَنَا بَيْنَ أَظْهُرِكُمْ!)).

56. We were informed by Abu ‘Amr ‘Abd al-Wāḥid ibn Muḥammad ibn ‘Abdullāh ibn Mahdī al-Dībājī [...] that ‘Amr ibn Shu‘ayb reported from his father, from his grandfather: "The Messenger of Allah ﷺ said: 'What creation is most amazing to you in regards to faith?' They replied, 'The angels.' He said, 'And how could they not believe whilst they are with their Lord!' They said, 'Then the prophets.' He replied, 'And how could they not believe whilst the revelation is revealed to them!' They said, 'Then us.' He replied, 'And how could you not believe while I am in your midst!'

قَالَ: فَقَالَ رَسُولُ اللَّهِ صَلَّى اللهُ عَلَيْهِ وَسَلَّمَ: ((إِنَّ أَعْجَبَ الْخَلْقِ إِلَيَّ إِيمَانًا، لَقَوْمٌ يَكُونُونَ مِنْ بَعْدِكُمْ، يَجِدُونَ صُحُفًا، فِيهَا كِتَابٌ، يُؤْمِنُونَ بِمَا فِيهَا)).

Then the Messenger of Allah ﷺ said: 'The most amazing faith of a people to me is that of a group who comes after you, they find pages with writing upon them and believe in their contents.'"[100]

٥٧- حَدَّثَنَا أَبُو طَالِبٍ يَحْيَى بْنُ عَلِيٍّ الدَّسْكَرِيُّ بِحُلْوَانَ، قَالَ: أَخْبَرَنَا أَبُو بَكْرِ بْنُ الْمُقْرِئِ بِأَصْبَهَانَ، قَالَ: أَخْبَرَنَا أَبُو يَعْلَى أَحْمَدُ بْنُ عَلِيِّ بْنِ الْمُثَنَّى الْمَوْصِلِيُّ، قَالَ: حَدَّثَنَا مُوسَى بْنُ مُحَمَّدِ بْنِ حَيَّانَ، قَالَ: حَدَّثَنَا مُحَمَّدُ بْنُ أَبِي عَدِيٍّ، قَالَ: حَدَّثَنَا مُحَمَّدُ بْنُ أَبِي حُمَيْدٍ، عَنْ زَيْدِ بْنِ أَسْلَمَ، عَنْ أَبِيهِ، عَنْ عُمَرَ بْنِ الْخَطَّابِ، قَالَ: سَمِعْتُ رَسُولَ اللَّهِ صَلَّى اللهُ عَلَيْهِ وَسَلَّمَ يَقُولُ لَنَا: ((أَنْبِئُونِي بِأَفْضَلِ أَهْلِ الْإِيمَانِ إِيمَانًا))، قُلْنَا: يَا رَسُولَ اللَّهِ الْمَلَائِكَةُ، قَالَ: ((هُمْ كَذَلِكَ وَيَحِقُّ لَهُمْ، وَمَا يَمْنَعُهُمْ وَقَدْ أَنْزَلَهُمُ اللَّهُ بِالْمَنْزِلَةِ الَّتِي قَدْ أَنْزَلَهُمْ بِهَا؟ بَلْ غَيْرُهُمْ))، قُلْنَا: يَا رَسُولَ اللَّهِ فَالْأَنْبِيَاءُ الَّذِينَ أَكْرَمَهُمُ اللَّهُ بِالنُّبُوَّةِ وَالرِّسَالَةِ، قَالَ: هُمْ كَذَلِكَ، وَيَحِقُّ لَهُمْ ذَلِكَ، [وَمَا يَمْنَعُهُمْ وَقَدْ أَكْرَمَهُمُ اللَّهُ بِالنُّبُوَّةِ وَالرِّسَالَةِ]، بَلْ غَيْرُهُمْ))، قُلْنَا: يَا رَسُولَ اللَّهِ الشُّهَدَاءُ الَّذِينَ أَكْرَمَهُمُ اللَّهُ بِالشَّهَادَةِ مَعَ الْأَنْبِيَاءِ، قَالَ: ((هُمْ كَذَلِكَ، وَيَحِقُّ لَهُمْ، فَمَا يَمْنَعُهُمْ وَقَدْ أَكْرَمَهُمُ اللَّهُ بِالشَّهَادَةِ، بَلْ غَيْرُهُمْ))، قُلْنَا: يَا رَسُولَ اللَّهِ فَمَنْ؟ قَالَ: ((أَقْوَامٌ فِي أَصْلَابِ الرِّجَالِ، يَأْتُونَ مِنْ بَعْدِي، يُؤْمِنُونَ بِي وَلَمْ يَرَوْنِي، وَيُصَدِّقُونَ بِي وَلَمْ يَرَوْنِي، يَرَوْنَ الْوَرَقَ الْمُعَلَّقَ، فَيَعْمَلُونَ بِمَا فِيهِ)).

57. It was narrated to us by Abu Ṭālib Yaḥyā ibn 'Alī al-Daskarī in Ḥulwān [...] that 'Umar ibn al-Khaṭṭāb said: "I heard the Messenger of Allah ﷺ saying to us, 'Tell me who from amongst the people of faith has the best faith.'

We said, 'O Messenger of Allah, the angels.'

---

100 Its *isnād* is *munkar*. Regarding the narrator al-Mughīrah ibn Qays al-Baṣrī, Abu Ḥātim said, "He is *munkar al-ḥadīth.*" Furthermore, the narrations of Ismā'īl ibn 'Ayyāsh from those besides the people of al-Shām are *ḍa'īf*, and al-Mughīrah is a Baṣrī. The ḥadīth was reported by al-Ḥasan ibn 'Arafat in his *Juz'* (19) with the *isnād* above, and it was reported from this route by Qawwām al-Sunnah in *al-Targhīb wa 'l-Tarhīb* (48).

He replied, 'They are as such, and they are right to be, and what prevents them [from being as such] whilst Allah has placed them in the place they are? Rather, other than them.'

We said, 'O Messenger of Allah, the prophets whom Allah has honoured with prophethood and the message.'

He replied, 'They are as such, and they are right to be, and what prevents them [from being as such] whilst Allah has honoured them with prophethood and the message? Rather, other than them.'

We said, 'O Messenger of Allah, the martyrs of Allah whom Allah has honoured with martyrdom alongside the prophets.'

He replied, 'They are as such, and they are right to be, and what prevents them [from being as such] whilst Allah has honoured them with martyrdom. Rather, other than them.'

We said: 'O Messenger of Allah, who then?'

He replied, 'A people yet to be born; they will come after me, have faith in me despite never seeing me, and believe me despite never seeing me. They [will] see paper hanging, and act upon its content.'"[101]

قَالَ [الشيخ] أَبُو بَكْرٍ [الحافظ]: وَأَحَقُّ النَّاسِ بِهَذَا الْوَصْفِ أَصْحَابُ الْحَدِيثِ وَمَنِ اتَّبَعَهُمْ.

[Al-Shaykh] Abu Bakr [al-Ḥāfiẓ] said: The people most rightful to this description are the ḥadīth adherents and those who follow them.

101 It is *munkar*. There is a narrator within its *isnād* named Muḥammad ibn Abī Ḥamīd. Al-Bukhārī said about him, "*Munkar al-ḥadīth*", al-Nasā'ī said, "He is not *thiqah*," [T: Aḥmad said, "His ḥadīth are *munkar*",] and he was weakened by many from the ḥadīth masters. It was reported by Abu Ya'lā in *al-Musnad* (1/147/number 160), and al-Bazzār in his *Musnad, al-Baḥr al-Zakhār* (1/412/number 288).

كون أصحاب الحديث أولى الناس بالرسول صلى الله عليه وسلم لدوام صلاتهم عليه صلى الله عليه وسلم

The Ḥadīth Adherents Being the Most Worthy of the Prophet ﷺ Due to Their Continuing Prayer Upon Him

٥٨- أَخْبَرَنَا الْقَاضِي أَبُو بَكْرٍ أَحْمَدُ بْنُ الْحَسَنِ بْنِ أَحْمَدَ الْحَرَشِيُّ، قَالَ: حَدَّثَنَا أَبُو الْعَبَّاسِ مُحَمَّدُ بْنُ يَعْقُوبَ الْأَصَمُّ، قَالَ: حَدَّثَنَا أَبُو الْفَضْلِ الْعَبَّاسُ بْنُ مُحَمَّدٍ الدُّورِيُّ، قَالَ: حَدَّثَنَا خَالِدُ بْنُ مَخْلَدٍ الْقَطَوَانِيُّ.

ح وَأَخْبَرَنَا أَبُو الْقَاسِمِ طَلْحَةُ بْنُ عَلِيِّ بْنِ الصَّقْرِ الْكَتَّانِيُّ، قَالَ: حَدَّثَنَا مُحَمَّدُ بْنُ عَبْدِ اللَّهِ بْنِ إِبْرَاهِيمَ الشَّافِعِيُّ، قَالَ: حَدَّثَنَا مُحَمَّدُ بْنُ عَبْدِ اللَّهِ مَرْبَعٍ، قَالَ: حَدَّثَنَا يَحْيَى بْنُ مَعِينٍ.

ح وَأَخْبَرَنَا أَبُو نُعَيْمٍ الْحَافِظُ، وَاللَّفْظُ لَهُ، قَالَ: حَدَّثَنَا أَبُو بَكْرٍ عَبْدُ اللَّهِ بْنُ يَحْيَى الطَّلْحِيُّ، قَالَ: حَدَّثَنَا عُبَيْدُ بْنُ غَنَّامٍ، قَالَ: حَدَّثَنَا أَبُو بَكْرِ بْنُ أَبِي شَيْبَةَ، قَالَا: حَدَّثَنَا خَالِدُ بْنُ مَخْلَدٍ، قَالَ: حَدَّثَنَا مُوسَى بْنُ يَعْقُوبَ الزَّمْعِيُّ، قَالَ: حَدَّثَنَا عَبْدُ اللَّهِ بْنُ كَيْسَانَ، قَالَ: أَخْبَرَنِي عَبْدُ اللَّهِ بْنُ شَدَّادِ بْنِ الْهَادِ، عَنْ أَبِيهِ، عَنْ عَبْدِ اللَّهِ بْنِ مَسْعُودٍ، قَالَ: قَالَ رَسُولُ اللَّهِ صَلَّى اللهُ عَلَيْهِ وَسَلَّمَ: ((إِنَّ أَوْلَى النَّاسِ بِي يَوْمَ الْقِيَامَةِ أَكْثَرُهُمْ صَلَاةً عَلَيَّ)).

58. We were informed via a number of chains [...] that ʿAbdullāh ibn Masʿūd reported from the Messenger of Allah ﷺ: "The most worthy people of me on the Day of Resurrection are those who send the most prayer [and salutations] on me.'"[102]

---

102 Its *isnād* is *munkar*, and there is *idṭirāb* (lit. shakiness) in it. The ḥadīth of Ibn Masʿūd is solely reported by ʿAbdullāh ibn Kaysān, who is *majhūl al-ḥāl* (of an un-

قَالَ لَنَا [الشيخ] أَبُو بَكْرٍ: قَالَ لَنَا أَبُو نُعَيْمٍ: وَهَذِهِ مَنْقَبَةٌ شَرِيفَةٌ يَخْتَصُّ بِهَا رُوَاةُ الْآثَارِ وَنَقَلَتُهَا، لِأَنهُ لَا يُعْرَفُ لِعِصَابَةٍ مِنَ الْعُلَمَاءِ مِنَ الصَّلَاةِ عَلَى رَسُولِ اللَّهِ صَلَّى اللهُ عَلَيْهِ وَسَلَّمَ أَكْثَرُ مِمَّا يُعْرَفُ لِهَذِهِ الْعِصَابَةِ نَسْخًا وَذِكْرًا.

Al-Shaykh Abu Bakr said to us: Abu Nu'aym said to us, "This is an honourable virtue specifically for those who narrate and transmit the *āthār*, because no group of scholars are known to send prayer [and salutations] upon the Messenger of Allah ﷺ more than this group is known to, both in writing and verbally."

٥٩- أَخْبَرَنِي أَبُو الْقَاسِمِ الْأَزْهَرِيُّ، قَالَ: أَخْبَرَنَا عَلِيُّ بْنُ عُمَرَ بْنِ أَحْمَدَ الْحَافِظُ، قَالَ: حَدَّثَنَا مُحَمَّدُ بْنُ الْقَاسِمِ بْنِ زَكَرِيَّا الْمُحَارِبِيُّ، قَالَ: حَدَّثَنَا عَبَّادُ بْنُ يَعْقُوبَ، قَالَ: أَخْبَرَنَا أَبُو دَاوُدَ النَّخَعِيُّ، سُلَيْمَانُ بْنُ عَمْرٍو، عَنْ أَيُّوبَ بْنِ مُوسَى، عَنِ الْقَاسِمِ بْنِ مُحَمَّدٍ، عَنْ أَبِيهِ، أَحْسِبُهُ قَالَ عَنْ جَدِّهِ أَبِي بَكْرٍ الصِّدِّيقِ، قَالَ: قَالَ رَسُولُ اللَّهِ صَلَّى اللهُ عَلَيْهِ وَسَلَّمَ: ((مَنْ كَتَبَ عَنِّي عِلْمًا فَكَتَبَ مَعَهُ صَلَاةً عَلَيَّ، لَمْ يَزَلْ فِي أَجْرٍ مَا قُرِئَ ذَلِكَ الْكِتَابُ)).

59. I was informed by Abu 'l-Qāsim al-Azharī [...] that Abu Bakr al-Ṣiddīq reported from the Messenger of Allah ﷺ: "Whoever writes down knowledge from me and writes with it a prayer for me, he will continue to receive reward so long as that piece of writing is read."[103]

---

known state), and was only deemed *thiqah* by Ibn Ḥibbān. There is *iḍtirāb* in the transmission of this ḥadīth which al-Bukhārī has mentioned in *Tārīkh al-Kabīr*. The narrator Khālid ibn Makhlad has *munkar* reports and he has weakness. The narrator Mūsā ibn Ya'qūb al-Zam'ī was deemed *thiqah* by Ibn Ma'īn, Ibn al-Qaṭṭān and Ibn 'Adī said, "I have no issue with him." As for al-Imām Aḥmad, he said, "His ḥadīth do not please me (لا يعجبني حديثه)," Ibn al-Madīnī said, "He is *ḍa'īf al-ḥadīth* (weak in al-ḥadīth) and *munkar al-ḥadīth* (rejected in ḥadīth)", and al-Nasā'ī said, "He does not possess strength." The ḥadīth was reported by al-Bukhārī in *Tārīkh al-Kabīr* (1/3/177), Ibn Ḥibbān [[T] in his *Ṣaḥīḥ* (3/number 911),] Ibn 'Adī in *al-Kāmil* (3/906) and the author in *al-Jāmi'* (1304).

103 It is *mawḍū'*. There is a narrator within its *isnād* named Abu Dāwūd al-Nakha'ī Sulaymān ibn 'Amr, and al-Imām Aḥmad said in regards to him, "He would fabri-

٦٠- أَخْبَرَنِي أَبُو طَالِبٍ مَكِّيُّ بْنُ عَلِيِّ بْنِ عَبْدِ الرَّزَّاقِ الْحَرِيرِيُّ، قَالَ: حَدَّثَنَا إِبْرَاهِيمُ بْنُ مُحَمَّدِ بْنِ يَحْيَى الْمُزَكِّي، إِمْلَاءً، قَالَ: حَدَّثَنَا أَبُو يُوسُفَ يَعْقُوبُ بْنُ مَحْمُودٍ الْمُقْرِئُ، قَالَ: حَدَّثَنَا مُحَمَّدُ بْنُ مِهْرَانَ النَّيْسَابُورِيُّ، قَالَ: حَدَّثَنَا مُحَمَّدُ بْنُ عَبْدِ اللَّهِ بْنِ حُمَيْدٍ الْبَصْرِيُّ بِمَكَّةَ، قَالَ: حَدَّثَنَا بِشْرُ بْنُ عُبَيْدٍ، قَالَ: حَدَّثَنَا حَازِمُ بْنُ بَكْرٍ أَبُو عَلِيٍّ، قَالَ: حَدَّثَنَا يَزِيدُ بْنُ عِيَاضٍ، عَنْ عَبْدِ الرَّحْمَنِ الْأَعْرَجِ، عَنْ أَبِي هُرَيْرَةَ، قَالَ: قَالَ رَسُولُ اللَّهِ صَلَّى اللهُ عَلَيْهِ وَسَلَّمَ: ((مَنْ صَلَّى عَلَيَّ فِي كِتَابٍ لَمْ تَزَلِ الْمَلَائِكَةُ تَسْتَغْفِرُ لَهُ مَادَامَ اسْمِي فِي ذَلِكَ الْكِتَابِ)). قَالَ بِشْرُ بْنُ عُبَيْدٍ: وَحَدَّثَنَا مُحَمَّدُ بْنُ عَبْدِ الرَّحْمَنِ الْقُرَشِيُّ، عَنْ عَبْدِ الرَّحْمَنِ بْنِ عَبْدِ اللَّهِ، عَنْ عَبْدِ الرَّحْمَنِ الْأَعْرَجِ، عَنْ أَبِي هُرَيْرَةَ، عَنِ النَّبِيِّ صَلَّى اللهُ عَلَيْهِ وَسَلَّمَ بِمِثْلِهِ.

60. I was informed by Abu Ṭālib Makkī ibn ʿAlī ibn ʿAbd al-Razzāq al-Ḥarīrī [...] that Abu Hurayrah reported from the Messenger of Allah ﷺ: 'Whoever sends prayers [and salutations] upon me in writing, the angels will continue seeking forgiveness for him as long as my name is in that piece of writing."[104] The narrator Bishr ibn ʿUbayd mentioned a different chain of narration to Abu Hurayrah.

٦١- أَخْبَرَنَا مُحَمَّدُ بْنُ عَلِيِّ بْنِ الْفَتْحِ، قَالَ: حَدَّثَنَا عُمَرُ بْنُ إِبْرَاهِيمَ الْمُقْرِئُ،

---

cate al-ḥadīth." Ibn Maʿīn said, "He is well-known for fabricating al-ḥadīth." He was deemed a liar by Qutaybah ibn Saʿīd and Ibn Rāhawayh. The ḥadīth was reported by Ibn ʿAdī in *al-Kāmil* (3/1100), and from this route by Ibn al-Jawzī in *al-Mawḍūʿāt* (1/228), and it was also reported by the author in *al-Jāmiʿ* (564). Ibn ʿAdī deemed it to be a fabrication and Ibn al-Jawzī concurred in this with him.

104 It is *mawḍūʿ*. It has a narrator named Yazīd ibn ʿIyāḍ who is worthless (*tālif*). Al-Bukhārī said regarding him, "He is *munkar al-ḥadīth*," Yaḥyā said, "He is not *thiqah*," and in a narration, "He lies." Mālik ibn Anas was asked regarding Ibn Samʿān, and he said, "He is a liar." Then he was asked regarding Yazīd ibn ʿIyād and he said, "More a liar and more a liar (أكذب وأكذب)". The narrator Bishr ibn ʿUbayd was deemed a liar by al-Azdī, and Ibn ʿAdī said, "He is *munkar al-ḥadīth*." The ḥadīth from this route was reported by al-Ṭabarānī in *al-Awsaṭ*, as it is in *al-Majmaʿ* (1/137), and by Ibn al-Jawzī in *al-Mawḍūʿāt* (1/228).

قَالَ: حَدَّثَنَا أَبُو بَكْرٍ عُمَرُ بْنُ أَحْمَدَ بْنِ أَبِي مَعْمَرٍ الصَّفَّارُ، قَالَ: حَدَّثَنَا أَبُو جَعْفَرٍ مُحَمَّدُ بْنُ يَحْيَى الْحُلْوَانِيُّ، - كَذَا كَانَ فِي كِتَابِ ابْنِ الْفَتْحِ، وَالصَّوَابُ: أَحْمَدُ بْنُ يَحْيَى -، قَالَ: سَمِعْتُ أَحْمَدَ بْنَ يُونُسَ يَقُولُ: سَمِعْتُ سُفْيَانَ الثَّوْرِيَّ يَقُولُ: لَوْ لَمْ يَكُنْ لِصَاحِبِ الْحَدِيثِ فَائِدَةٌ إِلَّا الصَّلَاةُ عَلَى رَسُولِ اللَّهِ صَلَّى اللهُ عَلَيْهِ وَسَلَّمَ، فَإِنَّهُ يُصَلِّي عَلَيْهِ مَا دَامَ فِي الْكِتَابِ.

61. We were informed by Muḥammad ibn 'Alī ibn al-Fatḥ [...] that Sufyān al-Thawrī said: "[It would suffice if the only] benefit for a ḥadīth adherent is that he sends prayers [and salutations] upon the Messenger of Allah ﷺ, for he is prayed upon as long as he is in the writing."

٦٢- حَدَّثَنِي عَبْدُ الْعَزِيزِ بْنُ أَبِي الْحَسَنِ الْقَرْمِيسِينِيُّ، لَفْظًا، قَالَ: حَدَّثَنَا عَلِيُّ بْنُ الْحَسَنِ بْنِ عَلِيِّ بْنِ مُطَرِّفٍ الْقَاضِي، إِمْلَاءً، قَالَ: حَدَّثَنَا مُحَمَّدُ بْنُ عَبْدِ الرَّحِيمِ الْأَصْبَهَانِيُّ، قَالَ: حَدَّثَنَا عَبْدُ اللَّهِ بْنُ مُحَمَّدِ بْنِ سِنَانٍ الْبَصْرِيُّ، قَالَ: حَدَّثَنِي مُحَمَّدُ بْنُ أَبِي سُلَيْمَانَ قَالَ: رَأَيْتُ أَبِي فِي النَّوْمِ، فَقُلْتُ لَهُ: يَا أَبه! مَا فَعَلَ اللَّهُ بِكَ؟ قَالَ: غَفَرَ لِي. فَقُلْتُ: بِمَاذَا؟ فَقَالَ: بِكِتَابِي الصَّلَاةُ عَلَى النَّبِيِّ صَلَّى اللهُ عَلَيْهِ وَسَلَّمَ فِي كُلِّ حَدِيثٍ.

62. It was narrated to me by 'Abd al-'Azīz ibn Abī al-Ḥasan al-Qarmīsīnī [...] that Muḥammad ibn Abī Sulaymān said: "I saw my father in a dream and said to him, 'O father, what has Allah done with you?' He replied, 'He forgave me.' I then asked, 'For what?' He replied, 'Due to my writing of the prayer [and salutations] upon the Prophet ﷺ in every ḥadīth.'"

٦٣- حَدَّثَنِي أَبُو صَالِحٍ أَحْمَدُ بْنُ عَبْدِ الْمَلِكِ النَّيْسَابُورِيُّ، قَالَ: سَمِعْتُ أَبَا عَبْدِ اللَّهِ الْحُسَيْنَ بْنَ مُحَمَّدِ بْنِ أَحْمَدَ الْحَلَبِيَّ بِدِمَشْقَ، يَقُولُ: سَمِعْتُ أَبَا عَبْدِ اللَّهِ أَحْمَدَ بْنَ عَطَاءٍ الرُّوذبَارِيَّ يَقُولُ: سَمِعْتُ أَبَا الْقَاسِمِ عَبْدَ اللَّهِ الْمَرْوَزِيَّ يَقُولُ: كُنْتُ أَنَا وَأَبِي، نَتَقَابَلُ [بِاللَّيْلِ] الْحَدِيثَ، فَرُئِيَ فِي الْمَوْضِعِ الَّذِي كُنَّا نَتَقَابَلُ فِيهِ عَمُودُ

نُورٍ، يَبْلُغُ عَنَانَ السَّمَاءِ. فَقِيلَ: مَا هَذَا النُّورُ؟ فَقِيلَ: صَلَاتُهُمَا عَلَى رَسُولِ اللَّهِ صَلَّى اللهُ عَلَيْهِ وَسَلَّمَ إِذَا تَقَابَلَا.

63. It was narrated to me by Abu Ṣāliḥ Aḥmad ibn 'Abd al-Malik al-Naysābūrī [...] that Abu 'l-Qāsim 'Abdullāh al-Marwazī said: "My father and I used to meet at night to exchange ḥadīth, and it was seen [in a dream] in the place wherein we would meet, a beam of light reaching the heavens. It was asked, 'What is this light?' And it was answered, 'Their prayers [and salutations] upon the Messenger of Allah ﷺ when they would meet.'"

بشارة النبي صلى الله عليه وسلم أصحابه بكون طلبة الحديث بعده واتصال الإسناد بينهم وبينه

The Prophet's ﷺ Giving of Glad Tidings to His Companions Regarding the Students of Ḥadīth After Him, and the Chain of Narration Connecting Them to Him

٦٤- حَدَّثَنَا أَبُو الْحَسَنِ مُحَمَّدُ بْنُ أَحْمَدَ بْنِ رِزْقٍ الْبَزَّازُ إِمْلَاءً، قَالَ: حَدَّثَنَا عُثْمَانُ بْنُ أَحْمَدَ الدَّقَّاقُ، قَالَ: حَدَّثَنَا أَحْمَدُ بْنُ عَلِيٍّ الْخَزَّازُ، قَالَ: حَدَّثَنَا مُحَمَّدُ بْنُ عِمْرَانَ بْنِ مُحَمَّدِ بْنِ أَبِي لَيْلَى، قَالَ: حَدَّثَنِي أَبِي قَالَ،: حَدَّثَنِي ابْنُ أَبِي لَيْلَى، عَنْ عِيسَى، عَنْ عَبْدِ الرَّحْمَنِ بْنِ أَبِي لَيْلَى، عَنْ ثَابِتِ بْنِ قَيْسٍ، قَالَ: قَالَ رَسُولُ اللَّهِ صَلَّى اللهُ عَلَيْهِ وَسَلَّمَ: ((تَسْمَعُونَ، وَيُسْمَعُ مِنْكُمْ، وَيُسْمَعُ مِنَ الَّذِينَ يَسْمَعُونَ مِنْكُمْ، ثُمَّ يَأْتِي مِنْ بَعْدِ ذَلِكَ قَوْمٌ سِمَانٌ يُحِبُّونَ السِّمَنَ، يَشْهَدُونَ قَبْلَ أَنْ يُسْأَلُوا)).

64. It was narrated to us by Abu 'l-Ḥasan Muḥammad ibn Aḥmad ibn Rizq al-Bazzāz through dictation [...] that Thābit ibn Qays reported from the Messenger of Allah ﷺ: "You hear, and it will be heard from you, and those who hear from you will be heard from. Then, after that, overweight people will come who love fat, and they will give testimony before being asked to."[105]

٦٥- أَخْبَرَنَا أَبُو بَكْرٍ أَحْمَدُ بْنُ عَلِيٍّ بْنِ يَزْدَاذَ الْقَارِئُ قَالَ: أَخْبَرَنَا عَبْدُ اللَّهِ بْنُ

105 Its *isnād* is *ḍaʿīf* and has *inqiṭāʿ* (disconnection). The narrator Muḥammad ibn ʿAbd al-Raḥmān ibn Abī Laylā is *ḍaʿīf*, and his son ʿImrān is *majhūl al-ḥāl* (of an unknown state). The ḥadīth from this route was reported by al-Ṭabarānī in *al-Kabīr* (2/321), al-Bazzār in his *Musnad* (146) and al-Rāmahurmuzī in *al-Muḥaddith al-Fāṣil* (91). Al-Haythamī said in *al-Majmaʿ* (1/137), "ʿAbd al-Raḥmān ibn Abī Laylā did not hear from Thābit ibn Qays."

مُحَمَّدِ بْنِ جَعْفَرٍ الْأَصْبَهَانِيُّ، قَالَ: حَدَّثَنَا مُحَمَّدُ بْنُ يَحْيَى - [يَعْنِي] ابْنَ مَنْدَهْ -، قَالَ: حَدَّثَنَا مُحَمَّدُ بْنُ عِصَامٍ، عَنْ أَبِيهِ، عَنْ سُفْيَانَ، عَنِ الْأَعْمَشِ، عَنْ عَبْدِ اللَّهِ بْنِ عَبْدِ اللَّهِ، عَنْ سَعِيدِ بْنِ جُبَيْرٍ، عَنِ ابْنِ عَبَّاسٍ، قَالَ: قَالَ رَسُولُ اللَّهِ صَلَّى اللهُ عَلَيْهِ وَسَلَّمَ: ((تَسْمَعُونَ وَيُسْمَعُ مِنْكُمْ، وَيُسْمَعُ مِمَّنْ يَسْمَعُ مِنْكُمْ)).

65. It was reported to us by Abu Bakr Aḥmad ibn 'Alī ibn Yazdādh al-Qāri [...] that Ibn 'Abbās reported from the Messenger of Allah ﷺ: "You hear and you will be heard from, and those who hear from you will be heard from."[106]

٦٦- أَخْبَرَنَا إِبْرَاهِيمُ بْنُ مُحَمَّدِ بْنِ سُلَيْمَانَ الْمُؤَدِّبُ بِأَصْبَهَانَ، قَالَ: أَخْبَرَنَا أَبُو بَكْرِ بْنُ الْمُقْرِئِ، قَالَ: حَدَّثَنَا سَلَامَةُ بْنُ مَحْمُودٍ الْقَيْسِيُّ، قَالَ: حَدَّثَنَا مُحَمَّدُ بْنُ خَلَفٍ، قَالَ: حَدَّثَنَا أَحْمَدُ بْنُ شَبَابَةَ، قَالَ: قَالَ إِسْحَاقُ بْنُ رَاهَوَيْهِ: كُلُّ مَسْأَلَةٍ تُرْوَى عَنْ ثَلَاثَةٍ، فَهِيَ أَثَرٌ لِقَوْلِ النَّبِيِّ صَلَّى اللهُ عَلَيْهِ وَسَلَّمَ: ((تَسْمَعُونَ، وَيُسْمَعُ مِنْكُمْ، وَيُسْمَعُ مِمَّنْ يَسْمَعُ مِنْكُمْ)).

66. It was reported to us by Ibrāhīm ibn Muḥammad ibn Sulaymān al-Mu'addib in Aṣbahān [...] that Isḥāq ibn Rāhawayh said: "Every matter which is narrated by [at least] three [narrators] is [considered] an *athar* (report), due to the Prophet's ﷺ statement, 'You hear, and you will be heard from, and those who hear from you will be heard from.'"

٦٧- أَخْبَرَنَا أَبُو نُعَيْمٍ الْحَافِظُ، قَالَ: حَدَّثَنَا عَبْدُ اللَّهِ بْنُ جَعْفَرِ بْنِ أَحْمَدَ بْنِ فَارِسٍ، قَالَ: حَدَّثَنَا إِسْمَاعِيلُ بْنُ عَبْدِ اللَّهِ بْنِ مَسْعُودٍ الْعَبْدِيُّ، قَالَ: حَدَّثَنَا عَبْدُ اللَّهِ بْنُ صَالِحٍ، قَالَ: حَدَّثَنِي ابْنُ لَهِيعَةَ، عَنْ قَيْسِ بْنِ رَافِعٍ، عَنْ شُفَيٍّ الْأَصْبَحِيِّ، قَالَ:

---

106 Its narrators are *thiqāt* (reliable). It was reported by al-Imām Aḥmad (1/321), Abu Dāwūd (3659), Ibn Ḥibbān in his *Ṣaḥīḥ* (1/263/62), al-Bayhaqī in *al-Kubrā* (10/1250), al-Ḥākim (1/95), al-Rāmahurmuzī (92), and Ibn Khayr in his *Fahris* (p. 1 and 13). I say: The men in the *sanad* are *thiqāt*, but there is an *'an'anah* of al-A'mash in it, and he is a *mudallis*.

تُفْتَحُ عَلَى هَذِهِ الْأُمَّةِ خَزَائِنُ كُلِّ شَيْءٍ حَتَّى تُفْتَحَ عَلَيْهِمْ خزائن الْحَدِيثُ.

67. It was reported to us by Abu Nu'aym al-Ḥāfiẓ [...] that Shufayy al-Aṣbaḥī said: "The treasures of everything will be opened for this nation [after] the treasures of ḥadīth are opened for them."

ذكر بيان فضل الإسناد وأنه مما خص الله به هذه الأمة

In Mention of the Virtue of the *Isnād*, and It Being Something Allah Has Specified For This Ummah

٦٨- أَخْبَرَنَا مُحَمَّدُ بْنُ أَحْمَدَ بْنِ رِزْقٍ، قَالَ: أَخْبَرَنَا مُحَمَّدُ بْنُ الْحَسَنِ بْنِ زِيَادٍ النَّقَّاشُ، قَالَ: حَدَّثَنَا أَبُو إِسْحَاقَ الْعَطَّارُ، عَنْ أَحْمَدَ بْنِ بِشْرٍ الْحَلَبِيِّ، عَنْ يَزِيدَ بْنِ مَوْهَبٍ، عَنْ ضَمْرَةَ.

ح وَحَدَّثَنَا مُحَمَّدُ بْنُ يُوسُفَ النَّيْسَابُورِيُّ الْقَطَّانُ، قَالَ: أَخْبَرَنَا مُحَمَّدُ بْنُ عَبْدِ اللَّهِ الضَّبِّيُّ، قَالَ: أَخْبَرَنِي أَحْمَدُ بْنُ مُحَمَّدٍ الْعَنَزِيُّ، قَالَ: حَدَّثَنَا عُثْمَانُ بْنُ سَعِيدٍ، قَالَ: حَدَّثَنَا يَزِيدُ بْنُ مَوْهَبٍ، قَالَ: حَدَّثَنَا ضَمْرَةُ بْنُ حَبِيبٍ، عَنِ ابْنِ شَوْذَبٍ، عَنْ مَطَرٍ: فِي قَوْلِهِ تَعَالَى: ﴿أَوْ أَثَارَةٍ مِنْ عِلْمٍ﴾ [الأحقاف: ٤]، قَالَ: إِسْنَادُ الْحَدِيثِ.

68. It was reported to us via two chains [...] that Maṭar said in regards to the statement of Allah **{Or a trace of knowledge}**[107]: "[It is the] *isnād* of *al-ḥadīth*."

٦٩- أَخْبَرَنَا عَلِيُّ بْنُ أَحْمَدَ الرَّزَّازُ، قَالَ: حَدَّثَنَا الْقَاضِي أَبُو بَكْرٍ مُحَمَّدُ بْنُ عُمَرَ بْنِ الْجُعَابِيِّ، قَالَ: حَدَّثَنِي عَبْدُ اللَّهِ بْنُ مُحَمَّدِ بْنِ بِشْرِ بْنِ صَالِحٍ، قَالَ: حَدَّثَنَا سَعِيدُ بْنُ عَمْرِو بْنِ أَبِي سَلَمَةَ، قَالَ: حَدَّثَنَا أَبِي، عَنْ مَالِكٍ فِي قَوْلِهِ: ﴿وَإِنَّهُ لَذِكْرٌ لَكَ وَلِقَوْمِكَ﴾ [الزخرف: ٤٤] قَالَ: قَوْلُ الرَّجُلِ: حَدَّثَنِي أَبِي عَنْ جَدِّي.

69. It was narrated to us by ʿAlī ibn Aḥmad al-Razzāz [...] that Mālik said in regards to the statement of Allah: **{And certainly this is a word of honour for you and your people}**[108]: "It is when a man says, 'My father

107 Al-Aḥqāf: 4
108 Al-Zukhruf: 44

narrated to me from my grandfather.'"

٧٠- أَخْبَرَنَا مُحَمَّدُ بْنُ عِيسَى بْنِ عَبْدِ الْعَزِيزِ الْبَزَّازُ بِهَمَذَانَ، قَالَ: حَدَّثَنَا صَالِحُ بْنُ أَحْمَدَ الْحَافِظُ، قَالَ: سَمِعْتُ أَبَا بَكْرٍ مُحَمَّدَ بْنَ أَحْمَدَ يَقُولُ: بَلَغَنِي أَنَّ اللَّهَ خَصَّ هَذِهِ الْأُمَّةَ بِثَلَاثَةِ أَشْيَاءَ، لَمْ يُعْطِهَا مَنْ قَبْلَهَا: الْإِسْنَادِ وَالْأَنْسَابِ وَالْإِعْرَابِ.

70. It was reported to us by Muḥammad ibn Īsā ibn 'Abd al-'Azīz al-Bazzāz in Hamadhān [...] that Abu Bakr Muḥammad ibn Aḥmad said: "It has reached me that Allah has distinguished this Ummah with three things which He has not given to any nation which preceded it: The *isnād*, lineages, and *al-i'rāb* (the grammatical inflection of the Arabic language)."

٧١- أَخْبَرَنِي أَبُو بَكْرٍ مُحَمَّدُ بْنُ الْمُظَفَّرِ بْنِ عَلِيٍّ الدِّينَوَرِيُّ الْمُقْرِئُ، قَالَ: حَدَّثَنَا إِبْرَاهِيمُ بْنُ مُحَمَّدِ بْنِ يَحْيَى الْمُزَكِّي، قَالَ: سَمِعْتُ أَبَا الْعَبَّاسِ مُحَمَّدَ بْنَ عَبْدِ الرَّحْمَنِ الدَّغُولِيَّ السَّرْخَسِيَّ يَقُولُ: سَمِعْتُ مُحَمَّدَ بْنَ حَاتِمِ بْنِ الْمُظَفَّرِ يَقُولُ:

إِنَّ اللَّهَ أَكْرَمَ هَذِهِ الْأُمَّةَ وَشَرَّفَهَا وَفَضَّلَهَا بِالْإِسْنَادِ، وَلَيْسَ لِأَحَدٍ مِنَ الْأُمَمِ كُلِّهَا، قَدِيمِهِمْ وَحَدِيثِهِمْ إِسْنَادٌ، وَإِنَّمَا هِيَ صُحُفٌ فِي أَيْدِيهِمْ، وَقَدْ خَلَطُوا بِكُتُبِهِمْ أَخْبَارَهُمْ، وَلَيْسَ عِنْدَهُمْ تَمْيِيزٌ بَيْنَ مَا نَزَلَ مِنَ التَّوْرَاةِ وَالْإِنْجِيلِ مِمَّا جَاءَهُمْ بِهِ أَنْبِيَاؤُهُمْ، وَتَمْيِيزٌ بَيْنَ مَا أَلْحَقُوهُ بِكُتُبِهِمْ مِنَ الْأَخْبَارِ الَّتِي أَخَذُوا عَنْ غَيْرِ الثِّقَاتِ.

71. It was reported to me by Abu Bakr Muḥammad ibn al-Muẓaffar ibn 'Alī al-Dīnawarī al-Muqri' [...] that Muḥammad ibn Ḥātim ibn Muẓaffar said: "Indeed Allah has favoured this Ummah, honoured it, and preferred it with the *isnād*, and no other nation had it, neither the ancient nor the modern. Rather, what they have are just parchments, and they added their own stories into their books, [so] they are unable to distinguish between what was revealed of the Torah and the Injīl which their prophets brought to them, and between the stories that they added to their books, which they received from untrustworthy people."

وَهَذِهِ الْأُمَّةُ إِنَّمَا تَنُصُّ الْحَدِيثَ مِنَ الثِّقَةِ الْمَعْرُوفِ فِي زَمَانِهِ، الْمَشْهُورِ بِالصِّدْقِ

وَالْأَمَانَةِ عَنْ مِثْلِهِ حَتَّى تَتَنَاهَى أَخْبَارُهُمْ، ثُمَّ يَبْحَثُونَ أَشَدَّ الْبَحْثِ حَتَّى يَعْرِفُوا الْأَحْفَظَ فَالْأَحْفَظَ، وَالْأَضْبَطَ فَالْأَضْبَطَ، وَالْأَطْوَلَ مُجَالَسَةً لِمَنْ فَوْقَهُ مِمَّنْ كَانَ أَقَلَّ مُجَالَسَةً.

Moreover, this Ummah quotes the ḥadīth from those who were known to be reliable [narrators] during their era, who were known to be honest and trustworthy from their like [all through the chain] until their narration is complete. Furthermore, they investigate to the most exhaustive extent to unearth the best [narrators] in memory, meticulousness, those who spent the longest time in assemblies with those above them (i.e. those who spent longest with the teacher) and those who spent less time.

ثُمَّ يَكْتُبُونَ الْحَدِيثَ مِنْ عِشْرِينَ وَجْهًا وَأَكْثَرَ حَتَّى يُهَذِّبُوهُ مِنَ الْغَلَطِ وَالزَّلَلِ، وَيَضْبِطُوا حُرُوفَهُ وَيَعُدُّوهُ عَدًّا.

Then, they write down the ḥadīth from twenty or more ways, in order to rid it of any form of error or mistake, and they check (lit. point/set) its letters and prepare it immensely.

فَهَذَا مِنْ أَعْظَمِ نِعَمِ اللَّهِ تَعَالَى عَلَى هَذِهِ الْأُمَّةِ، نَسْتَوْزِعُ اللَّهَ شُكْرَ هَذِهِ النِّعْمَةِ، وَنَسْأَلُهُ التَّثْبِيتَ وَالتَّوْفِيقَ لِمَا يُقَرِّبُ مِنْهُ وَيُزْلِفُ لَدَيْهِ، وَيُمَسِّكُنَا بِطَاعَتِهِ، إِنَّهُ وَلِيٌّ حُمَيْدٌ.

This is one of the greatest blessings of Allah upon this Ummah, and we ask Allah to bestow upon us the ability to thank Him for this blessing, we ask Him to give firmness and success in that which brings [one] closer and nearer to Him, and to make us adhere to His obedience, indeed He is the Helper and Praiseworthy.

فَلَيْسَ أَحَدٌ مِنْ أَهْلِ الْحَدِيثِ يُحَابِي فِي الْحَدِيثِ أَبَاهُ، وَلَا أَخَاهُ، وَلَا وَلَدَهُ.

Hence, there is no one from the people of ḥadīth who would compromise in al-ḥadīth for the sake of his father, brother, or son.

وَهَذَا عَلِيُّ بْنُ عَبْدِ اللَّهِ الْمَدِينِيُّ، وَهُوَ إِمَامُ الْحَدِيثِ فِي عَصْرِهِ، لَا يُرْوَى عَنْهُ حَرْفٌ فِي تَقْوِيَةِ أَبِيهِ، بَلْ يُرْوَى عَنْهُ ضِدُّ ذَلِكَ.

An example is ʿAlī ibn ʿAbdullāh al-Madīnī, the *imām* of ḥadīth during his era. Not a letter is transmitted from him in strengthening his father (i.e. as a narrator), rather, the opposite of that is transmitted from him.

فَالْحَمْدُ لِلَّهِ عَلَى مَا وَفَّقَنَا.

Therefore, we thank Allah for that which He has bestowed upon us.

البيان أن الأسانيد هي الطريق إلى معرفة أحكام الشريعة

In Mention of the *Asānīd* Being the Means Towards Understanding the Rulings of the Sharī'ah

٧٢- أَخْبَرَنَا أَبُو بَكْرٍ مُحَمَّدُ بْنُ عُمَرَ بْنِ جَعْفَرٍ الْحِرْقِيُّ، قَالَ: أَخْبَرَنَا أَحْمَدُ بْنُ جَعْفَرٍ الْخُتُلِّيُّ، قَالَ: حَدَّثَنَا أَحْمَدُ بْنُ عَلِيٍّ الْأَبَّارُ، قَالَ: حَدَّثَنَا أَبُو بَكْرٍ الطَّالْقَانِيُّ سَعِيدُ بْنُ يَعْقُوبَ قَالَ: قَالَ: عَبْدُ اللَّهِ بْنُ الْمُبَارَكِ: الْإِسْنَادُ مِنَ الدِّينِ.

72. We were informed by Abu Bakr Muḥammad ibn 'Umar ibn Ja'far al-Khirqī [...] that 'Abdullāh ibn al-Mubārak said: "The *isnād* is from the religion."

٧٣- وَحَدَّثَنَا الْحَسَنُ بْنُ أَبِي طَالِبٍ، قَالَ: حَدَّثَنَا عُمَرُ بْنُ أَحْمَدَ الْوَاعِظُ [الْمُقْرِئُ]، قَالَ: حَدَّثَنَا مُحَمَّدُ بْنُ حَمْدَوَيْهِ الْمَرْوَزِيُّ، قَالَ: حَدَّثَنَا أَبُو الْمُوَجِّهُ قَالَ: أَخْبَرَنَا عَبْدَانُ قَالَ: سَمِعْتُ عَبْدَ اللَّهِ - يَعْنِي ابْنَ الْمُبَارَكِ - يَقُولُ: الْإِسْنَادُ عِنْدِي مِنَ الدِّينِ، وَلَوْلَا الْإِسْنَادُ لَقَالَ مَنْ شَاءَ مَا شَاءَ.

73. It was narrated to us by al-Ḥasan ibn Abī Ṭālib [...] that 'Abdān said: "I heard 'Abdullāh—i.e. Ibn al-Mubārak—stating, 'To me, the *isnād* is from the religion, and were it not for the *isnād* one could have said whatever he desired.'"

٧٤- أَخْبَرَنِي مُحَمَّدُ بْنُ الْمُظَفَّرِ الدِّينَوَرِيُّ، قَالَ: حَدَّثَنَا إِبْرَاهِيمُ بْنُ مُحَمَّدِ بْنِ يَحْيَى الْمُزَكِّي، قَالَ: حَدَّثَنَا الْإِمَامُ أَبُو بَكْرٍ مُحَمَّدُ بْنُ إِسْحَاقَ بْنِ خُزَيْمَةَ، قَالَ: سَمِعْتُ أَحْمَدَ بْنَ نَصْرٍ الْمُقْرِئَ، يَقُولُ: سَمِعْتُ إِبْرَاهِيمَ بْنَ مَعْدَانَ يَقُولُ: قَالَ ابْنُ الْمُبَارَكِ: مَثَلُ الَّذِي يَطْلُبُ أَمْرَ دِينِهِ بِلَا إِسْنَادٍ كَمَثَلِ الَّذِي يَرْتَقِي السَّطْحَ بِلَا سُلَّمٍ.

74. It was reported to me by Muḥammad ibn al-Muẓaffar al-Dīnawarī [...]

that Ibn al-Mubārak said: "One seeking the matter of his religion without an *isnād* is akin to one ascending unto a roof without a ladder."

٧٥- أَخْبَرَنَا أَبُو الْحُسَيْنِ مُحَمَّدُ بْنُ الْحُسَيْنِ بْنِ الْفَضْلِ الْقَطَّانُ، قَالَ: حَدَّثَنَا أَبُو عِيسَى أَحْمَدُ بْنُ يَحْيَى بْنِ مُحَمَّدِ بْنِ شَاذَانَ الْجَوْهَرِي، قَالَ: حَدَّثنا جَدِّي قَالَ: سَأَلْتُ عَلِيَّ بْنَ الْمَدِينِيِّ عَنْ إِسْنَادِ حَدِيثٍ سَقَطَ عَلَيَّ، فَقَالَ: تَدْرِي مَا قَالَ أَبُو سَعِيدٍ الْحَدَّادُ؟ قَالَ: الْإِسْنَادُ مِثْلُ الدَّرَجِ وَمِثْلُ الْمَرَاقِي، فَإِذَا زَلَّتْ رِجْلُكَ عَنِ الْمَرْقَاةِ سَقَطَتْ، وَالرَّأْيُ مِثْلُ الْمَرْجِ.

75. It was reported to us by Abu 'l-Ḥusayn Muḥammad ibn al-Ḥusayn ibn al-Faḍl al-Qaṭṭān [...] that Abu 'Īsā Aḥmad ibn Yaḥyā ibn Muḥammad ibn Shādhān al-Jawharī narrated from his grandfather: "I asked 'Alī al-Madīnī about the *isnād* of a ḥadīth as part of it evaded me, and he said, 'Do you know what Abu Sa'īd al-Ḥaddād said? He said, 'The *isnād* is akin to a stairway and a ladder. If your foot slips when ascending you will fall, whilst opinion is akin to a lawn.'''"

٧٦- حَدَّثَنَا مُحَمَّدُ بْنُ يُوسُفَ النَّيْسَابُورِيُّ، قَالَ: أَخْبَرَنَا مُحَمَّدُ بْنُ عَبْدِ اللَّهِ الضَّبِّيُّ، قَالَ: أَخْبَرَنِي مُحَمَّدُ بْنُ يَعْقُوبَ الْمُقْرِئُ، قَالَ: حَدَّثَنَا مُحَمَّدُ بْنُ عَبْدِ الرَّحْمَنِ الْفَقِيهُ أَبُو الْعَبَّاسِ، قَالَ: حَدَّثَنَا الْحُسَيْنُ بْنُ الْفَرَجِ، قَالَ: حَدَّثَنَا عَبْدُ الصَّمَدِ بْنُ حَسَّانَ، قَالَ: سَمِعْتُ سُفْيَانَ الثَّوْرِيَّ يَقُولُ: الْإِسْنَادُ سِلَاحُ الْمُؤْمِنِ، فَإِذَا لَمْ يَكُنْ مَعَهُ سِلَاحٌ فَبِأَيِّ شَيْءٍ يُقَاتِلُ؟

76. It was narrated to us by Muḥammad ibn Yūsuf al-Naysābūrī [...] that Sufyān al-Thawrī said: "The *isnād* is the weapon of the believer, and if he is without his weapon then with what will he fight?"

كون أصحاب الحديث أمناء الرسول صلى الله عليه وسلم لحفظهم السنن وتمييزهم لها

The Ḥadīth Adherents Being the Guardians of the Messenger ﷺ Due to Their Preservation of the *Sunan* and Differentiating Between Them[109]

٧٧- أَخْبَرَنَا أَبُو عُبَيْدٍ مُحَمَّدُ بْنُ أَبِي نَصْرٍ النَّيْسَابُورِيُّ، قَالَ: سَمِعْتُ أَبَا الْحَسَنِ مُحَمَّدَ بْنَ عَلِيٍّ الْعَلَوِيَّ الْحَسَنِيَّ، يَقُولُ سَمِعْتُ الْقَاسِمَ بْنَ بُنْدَارٍ يقول سَمِعْتُ أَبَا حَاتِمٍ الرَّازِيَّ يَقُولُ: لَمْ يَكُنْ فِي أُمَّةٍ مِنَ الْأُمَمِ مُنْذُ خَلَقَ اللَّهُ آدَمَ أُمَنَاءُ يَحْفَظُونَ آثَارَ الرُّسُلِ إِلَّا فِي هَذِهِ الْأُمَّةِ.

77. It was reported to us by Abu 'Ubayd Muḥammad ibn Abī Naṣr al-Naysābūrī [...] that Abu Ḥātim al-Rāzī said: "Since the time wherein Allah created Adam, there has not been amongst any nation guardians who preserve the *āthār* of the messengers except in this nation."

فَقَالَ لَهُ رَجُلٌ: يَا أَبَا حَاتِمٍ رُبَّمَا رَوَوْا حَدِيثًا لَا أَصْلَ لَهُ وَلَا يَصِحُّ؟ فَقَالَ: عُلَمَاؤُهُمْ يَعْرِفُونَ الصَّحِيحَ مِنَ السَّقِيمِ، فَرِوَايَتُهُمْ ذَلِكَ لِلْمَعْرِفَةِ، لِيَتَبَيَّنَ لِمَنْ بَعْدِهِمْ أَنَّهُمْ مَيَّزُوا الْآثَارَ وَحَفَظُوهَا، ثُمَّ قَالَ: رَحِمَ اللَّهُ أَبَا زُرْعَةَ، كَانَ وَاللَّهِ مُجْتَهِدًا فِي حِفْظِ آثَارِ رَسُولِ اللَّهِ صَلَّى اللهُ عَلَيْهِ وَسَلَّمَ.

A man said to him, "O Abu Ḥātim! Perhaps they would narrate a ḥadīth that has no basis, or is not authentic?" He replied, "Their scholars know the authentic from the weak, thus they narrate that for it to be known, so that it is clear for those who come after them that they recognised [the different levels of authenticity of] the *āthār* and preserved them." He continued, "May Allah have mercy upon Abu Zur'ah, he, by Allah, was one who strove

---

109 [T] I.e. in terms of authenticity.

in the preservation of the Messenger of Allah's ﷺ *āthār.*"

٧٨- أَخْبَرَنَا مُحَمَّدُ بْنُ عَبْدِ اللَّهِ بْنِ مُحَمَّدِ بْنِ صَالِحٍ الْعَطَّارُ، قَالَ: أَخْبَرَنَا أَبُو مُحَمَّدِ بْنُ حَيَّانَ، قَالَ: حَدَّثَنَا مُحَمَّدُ بْنُ يَحْيَى السُّلَمِيُّ، قَالَ: سَمِعْتُ مُحَمَّدَ بْنَ الْخَلِيلِ، قَالَ: أَخْبَرَنَا عَبْدُ الرَّحْمَنِ، قَالَ: سَمِعْتُ عَبْدَ اللَّهِ بْنَ دَاوُدَ الْخُرَيْبِيَّ يَقُولُ: سَمِعْتُ مِنَ أَئِمَّتِنَا وَمَنْ فَوْقِنَا: أَنَّ أَصْحَابَ الْحَدِيثِ وَحَمَلَةَ الْعِلْمِ هُمْ أُمَنَاءُ اللَّهِ عَلَى دِينِهِ، وَحُفَّاظُ سُنَّةِ نَبِيِّهِ مَا عَلِمُوا وعَمِلُوا.

78. It was reported to us by Muḥammad ibn 'Abdullāh ibn Muḥammad ibn Ṣāliḥ al-'Aṭṭār [...] that 'Abdullāh ibn Dāwūd al-Khuraybī said: "I heard from our *imāms* and superiors that the ḥadīth adherents and the bearers of knowledge are Allah's guardians for His religion and the preservers of the Prophetic Sunnah, so long as they study and practice."

٧٩- أَخْبَرَنَا أَبُو عُبَيْدٍ النَّيْسَابُورِيُّ، قَالَ: سَمِعْتُ مُحَمَّدَ بْنَ عَلِيٍّ الْعَلَوِيَّ، يَقُولُ سَمِعْتُ أَبَا أَحْمَدَ الدَّلَّالَ يَقُولُ: سَمِعْتُ كَهْمَسَ الْهَمدَانِيَّ يَقُولُ: مَنْ لَمْ يَتَحَقَّقْ أَنَّ أَهْلَ الْحَدِيثِ حَفَظَةُ الدِّينِ، فَإِنَّهُ يُعَدُّ فِي ضُعَفَاءِ الْمَسَاكِينِ الَّذِينَ لَا يَدِينُونَ اللَّهَ بِدِينٍ، يَقُولُ اللَّهُ تَعَالَى لِنَبِيِّهِ صَلَّى اللهُ عَلَيْهِ وَسَلَّمَ: **﴿اللَّهُ نَزَّلَ أَحْسَنَ الْحَدِيثِ كِتَابًا﴾** [الزمر: ٢٣]، وَيَقُولُ رَسُولُ اللَّهِ صَلَّى اللهُ عَلَيْهِ وَسَلَّمَ: ((حَدَّثَنِي جِبْرَائِيلُ عَنِ اللَّهِ عَزَّ وَجَلَّ)).

79. It was reported to us by Abu 'Ubayd al-Naysābūrī [...] that Kahmas al-Hamdānī said: "Whoever is not sure that the people of ḥadīth are the preservers of the religion, he is considered amongst the lowest of the wretched, who do not accept the religion of Allah. Allah said to His Prophet ﷺ: **{Allah has sent down the best statement, a Book}**[110] and the Messenger of Allah ﷺ said: "Jibrīl reported to me from Allah."

110 Al-Zumar: 23

كون أصحاب الحديث حماة الدين بذبهم عن السنن

The Ḥadīth Adherents Being the Sentries of the Religion Through Their Defence of the *Sunan*

٨٠- أَخْبَرَنَا أَبُو نُعَيْمٍ الْحَافِظُ، قَالَ: حَدَّثَنَا أَحْمَدُ بْنُ مُحَمَّدٍ الرَّازِيُّ، بِنَيْسَابُورَ، قَالَ: حَدَّثَنَا عَبْدُ الرَّحْمَنِ بْنُ أَبِي حَاتِمٍ، قَالَ: حَدَّثَنَا أَبِي قَالَ: حَدَّثَنَا قَبِيصَةُ قَالَ: سَمِعْتُ سُفْيَانَ الثَّوْرِيَّ يَقُولُ: الْمَلَائِكَةُ حُرَّاسُ السَّمَاءِ، وَأَصْحَابُ الْحَدِيثِ حُرَّاسُ الْأَرْضِ.

80. It was reported to us by Abu Nuʿaym al-Ḥāfiẓ [...] that Sufyān al-Thawrī said: "The angels are the sentries of the heavens, whilst the ḥadīth adherents are the sentries of the earth."

٨١- حَدَّثَنَا مُحَمَّدُ بْنُ يُوسُفَ الْقَطَّانُ، قَالَ: أَخْبَرَنَا مُحَمَّدُ بْنُ عَبْدِ اللَّهِ الضَّبِّيُّ، قَالَ: سَمِعْتُ حَسَّانَ بْنَ مُحَمَّدٍ الْفَقِيهَ، يَقُولُ: سَمِعْتُ الْحَسَنَ بْنَ سُفْيَانَ، يَقُولُ: سَمِعْتُ صَالِحَ بْنَ حَاتِمِ بْنِ وَرْدَانَ، يَقُولُ: سَمِعْتُ يَزِيدَ بْنِ زُرَيْعٍ، يَقُولُ: لِكُلِّ دِينٍ فُرْسَانٌ، وَفُرْسَانُ هَذَا الدِّينِ أَصْحَابُ الْأَسَانِيدِ.

81. It was narrated to us by Muḥammad ibn Yūsuf al-Qaṭṭān [...] that Yazīd ibn Zurayʿ said: "Every religion has its knights, and the knights of this religion are the devotees to the *asānīd* (chains of narration)."

٨٢- أَخْبَرَنَا مُحَمَّدُ بْنُ عَبْدِ اللَّهِ بْنِ صَالِحٍ الْمُقْرِئُ بِأَصْبَهَانَ، قَالَ: أَخْبَرَنَا عَبْدُ اللَّهِ بْنُ مُحَمَّدِ بْنِ جَعْفَرٍ، قَالَ: سَمِعْتُ عَبْدَانَ، يَقُولُ: حَدَّثَنِي الْقَاسِمُ بْنُ نَصْرٍ الْمُخَرِّمِيُّ قَالَ: حَدَّثَنِي رَجُلٌ، سَمَّاهُ، ذَهَبَ عَنِّي اسْمُهُ، قَالَ: رَأَيْتُ النَّبِيَّ صَلَّى اللهُ عَلَيْهِ وَسَلَّمَ فِيمَا يَرَى النَّائِمُ، وَالنَّبِيُّ صَلَّى اللهُ عَلَيْهِ وَسَلَّمَ نَائِمٌ، وَيَحْيَى

بْنُ مَعِينٍ قَائِمٌ عَلَى رَأْسِهِ، يَذُبُّ عَنْهُ بِمَذَبَّةٍ. فَلَمَّا أَنْ أَصْبَحْتُ، أَتَيْتُ يَحْيَى، فَأَخْبَرْتُهُ. فَقَالَ: لِي: نَحْنُ نَذُبُّ عَنْ رَسُولِ اللَّهِ صَلَّى اللهُ عَلَيْهِ وَسَلَّمَ الْكَذِبَ.

82. It was reported to us by Muḥammad ibn 'Abdullāh ibn Ṣāliḥ al-Muqri' in Aṣbahān [...] that al-Qāsim ibn Naṣr al-Mukharrimī said: "A man (he gave me his name but I do not recall it) narrated to me, 'I saw the Prophet ﷺ in a dream, and he was sleeping, and Yaḥyā ibn Ma'īn was standing at his head, defending him [from flies] with a swatter. When I arose in the morning, I went to Yaḥyā and informed him of this. He said to me, 'We defend the Messenger of Allah ﷺ against lies.'""

كون أصحاب الحديث ورثة الرسول صلى الله عليه وسلم فيما خلفه من السنة وأنواع الحكمة

The Ḥadīth Adherents Being the Inheritors of the Messenger ﷺ in What He Left Behind of the Sunnah and Types of Wisdom

٨٣- أَخْبَرَنَا أَبُو عَلِيٍّ عَبْدُ الرَّحْمَنِ بْنُ مُحَمَّدِ بْنِ فَضَالَةَ النَّيْسَابُورِيُّ الْحَافِظُ بِالرَّيِّ، قَالَ: أَخْبَرَنَا أَبُو أَحْمَدَ الْحَافِظُ، وَهُوَ مُحَمَّدُ بْنُ مُحَمَّدِ بْنِ أَحْمَدَ بْنِ إِسْحَاقَ الْكَرَابِيسِيُّ، قَالَ: حَدَّثَنَا أَبُو جَعْفَرٍ مُحَمَّدُ بْنُ إِبْرَاهِيمَ الدِّيبِلِيُّ بِمَكَّةَ، قَالَ: حَدَّثَنَا عَبْدُ الْحَمِيدِ بْنُ صُبَيْحٍ الْعَنَزِيُّ، قَالَ: حَدَّثَنَا حَمَّادُ بْنُ زَيْدٍ، عَنْ جَرِيرِ بْنِ حَازِمٍ، عَنْ سُلَيْمَانَ بْنِ مِهْرَانَ: بَيْنَمَا ابْنُ مَسْعُودٍ يَوْمًا، مَعَهُ نَفَرٌ مِنْ أَصْحَابِهِ، إِذْ مَرَّ أَعْرَابِيٌّ، فَقَالَ: عَلَى مَا اجْتَمَعَ هَؤُلَاءِ؟ قَالَ ابْنُ مَسْعُودٍ: عَلَى مِيرَاثِ مُحَمَّدٍ صَلَّى اللهُ عَلَيْهِ وَسَلَّمَ يَقْتَسِمُونَهُ.

83. It was reported to us by Abu ʿAlī ʿAbd al-Raḥmān ibn Muḥammad ibn Faḍālat al-Naysābūrī al-Ḥāfiẓ in al-Rayy [...] that Sulaymān ibn Mihrān said: "One day Ibn Masʿūd was with some of his disciples, and a Bedouin man passed by and said, 'For what have they gathered?' Ibn Masʿūd replied, 'For the inheritance of Muḥammad ﷺ, so as to divide it [between them.]'"

٨٤- أَخْبَرَنَا أَبُو إِسْحَاقَ إِبْرَاهِيمُ بْنُ مَخْلَدِ بْنِ جَعْفَرٍ الْمُعَدِّلُ وَأَبُو الْحَسَنِ مُحَمَّدُ بْنُ أَحْمَدَ بْنِ رِزْقٍ الْبَزَّازُ - وَاللَّفْظُ لَهُ -، قَالَا: حَدَّثَنَا مُحَمَّدُ بْنُ عَلِيِّ بْنِ الْهَيْثَمِ الْمُقْرِئُ، قَالَ: حَدَّثَنَا أَبُو بَكْرِ بْنُ أَبِي حليمة، رَجُلٌ مِنَ الرَّيِّ، قَالَ: سَمِعْتُ مُوسَى بْنَ مَنْصُورٍ، يَقُولُ: رَأَى الْفُضَيْلُ بْنُ عِيَاضٍ قَوْمًا مِنْ أَصْحَابِ الْحَدِيثِ - يَعْنِي بِهِمْ بَعْضُ الْخِفَّةِ - فَقَالَ: هَكَذَا تَكُونُونَ يَا وَرَثَةَ الْأَنْبِيَاءِ!

84. It was reported to us by Isḥāq Ibrāhīm ibn Makhlad ibn Ja'far al-Mu'addil and Abu 'l-Ḥasan Muḥammad ibn Aḥmad ibn Rizq al-Bazzāz—the wording being the latter's—[...] that Mūsā ibn Manṣūr said: "Al-Fuḍayl ibn 'Iyāḍ saw a group of ḥadīth disciples displaying some frivolity, and so he said, 'Is this how you act, O inheritors of the Prophets!'"

٨٥- قَرَأْتُ عَلَى أَحْمَدَ بْنِ مُحَمَّدِ بْنِ غَالِبٍ الْفَقِيهِ، عَنْ إِبْرَاهِيمَ بْنِ مُحَمَّدِ بْنِ يَحْيَى الْمُزَكِّي، قَالَ: سَمِعْتُ مُحَمَّدَ بْنَ إِسْحَاقَ بْنِ خُزَيْمَةَ، يَقُولُ: سَمِعْتُ يُونُسَ - يَعْنِي ابْنَ عَبْدِ الْأَعْلَى - يَقُولُ: سَمِعْتُ الشَّافِعِيَّ يَقُولُ: إِذَا رَأَيْتَ رَجُلًا مِنْ أَصْحَابِ الْحَدِيثِ، فَكَأَنِّي رَأَيْتُ النَّبِيَّ صَلَّى اللهُ عَلَيْهِ وَسَلَّمَ حَيًّا.

85. I read upon Aḥmad ibn Muḥammad ibn Ghālib al-Faqīh [...] that al-Shāfi'ī said: "When I see a man from amongst the people of ḥadīth, it is as if I see the Prophet ﷺ alive."

كونهم الآمرين بالمعروف والناهين عن المنكر

The Ḥadīth Adherents Being Those Who Enjoin the Good and Forbid the Evil

٨٦- أَخْبَرَنَا مُحَمَّدُ بْنُ أَحْمَدَ بْنِ رِزْقٍ، قَالَ: حَدَّثَنَا جَعْفَرٌ الْخُلْدِيُّ، قَالَ: حَدَّثَنَا أَبُو يَعْقُوبَ إِسْحَاقُ بْنُ إِبْرَاهِيمَ الْبَغْدَادِيُّ بِمِصْرَ، قَالَ: حَدَّثَنَا مَأْمُونٌ أَبُو عَبْدِ اللَّهِ بِمَكَّةَ، عَنْ سَعِيدِ بْنِ الْعَبَّاسِ قَالَ: سُئِلَ إِبْرَاهِيمُ بْنُ مُوسَى: مَنِ الْآمِرُونَ بِالْمَعْرُوفِ وَالنَّاهُونَ عَنِ الْمُنْكَرِ؟ قَالَ: نَحْنُ هُمْ، نَقُولُ: قَالَ رَسُولُ اللَّهِ صَلَّى اللهُ عَلَيْهِ وَسَلَّمَ افْعَلُوا كَذَا، وَقَالَ رَسُولُ اللَّهِ صَلَّى اللهُ عَلَيْهِ وَسَلَّمَ: لَا تَفْعَلُوا كذا.

86. It was reported to us by Muḥammad ibn Aḥmad ibn Rizq [...] that Saʿīd ibn al-ʿAbbās said: "Ibrāhīm ibn Mūsā was asked, 'Who are those who enjoin the good and forbid the evil?' He replied, 'We are them. We say: The Messenger of Allah ﷺ said to do this, and the Messenger of Allah ﷺ said to abstain from this.'"

كونهم خيار الناس

The Ḥadīth Adherents Being The Best of People

٨٧- أَخْبَرَنَا أَبُو نُعَيْمٍ الْحَافِظُ، قَالَ: حَدَّثَنَا مُحَمَّدُ بْنُ إِبْرَاهِيمَ بْنِ عَلِيٍّ، قَالَ: حَدَّثَنَا أَبُو عَرُوبَةَ، قَالَ: حَدَّثَنَا زَكَرِيَّا بْنُ الْحَكَمِ، قَالَ: حَدَّثَنَا حَمْزَةُ بْنُ سَعِيدٍ الْمَرْوَزِيُّ، قَالَ: رَأَيْتُ أَبَا بَكْرِ بْنَ عَيَّاشٍ يَضْرِبُ سَاعِدَ يَحْيَى بْنِ آدَمَ فَقَالَ: مَا قَوْمٌ خَيْرٌ مِنْ أَصْحَابِ الْحَدِيثِ، إِنَّ أَحَدَهُمْ لَيَسْأَلُنِي عَنِ الْحَدِيثِ كَذَا وَكَذَا مَرَّةً، وَلَوْ شَاءَ لَقَالَ حَدَّثَنِي أَبُو بَكْرِ بْنُ عَيَّاشٍ.

87. It was reported to us by Abu Nuʿaym al-Ḥāfiẓ [...] that Ḥamzah ibn Saʿīd al-Marwazī said: "I saw Abu Bakr ibn ʿAyyāsh tap the forearm of Yaḥyā ibn Ādam and say: 'There is not a people better than the ḥadīth disciples. One of them would ask me about a ḥadīth numerous times, and if he wished, he could have just said, 'Abu Bakr ibn ʿAyyāsh narrated to me.'"

٨٨- أَخْبَرَنَا مُحَمَّدُ بْنُ الْحُسَيْنِ الْقَطَّانُ، وَالْحَسَنُ بْنُ أَبِي بَكْرِ بْنِ شَاذَانَ، قَالَا: حَدَّثَنَا أَبُو سَهْلٍ أَحْمَدُ بْنُ مُحَمَّدِ بْنِ عَبْدِ اللَّهِ بْنِ زِيَادٍ، قَالَ: حَدَّثَنَا أَحْمَدُ بْنُ عَلِيٍّ الْأَبَّارُ، قَالَ: حَدَّثَنَا يُوسُفُ بْنُ مُوسَى الْقَطَّانُ، قَالَ: ازْدَحَمْنَا يَوْمًا عَلَى أَبِي بَكْرِ بْنِ عَيَّاشٍ، فَقَالَ: مَا لِي أَرَى رُءُوسًا، كَأَنَّهَا رُءُوسُ الشَّيَاطِينِ؟ فَتَنَحَّيْنَا عَنْهُ، فَقَالَ: مَا أَعْلَمُ فِي الدُّنْيَا قَوْمًا خَيْرًا مِنْهُمْ، هُمْ قَدْ عَرَفُوا حَدِيثِي لَوْ أَخَذُوهُ وَذَهَبُوا، مَنْ كَانَ يَقُولُ لَهُمْ شَيْئًا؟!

88. It was reported to us by Muḥammad ibn al-Ḥusayn al-Qaṭṭān and al-Ḥasan ibn Abī Bakr ibn Shādhān [...] that Yūsuf ibn Mūsā al-Qaṭṭān said: "We gathered one day around Abu Bakr ibn ʿAyyāsh, and he said, 'Why is it that I see heads akin to the heads of devils?' So we moved away from him, and he said, 'I do not know of any people in the world better than them.

They know my narrations, and if they were to take it and leave, who can say anything to them?'"

٨٩- أَخْبَرَنَا عَلِيُّ بْنُ مُحَمَّدِ بْنِ عَبْدِ اللَّهِ بْنِ بِشْرَانَ الْمُعَدِّلُ، قَالَ: أَخْبَرَنَا إِسْمَاعِيلُ بْنُ مُحَمَّدٍ الصَّفَّارُ، قَالَ: حَدَّثَنَا مُحَمَّدُ بْنُ الْحُسَيْنِ الْحُنَيْنِيُّ، قَالَ: حَدَّثَنَا عُمَرُ بْنُ حَفْصٍ، قَالَ: سَمِعْتُ أَبِي وقَالُوا لَهُ: يَا أَبَا عُمَرَ! أَمَا تَرَى أَصْحَابَ الْحَدِيثِ كَيْفَ تَغَيَّرُوا، كَيْفَ قَدْ فَسَدُوا؟ قَالَ: هُمْ عَلَى مَا هُمْ خِيَارُ الْقَبَائِلِ.

89. We were informed by 'Alī ibn Muḥammad ibn 'Abdullāh ibn Bishrān al-Mu'addil [...] that 'Umar ibn Ḥafṣ said: "I heard my father when [some people] said to him, 'O Abu 'Umar! Do you not see the ḥadīth adherents, and how they have changed? How could they have become corrupt?' He said, 'As they are, they are the best from amongst the tribes.'"

٩٠- حُدِّثْتُ عَنْ عَبْدِ الْعَزِيزِ بْنِ جَعْفَرٍ الْحَنْبَلِيِّ، قَالَ: حَدَّثَنَا أَبُو بَكْرٍ أَحْمَدُ بْنُ مُحَمَّدٍ الْخَلَّالُ، قَالَ: أخبرنا أَبُو بَكْرٍ الْمَرُّوذِيُّ: أَنَّ أَبَا عَبْدِ اللَّهِ - يَعْنِي أَحْمَدَ بْنَ حَنْبَلٍ - قَالَ: لَيْسَ قَوْمٌ عِنْدِي خَيْرًا مِنْ أَهْلِ الْحَدِيثِ، لَيْسَ يَعْرِفُونَ إِلَّا الْحَدِيثَ. فَقَالَ الْخَلَّالُ أَخْبَرَنَا مُحَمَّدُ بْنُ جَعْفَرٍ، قَالَ: حَدَّثَنَا أَبُو الْحَارِثِ أَنَّهُ سَمِعَ أبا عَبْدَ اللَّهِ يَقُولُ: أَهْلُ الْحَدِيثِ أَفْضَلُ مَنْ تَكَلَّمَ فِي الْعِلْمِ.

90. It was narrated to me from 'Abd al-'Azīz ibn Ja'far al-Ḥanbalī [...] that Abu Bakr al-Marrūdhī said: "'Abu 'Abdillāh—i.e. Aḥmad ibn Ḥanbal—said, 'There is not a people better to me than the people of ḥadīth, they know nothing except the ḥadīth.' Further, al-Khallāl said, 'Muḥammad ibn Ja'far narrated to me from Abu 'l-Ḥārith that he heard Abu 'Abdillāh state, 'The people of ḥadīth are the best of those who speak concerning knowledge.'"

٩١- أَخْبَرَنَا أَبُو حَازِمٍ عُمَرُ بْنُ أَحْمَدَ بْنِ إِبْرَاهِيمَ الْعَبْدَوِيُّ بِنَيْسَابُورَ، قَالَ: أَخْبَرَنَا عَبْدُ اللَّهِ بْنُ عَدِيٍّ، فِي كِتَابِهِ إِلَيْنَا، قَالَ: حَدَّثَنَا عُمَرُ بْنُ سِنَانٍ الْمَنْبِجِيُّ، قَالَ: حَدَّثَنَا هُشَيْمُ بنُ هَمَّامٍ الطَّبَرِيُّ، قَالَ: حَدَّثَنا هِشَامُ بْنُ خَالِدٍ، قَالَ: حَدَّثَنا الْوَلِيدُ بْنُ مُسْلِمٍ، قَالَ: شَيَّعَنَا الْأَوْزَاعِيُّ وَقْتَ انْصِرَافِنَا مِنْ عِنْدِهِ، فَأَبْعَدَ فِي تَشْيِيعِنَا حَتَّى

مَشَى مَعَنَا فَرْسَخَيْنِ أَوْ ثَلَاثَةً، فَقُلْنَا لَهُ: أَيُّهَا الشَّيْخُ! يَصْعُبُ عَلَيْكَ الْمَشْيُ عَلَى كِبَرِ السِّنِّ؟ قَالَ: امْشُوا وَاسْكُتُوا. لَوْ عَلِمْتُ أَنَّ لِلَّهِ طَبَقَةً، أَوْ قَوْمًا يُبَاهِي اللَّهُ بِهِمْ، أَوْ أَفْضَلَ مِنْكُمْ، لَمَشَيْتُ مَعَهُمْ وَشَيَّعْتُهُمْ، وَلَكِنَّكُمْ أَفْضَلُ النَّاسِ.

91. It was reported to us by Abu Ḥāzim ʿUmar ibn Aḥmad ibn Ibrāhīm al-ʿAbdawī in Naysābūr [...] that al-Walīd ibn Muslim said: "Al-Awzāʿī bade us farewell when were leaving him. He lingered in this until he had walked [approximately] two or three *farsakhs* with us. We stated to him, 'O *shaykh*, is it not difficult for you to walk at such an old age?' He replied, 'Walk and be quiet, if I knew that Allah bestows a [people with a high status], if He has a people whom He boasts of, or that are better than you, I would have walked with them and bade them farewell, however, you are the best of people.'"

٩٢- حَدَّثَنِي عُبَيْدُ اللَّهِ بْنُ أَبِي الْفَتْحِ لَفْظًا، قَالَ: حَدَّثَنَا مُحَمَّدُ بْنُ زَيْدِ بْنِ مَرْوَانَ الْكُوفِيُّ، قَالَ: حَدَّثَنَا أَبُو بَكْرِ بْنُ أَبِي دَارِمٍ، قَالَ: حَدَّثَنِي مُحَمَّدُ بْنُ الْحَسَنِ بْنِ مُحَمَّدِ بْنِ الصَّبَّاحِ، قَالَ: حَدَّثَنِي أَبُو عِمْرَانَ الصُّوفِيُّ الْمَكِّيُّ، قَالَ: رَأَى أَحْمَدُ بْنُ حَنْبَلٍ أَصْحَابَ الْحَدِيثِ، وَقَدْ خَرَجُوا مِنْ عِنْدِ مُحَدِّثٍ، وَالْمَحَابِرُ بِأَيْدِيهِمْ، فَقَالَ أَحْمَدُ: إِنْ لَمْ يَكُونُوا هَؤُلَاءِ النَّاسَ، فَلَا أَدْرِي مَنِ النَّاسُ.

92. It was narrated to me by ʿUbaydullāh ibn Abi ʿl-Fatḥ [...] that Abu ʿImrān al-Ṣūfī al-Makkī said: "Aḥmad ibn Ḥanbal saw the ḥadīth adherents whilst they had just left the gathering of a scholar of ḥadīth and their ink-wells were in their hands. He said, 'If they are not these people, then I do not know who they are.'"

٩٣- أَخْبَرَنَا عَلِيُّ بْنُ مُحَمَّدِ بْنِ عَبْدِ اللَّهِ بْنِ بِشْرَانَ، قَالَ: أَخْبَرَنَا عُثْمَانُ بْنُ أَحْمَدَ الدَّقَّاقُ، قَالَ: حَدَّثَنَا مُحَمَّدُ بْنُ أَحْمَدَ [بن] الْبَرَاءُ الْعَبْدِيُّ، قَالَ: سَمِعْتُ عُثْمَانَ بْنَ أَبِي شَيْبَةَ، يَقُولُ - وَكَانَ رَأَى بَعْضَ أَصْحَابِ الْحَدِيثِ يَضْطَرِبُونَ - فَقَالَ: أَمَا إِنَّ فَاسِقَهُمْ خَيْرٌ مِنْ عَابِدِ غَيْرِهِمْ!

93. It was reported to us by ʿAlī ibn Muḥammad ibn ʿAbdullāh ibn Bishrān [...] that al-Barāʾ al-ʿAbdī said: "I heard ʿUthmān ibn Abī Shaybah state when

he had seen some of the ḥadīth adherents waver [in conduct,] 'Surely the sinner amongst them is better than the righteous from the midst of others.'"

٩٤- أَخْبَرَنِي أَبُو الْقَاسِمِ الْأَزْهَرِيُّ، قَالَ: أَخْبَرَنَا عُمَرُ بْنُ أَحْمَدَ بْنِ هَارُونَ الْمُقْرِئُ، أَنَّ عُثْمَانَ بْنَ عَبْدَوَيْهِ الْبَزَّازُ حَدَّثَهُمْ، قَالَ: سَمِعْتُ إِبْرَاهِيمَ الْحَرْبِيَّ، يَقُولُ: خَرَجَ أَبُو يُوسُفَ - يَعْنِي الْقَاضِي - يَوْمًا، وَأَصْحَابُ الْحَدِيثِ عَلَى الْبَابِ، فَقَالَ: مَا عَلَى الْأَرْضِ خَيْرٌ مِنْكُمْ، أَلَيْسَ قَدْ جِئْتُمْ - أَوْ بَكَّرْتُمْ - تَسْمَعُونَ حَدِيثَ رَسُولِ اللَّهِ صَلَّى اللهُ عَلَيْهِ وَسَلَّمَ [تَسْلِيمًا]؟

94. It was reported to me by Abu 'l-Qāsim al-Azharī [...] that Ibrāhīm al-Ḥarbī said: Abu Yūsuf—i.e. al-Qāḍī (the judge)—went out one day, and the ḥadīth adherents were at the door, he said, 'There is no one on the earth better than you, did you not come—or embark early—to hear the ḥadīth of the Messenger of Allah ﷺ?'"

من قال: إن الأبدال والأولياء أصحاب الحديث

Those Who Said That the *Abdāl* and the *Awliyā'* are the Ḥadīth Adherents

٩٥- أَخْبَرَنِي الْحَسَنُ بْنُ أَبِي الْحَسَنِ الْوَرَّاقُ، قَالَ: أَخْبَرَنَا عَبْدُ اللَّهِ بْنُ عُثْمَانَ الصَّفَّارُ، قَالَ: حَدَّثَنَا أَبُو بَكْرٍ مُحَمَّدُ بْنُ الْعَبَّاسِ بْنِ الْوَلِيدِ بْنِ مَهْدِيٍّ الصَّائِغُ، قَالَ: حَدَّثَنَا صَالِحُ بْنُ مُحَمَّدٍ الرَّازِيُّ - وَسَأَلَهُ رَجُلٌ - فَقَالَ: إِذَا لَمْ يَكُنْ أَصْحَابُ الْحَدِيثِ هُمُ الْأَبْدَالُ فَلَا أَدْرِي مَنِ الْأَبْدَالُ، وَقَالَ: هَذَا كَلَامُ يَزِيدَ بْنِ هَارُونَ ذَكَرَهُ عَنْ سُفْيَانَ الثَّوْرِيِّ، ثُمَّ قَالَ صَالِحٌ الرَّازِيُّ: لَيْسَ الْعَدْلُ الَّذِي يَعْدِلُ عَلَى الْفُرُوجِ وَالدِّمَاءِ وَالْأَمْوَالِ، الْعَدْلُ الَّذِي إِذَا شَهِدَ عَلَى النَّبِيِّ صَلَّى اللهُ عَلَيْهِ وَسَلَّمَ قُبِلَتْ شَهَادَتُهُ.

95. It was reported to me al-Ḥusayn ibn Abi 'l-Ḥasan al-Warrāq [...] that Abu Bakr Muḥammad ibn al-'Abbās ibn al-Walīd ibn Mahdī al-Ṣā'igh said that Ṣāliḥ ibn Muḥammad al-Rāzī was questioned by a man, and he said, "If the ḥadīth adherents are not the *abdāl*, then I do not know who the *abdāl* are." He said, "This was the statement of Yazīd ibn Ḥārūn which he attributed to Sufyān al-Thawrī." Ṣāliḥ ibn Muḥammad al-Rāzī stated further, "The trustworthy (*al-'adl*) is not the one trusted [in testimonies] regarding private parts, blood, or wealth, rather, the trustworthy is the one whom if he witnesses for the Prophet ﷺ, his testimony is accepted."

٩٦- أَخْبَرَنَا مُحَمَّدُ بْنُ عِيسَى بْنِ عَبْدِ الْعَزِيزِ الْهَمْدَانِيُّ، قَالَ: حَدَّثَنَا صَالِحُ بْنُ أَحْمَدَ الْحَافِظُ، قَالَ: حَدَّثَنَا مُحَمَّدُ بْنُ مُعَاذٍ، قَالَ: حَدَّثَنَا أَبُو الْحَسَنِ عَلِيُّ بْنُ إِبْرَاهِيمَ قَالَ: سَمِعْتُ عُمَرَ بْنَ بَكَّارٍ الْقَافْلَانِيَّ يَقُولُ: سَمِعْتُ أَحْمَدَ بْنَ حَنْبَلٍ يَقُولُ: إِنْ لَمْ يَكُنْ أَصْحَابُ الْحَدِيثِ هُمُ الْأَبْدَالُ فَمَنْ يَكُونُ؟!

96. It was reported to us by Muḥammad ibn 'Īsā ibn 'Abd al-'Azīz al-Hamdānī [...] that Aḥmad ibn Ḥanbal said: "If the ḥadīth adherents are not the *abdāl*, then who could they be?"

٩٧- أَخْبَرَنِي أَبُو الْقَاسِمِ الْأَزْهَرِيُّ، قَالَ: ذَكَرَ عَلِيُّ بْنُ الْحَسَنِ الْقَاضِي أَنَّ مُحَمَّدَ بْنَ أَحْمَدَ بْنِ يَعْقُوبَ أَخْبَرَهُمْ، قَالَ: حَدَّثَنِي أَبِي، قَالَ،: سَمِعْتُ إِسْحَاقَ بْنَ أَبِي إِسْرَائِيلَ وَالزُّبَيْرَ بْنَ بَكَّارٍ، قَالاَ سَمِعْنَا النَّضْرَ بْنَ شُمَيْلٍ، يَقُولُ: سَمِعْتُ الْخَلِيلَ بْنَ أَحْمَدَ يَقُولُ: إِنْ لَمْ يَكُنْ أَهْلُ الْقُرْآنِ وَالْحَدِيثِ أَوْلِيَاءَ اللَّهِ، فَلَيْسَ لِلَّهِ فِي الْأَرْضِ وَلِيٌّ.

97. It was reported to us by Abu 'l-Qāsim al-Azharī [...] that al-Khalīl ibn Aḥmad said: "If the people of the Qur'ān and ḥadīth are not the *awliyā'* (helpers) of Allah, then Allah has no *walī* (singular of *awliyā'*) on the earth."

٩٨- أَخْبَرَنَا أَحْمَدُ بْنُ مُحَمَّدِ بْنِ أَحْمَدَ الْمُجْهِزُ، قَالَ: حَدَّثَنَا مُحَمَّدُ بْنُ عَبْدِ اللَّهِ بْنِ مُحَمَّدٍ الْكُوفِيُّ، قَالَ: حَدَّثَنَا ابْنُ أَبِي دَاوُدَ، قَالَ: سَمِعْتُ مَحْمُودَ بْنَ خَالِدٍ يَقُولُ: قُلْتُ لِأَبِي حَفْصٍ عَمْرِو بْنِ أَبِي سَلَمَةَ: تُحِبُّ أَنْ تُحَدِّثَ،؟ قَالَ: وَمَنْ يُحِبُّ أَنْ يَسْقُطَ اسْمُهُ مِنْ دِيوَانِ الصَّالِحِينَ؟

98. It was reported to us by Aḥmad ibn Muḥammad ibn Aḥmad al-Mujhiz [...] that Maḥmūd ibn Khālid said: "I said to Abu Ḥafṣ 'Amr ibn Abī Salamah, 'Is narrating ḥadīth beloved to you?' He replied, 'And who would like their name to fall out of the record of the righteous?'"

٩٩- أَخْبَرَنَا الْحَسَنُ بْنُ أَبِي بَكْرٍ، قَالَ: كَتَبَ إِلَيَّ مُحَمَّدُ بْنُ إِبْرَاهِيمَ الْخُوزِيُّ، مِنْ شِيرَازَ، يَذْكُرُ أَنَّ عَبْدَانَ بْنَ أَحْمَدَ الْهَمْذَانِيَّ حَدَّثَهُمْ، قَالَ: سَمِعْتُ أَبَا حَاتِمٍ - يَعْنِي الرَّازِيَّ - يَقُولُ: حُدِّثْتُ عَنِ ابْنِ عُيَيْنَةَ أَنَّهُ قَالَ: مَا أَرَى طُولَ عُمْرِي هَذَا إِلَّا مِنْ كَثْرَةِ دُعَاءِ أَصْحَابِ الْحَدِيثِ.

99. It was reported to us by al-Ḥasan ibn Abī Bakr [...] that Abu Ḥātim—i.e. al-Rāzī—said: "I was told that Ibn 'Uyaynah said, 'I do not see that this life

of mine reached such a length except through the abundant supplications of the ḥadīth adherents.'"

من قال لولا أصحاب الحديث لاندرس الإسلام

Those Who Said: Were It Not for the Ḥadith Adherents, Islam Would Have Disappeared

١٠٠- أَخْبَرَنَا أَحْمَدُ بْنُ مُحَمَّدِ بْنِ غَالِبٍ الْخُوَارِزْمِيُّ، قَالَ: قَرَأْتُ عَلَى أَبِي حَامِدٍ أَحْمَدَ بْنِ عُمَرَ بْنِ حَفْصٍ الْمُعَلِّمِ بِمَرْوَ، وَكَانَ شَيْخًا صَالِحًا، حَدَّثَكُمْ عَبْدُ اللَّهِ بْنُ مَحْمُودٍ، قَالَ: سَمِعْتُ مُحَمَّدَ بْنَ عَبْدِ اللَّهِ، قَالَ: سَمِعْتُ صَدَقَةَ يَقُولُ: كُنَّا عِنْدَ حَفْصِ بْنِ غِيَاثٍ، فَاجْتَمَعَ عَلَيْهِ النَّاسُ، فَقَالَ حَفْصٌ: لَوْلَا أَنَّ اللَّهَ جَعَلَ الْحِرْصَ فِي قُلُوبِ هَؤُلَاءِ - يَعْنِي طَلَبَةَ الْعِلْمِ - لَدَرَسَ هَذَا الشَّأْنُ.

100. It was reported to us by Aḥmad ibn Muḥammad ibn Ghālib al-Khuwārazmī [...] that Ṣadaqah said: "We were with Ḥafṣ ibn Ghiyāth and people had gathered around him, so he said, 'Were it not that Allah had placed diligence within the hearts of these people (i.e. the pursuers of knowledge), this [religion] (lit. affair) would have become extinct.'"

١٠١- أَخْبَرَنَا أَحْمَدُ بْنُ أَبِي جَعْفَرٍ الْقَطِيعِيُّ، قَالَ: حَدَّثَنَا عَبْدُ الْكَرِيمِ بْنُ أَحْمَدَ بْنِ أَبِي جِدَارٍ، بِمِصْرَ، قَالَ: حَدَّثَنَا مُحَمَّدُ بْنُ أَحْمَدَ بْنِ يُوسُفَ الْخَلَّالُ، قَالَ: حَدَّثَنَا مُحَمَّدُ بْنُ عُمَرَ الْكِسِّيُّ، قَالَ: حَدَّثَنَا عَبْدُ الْحَمِيدِ بْنُ حُمَيْدٍ، قَالَ:، سَمِعْتُ أَبَا دَاوُدَ يَقُولُ: لَوْلَا هَذِهِ الْعِصَابَةُ لَانْدَرَسَ الْإِسْلَامُ. يَعْنِي أَصْحَابَ الْحَدِيثِ الَّذِينَ يَكْتُبُونَ الْآثَارَ.

101. It was reported to us by Aḥmad ibn Abī Ja'far al-Qaṭī'ī [...] that Abu Dāwūd said: "Were it not for this group, Islam would have faded away." Meaning the ḥadīth adherents who write down the narrations.

١٠٢- قَرَأْتُ عَلَى مُحَمَّدِ بْنِ أَحْمَدَ بْنِ يَعْقُوبَ، عَنْ مُحَمَّدِ بْنِ عَبْدِ اللَّهِ بْنِ

مُحَمَّدٍ الْحَافِظِ، قَالَ: سَمِعْتُ خَلَفَ بْنَ مُحَمَّدٍ الْبُخَارِيَّ، يَقُولُ: سَمِعْتُ إِبْرَاهِيمَ بْنَ مُغَفَّلٍ، يَقُولُ سَمِعْتُ أَبَا عَبْدِ اللَّهِ مُحَمَّدَ بْنَ إِسْمَاعِيلَ الْبُخَارِيَّ يَقُولُ: كُنَّا ثَلَاثَةً أَوْ أَرْبَعَةً عَلَى بَابِ عَلِيِّ بْنِ عَبْدِ اللَّهِ، فَقَالَ: إِنِّي لَأَرْجُو أَنَّ تَأْوِيلَ هَذَا الْحَدِيثِ عَنِ النَّبِيِّ صَلَّى اللهُ عَلَيْهِ وَسَلَّمَ: ((لَا تَزَالُ طَائِفَةٌ مِنْ أُمَّتِي ظَاهِرِينَ عَلَى الْحَقِّ، لَا يَضُرُّهُمُ مَنْ خَذَلَهُمْ أَوْ خَالَفَهُمْ)): إِنِّي لَأَرْجُو أَنَّ تَأْوِيلَ هَذَا الْحَدِيثِ أَنْتُمْ، لِأَنَّ التُّجَّارَ قَدْ شَغَلُوا أَنْفُسَهُمْ بِالتِّجَارَاتِ، وَأَهْلَ الصَّنْعَةِ قَدْ شَغَلُوا أَنْفُسَهُمْ بِالصِّنَاعَاتِ، وَالْمُلُوكَ قَدْ شَغَلُوا أَنْفُسَهُمْ بِالْمَمْلَكَةِ، وَأَنْتُمْ تُحْيُونَ سُنَّةَ النَّبِيِّ صَلَّى اللهُ عَلَيْهِ وَسَلَّمَ.

102. I read upon Muḥammad ibn Aḥmad ibn Ya'qūb [...] that Abu 'Abdillāh Muḥammad ibn Ismā'īl al-Bukhārī said: "We were three or four people at the door of 'Alī ibn 'Abdillāḥ, and he said, 'I have hope in regards to the meaning of the ḥadīth of the Prophet ﷺ, 'There will continue to be a group of my nation who prevail upon the truth, and they will not be harmed by those who forsake or oppose them.' My hope is that the meaning of this ḥadīth is in reference to you. This is because the merchants have busied themselves with businesses, the tradesmen have busied themselves with trade, and the kings busied themselves with kingdoms, whilst you serve in giving life to the Prophetic Sunnah.'"

أَخْبَرَنَا أَبُو بَكْرٍ أَحْمَدُ بْنُ مُحَمَّدِ بْنِ جَعْفَرٍ الْيَزْدِيُّ بِأَصْبَهَانَ، قَالَ: أَنْشَدَنَا أَبُو بَكْرٍ عَبْدُ اللَّهِ بْنُ مُحَمَّدِ بْنِ سَهْرَةَ، كِتَابَةً، قَالَ: أَنْشَدَنِي بَعْضُ أَهْلِ الْأَدَبِ فِي صِفَةِ الْمَحْبَرَةِ:

قَنَادِيلُ دِينِ اللَّهِ يَسْعَى بِحَمْلِهَا

رِجَالٌ بِهِمْ يَحْيَا حَدِيثُ مُحَمَّدِ

هُمُ حَمَلُوا الْآثَارَ عَنْ كُلِّ عَالِمٍ

تَقِيٍّ، صَدُوقٍ، فَاضِلٍ مُتَعَبِّدِ

مَحَابِرُهُمْ زَهْرٌ تُضِيءُ كَأَنَّهَا

قَنَادِيلُ حَبْرٍ نَاسِكٍ وَسْطَ مَسْجِدِ

تُسَاقُ إِلَى مَنْ كَانَ فِي الْفِقْهِ عَالِمًا

وَمَنْ صَنَّفَ الْأَحْكَامَ مِنْ كُلِّ مُسْنَدِ.

It was reported to us by Abu Bakr Aḥmad ibn Muḥammad ibn Ja'far al-Bazdī in Aṣbahān [...] that one of the people of literature mentioned the characteristics of the scribes, he recited:

The lamps of the religion of Allah they strive to carry, men through whom the ḥadīth of Muḥammad lives on.

They carried the *āthār* from every scholar, who was pious, honest, virtuous, and a devoted worshipper.

Their inkwells are flowers that radiate as if, they are lamps of ink of a devotee within the middle of a *masjid*.

Taken to one who is learned in jurisprudence, and who concluded rulings in categories from every *musnad*.

١٠٣- حَدَّثَنَا أَحْمَدُ بْنُ مُحَمَّدِ بْنِ أَحْمَدَ الْقَطِيعِيُّ، قَالَ: حَدَّثَنَا أَبُو سَعْدٍ عَبْدُ الرَّحْمَنِ بْنُ مُحَمَّدٍ الْإِدْرِيسِيُّ، قَالَ: حَدَّثَنِي مُحَمَّدُ بْنُ عُبَيْدِ اللَّهِ بْنِ مُحَمَّدِ بْنِ أَحْمَدَ بْنِ سَهْلٍ الْمَدِينِيُّ السَّمَرْقَنْدِيُّ، قَالَ: حَدَّثَنِي عُمَرُ بْنُ مُحَمَّدِ بْنِ عَامِرٍ السَّمَرْقَنْدِيُّ، قَالَ: حَدَّثَنَا سَعِيدُ بْنُ عَيَّاشٍ، قَالَ: حَدَّثَنَا مُحَمَّدُ بْنُ صَالِحِ بْنِ يَحْيَى الْعَدَوِيُّ، قَالَ: أَخْبَرَنِي شُعَيْبُ بْنُ حَرْبٍ، قَالَ: كُنْتُ عِنْدَ عَبْدِ الْعَزِيزِ بْنِ أَبِي رَوَّادٍ، فَنَظَرَ إِلَى شَابٍّ، قَدْ أَقْبَلَ نَحْوَهُ لِلْحَدِيثِ، فَقَالَ: أَمَا تَرَى مَا فِي يَدِهِ قَنَادِيلُ الْإِسْلَامِ؟ هَذِهِ قَنَادِيلُ الْإِيمَانِ، وَأَعْلَامُ الْمُتَّقِينَ. يَعْنِي قَارُورَةَ الْحِبْرِ.

103. It was narrated to me by Aḥmad ibn Muḥammad ibn Aḥmad al-Qaṭ'ī'ī [...] that Shu'ayb ibn Ḥarb said: "I was with 'Abd al-'Azīz ibn Abī Rawwād, and he looked at a young man who was approaching him to learn ḥadīth. He said, 'Do you see the lamps of Islam within his hand? These are the lamps of faith and the flags of the righteous.' I.e. the ink bottle [in his hand]"

آخر الجزء الأول من شرف أصحاب الحديث والحمد لله رب العالمين يتلوه في الجزء الثاني من قال: إن الحق مع أصحاب الحديث وبالله التوفيق.

This ends the first portion of *The Eminence of the Ḥadīth Adherents*, praise be to Allah, the Lord of the worlds. The author will follow it with his words: Those who said: The truth is with the ḥadīth adherents. And with Allah lies success.

الجزء الثاني من كتاب:

شرف أصحاب الحديث

تصنيف

الشيخ الإمام الحافظ أبو بكر أحمد بن علي بن ثابت الخطيب البغدادي
-رحمه الله-

رواية الشيخ الأمين: أبي محمد هبة الله بن أحمد بن محمد الأكفاني عنه.

رواية الشيخ الأمين: أبي عبد الله محمد بن حمزة بن محمد بن أبي الصقر عنه.

سماع: صاحب الجزء الفقير إلى رحمة الله تعالى محمد بن أحمد بن الحسن بن عبد الله الهكاري عنه.

والحمد لله رب العالمين

من قال إن الحق مع أصحاب الحديث

Those Who Said: The Truth is With the Ḥadith Adherents

حدثنا الشيخ الإمام العالم الحافظ مفتي الشريعة قدوة الحفاظ جمال الدين أبو محمد عبد القادر ابن عبد الله الرهاوي ثم الحراني، قراءة من لفظه، وأنا حاضر أسمع بالموصل، يوم الاثنين خامس عشرين ذو الحجة سنة اثنين وستين وخمس مائة، قال: أخبرنا الشيخ الأمين أبو عبد الله محمد بن حمزة بن محمد بن أبي الصقر، قال: أخبرنا الشيخ الأمين أبو محمد هبة الله بن أحمد الأكفاني، قال:

حدثنا الشيخ الإمام الحافظ أبو بكر، أحمد بن علي بن ثابت، الخطيب البغدادي - رحمه الله - قال:

[The chain of narration of this part of the book.]

۞۞۞

١٠٤- أَخْبَرَنِي عُبَيْدُ اللَّهِ بْنُ أَبِي الْفَتْحِ الْفَارِسِيُّ، قَالَ: سَمِعْتُ أَبَا سَعْدٍ الْإِسْتِرَابَاذِيَّ، يَقُولُ: سَمِعْتُ أَبَا بَكْرٍ مُحَمَّدَ بْنَ عَبْدِ اللَّهِ بْنِ يَحْيَى الْمُذَكِّرَ النَّيْسَابُورِيَّ، بِأَسْتُرَآبَاذَ، يَقُولُ: سَمِعْتُ عَبْدَ الْعَزِيزِ الْخَفَّافَ بِمَكَّةَ، يَقُولُ: سَمِعْتُ إِبْرَاهِيمَ بْنَ مُوسَى الْبَصْرِيَّ، يَقُولُ سَمِعْتُ أَبَا عَبْدِ اللَّهِ مُحَمَّدَ بْنَ الْعَبَّاسِ الْمِصْرِيَّ يَقُولُ: سَمِعْتُ هَارُونَ الرَّشِيدَ يَقُولُ: طَلَبْتُ أَرْبَعَةً فَوَجَدْتُهَا فِي أَرْبَعَةٍ: طَلَبْتُ الْكُفْرَ فَوَجَدْتُهُ فِي الْجَهْمِيَّةِ، وَطَلَبْتُ الْكَلَامَ وَالشَّغَبَ فَوَجَدْتُهُ مع الْمُعْتَزِلَةِ، وَطَلَبْتُ الْكَذِبَ فَوَجَدْتُهُ عِنْدَ الرَّافِضَةِ، وَطَلَبْتُ الْحَقَّ فَوَجَدْتُهُ مَعَ أَصْحَابِ الْحَدِيثِ.

104. It was reported to me by ʿUbaydullāh ibn Abi ʿl-Fatḥ al-Fārisī [...] that

Hārūn al-Rashīd said: "I searched for four things, and I found them in four things: I searched for disbelief and found it in the Jahmiyyah; I searched for *kalām* and commotion and found it with the Muʿtazilah; I searched for lying and found it with the Rāfiḍah; and I sought the truth and found it with the ḥadīth adherents."

١٠٥- أَخْبَرَنَا أَبُو مَنْصُورٍ مُحَمَّدُ بْنُ عِيسَى الْهَمَذَانِيُّ، قَالَ: حَدَّثَنَا صَالِحُ بْنُ أَحْمَدَ التَّمِيمِيُّ الْحَافِظُ، قَالَ: حَدَّثَنَا أَحْمَدُ بْنُ عُبَيْدِ بْنِ إِبْرَاهِيمَ، قَالَ: حَدَّثَنَا عَبْدُ اللَّهِ بْنُ سُلَيْمَانَ بْنِ الْأَشْعَثِ، قَالَ: سَمِعْتُ أَحْمَدَ بْنَ سِنَانٍ يَقُولُ: كَانَ الْوَلِيدُ الْكَرَابِيسِيُّ خَالِي، فَلَمَّا حَضَرَتْهُ الْوَفَاةُ قَالَ لِبَنِيهِ: تَعْلَمُونَ أَحَدًا أَعْلَمُ بِالْكَلَامِ مِنِّي؟ قَالُوا: لَا، قَالَ: فَتَتَّهِمُونِي؟ قَالُوا: لَا، قَالَ: فَإِنِّي أُوصِيكُمْ، أَتَقْبَلُونَ؟ قَالُوا: نَعَمْ، قَالَ: عَلَيْكُمْ بِمَا عَلَيْهِ أَصْحَابُ الْحَدِيثِ فَإِنِّي رَأَيْتُ الْحَقَّ مَعَهُمْ لَسْتُ أَعْنِي الرُّؤَسَاءَ، وَلَكِنْ هَؤُلَاءِ الْمُمَزَّقِينَ، أَلَمْ تَرَ أَحَدَهُمْ يَجِيءُ إِلَى الرَّئِيسِ مِنْهُمْ فَيُخَطِّئُهُ وَيُهَجِّنُهُ.

105. It was reported to us by Abu Manṣūr Muḥammad ibn ʿĪsā al-Hamadhānī [...] that Aḥmad ibn Sinān said: "Al-Walīd al-Karābīsī was my maternal uncle. When he was on his deathbed, he said to his children, 'Do you know of anyone who is more knowledgeable in *kalām* than me?'

They replied, 'No.'

He said, 'Do you find me to be untrustworthy?'

They replied, 'No.'

He said, 'Then I will advise you, will you accept it?'

They replied, 'Yes.'

He said, 'Follow that which the ḥadīth adherents follow, for I see that the truth is with them. I do not mean those of high status, rather, their modest ones. Do you not see that any of them would come to such a prestigious individual and then [dare to] correct his mistakes and humble him?'"

قَالَ أَبُو بَكْرِ بْنُ الْأَشْعَثَ: كَانَ أَعْرِفَ النَّاسِ بِالْكَلَامِ بَعْدَ حَفْصٍ الْفَرْدِ الْكَرَابِيسِيِّ، وَكَانَ حُسَيْنٌ الْكَرَابِيسِيُّ مِنْهُ تَعَلَّمَ الْكَلَامَ.

Abu Bakr ibn al-Ash'ath said: "He was the most knowledgeable person in *kalām* after Ḥafṣ al-Fard al-Karābīsī, and Ḥusayn al-Karābīsī learned *kalām* from him."

١٠٦- وَأَخْبَرَنَا مُحَمَّدُ بْنُ عِيسَى، قَالَ: حَدَّثَنَا صَالِحُ بْنُ أَحْمَدَ، قَالَ: سَمِعْتُ أَحْمَدَ بْنَ مُحَمَّدٍ أَبَا عَبْدِ اللَّهِ، يَقُولُ: سَمِعْتُ عَبْدَ الرَّحْمَنِ بْنَ عَبْدِ الرَّحْمَنِ بْنِ مُحَمَّدِ بْنِ قُرَيْشٍ الْعَنْبَرِيَّ الْبَصْرِيَّ يَقُولُ: كُلُّ مَنْ ذَهَبَ إِلَى مَقَالَةٍ فَفَزِعَ مِنْهَا إِلَى غَيْرِ الْحَدِيثِ، فَإِلَى الضَّلَالَةِ يَصِيرُ.

106. It was reported to us by Muḥammad ibn 'Īsā [...] that 'Abd al-Raḥmān ibn 'Abd al-Raḥmān ibn Muḥammad ibn Quraysh al-'Anbarī al-Baṣrī said: "Whoever came across a matter and fled from it to something other than the ḥadīth, then towards misguidance he traverses."

كون أصحاب الحديث أولى الناس بالنجاة في الآخرة وأسبق الخلق إلى الجنة

The Ḥadīth Adherents Being the Most Worthy People of Salvation in the Hereafter, and of Precedence in Entering Paradise

١٠٧- أَخْبَرَنَا أَحْمَدُ بْنُ الْمُبَارَكِ الْبَرَاثِيُّ، قَالَ: حَدَّثَنَا عَلِيُّ بْنُ مُحَمَّدِ بْنِ مُوسَى التَّمَّارُ بِالْبَصْرَةِ، قَالَ: حَدَّثَنَا عَبْدُ اللَّهِ بْنُ مُحَمَّدِ بْنِ أَبِي سَعِيدٍ، قَالَ: حَدَّثَنَا إِبْرَاهِيمُ بْنُ مُحَمَّدِ بْنِ أَبِي الْجَحِيمِ، قَالَ: حَدَّثَتْنَا حَكَّامَةُ بِنْتُ عُثْمَانَ بْنِ دِينَارٍ، قَالَتْ حَدَّثَنِي أَبِي عُثْمَانُ بْنُ دِينَارٍ، عَنْ أَخِيهِ مَالِكِ بْنِ دِينَارٍ، عَنْ أَنَسِ بْنِ مَالِكٍ، خَادِمِ النَّبِيِّ صَلَّى اللهُ عَلَيْهِ وَسَلَّمَ قَالَ: قَالَ: النَّبِيُّ صَلَّى اللهُ عَلَيْهِ وَسَلَّمَ: ((إِنَّ أَنْجَاكُمْ يَوْمَ الْقِيَامَةِ مِنْ أَهْوَالِهَا وَمَوَاطِنِهَا، أَكْثَرُكُمْ عَلَيَّ صَلَاةً فِي دَارِ الدُّنْيَا)).

107 It was reported to us by Aḥmad ibn al-Mubārak al-Barāthī [...] that the servant of the Prophet ﷺ, Anas ibn Mālik said: "The Prophet ﷺ said: 'The most saved from amongst you on the Day of Resurrection from its terrors and scenes, are those amongst you who send the most prayers [and salutations] upon me during the worldly life.'"[111]

١٠٨- قَرَأْتُ عَلَى مُحَمَّدِ بْنِ أَحْمَدَ بْنِ يَعْقُوبَ، عَنْ مُحَمَّدِ بْنِ نُعَيْمٍ الضَّبِّيِّ، قَالَ:

---

111 It is *mawḍūʿ*. The corruption within it is due to Ḥakkāmat bint ʿUthmān ibn Dīnār and her father. As for Ḥakkāmah, al-ʿUqaylī stated in *al-Ḍuʿafā* (3/200), "She narrated from him (i.e. her father) baseless aḥādīth without a foundation." As for ʿUthmān ibn Dīnār, al-Dhahabī stated in *al-Mīzān* (3/33), "He is worthless (لا شيء)." Ibn Ḥibbān mentioned him in *al-Thiqāt*, and he said, "He reported from his brother, and his daughter Ḥakkāmah reported from him, and she is worthless." It is as if he saw the corruption of his narrations falling in the direction of his daughter. The ḥadīth was reported by Abu 'l-Qāsim al-Aṣbahānī in a*l-Targhīb wa 'l-Tarhīb* (1667 and 1687).

سَمِعْتُ مُحَمَّدَ بْنَ صَالِحِ بْنِ هَانِئٍ، يَقُولُ: سَمِعْتُ الْفَضْلَ بْنَ مُحَمَّدٍ الشَّعْرَانِيَّ، يَقُولُ: سَمِعْتُ أَبَا جَعْفَرٍ النُّفَيْلِيَّ يَقُولُ: إِنْ كَانَ عَلَى ظَهْرِ الْأَرْضِ أَحَدٌ يَنْجُو، فَهَؤُلَاءِ الَّذِينَ يَطْلُبُونَ الْحَدِيثَ.

108. I read upon Muḥammad ibn Aḥmad ibn Ya'qūb [...] that Abu Ja'far al-Nufaylī said: "If there is anyone on the face of the earth who will be saved, it is those who seek after al-ḥadīth."

أَنْشَدَنِي أَبُو الْقَاسِمِ الْأَزْهَرِيُّ، قَالَ: أَنْشَدَنَا أَبُو الْفَضْلِ عُبَيْدُ اللَّهِ بْنُ عَبْدِ الرَّحْمَنِ الزُّهْرِيُّ، قَالَ: أَنْشَدَنَا أَبُو مُزَاحِمٍ الْخَاقَانِيُّ:

أَهْلُ الْحَدِيثِ هُمُ النَّاجُونَ إِنْ عَمِلُوا

بِهِ إِذَا مَا أَتَى عَنْ كُلِّ مُؤْتَمَنِ

قَدْ قِيلَ إِنَّهُمُ خَيْرُ الْعِبَادِ عَلَى

مَا كَانَ فِيهِمْ إِذَا أُنْجُوا مِنَ الْفِتَنِ

مَنْ مَاتَ مِنْهُمْ كَذَا حَانَتْ شَهَادَتُهُ

فَطَابَ مِنْ مَيِّتٍ فِي اللَّحْدِ مُرْتَهَنِ

It was stated to me by Abu 'l-Qāsim al-Ahzarī [...] that Abu Muzāḥim al-Khāqānī recited:

The people of ḥadīth are the saved if they acted, on it, if it came from one who is trusted.

It was said that they are the best slaves, due to what they are upon, if they are saved from trials.

Whoever amongst them dies, at once it is time for their martyrdom, so delighted be the deceased who are held in the grave.

١٠٩- حَدَّثَنَا الْحَسَنُ بْنُ أَبِي طَالِبٍ، لَفْظًا، قَالَ: حَدَّثَنَا عَلِيُّ بْنُ عَمْرِو بْنِ سَهْلٍ، قَالَ: حَدَّثَنَا أَحْمَدُ بْنُ مَحْمُودٍ الْقَاضِي الْأَهْوَازِيُّ، قَالَ: حَدَّثَنَا عَلِيُّ بْنُ رَوْحَانَ، قَالَ: حَدَّثَنَا أَحْمَدُ بْنُ سِنَانٍ، قَالَ: سَمِعْتُ شَيْبَانَ بْنَ يَحْيَى - [قَالَ الشَّيْخُ أَبُو بَكْرٍ]: كَذَا قَالَ لِي الْحَسَنُ، وَالصَّوَابُ: شَاذُّ بْنُ يَحْيَى - يَقُولُ: مَا أَعْلَمُ طَرِيقًا إِلَى الْجَنَّةِ أَقْصَدُ مِمَّنْ يَسْلُكُ طَرِيقَ الْحَدِيثِ.

109. It was narrated to us by al-Ḥasan ibn Abī Ṭālib orally [...] that Shaybān ibn Yaḥyā—[al-Shaykh Abu Bakr] said: This is how it was stated to me by al-Ḥasan, however the correct name is Shādh ibn Yaḥyā—said: "I do not know of a path that leads closer to Paradise than the path one embarks upon in the way of ḥadīth."

١١٠- أَخْبَرَنَا مُحَمَّدُ بْنُ عِيسَى الْهَمَذَانِيُّ، قَالَ: حَدَّثَنَا صَالِحُ بْنُ أَحْمَدَ الْحَافِظُ، قَالَ: أَخْبَرَنَا الْحَسَنُ بْنُ عَلِيٍّ، قِرَاءَةً، قَالَ: حَدَّثَنَا مُحَمَّدُ بْنُ جَعْفَرٍ الْبَغْدَادِيُّ، قَالَ: حَدَّثَنَا حُبَيْشُ بْنُ مُبَشِّرٍ، قَالَ: حَدَّثَنَا ثِقَةٌ، عَنِ ابْنِ الْمُبَارَكِ: أَثْبَتُ النَّاسِ عَلَى الصِّرَاطِ أَصْحَابُ الْحَدِيثِ.

110. It was reported to us by Muḥammad ibn 'Īsā al-Hamadhānī [...] that Ibn al-Mubārak said: "The steadiest of mankind upon the *sirāt* are the ḥadīth adherents."

١١١- أَخْبَرَنَا أَبُو عُبَيْدٍ مُحَمَّدُ بْنُ أَبِي نَصْرٍ النَّيْسَابُورِيُّ، قَالَ: سَمِعْتُ مُحَمَّدَ بْنَ عَلِيٍّ الْعَلَوِيَّ الْهَمَذَانِيَّ، يَقُولُ: سَمِعْتُ عَلِيَّ بْنَ إِبْرَاهِيمَ الْجَبَّانَ، يَقُولُ: سَمِعْتُ الْحَسَنَ بْنَ عَلِيٍّ التَّمِيمِيَّ يَقُولُ: كُنْتُ فِي الطَّوَافِ فَهَجَسَ فِي سِرِّي: مَنِ الْمُقَدَّمُ يَوْمَ الْقِيَامَةِ؟ فَإِذَا هَاتِفٌ يُنَادِي: أَصْحَابُ الْحَدِيثِ.

111. It was reported to us by Abu 'Ubayd Muḥammad ibn Abī Naṣr al-Naysābūrī [...] that al-Ḥasan ibn 'Alī al-Tamīmī said: "I was performing *ṭawāf* and a thought occurred to me: Who are the foremost on the Day of Resurrection? Then a voice said, 'The ḥadīth adherents.'"

فضيلة الرحالين في طلب الحديث

The Virtue of Those Who Travel in the Pursuit of Ḥadīth

١١٢- أَخْبَرَنَا أَبُو سَعْدٍ الْمَالِينِيُّ، قَالَ: حَدَّثَنَا عَبْدُ اللَّهِ بْنُ عَدِيٍّ الْحَافِظُ، قَالَ: أَخْبَرَنَا أَحْمَدُ بْنُ مُحَمَّدِ بْنِ الْحَسَنِ، قَالَ: سَمِعْتُ مُحَمَّدَ بْنَ الْوَزِيرِ الْوَاسِطِيَّ، قَالَ: سَمِعْتُ يَزِيدَ بْنِ هَارُونَ، يَقُولُ قُلْتُ لِحَمَّادِ بْنِ زَيْدٍ: يَا أَبَا إِسْمَاعِيلَ! هَلْ ذَكَرَ اللَّهُ عَزَّ وَجَلَّ أَصْحَابَ الْحَدِيثِ فِي الْقُرْآنِ؟ فَقَالَ: بَلَى، أَلَمْ تَسْمَعْ إِلَى قَوْلِهِ: ﴿ **لِيَتَفَقَّهُوا فِي الدِّينِ وَلِيُنذِرُوا قَوْمَهُمْ إِذَا رَجَعُوا إِلَيْهِمْ**﴾ [التوبة: ١٢٢] فَهَذَا فِي كُلِّ مَنْ رَحَلَ فِي طَلَبِ الْعِلْمِ وَالْفِقْهِ، وَيَرْجِعُ بِهِ إِلَى مَنْ وَرَاءَهُ، يُعَلِّمُهُمْ إِيَّاهُ.

112. It was informed to us by Abu Saʿd al-Mālīnī [...] that Yazīd ibn Hārūn said: "I said to Ḥammād ibn Zayd, 'O Abu Ismāʿīl! Did Allah mention the ḥadīth adherents within the Qurʾān?' He said, 'Of course, have you not heard Allah's statement: **{To obtain understanding in the religion and warn their people when they return to them}**[112] This is in reference to anyone who travels to seek knowledge and understanding, and then returns to those he left behind and teaches it to them.'"

١١٣- قَرَأْتُ عَلَى مُحَمَّدِ بْنِ أَحْمَدَ بْنِ يَعْقُوبَ، عَنْ مُحَمَّدِ بْنِ نُعَيْمٍ الضَّبِّيِّ، قَالَ: سَمِعْتُ أَبَا عَبْدِ اللَّهِ مُحَمَّدَ بْنَ مُحَمَّدِ بْنِ عُبَيْدِ اللَّهِ الْحَافِظَ، يَقُولُ سَمِعْتُ مُحَمَّدَ بْنَ مُسْلِمِ بْنِ وَارَةَ، يَقُولُ: سَمِعْتُ أَحْمَدَ بْنَ حَنْبَلٍ، يَقُولُ سَمِعْتُ عَبْدَ الرَّزَّاقِ يَقُولُ فِي قَوْلِهِ تعالى: ﴿**فَلَوْلَا نَفَرَ مِن كُلِّ فِرْقَةٍ مِّنْهُمْ طَائِفَةٌ لِّيَتَفَقَّهُوا فِي الدِّينِ وَلِيُنذِرُوا قَوْمَهُمْ إِذَا رَجَعُوا إِلَيْهِمْ لَعَلَّهُمْ يَحْذَرُونَ**﴾ [التوبة: ١٢٢]، قَالَ: هُمْ أَصْحَابُ الْحَدِيثِ.

---

112 Al-Tawbah: 122

113. I read upon Muḥammad ibn Aḥmad ibn Ya'qūb [...] that Aḥmad ibn Ḥanbal said: "I heard 'Abd al-Razzāq speak regarding Allah's statement: **{Only a party from each group should march forth, leaving the rest to obtain understanding in the religion and warn their people when they return to them, so that they may take due care.}**[113] He said, 'They are the ḥadīth adherents.'"

١١٤- أَخْبَرَنَا رِضْوَانُ بْنُ مُحَمَّدِ بْنِ الْحَسَنِ الدِّينَوَرِيُّ، قَالَ: حَدَّثَنَا أَبُو عَبْدِ اللَّهِ مُحَمَّدُ بْنُ عَلِيِّ بْنِ أَحْمَدَ بْنِ مَهْدِيٍّ بِوَاسِطٍ، قَالَ: حَدَّثَنَا مُحَمَّدُ بْنُ الْحَسَنِ الْمُقْرِئُ، قَالَ: حَدَّثَنَا مُحَمَّدُ بْنُ عِصَامٍ بِمَرْوَ، قَالَ: سَمِعْتُ عَبْدَ الرَّحْمَنِ بْنَ مُحَمَّدِ بْنِ حَاتِمٍ يَقُولُ: قَالَ: إِبْرَاهِيمُ بْنُ أَدْهَمَ: إِنَّ اللَّهَ [تَعَالَى] يَدْفَعُ الْبَلَاءَ عَنْ هَذِهِ الْأُمَّةِ بِرِحْلَةِ أَصْحَابِ الْحَدِيثِ.

114. It was reported to us by Riḍwān ibn Muḥammad ibn al-Ḥasan al-Dīnawarī [...] that Ibrāhīm ibn al-Adham said: "Allah prevents trials from afflicting this nation through the journeys of the ḥadīth adherents."

١١٥- أَخْبَرَنَا عُبَيْدُ اللَّهِ بْنُ أَبِي الْفَتْحِ، وَالْحَسَنُ بْنُ أَبِي طَالِبٍ، قَالَا حَدَّثَنَا مُحَمَّدُ بْنُ الْعَبَّاسِ الْخَزَّازُ، قَالَ حَدَّثَنَا عَبْدُ اللَّهِ بْنُ أَبِي دَاوُدَ، قَالَ: حَدَّثَنَا جَعْفَرُ بْنُ أَبِي سَلَمَةَ، قَالَ: حَدَّثَنَا عَبْدُ اللَّهِ بْنُ عُمَرَ، قَالَ: حَدَّثَنَا الْوَلِيدُ بْنُ بُكَيْرٍ، عَنْ عُمَرَ بْنِ نَافِعٍ، عَنْ عِكْرِمَةَ، مَوْلَى ابْنِ عَبَّاسٍ، فِي قَوْلِهِ تَعَالَى: ﴿السَّائِحُونَ ...﴾ [التوبة: ١١٢]، قَالَ: هُمْ طَلَبَةُ الْحَدِيثِ.

115. It was reported to us by 'Ubaydullāh ibn Abi 'l-Fatḥ and al-Ḥasan ibn Abī Ṭālib [...] that 'Ikrimāh, the freedman of Ibn 'Abbās, said regarding Allah's statement: **{The travellers [for His cause]}**:[114] "They are the seekers of al-ḥadīth."

١١٦- أَخْبَرَنِي أَبُو الْقَاسِمِ الْأَزْهَرِيُّ، قَالَ: أَخْبَرَنَا أَبُو حَامِدٍ أَحْمَدُ بْنُ إِبْرَاهِيمَ

113 Al-Tawbah: 122
114 Al-Tawbah: 112

النَّيْسَابُورِيُّ، أَنَّهُ سَمِعَ أَبَا عَبْدِ اللَّهِ مُحَمَّدَ بْنَ أَحْمَدَ بْنَ حَامِدٍ الْفَقِيهَ بِالدَّامَغَانِ، يَقُولُ: حَدَّثَنَا أَبُو جَعْفَرٍ الطَّحَاوِيُّ، قَالَ: سَمِعْتُ نَصْرَ بْنَ مَرْزُوقٍ يَقُولُ: كَانَ عَلِيُّ بْنُ مَعْبَدٍ إِذَا رَأَى أَصْحَابَ الْحَدِيثِ يَقُولُ: شَعِثَةٌ رُؤُوسُهُمْ، دَنِسَةٌ ثِيَابُهُمْ، مُغْبَرَّةٌ وُجُوهُهُمْ ، إِنْ لَمْ يَكُنْ مَعَ هَذَا ثَوَابٌ، فَهَذَا وَاللَّهِ هُوَ الْعِقَابُ.

116. It was reported to me by Abu ʿl-Qāsim al-Azharī [...] that Naṣr ibn Marzūq said: "Whenever ʿAlī ibn Maʿbad used to see the ḥadīth disciples, he would say, 'Their hair is messy, their clothes are dirty, and their faces are dusty. If this does not encompass reward, then it is, by Allah, the [true] punishment.'"

[قَالَ الشَّيْخُ أَبُو بَكْرٍ الْخَطِيبُ]: وَنَحْنُ مُعْتَقِدُونَ اعْتِقَادًا لَا يَدْخُلُهُ شَكٌّ، أَنَّ الطَّالِبَ لِلْحَدِيثِ مُثَابٌ عَلَى طَلَبِهِ، وَأَقَلُّ فَائِدَةٍ فِيهِ مَا:

[Al-Shaykh Abu Bakr al-Khaṭīb said:] We hold to a belief wherein which there is no doubt, that the seeker of ḥadīth is rewarded for his pursuit, and the minimum benefit is [in the following report]:

١١٧- أَخْبَرَنِي عُبَيْدُ اللَّهِ بْنُ أَحْمَدَ الصَّيْرَفِيُّ، قَالَ: حَدَّثَنَا عُمَرُ بْنُ أَحْمَدَ الْمَرْوَرُوذِيُّ، قَالَ: حَدَّثَنَا جَعْفَرُ بْنُ مُحَمَّدٍ النَّاقِدُ، قَالَ: سَمِعْتُ أَبَا هِشَامٍ الرِّفَاعِيَّ، يَقُولُ: سَمِعْتُ وَكِيعَ بْنَ الْجَرَّاحِ يَقُولُ: لَوْ أَنَّ الرَّجُلَ لَمْ يُصِبْ فِي الْحَدِيثِ شَيْئًا إِلَّا أَنَّهُ يَمْنَعُهُ مِنَ الْهَوَى كَانَ قَدْ أَصَابَ فِيهِ.

117. It was reported to me by ʿUbaydullāh ibn Aḥmad al-Ṣayrafī [...] that Wakīʿ ibn al-Jarrāḥ said: "If a man were to not achieve anything in ḥadīth except that it prevents him from [following] desires, then he has benefited from it."

١١٨- وَحُدِّثْتُ عَنْ عَبْدِ الْعَزِيزِ بْنِ جَعْفَرٍ الْفَقِيهِ، قَالَ: حَدَّثَنَا أَبُو بَكْرٍ الْخَلَّالُ، قَالَ: حَدَّثَنِي مُحَمَّدُ بْنُ جَعْفَرٍ، قَالَ: حَدَّثَنِي إِسْحَاقُ بْنُ إِبْرَاهِيمَ، أَنَّهُ قَالَ لِأَبِي عَبْدِ اللَّهِ - يَعْنِي أَحْمَدَ بْنَ حَنْبَلٍ -: إِنَّ قَوْمًا يَكْتُبُونَ الْحَدِيثَ وَلَا يُرَى أَثَرُهُ عَلَيْهِمْ،

وَلَيْسَ لَهُمْ وَقَارٌ؟ وَقَالَ أَبُو عَبْدِ اللَّهِ: يَؤُولُونَ فِي الْحَدِيثِ إِلَى خَيْرٍ.

118. It was narrated to me from 'Abd al-'Azīz ibn Ja'far al-Faqīh [...] that Isḥāq ibn Ibrāhīm said to Abī 'Abdillāh—i.e. Aḥmad ibn Ḥanbal: "[Why is it] that there are people who write down the ḥadīth yet its impact does not show upon them, and they have no signs of reverence?" He replied, "[Due to the blessing and honour of] ḥadīth, it will eventually conduce them to good."

١١٩- أَخْبَرَنَا مُحَمَّدُ بْنُ أَحْمَدَ بْنِ رِزْقٍ، قَالَ: حَدَّثَنَا عُثْمَانُ بْنُ أَحْمَدَ الدَّقَّاقُ، قَالَ: حَدَّثَنَا مُحَمَّدُ بْنُ أَحْمَدَ بْنِ الْبَرَاءِ، قَالَ: حَدَّثَنَا أَحْمَدُ بْنُ إِبْرَاهِيمَ، قَالَ: حَدَّثَنِي يَحْيَى بْنُ سُوَيْدٍ الْحَنَفِيُّ، قَالَ: سَمِعْتُ حَمَّادَ بْنَ زَيْدٍ يَقُولُ: كَانَ يَبْلُغُ أَيُّوبَ مَوْتُ الْفَتَى مِنْ أَصْحَابِ الْحَدِيثِ، فَيُرَى ذَلِكَ فِيهِ، وَيَبْلُغُهُ مَوْتُ الرَّجُلِ قَدْ يُذْكَرُ بِعِبَادَةٍ، فَلَا يُرَى ذَلِكَ فِيهِ.

119. It was reported to us by Muḥammad ibn Aḥmad ibn Rizq [...] that Ḥammād ibn Zayd said: "When it reached Ayyūb that a young man from the ḥadīth disciples had died, it could be seen that the news was heavy upon him, and when it reached him that a man known for his worship had died, such an impact could not be seen upon him."

اجتماع صلاح الدنيا والآخرة في سماع الحديث وكتبه

Achieving Goodness in This World and the Hereafter by Listening and Writing Ḥadīth

١٢٠- حَدَّثَنِي أَبُو صَالِحٍ أَحْمَدُ بْنُ عَبْدِ الْمَلِكِ النَّيْسَابُورِيُّ، وَأَبُو سَعِيدٍ مَسْعُودُ بْنُ نَاصِرٍ السِّجْزِيُّ، وَاللَّفْظُ لَهُ، قَالاَ حَدَّثَنَا عَبْدُ الرَّحْمَنِ بْنُ حَمْدَانَ النَّضْرَوِيُّ، قَالَ: أَخْبَرَنَا أَبُو مُحَمَّدٍ الْحَسَنُ بْنُ أَحْمَدَ بْنِ مُحَمَّدٍ بِتَسْتُرَ، قَالَ: سَمِعْتُ عَلِيَّ بْنَ أَبِي الْحسَينِ بْنِ إِسْحَاقَ، وَفِي حَدِيثِ أَبِي صَالِحٍ: عَلِيِّ [بْنِ الْحَسَنِ] بْنِ إِسْحَاقَ يَقُولُ: سَمِعْتُ سَهْلَ بْنَ عَبْدِ اللَّهِ الزَّاهِدَ يَقُولُ: مَنْ أَرَادَ الدُّنْيَا وَالْآخِرَةَ فَلْيَكْتُبِ الْحَدِيثَ، فَإِنَّ فِيهِ مَنْفَعَةُ الدُّنْيَا وَالْآخِرَةِ.

120. It was narrated to me by Abu Ṣāliḥ Aḥmad ibn ʿAbd al-Malik al-Naysābūrī [...] that Sahl ibn ʿAbdillāh al-Zāhid said: "Whoever seeks this world and the hereafter then let him write ḥadīth, for within it is benefit for this world and the hereafter."

١٢١- أَخْبَرَنِي مُحَمَّدُ بْنُ الْمُظَفَّرِ بْنِ عَلِيٍّ الْمُقْرِئُ، قَالَ: حَدَّثَنَا إِبْرَاهِيمُ بْنُ مُحَمَّدِ بْنِ يَحْيَى النَّيْسَابُورِيُّ، قَالَ: حَدَّثَنَا مُحَمَّدُ بْنُ الْمُسَيَّبِ، قَالَ: حَدَّثَنَا زَيْدُ بْنُ أَخْزَمَ الطَّائِيُّ، قَالَ: سَمِعْتُ عَبْدَ اللَّهِ بْنَ دَاوُدَ يَقُولُ: الْحَدِيثُ عِزٌّ، مَنْ أَرَادَ بِهِ الدُّنْيَا دُنْيَا، وَمَنْ أَرَادَ بِهِ الْآخِرَةَ آخِرَةٌ.

121. It was reported to me by Muḥammad ibn al-Muẓaffar ibn ʿAlī al-Muqri' [...] that ʿAbdullāh ibn Dāwūd said: "Al-ḥadīth is honour, whoever seeks this world with it will receive it, and whoever seeks the hereafter with it will attain it."

١٢٢- أَخْبَرَنَا الْحَسَنُ بْنُ عَلِيِّ بْنِ مُحَمَّدٍ الْجَوْهَرِيُّ، قَالَ: أَخْبَرَنَا مُحَمَّدُ بْنُ زَيْدِ

بْنِ مَرْوَانَ الْأَنْصَارِيُّ، قَالَ: حَدَّثَنَا عَبْدُ اللَّهِ بْنُ الصَّقْرِ، قَالَ: حَدَّثَنِي زَيْدُ بْنُ أَخْزَمَ، قَالَ: سَمِعْتُ عَبْدَ اللَّهِ بْنَ دَاوُدَ، قَالَ فِي الْحَدِيثِ: مَنْ أَرَادَ بِهِ الدُّنْيَا دُنْيَا، وَمَنْ أَرَادَ بِهِ الْآخِرَةَ آخِرَةُ.

122. It was reported to us by al-Ḥasan ibn 'Alī ibn Muḥammad al-Jawharī [...] that Zayd ibn Akhzam said: "I heard 'Abdullāh ibn Dāwūd say regarding ḥadīth, 'Whoever seeks this world with it will attain it, and whoever seeks the hereafter with it will attain it.'"

١٢٣- أَخْبَرَنَا رِضْوَانُ بْنُ مُحَمَّدٍ الدِّينَوَرِيُّ بِهَا، قَالَ: أَخْبَرَنَا عَبْدُ الرَّحْمَنِ بْنِ خَيْرَانَ بِهَمَذَانَ، قَالَ: حَدَّثَنَا عَبْدُ اللَّهِ بْنُ مُحَمَّدِ بْنِ عَبْدِ الرَّحْمَنِ بْنِ الْخَلِيلِ الْقَاضِي، قَالَ: حَدَّثَنَا زَيْدُ بْنُ أَخْزَمَ، قَالَ: سَمِعْتُ عَبْدَ اللَّهِ بْنَ دَاوُدَ، يَقُولُ: سَمِعْتُ سُفْيَانَ الثَّوْرِيَّ يَقُولُ: سَمَاعُ الْحَدِيثِ عِزٌّ لِمَنْ أَرَادَ بِهِ الدُّنْيَا، وَرَشَادٌ لِمَنْ أَرَادَ بِهِ الْآخِرَةَ.

123. It was reported to me by Riḍwān ibn Muḥammad al-Dīnawarī in it (i.e. Dīnawar) [...] that Sufyān al-Thawrī said: "Listening to ḥadīth provides glory for those who seek this world, and guidance for those who seek the hereafter."

أَنْشَدَنِي أَبُو الْمُظَفَّرِ هَنَّادُ بْنُ إِبْرَاهِيمَ النَّسَفِيُّ، قَالَ: أَنْشَدَنَا أَبُو بَكْرٍ مُحَمَّدُ بْنُ نُجَيْدٍ الْبَغَوِيُّ، قَالَ: أَنْشَدَنَا أَحْمَدُ بْنُ مَنْصُورٍ الشِّيرَازِيُّ لِبَعْضِهِمْ:

عَلَيْكُمْ بِالْحَدِيثِ فَلَيْسَ شَيْءٌ
يُعَادِلُهُ عَلَى كُلِّ الْجِهَاتِ
نَصَحْتُ لَكُمْ فَإِنَّ الدِّينَ نُصْحٌ
وَلَا أُخْفِي نَصَائِحَ وَاجِبَاتِ
وَجَدْنَا فِي الرِّوَايَةِ كُلَّ فِقْهٍ

وَأَحْكَامًا وَمِنْ كُلِّ اللُّغَاتِ

بِذِكْرِ الْمُسْنَدَاتِ أَنِسْتُ لَيْلِي

وَحِفْظُ الْعِلْمِ خَيْرُ الْفَائِدَاتِ

وَمَنْ طَلَبَ الْحَدِيثَ أَفَادَ ذُخْرًا

وَفَضْلًا ثُمَّ دِينًا ذَا ثَبَاتِ

عَلَيْكُمْ بِالرِّوَايَاتِ اللَّوَاتِي

رَوَاهَا مَالِكٌ أَزْكَى الرُّوَاتِ

وَشُعْبَةُ وَابْنُ عَمْرٍو وَابْنُ زَيْدٍ

وَسُفْيَانُ: الثِّقَاتُ عَنِ الثِّقَاتِ

وَيَحْيَى وَابْنُ حَنْبَلٍ الْمُزَكِّي

وَإِسْحَاقُ الرِّضَا وَابْنُ الْفُرَاتِ

أَئِمَّتُنَا النُّجُومُ وَهَلْ رَشِيدٌ

تَكَلَّمَ فِي النُّجُومِ الزَّاهِرَاتِ

Abu 'l-Muẓaffar Hannād ibn Ibrāhīm al-Nasafī transmitted to me [...] that Aḥmad ibn Manṣūr al-Shīrāzī recited couplets composed by some people:

Learn ḥadīth for there is nothing equal to it in any way.

I give advice to you as the religion is to give exhortation, and I do not hide obligatory advice.

We found every understanding in narration[s], rulings, and from every dialect.

By mentioning the narrations I keep my night busy, and memorising knowledge is the best of benefits.

Whoever seeks ḥadīth will secure provision, virtue, and then firmness in religion.

You must seek the narrations which, Mālik has narrated, for he is the finest of narrators.

As well as Shuʿbah, Ibn ʿUmar, Ibn Zayd, and Sufyān; the trustworthy from the trustworthy.

Also Yaḥyā, Ibn Ḥanbal the praised, Isḥāq al-Riḍā and Ibn al-Furāt.

Our *imāms* are the stars, and can one who is intelligent, speak [ill] about the bright stars?"

من جعل من الخلفاء في بيت المال نصيبا لأصحاب الحديث

Whom From Amongst the Caliphs Set Aside a Share in the Bayt al-Māl for the Ḥadīth Adherents

١٢٤- كَتَبَ إِلَيَّ أَبُو مُحَمَّدٍ عَبْدُ الرَّحْمَنِ بْنُ عُثْمَانَ بْنِ الْقَاسِمِ الدِّمَشْقِيُّ، وَحَدَّثَنِي بِذَلِكَ مُحَمَّدُ بْنُ يُوسُفَ النَّيْسَابُورِيُّ عَنْهُ، قَالَ: أَخْبَرَنَا أَبُو الْمَيْمُونِ عَبْدُ الرَّحْمَنِ بْنُ عَبْدِ اللَّهِ الْبَجَلِيُّ، قَالَ: أَخْبَرَنَا أَبُو زُرْعَةَ عَبْدُ الرَّحْمَنِ بْنُ عَمْرٍو النَّصْرِيُّ، قَالَ: حَدَّثَنَا مُحَمَّدُ بْنُ الْمُبَارَكِ، قَالَ: حَدَّثَنَا ابْنُ عَيَّاشٍ، عَنْ أَبِي بَكْرِ بْنِ أَبِي مَرْيَمَ، قَالَ: كَتَبَ عُمَرُ بْنُ عَبْدِ الْعَزِيزِ إِلَى وَالِي حِمْصَ: مُرْ لِأَهْلِ الصَّلَاحِ مِنْ بَيْتِ الْمَالِ مَا يُغْنِيهِمْ لِئَلَّا يَشْغَلَهُمْ شَيْءٌ عَنْ تِلَاوَةِ الْقُرْآنِ وَمَا حَمَلُوا مِنَ الْأَحَادِيثِ.

124. It was written to me by Abu Muḥammad ʿAbd al-Raḥmān ibn ʿUthmān ibn al-Qāsim al-Dimashqī and it was narrated to me from him by Muḥammad ibn Yūsuf al-Naysābūrī [...] that Abu Bakr ibn Abī Maryam said: "ʿUmar ibn ʿAbd al-ʿAzīz wrote to the governor of Ḥimṣ (Homs): 'Order that the righteous may have from the Bayt al-Māl enough to enrich them, so that nothing busies them away from reciting the Qur'ān and the aḥādīth that they have learned.'"

تقريب الأحداث في سماع الحديث

Enticing the Young to Hear al-Ḥadīth

١٢٥- أَخْبَرَنِي مُحَمَّدُ بْنُ الْحُسَيْنِ بْنِ الْفَضْلِ الْقَطَّانُ، قَالَ: أَخْبَرَنَا دَعْلَجُ بْنُ أَحْمَدَ، قَالَ: أَخْبَرَنَا أَحْمَدُ بْنُ عَلِيٍّ الْأَبَّارُ، قَالَ: حَدَّثَنَا أَبُو أُمَيَّةَ الْحَرَّانِيُّ، قَالَ: حَدَّثَنَا مِسْكِينُ بْنُ بُكَيْرٍ، قَالَ: مَرَّ رَجُلٌ بِالْأَعْمَشِ، وَهُوَ يُحَدِّثُ، فَقَالَ لَهُ: تُحَدِّثُ هَؤُلَاءِ الصِّبْيَانَ؟ فَقَالَ الْأَعْمَشُ: هَؤُلَاءِ [الصِّبْيَانُ] يَحْفَظُونَ عَلَيْكَ دِينَكَ.

125. It was reported to me by Muḥammad ibn al-Ḥusayn ibn al-Faḍl al-Qaṭṭān [...] that Miskīn ibn Bukayr said: "A man passed by al-Aʿmash whilst he was narrating and said to him, 'You narrate ḥadīth to these young boys?' Al-Aʿmash replied, 'These youngsters are serving you in the preservation of your religion.'"

١٢٦- أَخْبَرَنِي الْحَسَنُ بْنُ أَبِي طَالِبٍ، قَالَ: سَمِعْتُ مُحَمَّدَ بْنَ عَبْدِ اللَّهِ بْنِ هَمَّامٍ الْكُوفِيَّ، يَقُولُ: سَمِعْتُ عَبْدَ اللَّهِ بْنَ سُلَيْمَانَ، قَالَ: سَمِعْتُ الْمُسَيَّبَ بْنَ وَاضِحٍ، بِتَلِّ مَنْسَ، يَقُولُ: كَانَ ابْنُ الْمُبَارَكِ - رَحِمَهُ اللَّهُ -، إِذَا رَأَى صِبْيَانَ أَصْحَابِ الْحَدِيثِ، وَفِي أَيْدِيهِمُ الْمَحَابِرُ، يُقَرِّبُهُمْ، وَيَقُولُ: هَؤُلَاءِ غَرْسُ الدِّينِ، أُخْبِرْنَا أَنَّ رَسُولَ اللَّهِ صَلَّى اللهُ عَلَيْهِ وَسَلَّمَ قَالَ: ((لَا يَزَالُ اللَّهُ يَغْرِسُ فِي هَذَا الدِّينِ غَرْسًا يَشُدُّ الدِّينَ بِهِمْ، هُمُ الْيَوْمَ أَصَاغِرُكُمْ، وَيُوشِكُ أَنْ يَكُونُوا كِبَارًا مِنْ بَعْدِكُمْ)).

126. It was reported to me by al-Ḥasan ibn Abī Ṭālib [...] that al-Musayyib ibn Wāḍiḥ said in Talli Mans (Tell Mannas): "When Ibn al-Mubārak ﵀ would see the young ḥadīth disciples carrying their inkwells, he would draw them close and say, 'These are the seedlings of the religion. We were told that the Messenger of Allah ﷺ said, 'Allah will continue to plant for this religion seeds with which the religion will be supported. Today they are your novice, but they will emerge as the seniors after you.'''"

١٢٧- أَخْبَرَنَا مُحَمَّدُ بْنُ أَحْمَدَ بْنِ رِزْقٍ، قَالَ: حَدَّثَنَا جَعْفَرُ بْنُ مُحَمَّدِ بْنِ نُصَيْرٍ، قَالَ: حَدَّثَنَا أَحْمَدُ بْنُ مُحَمَّدِ بْنِ مَسْرُوقٍ، قَالَ: حَدَّثَنَا مُحَمَّدُ بْنُ حُمَيْدٍ، قَالَ: حَدَّثَنَا ابْنُ الْمُبَارَكِ عَبْدُ اللَّهِ، قَالَ: حَدَّثَنَا جَرِيرُ بْنُ حَازِمٍ، عَنْ عَبْدِ اللَّهِ بْنِ عُبَيْدِ بْنِ عُمَيْرٍ، قَالَ: وَقَفَ عَمْرُو بْنُ الْعَاصِ عَلَى حَلَقَةٍ مِنْ قُرَيْشٍ، فَقَالَ: مَا لَكُمْ قَدْ طَرَحْتُمْ هَذِهِ الْأُغَيْلِمَةَ؟ لَا تَفْعَلُوا، وَأَوْسِعُوا لَهُمْ فِي الْمَجْلِسِ، وَأَسْمِعُوهُمُ الْحَدِيثَ، وَأَفْهِمُوهُمْ إِيَّاهُ، فَإِنَّهُمْ صِغَارُ قَوْمٍ، أَوْشَكَ أَنْ يَكُونُوا كِبَارَ قَوْمٍ وَقَدْ كُنْتُمْ صِغَارَ قَوْمٍ، فَأَنْتُمُ الْيَوْمَ كِبَارُ قَوْمٍ.

127. It was reported to us by Muḥammad ibn Aḥmad ibn Rizq [...] that 'Abdullāh ibn 'Ubayd ibn 'Umayr said: "'Amr ibn al-'Āṣ stood over a gathering of Quraysh and said, 'Why is it that you have disregarded these young men? Abstain from this, rather, make space for them in the gathering, let them hear the ḥadīth, and help them understand it, for they are the youth of society, and they will soon be its elders. You were also once the young amongst the people, and today you are the elders.'"

من قال: ينبغي للرجل أن يكره ولده على سماع الحديث

Who Said: A Man Must Force His Son to Listen to al-Ḥadīth

١٢٨- أَخْبَرَنِي مُحَمَّدُ بْنُ الْفَرَجِ بْنِ عَلِيٍّ الْبَزَّازُ، قَالَ: أَخْبَرَنَا مُحَمَّدُ بْنُ زَيْدِ بْنِ مَرْوَانَ الْكُوفِيُّ، قَالَ: حَدَّثَنَا عَبْدُ اللَّهِ بْنُ نَاجِيَةَ.

ح وَأَخْبَرَنَا رِضْوَانُ بْنُ مُحَمَّدٍ الدِّينَوَرِيُّ، قَالَ: أَخْبَرَنَا عُمَرُ بْنُ إِبْرَاهِيمَ الْمُقْرِئُ بِبَغْدَادَ، قَالَ: حَدَّثَنَا الْبَغَوِيُّ، قَالَا حَدَّثَنَا زَيْدُ بْنُ أَخْزَمَ، قَالَ: سَمِعْتُ عَبْدَ اللَّهِ بْنَ دَاوُدَ، يَقُولُ: يَنْبَغِي لِلرَّجُلِ أَنْ يُكْرِهَ وَلَدَهُ عَلَى سَمَاعِ الْحَدِيثِ. وَكَانَ يَقُولُ: لَيْسَ الدِّينُ بِالْكَلَامِ، إِنَّمَا الدِّينُ بِالْآثَارِ.

128. It was reported to me via two routes [...] that 'Abdullāḥ ibn Dāwūd said: "A man should force his son to listen to ḥadīth." And he would also say: "[Knowledge in] the religion is not [attained] through *al-kalām*, rather, [knowledge in] the religion is [attained] through the *āthār* (reports)."

١٢٩- أَخْبَرَنَا الْحَسَنُ بْنُ عَلِيٍّ الْجَوْهَرِيُّ، قَالَ: أَخْبَرَنَا مُحَمَّدُ بْنُ زَيْدِ بْنِ مَرْوَانَ الْأَنْصَارِيُّ، قَالَ: حَدَّثَنَا عَبْدُ اللَّهِ بْنُ الصَّقْرِ، قَالَ: حَدَّثَنِي زَيْدُ بْنُ أَخْزَمَ، قَالَ: سَمِعْتُ عَبْدَ اللَّهِ بْنَ دَاوُدَ يَقُولُ: يَنْبَغِي لِلرَّجُلِ أَنْ يُكْرِهَ وَلَدَهُ عَلَى طَلَبِ الْحَدِيثِ. وَذَكَرَ نَحْوَهُ.

129. It was reported to us by al-Ḥasan ibn 'Alī al-Jawharī [...] that Zayd ibn Akhzam said: "I heard 'Abdullāh ibn Dāwūd say, 'A man should force his son to seek ḥadīth.' And he mentioned the like of it."

١٣٠- أَخْبَرَنَا عَبْدُ الْمَلِكِ بْنُ مُحَمَّدِ بْنِ عَبْدِ اللَّهِ بْنِ بِشْرَانَ [الْمُعَدِّلُ] الْوَاعِظُ، قَالَ: أَخْبَرَنَا دَعْلَجُ بْنُ أَحْمَدَ، قَالَ: حَدَّثَنَا مُحَمَّدُ بْنُ نُعَيْمٍ، قَالَ: سَمِعْتُ أَبَا

طَالِبٍ زَيْدَ بْنَ أَخْزَمَ يَقُولُ: سَمِعْتُ عَبْدَ اللَّهِ بْنَ دَاوُدَ يَقُولُ: نَوْلُ الرَّجُلِ أَنْ يُكْرِهَ وَلَدَهُ عَلَى طَلَبِ الْحَدِيثِ، وَقَالَ: لَيْسَ الدِّينُ بِالْكَلَامِ وَإِنَّمَا الدِّينُ بِالْآثَارِ، وَقَالَ فِي الْحَدِيثِ: عَمَّنْ أَرَادَ بِهِ الدُّنْيَا الدُّنْيَا، وَعَمَّنْ أَرَادَ بِهِ الْآخِرَةَ آخِرَةٌ.

130. It was reported to us by 'Abd al-Malik ibn Muḥammad ibn 'Abdillāh ibn Bishrān al-Mu'addil al-Wā'iẓ [...] that 'Abdullāh ibn Dāwūd said: "The gain of a man occurs through forcing his son to listen to ḥadīth."

He also said: "[Knowledge in] the religion is not [attained] through *al-kalām*, rather, [knowledge in] the religion is [attained] through the *āthār* (reports)."

He also said regarding ḥadīth: "Whomever seeks the worldly with ḥadīth will attain it, and whomever seeks the hereafter with ḥadīth will attain it."

من تألف ولده على سماع الحديث

Those Who Encouraged Their Children to Listen to al-Ḥadīth

١٣١- أَخْبَرَنَا مُحَمَّدُ بْنُ أَحْمَدَ بْنِ رِزْقٍ، قَالَ: أَخْبَرَنَا مُحَمَّدُ بْنُ الْحَسَنِ بْنِ زِيَادٍ النَّقَّاشُ، قَالَ: حَدَّثَنَا مُحَمَّدُ بْنُ مَحْمُودٍ أَبُو عَمْرٍو بِنَسَا، قَالَ: حَدَّثَنَا حُمَيْدُ بْنُ زَنْجُوَيْهِ، قَالَ: حَدَّثَنَا إِبْرَاهِيمُ بْنُ مُحَمَّدٍ الْفِرْيَابِيُّ، قَالَ: حَدَّثَنَا النَّضْرُ بْنُ الْحَارِثِ، قَالَ: سَمِعْتُ إِبْرَاهِيمَ بْنَ أَدْهَمَ يَقُولُ: قَالَ لِي أَبِي: يَا بُنَيَّ، اطْلُبِ الْحَدِيثَ، فَكُلَّمَا سَمِعْتَ حَدِيثًا وَحَفِظْتَهُ، فَلَكَ دِرْهَمٌ، فَطَلَبْتُ الْحَدِيثَ عَلَى هَذَا.

131. It was reported to us by Muḥammad ibn Aḥmad ibn Rizq [...] that Ibrāhīm ibn Adham said: “My father said to me: ‘My son, seek ḥadīth, for every time you hear a ḥadīth and memorise it, I will give you one dirham.’ Thus, I sought ḥadīth upon this.’”

من ذم الشيوخ الذين لم يسمعوا الحديث

Those Who Dispraised the Elders Who Did Not Listen to al-Ḥadīth

١٣٢- أَخْبَرَنِي الْحُسَيْنُ بْنُ عَلِيٍّ الطَّنَاجِيرِيُّ، قَالَ: حَدَّثَنَا عَلِيُّ بْنُ حَيَّانَ بْنِ قَيْسٍ الْأَسَدِيُّ، بِالْكُوفَةِ، قَالَ: حَدَّثَنَا حَامِدُ بْنُ عَبْدِ اللَّهِ بْنِ الْحَسَنِ الْحُلْوَانِيُّ، قَالَ: حَدَّثَنَا مُحَمَّدُ بْنُ يُونُسَ، قَالَ: حَدَّثَنَا عَبَّادُ بْنُ مُوسَى الْخُتُلِّيُّ، قَالَ: سَمِعْتُ سُفْيَانَ الثَّوْرِيَّ إِذَا رَأَى الشَّيْخَا لَمْ يَكْتُبِ الْحَدِيثَ، قَالَ: لَا جَزَاكَ اللَّهُ عَنِ الْإِسْلَامِ خَيْرًا.

132. It was reported to me by al-Ḥusayn ibn ʿAlī al-Ṭanājīrī [...] that ʿAbbād ibn Mūsā al-Khutullī said: "When Sufyān al-Thawrī would see an elder who did not record ḥadīth, I would hear him say, 'May Allah not reward you on behalf of Islam.'"

١٣٣- أَخْبَرَنَا أَبُو مُحَمَّدٍ عَبْدُ اللَّهِ بْنُ يَحْيَى بْنِ عَبْدِ الْجَبَّارِ السُّكَّرِيُّ، قَالَ: أَخْبَرَنَا سَهْلُ بْنُ إِسْمَاعِيلَ أَبُو صَالِحِ الطَّرَسُوسِيُّ، قَالَ: حَدَّثَنَا أَبُو جَعْفَرٍ مُحَمَّدُ بْنُ مُحَمَّدِ بْنِ عُقْبَةَ الشَّيْبَانِيُّ، قَالَ: حَدَّثَنَا هَارُونُ بْنُ حَاتِمٍ الْبَزَّازُ الْمُقْرِئُ، قَالَ: سَمِعْتُ عَثَّامَ بْنَ عَلِيٍّ، يَقُولُ: سَمِعْتُ الْأَعْمَشَ يَقُولُ: إِذَا رَأَيْتَ الشَّيْخَ، لَمْ يَقْرَأِ الْقُرْآنَ، وَلَمْ يَكْتُبِ الْحَدِيثَ، فَاصْفَعْ لَهُ، فَإِنَّهُ مِنْ شُيُوخِ الْقَمَرِ.

133. It was reported to us by Abu Muḥammad ʿAbdullāh ibn Yaḥyā ibn ʿAbd al-Jabbār al-Sukkarī [...] that al-Aʿmash said: "If you see an elder, who did not recite the Qur'ān, or record ḥadīth, then slap him, for he is one of the moon elders."

قَالَ أَبُو صَالِحٍ: قُلْتُ لِأَبِي جَعْفَرٍ: مَا شُيُوخُ الْقَمَرِ؟ قَالَ: شُيُوخٌ دَهْرِيُّونَ، يَجْتَمِعُونَ فِي لَيَالِي الْقَمَرِ، يَتَذَاكَرُونَ أَيَّامَ النَّاسِ، وَلَا يُحْسِنُ أَحَدُهُمْ أَنْ يَتَوَضَّأَ لِلصَّلَاةِ.

The narrator Abu Ṣāliḥ said, "I asked Abu Jaʿfar what was meant by 'moon elders'. He said, 'They are those of lengthy years who gather during the nights of the moon and recount the days of old whilst not a single one of them can [adequately] perform the ablution for the prayer.'"

من قال ينبغي أن يكتب الحديث إلى حين الموت

Who said: The Ḥadīth Should Continue to be Written Until One Dies

١٣٤- أَخْبَرَنِي عُبَيْدُ اللَّهِ بْنُ أَبِي الْفَتْحِ، قَالَ: حَدَّثَنَا مُحَمَّدُ بْنُ الْعَبَّاسِ الْخَزَّازُ، حَدَّثَنَا عَبْدُ اللَّهِ بْنُ أَبِي دَاوُدَ، قَالَ: حَدَّثَنَا عَبْدُ اللَّهِ بْنُ خُبَيْقٍ، عَنْ شَيْخٍ لَهُ قَالَ: قِيلَ لِابْنِ الْمُبَارَكِ: إِلَى متى تُكْتَبُ الْحَدِيثَ؟ قَالَ: لَعَلَّ الْكَلِمَةَ الَّتِي أَنْتَفِعُ بِهَا لَمْ أَسْمَعْهَا بَعْدُ.

134. It was reported to me by ʿUbaydullāh ibn Abi l-Fatḥ [...] that Ibn al-Mubārak was asked: "Until when will you continue to write down ḥadīth?" He replied, "Perhaps I have not heard the word which will benefit me yet."

١٣٥- [قال الشيخ]: حُدِّثْتُ عَنْ عَبْدِ الْعَزِيزِ بْنِ جَعْفَرٍ، قَالَ: أَخْبَرَنَا أَحْمَدُ بْنُ مُحَمَّدِ بْنِ هَارُونَ الْخَلَّالُ، قَالَ: حَدَّثَنِي أَبُو مُحَمَّدٍ الصَّائِغُ، صَاحِبُنَا، وَاسْمُهُ الْقَاسِمُ بْنُ أَحْمَدَ، قَالَ: حَدَّثَنَا يَعْقُوبُ بْنُ الْعَبَّاسِ الْهَاشِمِيُّ، قَالَ: سَمِعْتُ الْحَسَنَ بْنَ مَنْصُورٍ الْجَصَّاصُ يَقُولُ: قُلْتُ [لِأَحْمَدَ بْنَ حَنْبَلٍ]: إِلَى مَتَى يَكْتُبُ الرَّجُلُ الْحَدِيثَ؟ قَالَ: حَتَّى يَمُوتَ.

135. It was narrated to me from ʿAbd al-ʿAzīz ibn Jaʿfar [...] that al-Ḥasan ibn Manṣūr al-Jaṣṣāṣ said: "I asked Aḥmad ibn Ḥanbal, 'Until when should one continue to write down ḥadīth?' He replied, 'Until death.'"

١٣٦- حَدَّثَنَا أَبُو الْحَسَنِ مُحَمَّدُ بْنُ أَحْمَدَ بْنِ عُمَرَ [بْنِ عَلِيٍّ] الصَّابُونِيُّ، مِنْ حِفْظِهِ، قَالَ: سَمِعْتُ أَبَا بَكْرِ بْنَ خِزَامٍ، يَقُولُ: سَمِعْتُ عَبْدَ اللَّهِ بْنَ مُحَمَّدٍ الْبَغَوِيَّ، يقول: سمعت أَبَا عَبْدِ اللَّهِ أَحْمَدَ بْنَ حَنْبَلٍ يَقُولُ: أَنَا أَطْلُبُ الْعِلْمَ إِلَى

أَنْ أَدْخُلَ الْقَبْرَ.

136. It was narrated to us by Abu 'l-Ḥasan Muḥammad ibn Aḥmad ibn 'Umar ibn 'Alī al-Ṣābūnī from his memory [...] that Aḥmad ibn Ḥanbal said: "I will continue to seek knowledge until I enter the grave."

١٣٧- أَخْبَرَنِي عُبَيْدُ اللَّهِ بْنُ أَبِي الْفَتْحِ، قَالَ: حَدَّثَنَا مُحَمَّدُ بْنُ الْمُظَفَّرِ الْحَافِظُ، قَالَ: حَدَّثَنَا أَحْمَدُ بْنُ الْحَسَنِ الْمُقْرِئُ، قَالَ: حَدَّثَنِي مُحَمَّدُ بْنُ يَحْيَى الْكِسَائِيُّ الْمُقْرِئُ، قَالَ: حَدَّثَنَا أَبُو الْحَارِثِ اللَّيْثُ بْنُ خَالِدٍ الْمَرْوَزِيُّ، قَالَ: حَدَّثَنَا أَبُو مُحَمَّدٍ يَحْيَى بْنُ الْمُبَارَكِ الْيَزِيدِيُّ، عَنْ أَبِي عَمْرِو بْنِ الْعَلَاءِ، قَالَ: سُئِلَ الْحَسَنُ بْنُ عَلِيٍّ عَنِ الرَّجُلِ يَكُونُ لَهُ ثَمَانُونَ سَنَةً، يَكْتُبُ الْحَدِيثَ؟ قَالَ: إِنْ كَانَ يَحْسُنُ أَنْ يَعِيشَ.

137. It was reported to me by 'Ubaydullāh ibn Abi 'l-Fatḥ [...] that Abī 'Amr ibn al-'Alā said: "Al-Ḥasan ibn 'Alī was asked regarding a man who is eighty years old, and [still] writes ḥadīth, and he said, '[He should do so] as long as he is able to live.'"

ثبوت حجة صاحب الحديث

The Strength of the Evidence of the Ḥadīth Disciple

١٣٨- أَخْبَرَنَا أَبُو بَكْرٍ أَحْمَدُ بْنُ مُحَمَّدِ بْنِ غَالِبٍ الْخُوَارَزْمِيُّ، قَالَ: قُرِئَ عَلَى الْقَاضِي أَبِي الْحَسَنِ مُحَمَّدِ بْنِ صَالِحٍ الْهَاشِمِيِّ، وَأَنَا أَسْمَعُ، حَدَّثَكُمْ مُحَمَّدُ بْنُ مُحَمَّدِ بْنِ عُقْبَةَ، قَالَ: حَدَّثَنَا مُحَمَّدُ بْنُ يَزِيدَ، قَالَ: حَدَّثَنَا وَكِيعٌ قَالَ: قَالَ الْأَعْمَشُ: بَيْنِي وَبَيْنَ أَصْحَابِ مُحَمَّدٍ صَلَّى اللهُ عَلَيْهِ وَسَلَّمَ سِتْرٌ أَرْفَعُهُ وَأَنْظُرُ إِلَيْهِمْ.

138. It was reported to us by Abu Bakr Aḥmad ibn Muḥammad ibn Ghālib al-Khuwārazmī [...] that al-Aʿmash said: "There is a veil between me and the companions of Muḥammad, which I raise and look at them."

١٣٩- حَدَّثَنِي عُبَيْدُ اللَّهِ بْنُ أَبِي الْفَتْحِ الْفَارِسِيُّ، قَالَ: حَدَّثَنَا أَبُو الْقَاسِمِ الْحَسَنُ بْنُ أَحْمَدَ بْنِ جَعْفَرٍ الصُّوفِيُّ، مِنْ حِفْظِهِ، قَالَ: حَدَّثَنَا أَبُو بَكْرٍ النَّيْسَابُورِيُّ، قَالَ: سَمِعْتُ الْمُزَنِيَّ، يَقُولُ: سَمِعْتُ الشَّافِعِيَّ يَقُولُ: مَنْ تَعَلَّمَ الْقُرْآنَ عَظُمَتْ قِيمَتُهُ، وَمَنْ نَظَرَ فِي الْفِقْهِ نَبُلَ مِقْدَارُهُ، وَمَنْ كَتَبَ الْحَدِيثَ قَوِيَتْ حُجَّتُهُ.

139. It was narrated to me by ʿUbaydullāh ibn Abi ʿl-Fatḥ al-Fārisī [...] that al-Shāfiʿī said: "Whoever learns the Qurʾān, his worth will be amplified; whoever looks into jurisprudence, his status will be raised; and whoever writes ḥadīth, his evidence will become stronger."

١٤٠- أَخْبَرَنَا أَبُو الْفَضْلِ أَحْمَدُ بْنُ مُحَمَّدِ [بْنِ جَعْفَرٍ] الْجَوَّازُ بِأَصْبَهَانَ، قَالَ: سَمِعْتُ أَبَا بَكْرِ بْنِ الْمُقْرِئِ، يَقُولُ: سَمِعْتُ أَبَا عَرُوبَةَ الْحَرَّانِيَّ يَقُولُ: الْفَقِيهُ، إِذَا لَمْ يَكُنْ صَاحِبَ حَدِيثٍ، يَكُونُ أَعْرَجَ.

140. It was reported to us by Abu 'l-Faḍl Aḥmad ibn Muḥammad ibn Ja'far al-Jawwāz in Aṣbahān [...] that Abu 'Arūbah al-Ḥarrānī said: "If a jurist is not a disciple of ḥadīth, then he is crippled."

وصف الراغب في الحديث والزاهد فيه

The Description of Those Who Desire Ḥadīth, and Those Who Are Disinterested

١٤١- أَخْبَرَنَا أَبُو عَلِيٍّ الْحَسَنُ بْنُ الْحُسَيْنِ بْنِ الْعَبَّاسِ النَّعَّالِيُّ، أَخْبَرَنَا أَحْمَدُ بْنُ عَبْدِ اللَّهِ بْنِ نَصْرٍ الذَّارِعُ، قَالَ: حَدَّثَنَا صَدَقَةُ بْنُ مُوسَى، قَالَ: حَدَّثَنَا الْعَبَّاسُ بْنُ بَكَّارٍ، قَالَ: حَدَّثَنَا أَبُو بَكْرٍ الْهُذَلِيُّ.

ح وَأَخْبَرَنِي أَحْمَدُ بْنُ عُمَرَ بْنِ عَلِيٍّ الْقَاضِي، قَالَ: أَخْبَرَنَا أَحْمَدُ بْنُ عَلِيِّ بْنِ مُحَمَّدِ بْنِ الْجَهْمِ الْكَاتِبُ، قَالَ: حَدَّثَنَا مُحَمَّدُ بْنُ جَرِيرٍ الطَّبَرِيُّ، قَالَ: حَدَّثَنِي عَبْدُ الْقُدُّوسِ بْنُ مُحَمَّدِ بْنِ عَبْدِ الكَرِيمِ الْعَطَّارُ، قَالَ: حَدَّثَنَا عَمْرُو بْنُ عَاصِمٍ، حَدَّثَنِي بَكْرُ بْنُ سَلَّامٍ أَبُو الْهَيْثَمِ، قَالَ: حَدَّثَنِي أَبُو بَكْرٍ الْهُذَلِيُّ، قَالَ: قَالَ لِيَ الزُّهْرِيُّ: يَا هُذَلِيُّ! أَيُعْجِبُكَ الْحَدِيثُ؟ قَالَ: قُلْتُ: نَعَمْ، أَمَا إِنَّهُ يُعْجِبُ ذُكُورَ الرِّجَالِ، وَيَكْرَهُهُ مُؤَنَّثُوهُمْ.

141. It was narrated to us via two routes [...] that Abu Bakr al-Ḥudhalī said: "Al-Zuhrī said to me, 'O Ḥudhalī! Do you like [to seek] ḥadīth?' I replied, 'Yes, surely it is liked by masculine men, and disliked by the feminine.'"

١٤٢- أَخْبَرَنَا الْحَسَنُ بْنُ أَبِي بَكْرٍ، قَالَ: أَخْبَرَنَا جَعْفَرُ بْنُ مُحَمَّدِ بْنِ أَحْمَدَ بن الْحَكَمُ الْمُؤَدِّبُ، قَالَ: حَدَّثَنَا مُحَمَّدُ بْنُ يُونُسَ، قَالَ: حَدَّثَنَا مُحَمَّدُ بْنُ عُبَيْدِ اللَّهِ الْعُتْبِيُّ، قَالَ: حَدَّثَنَا سَعِيدٌ الْخَصَّافُ، عَنِ الزُّهْرِيِّ قَالَ: لَا يَطْلُبُ الْحَدِيثَ مِنَ الرِّجَالِ إِلَّا ذُكْرَانُهَا، وَلَا يَزْهَدُ فِيهِ إِلَّا إِنَاثُهَا.

142. It was reported to us by al-Ḥasan ibn Abī Bakr [...] that al-Zuhrī said: "Ḥadīth is only sought by the masculine men, and only the feminine are

disinterested in it."

أَنْشَدَنِي الْحَسَنُ بْنُ عَلِيِّ بْنِ مُحَمَّدٍ الْبَلْخِيُّ بِأَصْبَهَانَ، قَالَ: أَنْشَدَنِي أَبُو الْفَضْلِ الْعَبَّاسُ بْنُ مُحَمَّدٍ الْخُرَاسَانِيُّ:

رَحَلْتُ أَطْلُبُ أَصْلَ الْعِلْمِ مُجْتَهِدًا

وَزِينَةُ الْمَرْءِ فِي الدُّنْيَا الْأَحَادِيثُ

لَا يَطْلُبُ الْعِلْمَ إِلَّا بَازِلٌ ذَكَرٌ

وَلَيْسَ يَبْغَضُهُ إِلَّا الْمَخَانِيثُ

لَا تَعْجَبَنَّ بِمَالٍ سَوْفَ تَتْرُكُهُ

فَإِنَّمَا هَذِهِ الدُّنْيَا مَوَارِيثُ

Al-Ḥasan ibn 'Alī ibn al-Balkhī said to me in Aṣbahān [...] that Abu 'l-Faḍl al-'Abbās ibn Muḥammad al-Khurāsānī recited:

I travelled in striving to seek the source of knowledge, and the beauty of a person in this world is *aḥadīth*.

Knowledge is only sought by a [fully mature and experienced] male, and it is only disliked by the effeminate.

Do not be amazed by wealth for you will surely abandon it, for the worldly is only an inheritance.

الاستدلال على أهل السنة بحبهم أصحاب الحديث

Love for the Ḥadīth Adherents Being a Sign of Being from Ahl al-Sunnah

١٤٣- أَخْبَرَنَا أَبُو مَنْصُورٍ مُحَمَّدُ بْنُ عَلِيِّ بْنِ إِسْحَاقَ الْكَاتِبُ، قَالَ: أَخْبَرَنَا مُحَمَّدُ بْنُ أَحْمَدَ بْنِ الْحَسَنِ الصَّوَّافُ، قَالَ: حَدَّثَنَا جَعْفَرُ بْنُ مُحَمَّدِ بْنِ الْحَسَنِ الْقَاضِي، قَالَ: سَمِعْتُ قُتَيْبَةَ بْنَ سَعِيدٍ يَقُولُ: إِذَا رَأَيْتَ الرَّجُلَ يُحِبُّ أَهْلَ الْحَدِيثِ، مِثْلَ يَحْيَى بْنِ سَعِيدٍ الْقَطَّانِ وَعَبْدِ الرَّحْمَنِ بْنِ مَهْدِيٍّ وَأَحْمَدَ بْنِ حَنْبَلٍ وَإِسْحَاقَ بْنِ رَاهَوَيْهِ، وَذَكَرَ قَوْمًا آخَرِينَ، فَإِنَّهُ عَلَى السُّنَّةِ وَمَنْ خَالَفَ هَذَا فَاعْلَمْ أَنَّهُ مُبْتَدِعٌ.

143. It was reported to us by Abu Manṣūr Muḥammad ibn ʿAlī ibn Isḥāq al-Kātib [...] that Qutaybah ibn Saʿīd said: "If you see a man who loves the people of ḥadīth, such as Yaḥyā ibn Saʿīd al-Qaṭṭān, ʿAbd al-Raḥmān ibn Mahdī, Aḥmad ibn Ḥanbal, Isḥāq ibn Rāhawayh," and he mentioned other people, "Then he is upon the Sunnah, and whoever opposes this, then know that he is an innovator."

أَنْشَدَنِي عَبْدُ الْغَفَّارِ بْنُ مُحَمَّدِ بْنِ جَعْفَرٍ الْمُكْتِبُ، قَالَ: أَنْشَدَنَا عُمَرُ بْنُ أَحْمَدَ الْوَاعِظُ قَالَ: أَنْشَدَنَا أَحْمَدُ بْنُ كَامِلٍ لِأَبِي جَعْفَرٍ الْخَوَّاصِ:

ذَهَبَتْ دَوْلَةُ أَصْحَابِ الْبِدَعْ

وَوَهَى حَبْلُهُمْ ثُمَّ انْقَطَعْ

وَتَدَاعَى بِانْصِرَافِ جَمْعِهِمْ

حِزْبُ إِبْلِيسَ الَّذِي كَانَ جَمَعْ

هَلْ لَهُمْ يَا قَوْمِ فِي بِدْعَتِهِمْ

مِنْ فَقِيهٍ أَوْ إِمَامٍ يُتَّبَعْ

مِثْلِ سُفْيَانَ أَخِي ثَوْرٍ الَّذِي

عَلَّمَ النَّاسَ دُقَيْقَاتِ الْوَرَعْ

أَوْ سُلَيْمَانَ أَخِي التَّيْمِ الَّذِي

تَرَكَ النَّوْمَ لِهَوْلِ الْمُطَّلَعْ

أَوْ فَتَى الْإِسْلَامِ أَعْنِي أَحْمَدَا

ذَاكَ لَوْ قَارَعَهُ الْقُرَّاءُ قَرَعْ

لَمْ يَخَفْ سَوْطُهُمْ إِذْ خُوِّفُوا

لَا وَلَا سَيْفُهُمْ حِينَ لَمَعْ.

It was said to me by 'Abd al-Ghaffār ibn Muḥammad ibn Ja'far al-Muktib [...] that Aḥmad ibn Kāmil recited to us from the words of Abī Ja'far al-Khawwāṣ:

The state of the people of innovation has collapsed, their rope became weak and was then cut.

It was called for them to all leave, the party of Iblīs who had gathered.

O people, in their innovation is there, any jurist or *imām* that is followed?

Such as Sufyān al-Thawrī who, taught people the intricacies of piety.

Or Sulaymān al-Taymī who, abandoned sleep out of fear of the ending.

Or the child of Islam, by whom I mean Aḥmad, the one who if the Qurrā' competed with him, he would win.

Their lash did not scare when they were threatened, nor did their sword
while it shined.

الاستدلال على المبتدعة ببغض الحديث وأهله

Hate for Ḥadīth and Its People Being a Sign of the Innovators

١٤٤- حَدَّثَنِي الْحَسَنُ بْنُ أَبِي طَالِبٍ، قَالَ: حَدَّثَنَا عُمَرُ بْنُ أَحْمَدَ الْوَاعِظُ، قَالَ: حَدَّثَنَا مُحَمَّدُ بْنُ هَارُونَ بْنِ حُمَيْدٍ، قَالَ: حَدَّثَنَا أَبُو هَمَّامٍ، قَالَ: حَدَّثَنِي بَقِيَّةُ قَالَ: قَالَ لِي الْأَوْزَاعِيُّ: يَا أَبَا يَحْمَدَ! مَا تَقُولُ فِي قَوْمٍ يَبْغَضُونَ حَدِيثَ نَبِيِّهِمْ؟ قُلْتُ: قَوْمُ سَوْءٍ، قَالَ: لَيْسَ مِنْ صَاحِبِ بِدْعَةٍ تُحَدِّثُهُ عَنْ رَسُولِ اللَّهِ صَلَّى اللهُ عَلَيْهِ وَسَلَّمَ بِخِلَافِ بِدْعَتِهِ بِحَدِيثٍ إِلَّا أَبْغَضَ الْحَدِيثَ.

144. It was narrated to me by al-Ḥasan ibn Abī Ṭālib [...] that Baqiyyah said: "Al-Awzāʿī said to me, 'O Abā Muḥammad, what do you say regarding people who hate the ḥadīth of their Prophet?' I replied, 'They are evil people.' He said, 'There is no person of innovation except that if you narrate to him a ḥadīth from the Messenger of Allah ﷺ which contradicts his innovation, he will hate the ḥadīth.'"

١٤٥- أَخْبَرَنَا أَبُو نُعَيْمٍ الْأَصْبَهَانِيُّ، قَالَ: أَخْبَرَنِي أَبُو عَلِيٍّ الْحُسَيْنُ بْنُ عَلِيٍّ الْحَافِظُ فِي كِتَابِهِ، قَالَ: سَمِعْتُ جَعْفَرَ بْنَ أَحْمَدَ بْنِ سِنَانٍ يَقُولُ: سَمِعْتُ أَحْمَدَ بْنَ سِنَانٍ الْقَطَّانَ يَقُولُ: لَيْسَ فِي الدُّنْيَا مُبْتَدِعٌ إِلَّا وَهُوَ يُبْغِضُ أَهْلَ الْحَدِيثِ، فَإِذَا ابْتَدَعَ الرَّجُلُ نُزِعَ حَلَاوَةُ الْحَدِيثِ مِنْ قَلْبِهِ.

145. It was reported to us by Abu Nuʿaym al-Aṣbahānī [...] that Aḥmad ibn Sinān al-Qaṭṭān said: "There is no innovator in this world except that he hates the people of ḥadīth, and if a person innovates, the sweetness of al-ḥadīth is ripped out of his heart."

١٤٦- أَخْبَرَنَا أَبُو بَكْرٍ أَحْمَدُ بْنُ مُحَمَّدِ بْنِ عَبْدِ الْوَاحِدِ الْمَرْوَرُوذِيُّ، قَالَ: حَدَّثَنَا

مُحَمَّدُ بْنُ عَبْدِ اللَّهِ بْنِ مُحَمَّدٍ الضَّبِّيُّ الْحَافِظُ بِنَيْسَابُورَ، قَالَ: سَمِعْتُ أَبَا نَصْرٍ أَحْمَدَ بْنَ سَهْلٍ الْفَقِيهَ بِبُخَارَى يَقُولُ: سَمِعْتُ أَبَا نَصْرِ بْنَ سَلَّامٍ الْفَقِيهَ يَقُولُ: لَيْسَ شَيْءٌ أَثْقَلَ عَلَى أَهْلِ الْإِلْحَادِ وَلَا أَبْغَضُ إِلَيْهِمْ مِنْ سَمَاعِ الْحَدِيثِ وَرِوَايَتِهِ بِإِسْنَادِهِ.

146. It was reported to us by Abu Bakr Aḥmad ibn Muḥammad ibn 'Abd al-Wāḥid al-Marwarūdhī [...] that Abu Naṣr ibn Sallām al-Faqīh said in Bukhārā: "There is nothing more heavy or hated by the people of disbelief than listening to ḥadīth and narrating it with its chain of narration."

١٤٧- وَأَخْبَرَنَا أَبُو بَكْرٍ أَيْضًا، قَالَ حَدَّثَنَا مُحَمَّدُ بْنُ عَبْدِ اللَّهِ الْحَافِظُ، قَالَ: سَمِعْتُ أَبَا الْحُسَيْنِ بْنَ أَحْمَدَ الْحَنْظَلِيَّ يَقُولُ: سَمِعْتُ أَبَا إِسْمَاعِيلَ مُحَمَّدَ بْنَ إِسْمَاعِيلَ التِّرْمِذِيَّ قَالَ: كُنْتُ أَنَا وَأَحْمَدُ بْنُ الْحَسَنِ التِّرْمِذِيُّ عِنْدَ أَبِي عَبْدِ اللَّهِ أَحْمَدَ بْنِ حَنْبَلٍ فَقَالَ لَهُ أَحْمَدُ بْنُ الْحَسَنِ: يَا أَبَا عَبْدِ اللَّهِ! ذَكَرُوا لِابْنِ أَبِي قُتَيْلَةَ بِمَكَّةَ أَصْحَابَ الْحَدِيثِ، فَقَالَ: أَصْحَابُ الْحَدِيثِ قَوْمُ سَوْءٍ. فَقَامَ أَبُو عَبْدِ اللَّهِ، وَهُوَ يَنْفُضُ ثَوْبَهُ، فَقَالَ: زِنْدِيقٌ، زِنْدِيقٌ، زِنْدِيقٌ، وَدَخَلَ بَيْتَهُ.

147. It was also reported to us by Abu Bakr [...] that Abu Ismā'īl Muḥammad ibn Ismā'īl al-Tirmidhī said: "Aḥmad ibn al-Ḥasan al-Tirmidhī and I were with Abī 'Abdillāh Aḥmad ibn Ḥanbal, and Aḥmad ibn al-Ḥasan said to him, 'O Abā 'Abdillāh! The ḥadīth adherents were mentioned to Abu Qatīlah in Makkah, and he said: 'The ḥadīth adherents are an evil people.' So Abu 'Abdullāh got up, dusted off his garment, and said, 'A heretic, a heretic, a heretic.' Then he entered his home.'"

من جمع بين مدح أصحاب الحديث وذم أهل الرأي والكلام الخبيث

Those Who Gathered Between Praising the Ḥadīth Adherents and Dispraising the People of Opinion and Abhorrent *Kalām*

١٤٨- أَخْبَرَنَا أَبُو الْحُسَيْنِ عَلِيُّ بْنُ مُحَمَّدِ بْنِ عَبْدِ اللَّهِ بْنِ بِشْرَانَ الْمُعَدِّلُ، قَالَ: أَخْبَرَنَا إِسْمَاعِيلُ بْنُ مُحَمَّدٍ الصَّفَّارُ، قَالَ: حَدَّثَنَا أَحْمَدُ بْنُ مَنْصُورٍ الرَّمَادِيُّ، قَالَ: حَدَّثَنَا عَبْدُ الرَّزَّاقِ، قَالَ: أَخْبَرَنَا الثَّوْرِيُّ، عَنِ ابْنِ أَبْجَرَ، قَالَ: قَالَ لِي الشَّعْبِيُّ: مَا حَدَّثُوكَ عَنْ أَصْحَابِ مُحَمَّدٍ صَلَّى اللهُ عَلَيْهِ وَسَلَّمَ فَخُذْهُ، وَمَا قَالُوا بِرَأْيِهِمْ فَبُلْ عَلَيْهِ.

148. It was reported to us by Abu 'l-Ḥasan ʿAlī ibn Muḥammad ibn ʿAbdullāh ibn Bishrān al-Muʿaddil [...] that Ibn Abjar said: "Al-Shaʿbī told me, 'Whatever they narrate to you from the companions of Muḥammad ﷺ accept it, and whatever they state to you from their own opinions [is fit for you to] urinate upon.'"

١٤٩- أَخْبَرَنَا الْحَسَنُ بْنُ أَبِي بَكْرٍ، قَالَ: حَدَّثَنَا حَامِدُ بْنُ مُحَمَّدٍ الْهَرَوِيُّ، قَالَ: حَدَّثَنَا مُحَمَّدُ بْنُ عَبْدِ الرَّحْمَنِ السَّامِيُّ، قَالَ: سَمِعْتُ عَبْدَ اللَّهِ بْنَ أَحْمَدَ بْنِ شَبَوَيْهِ، قَالَ: سَمِعْتُ أَبِي يَقُولُ: مَنْ أَرَادَ عِلْمَ الْقَبْرِ فَعَلَيْهِ بِالْأَثَرِ، وَمَنْ أَرَادَ عِلْمَ الْخُبْزِ فَعَلَيْهِ بِالرَّأْيِ[١١٥].

149. It was reported to us by al-Ḥasan ibn Abī Bakr [...] that ʿAbdullāh ibn Aḥmad ibn Shabawayh heard his father say: "Whomsoever wants the knowledge [that will benefit him in] the grave, then upon him is [to learn] the *athar* (narration[s]), and whomsoever wants the knowledge of bread

115 [T] This is based upon a different edition we have. In the edition we depended upon, this is (الرأي). And Allah knows best.

(i.e. for material wealth), then upon him is [to learn] *al-rāy* (opinion)."

١٥٠- أَخْبَرَنَا مُحَمَّدُ بْنُ أَحْمَدَ بْنِ رِزْقٍ الْبَزَّازُ، قَالَ: حَدَّثَنَا جَعْفَرُ بْنُ مُحَمَّدِ بْنِ نُصَيْرٍ الْخُلْدِيُّ، قَالَ: حَدَّثَنَا مُحَمَّدُ بْنُ عَبْدِ اللَّهِ بْنِ سُلَيْمَانَ الْحَضْرَمِيُّ، قَالَ: حَدَّثَنَا عَبْدُ اللَّهِ بْنُ أَحْمَدَ بْنِ شَبَوَيْهِ، قَالَ: سَمِعْتُ أَبَا رَجَاءٍ يَقُولُ: سَمِعْتُ يُونُسَ بْنَ سُلَيْمَانَ السَّقَطِيَّ، وَكَانَ ثِقَةً، قَالَ: نَظَرْتُ فِي الْأَمْرِ، فَإِذَا هُوَ الْحَدِيثُ وَالرَّأْيُ. فَوَجَدْتُ فِي الْحَدِيثِ ذِكْرَ الرَّبِّ تَعَالَى وَرُبُوبِيَّتَهُ وَجَلَالَهُ وَعَظَمَتَهُ، وَذِكْرَ الْعَرْشِ، وَصِفَةَ الْجَنَّةِ وَالنَّارِ، وَذِكْرَ النَّبِيِّينَ وَالْمُرْسَلِينَ، وَالْحَلَالَ وَالْحَرَامَ، وَالْحَثَّ عَلَى صِلَةِ الْأَرْحَامِ، وَجِمَاعَ الْخَيْرِ فِيهِ. وَنَظَرْتُ فِي الرَّأْيِ، فَإِذَا فِيهِ الْمَكْرُ وَالْغَدْرُ وَالْحِيَلُ، وَقَطِيعَةُ الْأَرْحَامِ، وَجِمَاعُ الشَّرِّ فِيهِ.

150. It was reported to us by Muḥammad ibn Aḥmad ibn Rizq al-Bazzāz [...] that Yūnus ibn Sulaymān al-Saqaṭī, who was a *thiqah* (reliable narrator), said: "I looked into the matter of al-ḥadīth and *al-rāy*, and I found that within ḥadīth there is mention of the Lord; his lordship, glory, and magnificence. There is also mention of the throne, and description of paradise and hellfire. There is mention of the prophets and messengers, the lawful and unlawful, encouragement towards keeping blood relations, and there is an encompassment of goodness within it. I also looked at *al-rāy*, and within it there is deception, betrayal, trickery, cutting of blood relations, and there is an encompassment of evil within it."

١٥١- أَخْبَرَنَا الْحُسَيْنُ بْنُ مُحَمَّدِ بْنِ الْحَسَنِ الْمُؤَدِّبُ، قَالَ: حَدَّثَنَا عَبْدُ الرَّحْمَنِ بْنُ مُحَمَّدٍ الْإِدْرِيسِيُّ، قَالَ: سَمِعْتُ أَبَا بَكْرٍ أَحْمَدَ بْنَ عَبْدِ الرَّحْمَنِ النَّسَفِيَّ الْمُقْرِئَ بِسَمَرْقَنْدَ يَقُولُ: كَانَ مَشَايِخُنَا يُسَمُّونَ أَبَا بَكْرِ بْنَ إِسْمَاعِيلَ أَبَا ثَمُودَ، لِأَنَّهُ كَانَ مِنْ أَصْحَابِ الْحَدِيثِ، فَصَارَ مِنْ أَصْحَابِ الرَّأْيِ، يَقُولُ اللَّهُ تَعَالَى: ﴿وَأَمَّا ثَمُودُ فَهَدَيْنَاهُمْ فَاسْتَحَبُّوا الْعَمَى عَلَى الْهُدَى﴾ [فصلت: ١٧].

151. It was reported to us by al-Ḥasan ibn Muḥammad ibn al-Ḥasan al-Mu'addib [...] that Abu Bakr Aḥmad ibn 'Abd al-Raḥmān al-Nasafī al-

Muqri' said in Samarqand: "Our teachers used to call Abu Bakr ibn Ismā'īl 'Abu Thamūd'. This is because he used to be from the ḥadīth adherents, and then became from those who adhere to *al-ray*. Allah states: **{And as for Thamūd, We guided them, but they preferred blindness over guidance.}**[116]

أَخْبَرَنِي مُحَمَّدُ بْنُ أَبِي عَلِيٍّ الْأَصْبَهَانِيُّ، قَالَ: حَدَّثَنَا الْحُسَيْنُ بْنُ مُحَمَّدِ بْنِ الْوَلِيدِ التُّسْتَرِيُّ بِهَا، قَالَ: حَدَّثنا أَبُو الْعَبَّاسِ أَحْمَدُ بْنُ مُحَمَّدِ بْنِ يُوسُفَ بْنِ مَسْعَدَةَ، إِمْلَاءً، قَالَ: سَمِعْتُ عَبْدَ اللَّهِ بْنَ مُحَمَّدِ بْنِ سَلَّامٍ يَقُولُ: أَنْشَدَنِي عَبْدَةُ بْنُ زِيَادٍ الْأَصْبَهَانِيُّ مِنْ قَوْلِهِ:

دِينُ النَّبِيِّ مُحَمَّدٍ أَخْبَارُ

نِعْمَ الْمَطِيَّةُ لِلْفَتَى الْآثَارُ

لَا تُخْدَعَنَّ عَنِ الْحَدِيثِ وَأَهْلِهِ

فَالرَّأْيُ لَيْلٌ وَالْحَدِيثُ نَهَارُ

وَلَرُبَّمَا غَلَطَ الْفَتَى سُبُلَ الْهُدَى

وَالشَّمْسُ بَازِغَةٌ لَهَا أَنْوَارُ.

I was informed by Muḥammad ibn Abī 'Alī al-Aṣbahānī [...] that 'Abdah ibn Ziyād al-Aṣbahānī recited:

The religion of Muḥammad is narrations, and what a good mount *āthār* are for a young man.

Do not be deceived away from al-ḥadīth and its people, for *al-ray* is [akin to] the night and al-ḥadīth [is akin to] the day.

Perhaps a young man would mistake the ways of truth, whilst the sun is risen and shining.

116 Al-Fuṣṣilat: 17

١٥٢- أَخْبَرَنَا عَبْدُ الْمَلِكِ بْنُ مُحَمَّدِ بْنِ عَبْدِ اللَّهِ بْنِ بِشْرَانَ، قَالَ: أَخْبَرَنَا عُمَرُ بْنُ مُحَمَّدٍ الْجُمَحِيُّ بِمَكَّةَ، قَالَ: حَدَّثَنَا عَلِيُّ بْنُ عَبْدِ الْعَزِيزِ، قَالَ: حَدَّثَنَا أَبُو الْوَلِيدِ الْقُرَشِيُّ، قَالَ: حَدَّثَنَا مُحَمَّدُ بْنُ عَبْدِ اللَّهِ بْنِ بَكَّارٍ الْقُرَشِيُّ، حَدَّثَنِي سُلَيْمَانُ بْنُ جَعْفَرٍ، قَالَ: حَدَّثَنَا مُحَمَّدُ بْنُ يَحْيَى الرَّبَعِيُّ، قَالَ: قَالَ ابْنُ شُبْرُمَةَ: دَخَلْتُ أَنَا وَأَبُو حَنِيفَةَ عَلَى جَعْفَرِ بْنِ مُحَمَّدِ بْنِ عَلِيٍّ فَقَالَ لَهُ جَعْفَرٌ: اتَّقِ اللَّهَ، وَلَا تَقِسِ الدِّينَ بِرَأْيِكَ، فَإِنَّا نَقِفُ غَدًا، نَحْنُ وَأَنْتَ وَمَنْ خَلْفَنَا بَيْنَ يَدَيِ اللَّهِ تَعَالَى، فَنَقُولُ: قَالَ اللَّهُ، قَالَ رَسُولُ اللَّهِ صَلَّى اللهُ عَلَيْهِ وَسَلَّمَ وَتَقُولُ أَنْتَ وَأَصْحَابُكَ: سَمِعْنَا وَرَأَيْنَا. فَيَفْعَلُ اللَّهُ بِنَا وَبِكُمْ مَا شَاءَ.

152. It was reported to us by 'Abd al-Malik ibn Muḥammad ibn 'Abdullāh ibn Bishrān [...] that Ibn Shubrumah said: "Abu Ḥanīfah and I entered upon Ja'far ibn Muḥammad ibn 'Ali, and Ja'far said to him, 'Fear Allah, and do not analogise in the religion with your opinions, for tomorrow we will stand—us and those who succeed us—in front of Allah. We will say, 'Allah said, the Messenger of Allah ﷺ said,' and you and your companions will say: 'We heard, [yet] we had our opinion,' and Allah will judge us and you with what He wills.'"

١٥٣- أَخْبَرَنَا أَبُو بَكْرٍ الْبَرْقَانِيُّ، قَالَ: حَدَّثَنَا يَعْقُوبُ بْنُ مُوسَى الْأَرْدَبِيلِيُّ بِبَغْدَادَ، قَالَ: حَدَّثَنَا أَحْمَدُ بْنُ طَاهِرِ بْنِ النَّجْمِ، قَالَ: حَدَّثَنَا سَعِيدُ بْنُ عَمْرٍو الْبَرْذَعِيُّ، قَالَ: حَدَّثَنِي أَبُو زُرْعَةَ الرَّازِيُّ، عَنْ عَبْدِ اللَّهِ بْنِ الْحَسَنِ الْهِسِنْجَانِيِّ قَالَ: كُنْتُ بِمِصْرَ، فَرَأَيْتُ قَاضِيًا لَهُمْ فِي الْمَسْجِدِ الْجَامِعِ، وَأَنَا مِمْرَاضٌ، فَسَمِعْتُ الْقَاضِيَ يَقُولُ مَسَاكِينُ أَصْحَابُ الْحَدِيثِ لَا يُحْسِنُونَ الْفِقْهَ، فَحَبَوْتُ إِلَيْهِ، فَقُلْتُ له: اخْتَلَفَ أَصْحَابُ النَّبِيِّ صَلَّى اللهُ عَلَيْهِ وَسَلَّمَ فِي جِرَاحَاتِ الرِّجَالِ وَالنِّسَاءِ، فَأَيُّ شَيْءٍ قَالَ عَلِيُّ بْنُ أَبِي طَالِبٍ، وَأَيُّ شَيْءٍ قَالَ زَيْدُ بْنُ ثَابِتٍ، وَأَيُّ شَيْءٍ قَالَ عَبْدُ اللَّهِ بْنُ مَسْعُودٍ؟ فَأُفْحِمَ. قَالَ عَبْدُ اللَّهِ: فَقُلْتُ لَهُ: زَعَمْتَ أَنَّ أَصْحَابَ الْحَدِيثِ لَا يُحْسِنُونَ الْفِقْهَ، وَأَنَا مِنْ أَخَسِّ أَصْحَابِ الْحَدِيثِ، سَأَلْتُكَ عَنْ هَذِهِ فَلَمْ تُحْسِنْهَا،

فَكَيْفَ تُنْكِرُ عَلَى قَوْمٍ أَنَّهُمْ لَا يُحْسِنُونَ شَيْئًا وَأَنْتَ لَا تُحْسِنُهُ؟

153. It was reported to us by Abu Bakr al-Barqānī [...] that 'Abdullāh ibn al-Ḥasan al-Hisinjānī said: "I was in Egypt, and I saw one of their judges in the *jāmi'* (congregational) *masjid*, and I was sick. I heard the judge say, 'How poor are the ḥadīth disciples; they are inadequate in jurisprudence.' So, I crawled to him, and said, 'The companions of the Prophet ﷺ differed regarding the blood cases of men and those of women, so what did 'Alī ibn Abī Ṭālib say, what did Zayd bin Thābit say, and what did 'Abdullāh ibn Mas'ūd say?' Upon which the judge was silenced." 'Abdullāh continued, "So I said to him, 'You thought that the ḥadīth disciples are inadequate in jurisprudence, yet I am one of the lowly amongst them and I asked you about this matter and you did not know it. Thus, how can you criticise a people saying that they do not have adequate competence in a subject whilst you yourself do not?"

أَنْشَدَنِي أَبُو عَبْدِ اللَّهِ مُحَمَّدُ بْنُ عَلِيٍّ الصُّورِيُّ لِنَفْسِهِ:

قُلْ لِمَنْ عَانَدَ الْحَدِيثَ وَأَضْحَى

عَائِبًا أَهْلَهُ وَمَنْ يَدَّعِيهِ

أَبِعِلْمٍ تَقُولُ هَذَا أَبِنْ لِي

أَمْ بِجَهْلٍ فَالْجَهْلُ خُلُقُ السَّفِيهِ

أَيُعَابُ الَّذِينَ هُمْ حَفِظُوا الدِّي

ـنَ مِنَ التُّرَّهَاتِ وَالتَّمْوِيهِ

وَإِلَى قَوْلِهِمْ وَمَا قَدْ رَوَوْهُ

رَاجِعٌ كُلُّ عَالِمٍ وَفَقِيهِ.

Abu 'Abdullāh Muḥammad ibn 'Alī al-Ṣūrī recited to me from his own poetry:

Say to those who oppose the ḥadīth and begin their day, by harping in criticism towards its people and those who claim it:

Do you say this out of knowledge my son, or out of ignorance, for ignorance is the character of the foolish.

Are they to be criticised, those who preserved the religion from falsity and distortion?

To their statements and what they narrated, every scholar and jurist refers back.

١٥٤- أَخْبَرَنَا الْقَاضِي أَبُو مُحَمَّدٍ الْحَسَنُ بْنُ الْحُسَيْنِ بْنِ رَامِينَ الْإِسْتَرَآبَاذِيُّ، قَالَ: حَدَّثَنَا أَبُو مُحَمَّدٍ عَبْدُ الرَّحْمَنِ بْنُ مُحَمَّدِ بْنِ جَعْفَرٍ الْجُرْجَانِيُّ، قَالَ: سَمِعْتُ أَبَا مُحَمَّدٍ عَبْدَ اللَّهِ بْنَ مُحَمَّدِ بْنِ حَمْزَةَ الْمُقْرِئَ يَقُولُ: حَكَى لِي بَعْضُ مَشَايِخِنَا عَنْ هَارُونَ الرَّشِيدِ أَنَّهُ قَالَ: الْمُرُوءَةُ فِي أَصْحَابِ الْحَدِيثِ، وَالْكَلَامُ فِي الْمُعْتَزِلَةِ، وَالْكَذِبُ فِي الرَّوَافِضِ.

154. It was reported to us by al-Qāḍī Abu Muḥammad al-Ḥasan ibn al-Ḥusayn ibn Rāmīn al-Istarābādhī [...] that Abu Muḥammad 'Abdullāh ibn Muḥammad ibn Ḥamzah al-Muqri' said, "Some of my teachers told me that Hārūn al-Rashīd said, 'Honour is [found] in the ḥadīth adherents, *kalām* is [found] in the Mu'tazilah, and lying is [found] in the Rawāfiḍ.'"

١٥٥- أَخْبَرَنَا مُحَمَّدُ بْنُ يُوسُفَ أَبُو عَبْدِ الرَّحْمَنِ النَّيْسَابُورِيُّ، قَالَ: أَخْبَرَنَا الْحُسَيْنُ بْنُ مُحَمَّدٍ الثَّقَفِيُّ بِالدَّامَغَانِ، قَالَ: حَدَّثَنَا الْفَضْلُ بْنُ الْفَضْلِ الْكِنْدِيُّ، قَالَ: حَدَّثَنَا زَكَرِيَّا بْنُ يَحْيَى الْبَصْرِيُّ، قَالَ: حَدَّثَنَا مُحَمَّدُ بْنُ إِسْمَاعِيلَ، قَالَ: سَمِعْتُ أَبَا ثَوْرٍ وَالْحُسَيْنَ بْنَ عَلِيٍّ يَقُولَانِ: سَمِعْنَا الشَّافِعِيَّ يَقُولُ: حُكْمِي فِي أَصْحَابِ الْكَلَامِ أَنْ يُضْرَبُوا بِالْجَرِيدِ، وَيُحْمَلُوا عَلَى الْإِبِلِ، وَيُطَافُ بِهِمْ فِي الْعَشَائِرِ وَالْقَبَائِلِ فَيُنَادَى عَلَيْهِمْ: هَذَا جَزَاءُ مَنْ تَرَكَ الْكِتَابَ وَالسُّنَّةَ وَأَخَذَ فِي الْكَلَامِ.

155. It was reported to us by Muḥammad ibn Yūsuf Abu 'Abd al-Raḥmān al-Naysābūrī [...] that al-Shāfi'ī said: "My ruling regarding the people of

al-kalām is that they should be struck with palm branches, carried upon camels, paraded between the clans and tribes, and that it be announced regarding them, 'This is the punishment of those who abandon the Book and the Sunnah, and take to *al-kalām*.'"

أَنْشَدَنَا أَحْمَدُ بْنُ أَبِي جَعْفَرٍ الْقَطِيعِيُّ، قَالَ: أَنْشَدَنَا مُحَمَّدُ بْنُ الْعَبَّاسِ الْخَزَّازُ قَالَ: أَنْشَدَنَا أَبُو مُزَاحِمٍ الْخَاقَانِيُّ لِنَفْسِهِ:

أَهْلُ الْكَلَامِ وَأَهْلُ الرَّأْيِ قَدْ عَدِمُوا

عِلْمَ الْحَدِيثِ الَّذِي يَنْجُو بِهِ الرَّجُلُ

لَوْ أَنَّهُمْ عَرَفُوا الْآثَارَ مَا انْحَرَفُوا

عَنْهَا إِلَى غَيْرِهَا، لَكِنَّهُمْ جَهِلُوا.

It was recited to us by Aḥmad ibn Abī Ja'far al-Qaṭī'ī [...] from Abu Mazāḥim al-Khāqānī:

The people of *al-kalām* and *al-rảy* (opinion) are devoid, of the science of ḥadīth with which man is saved.

If they knew the *āthār* they would not have deviated, away from it to something else, however, they were ignorant.

أَنْشَدَنَا أَبُو عَلِيٍّ الْحَسَنُ بْنُ شِهَابٍ الْعُكْبَرِيُّ بِهَا، قَالَ: أَنْشَدَنِي أَبُو عَامِرٍ الْحَسَنُ بْنُ مُحَمَّدٍ النَّسَوِيُّ قَالَ: أَنْشَدَنِي أَبُو زَيْدٍ الْفَقِيهُ لِبَعْضِ عُلَمَاءِ شَاش:

كُلُّ الْكَلَامِ سِوَى الْقُرْآنِ زَنْدَقَةٌ

إِلَّا الْحَدِيثَ وَإِلَّا الْفِقْهَ فِي الدِّينِ

وَالْعِلْمُ مُتَّبَعٌ مَا كَانَ (حَدَّثَنَا)

وَمَا سِوَى ذَاكَ وَسْوَاسُ الشَّيَاطِينِ.

It was recited to us by Abu 'Alī al-Ḥasan ibn Shihāb al-'Ukbarī [...] from Abu Zayd al-Faqīh, who recited the words of some of the scholars of Shāsh:

All *kalām* other than the Qur'ān is heresy, except ḥadīth or understanding of the religion.

Knowledge that is followed is that which was "narrated to us", and anything besides it is satanic whispers.

ما روي في حفظ الحديث وأدائه من الثواب

What Was Narrated Regarding the Reward of Preserving Ḥadīth and Conveying It

١٥٦- أَخْبَرَنَا مُحَمَّدُ بْنُ أَحْمَدَ بْنِ رِزْقٍ الْبَزَّازُ، قَالَ: أَخْبَرَنَا الْقَاضِي أَبُو نَصْرٍ أَحْمَدُ بْنُ نَصْرِ بْنِ مُحَمَّدٍ الزَّعْفَرَانِيُّ الْبُخَارِيُّ، قَالَ: حَدَّثَنَا الْحُسَيْنُ بْنُ مُحَمَّدِ بْنِ مُوسَى الْقُمِّيُّ، قَالَ: حَدَّثَنَا عَبْدُ الرَّحِيمِ بْنُ حَبِيبٍ، قَالَ: حَدَّثَنَا إِسْمَاعِيلُ بْنُ يَحْيَى بْنِ عُبَيْدِ اللَّهِ التَّيْمِيُّ، قَالَ: حَدَّثَنَا سُفْيَانُ، عَنْ لَيْثٍ، عَنْ طَاوُسٍ، عَنِ ابْنِ عَبَّاسٍ قَالَ: قَالَ رَسُولُ اللَّهِ صَلَّى اللهُ عَلَيْهِ وَسَلَّمَ: ((مَنْ أَدَّى حَدِيثًا إِلَى أُمَّتِي لِتُقَامَ بِهِ سُنَّةٌ أَوْ تُثْلَمُ بِهِ بِدْعَةٌ، فَلَهُ الْجَنَّةُ)).

156. It was reported to us by Muḥammad ibn Aḥmad ibn Rizq al-Bazzāz [...] that Ibn ʿAbbās said: "The Messenger of Allah ﷺ said, 'Whoever conveys a ḥadīth to my nation so that a Sunnah is established, or an innovation is repelled, then for him is paradise.'"[117]

١٥٧- أَخْبَرَنَا مُحَمَّدُ بْنُ الْحُسَيْنِ بْنِ الْفَضْلِ الْقَطَّانُ، وَغَيْلَانُ بْنُ مُحَمَّدِ بْنِ إِبْرَاهِيمَ السِّمْسَارُ، قَالَا حَدَّثَنَا مُحَمَّدُ بْنُ عَبْدِ اللَّهِ بْنِ إِبْرَاهِيمَ الشَّافِعِيُّ، قَالَ: حَدَّثَنِي - وَفِي حَدِيثِ ابْنِ الْفَضْلِ حَدَّثَنَا - مُحَمَّدُ بْنُ خَالِدِ بْنِ يَزِيدَ الْبَرْذَعِيُّ بِمَكَّةَ، قَالَ:

---

117 It is *mawḍūʿ*. The corruption is due to Ismāʿīl ibn Yaḥyā ibn ʿUbaydullāh al-Taymī, who is *tālif* (wrecked). Ṣāliḥ Jazarah said, "He would fabricate ḥadīth." Ibn ʿAdī deemed him baseless and aspersed upon him. Al-Azdī said, "He is a pillar from the pillars of lying." The narrator "Layth" is Ibn Abī Salīm who is *ḍaʿīf* in ḥadīth. The ḥadīth was reported by Abu Nuʿaym in *al-Ḥilyah* (10/44) from the way of ʿAbd al-Raḥīm Ḥabīb, who is akin to his *shaykh* (i.e. Ismāʿīl) in weakness. Ibn Maʿīn said about him, "He is worthless." Ibn Ḥibbān said, "It is possible that he fabricated an excess of five hundred ḥadīth from the Messenger of Allah ﷺ."

حَدَّثَنَا عَطِيَّةُ بْنُ بَقِيَّةَ، قَالَ: حَدَّثَنَا أَبِي، قَالَ: حَدَّثَنَا حَمْزَةُ بْنُ حَسَّانَ، قَالَ: حَدَّثَنِي شَيْخٌ يُكَنَا أَبَا الْحَسَنِ، عَنْ نُفَيْعِ بْنِ الْحَارِثِ، عَنِ الْبَرَاءِ بْنِ عَازِبٍ قَالَ: قَالَ رَسُولُ اللَّهِ صَلَّى اللهُ عَلَيْهِ وَسَلَّمَ: ((مَنْ تَعَلَّمَ حَدِيثَيْنِ اثْنَيْنِ يَنْفَعُ بِهِمَا نَفْسَهُ، أَوْ يُعَلِّمُهُمَا غَيْرَهُ فَيَنْتَفِعُ بِهِمَا، كَانَ خَيْرًا مِنْ عِبَادَةِ سِتِّينَ عَامًا)).

157. It was reported to us by Muḥammad ibn al-Ḥusayn ibn al-Faḍl al-Qaṭṭān and Ghaylān ibn Muḥammad ibn Ibrāhīm al-Simsār [...] that al-Barā' ibn 'Āzib said: "The Messenger of Allah ﷺ said, 'Whoever learns two ḥadīth and benefits himself from them, or teaches them to others and they are benefited from, it is better than the performance of worship for sixty years.'"[118]

١٥٨- أَخْبَرَنَا أَبُو نُعَيْمٍ أَحْمَدُ بْنُ عَبْدِ اللَّهِ الْحَافِظُ، قَالَ: حَدَّثَنَا أَبُو مُحَمَّدِ بْنُ حَيَّانَ، قَالَ: حَدَّثَنَا إِسْحَاقُ بْنُ إِبْرَاهِيمَ بْنِ جَمِيلٍ، قَالَ: حَدَّثَنَا أَبُو هِشَامٍ الرِّفَاعِيُّ، قَالَ: حَدَّثَنَا ابْنُ يَمَانٍ، قَالَ: حَدَّثَنَا شَيْخٌ، عَنْ أَبِي جَعْفَرٍ مُحَمَّدِ بْنِ عَلِيٍّ قَالَ: قَالَ: رَسُولُ اللَّهِ صَلَّى اللهُ عَلَيْهِ وَسَلَّمَ: ((سَارِعُوا فِي طَلَبِ الْعِلْمِ، فَالْحَدِيثُ عَنْ صَادِقٍ خَيْرٌ مِنَ الْأَرْضِ وَمَا عَلَيْهَا مِنْ ذَهَبٍ وَفِضَّةٍ)).

158. It was reported to us by Abu Nu'aym Aḥmad ibn 'Abdullāh al-Ḥāfiẓ [...] that Abu Ja'far Muḥammad ibn 'Alī said: "The Messenger of Allah ﷺ said, 'Hasten towards seeking knowledge, for ḥadīth from one who is trustworthy is better than the earth and the gold and silver upon it.'"[119]

---

118 It is *mawḍū'*. Its problem is the narrator Nufay' ibn al-Ḥārith Abu Dāwūd al-Nakha'ī al-A'mā, his hearing from al-Barā' is not authentic. He was deemed a liar by Qatādah, and Ibn Ma'īn said, "He is nothing," Abu Zur'ah said, "He provides nothing," and al-Nasā'ī and al-Dāraquṭnī said, "He is *matrūk* (abandoned)." The narrator Abu 'l-Ḥasan is unknown, and 'Aṭiyyah ibn Baqiyyah has heedlessness (غفلة), despite his *ṣidq* (truthfulness).

119 It is *munkar*. It has a number of defects (*'ilal*): (i) It has *i'ḍāl* (see *"mu'ḍal"* in the books of ḥadīth terminology), as most of the narrations attributed to the Prophet ﷺ of its narrator Abu Ja'far (i.e. al-Bāqir Muḥammad ibn 'Alī ibn al-Ḥusayn ibn 'Alī ibn Abī Ṭālib) are *mu'ḍal*. (ii) The ambiguity (*jahālat*) of the *shaykh* of Ibn Yamān. (iii) The bad state of Abī Hishām al-Rifā'ī. (iv) Isḥāq ibn Ibrāhīm ibn Jamīl is *layyin*. Abu 'l-Shaykh made a biographical entry for him in *Ṭabaqāt Aṣbahān* (4/262) and said,

من قال طلب الحديث أفضل من[120] العبادات

Who Said: Seeking Ḥadīth is Better Than Acts of Worship

١٥٩- أَخْبَرَنِي الْقَاضِي أَبُو نَصْرٍ أَحْمَدُ بْنُ الْحُسَيْنِ الدِّينَوَرِيُّ، بِهَا، قَالَ: أَخْبَرَنَا أَبُو بَكْرٍ أَحْمَدُ بْنُ مُحَمَّدِ بْنِ إِسْحَاقَ السُّنِّيُّ، قَالَ: حَدَّثَنَا أَحْمَدُ بْنُ مُحَمَّدِ بْنِ سَلم الْكَاتِبُ، قَالَ: حَدَّثَنَا جَعْفَرُ بْنُ عَامِرٍ، قَالَ: سَمِعْتُ إِسْحَاقَ بْنَ الْبُهْلُولِ، يَقُولُ: سَمِعْتُ وَكِيعًا، يَقُولُ: سَمِعْتُ سُفْيَانَ يَقُولُ: مَا أَعْلَمُ عَلَى وَجْهِ الْأَرْضِ مِنَ الْأَعْمَالِ أَفْضَلَ مِنْ طَلَبِ الْحَدِيثِ لِمَنْ أَرَادَ بِهِ وَجْهَ اللَّهِ.

159. It was reported to me by al-Qāḍī Abu Naṣr Aḥmad ibn al-Ḥusayn al-Dīnawarī [...] that Sufyān said: "I do not know an action on the face of the earth better than seeking ḥadīth, for those who do it for the sake of Allah."

١٦٠- أَخْبَرَنَا الْحَسَنُ بْنُ عَلِيِّ بْنِ التَّمِيمِيُّ، قَالَ: أَخْبَرَنَا أَحْمَدُ بْنُ جَعْفَرِ بْنِ حَمْدَانَ، قَالَ: حَدَّثَنَا عَبْدُ اللَّهِ بْنُ أَحْمَدَ بْنِ حَنْبَلٍ، قَالَ: سَمِعْتُ عَلِيَّ بْنَ حَكِيمٍ، يَقُولُ: سَمِعْتُ وَكِيعًا يَقُولُ: قَالَ سُفْيَانُ: مَا شَيْءٌ أَخْوَفُ عِنْدِي مِنَ الْحَدِيثِ، وَمَا شَيْءٌ أَفْضَلُ مِنْهُ لِمَنْ أَرَادَ مَا عِنْدَ اللَّهِ عَزَّ وَجَلَّ.

160. It was reported to us by al-Ḥasan ibn ʿAlī ibn al-Tamīmī [...] that Sufyān said: "There is nothing more fearful to me than ḥadīth, and there is nothing better than it for those who seek what is with Allah."

١٦١- أَخْبَرَنَا أَبُو بَكْرٍ مُحَمَّدُ بْنُ عَبْدِ اللَّهِ بْنِ أَبَانَ الْهَيْتِيُّ التَّغْلِبِيُّ، قَالَ: حَدَّثَنَا

"He is truthful but has many *gharā'ib* (strange narrations)." And it is not beyond the realm of possibility that this ḥadīth is fabricated.

120 In another manuscript this is (من أفضل) i.e. "From the best..."

أَحْمَدُ بْنُ سَلْمَانَ النَّجَّادُ، قَالَ: حَدَّثَنَا أَبُو جَعْفَرٍ الْفَسَوِيُّ، قَالَ: حَدَّثَنَا أَبُو بَكْرٍ الْأَزْرَقُ، قَالَ: حَدَّثَنَا حُيَي بْنُ حَاتِمٍ، قَالَ: حَدَّثَنَا وَكِيعٌ قَالَ: سَمِعْتُ سُفْيَانَ الثَّوْرِيَّ يَقُولُ: لَا أَعْلَمُ شَيْئًا أَفْضَلَ مِنْهُ - يَعْنِي الْحَدِيثَ - لِمَنْ أَرَادَ اللَّهَ بِهِ. وَقَالَ: إِنَّ النَّاسَ يَحْتَاجُونَ إِلَيْهِ فِي طَعَامِهِمْ وَشَرَابِهِمْ.

161. It was reported to us by Abu Bakr Muḥammad ibn 'Abdullāh ibn Abān al-Haytī al-Taghlibī [...] that Sufyān al-Thawrī said: "I do not know of anything better than it (i.e. al-ḥadīth), for those who seek Allah through it." He also said: "People need it in their food and drink (i.e. to know what is lawful and unlawful)."

١٦٢- حَدَّثَنِي عَبْدُ الْعَزِيزِ بْنُ أَبِي الْحَسَنِ الْقَرْمِيسِينِيُّ بِلَفْظِهِ، قَالَ: حَدَّثَنَا أَحْمَدُ بْنُ عَبْدِ اللَّهِ بْنِ الْخَضِرِ الْمُقْرِئُ، قَالَ: حَدَّثَنَا عَلِيُّ بْنُ مُحَمَّدِ بْنِ سَعِيدٍ، قَالَ: حَدَّثَنَا أَبُو يَعْلَى الْمَوْصِلِيُّ، قَالَ: سَمِعْتُ إِبْرَاهِيمَ بْنَ سَعِيدٍ الْجَوْهَرِيَّ، يَقُولُ: سَمِعْتُ وَكِيعَ بْنَ الْجَرَّاحِ يَقُولُ: مَا عُبِدَ اللَّهُ بِشَيْءٍ أَفْضَلَ مِنَ الْحَدِيثِ.

162. It was narrated to me by 'Abd al-'Azīz ibn Abī 'l-Ḥasan al-Qarmīsīnī [...] that Wakī' ibn al-Jarrāḥ said: "Allah is not worshipped with anything better than ḥadīth."

١٦٣- أَخْبَرَنِي الْحَسَنُ بْنُ عَلِيِّ بْنِ مُحَمَّدٍ الْجَوْهَرِيُّ، قَالَ: حَدَّثَنَا مُحَمَّدُ بْنُ الْعَبَّاسِ الْخَزَّازُ، قَالَ: حَدَّثَنَا أَبُو الْفَضْلِ الصَّنْدَلِيُّ، قَالَ: أَخْبَرَنَا يَعْقُوبُ بْنُ بَخْتَانَ الْقَزَّازُ، قَالَ: سَمِعْتُ بِشْرَ بْنَ الْحَارِثِ يَقُولُ: لَا أَعْلَمُ عَلَى وَجْهِ الْأَرْضِ عَمَلًا أَفْضَلَ مِنْ طَلَبِ الْعِلْمِ وَالْحَدِيثِ لِمَنِ اتَّقَى اللَّهَ، وَحَسُنَتْ نِيَّتُهُ فِيهِ. وَأَمَّا أَنَا، فَأَسْتَغْفِرُ اللَّهَ مِنْ كُلِّ خُطْوَةٍ خَطَوْتُ فِيهِ.

163. It was reported to me by al-Ḥasan ibn 'Alī ibn Muḥammad al-Jawharī [...] that Bishr ibn al-Ḥārith said: "I know no action upon the face of the earth better than seeking knowledge and ḥadīth for the one who fears Allah and has a good intention for doing so. As for me, I seek forgiveness from Allah for every step I took in doing so."

من قال رواية الحديث أفضل من التسبيح

Who Said: Narrating Ḥadīth is Better Than *Tasbīḥ*

١٦٤- أَخْبَرَنَا الْحُسَيْنُ بْنُ الْحَسَنِ بْنِ مُحَمَّدٍ الْمَخْزُومِيُّ، وَمُحَمَّدُ بْنُ أَحْمَدَ بْنِ رِزْقٍ، وَالْحَسَنُ بْنُ أَبِي بَكْرٍ، قَالَ الْحَسَنُ أَخْبَرَنَا، وَقَالَا: حَدَّثَنَا عُثْمَانُ بْنُ أَحْمَدَ الدَّقَّاقُ، قَالَ: حَدَّثَنَا أَحْمَدُ بْنُ بِشْرٍ الْمَرْثَدِيُّ، قَالَ: حَدَّثَنَا هَارُونُ بْنُ سُفْيَانَ الْمُسْتَمْلِي، قَالَ: حَدَّثَنَا زَكَرِيَّا بْنُ عَدِيٍّ قَالَ: سَمِعْتُ وَكِيعًا يَقُولُ: لَوْلَا أَنَّ الْحَدِيثَ أَفْضَلُ عِنْدِي مِنَ التَّسْبِيحِ مَا حَدَّثْتُ.

164. It was reported to us by al-Ḥusayn ibn al-Ḥasan ibn Muḥammad al-Makhzūmī [...] that Wakīʿ said: "If it were not that ḥadīth is better to me than *tasbīḥ*, I would not narrate."

من قال: التحديث بمنزلة درس القرآن

Who Said: Narrating Ḥadīth Is Equal to Teaching the Qur'ān

١٦٥- أَخْبَرَنَا عَلِيُّ بْنُ مُحَمَّدِ بْنِ عَبْدِ اللَّهِ بْنِ بِشْرَانَ، قَالَ: أَخْبَرَنَا إِسْمَاعِيلُ بْنُ مُحَمَّدٍ الصَّفَّارُ، قَالَ: حَدَّثَنَا سَعْدَانُ بْنُ نَصْرٍ، قَالَ: حَدَّثَنَا مُعَاذُ بْنُ مُعَاذٍ، قَالَ: حَدَّثَنَا سُلَيْمَانُ التَّيْمِيُّ، قَالَ: كُنَّا عِنْدَ أَبِي مِجْلَزٍ، وَهُوَ يُحَدِّثُنَا، قَالَ فَقَالَ رَجُلٌ: لَوْ قَرَأْتُمْ سُورَةً؟ فَقَالَ أَبُو مِجْلَزٍ: مَا الَّذِي نَحْنُ فِيهِ بِأَنْقَصَ إِلَيَّ مِنْ قِرَاءَةِ سُورَةٍ.

165. It was reported to us by 'Alī ibn Muḥammad ibn 'Abdullāh ibn Bishrān [...] that Sulaymān al-Taymī said: "We were with Abu Mijlaz whilst he was narrating to us, and a man said to us, 'Why not recite a *sūrah* [of the Qur'ān]?' Abu Mijlaz replied, 'To me, what we are doing is not less [in reward] than reciting a *sūrah*.'"

من قال: التحديث بمثابة الصلاة

Who Said: Narrating Ḥadīth Is Akin to the Prayer

١٦٦- حَدَّثَنَا أَبُو طَالِبٍ يَحْيَى بْنُ عَلِيِّ بْنِ الطَّيِّبِ الدَّسْكَرِيُّ مِنْ لَفْظِهِ بِحُلْوَانَ، قَالَ: أَخْبَرَنَا أَبُو بَكْرِ بْنُ الْمُقْرِئِ بِأَصْبَهَانَ، قَالَ: حَدَّثَنَا إِبْرَاهِيمُ بْنُ مُحَمَّدِ بْنِ الْحَسَنِ، إِمَامُ جَامِعِ أَصْبَهَانَ، قَالَ: حَدَّثَنَا إِبْرَاهِيمُ بْنُ سَعِيدٍ، قَالَ: حَدَّثَنَا رَوْحُ بْنُ عُبَادَةَ، قَالَ: حَدَّثَنَا دَاوُدُ بْنُ قَيْسٍ، عَنْ مُحَمَّدِ بْنِ عَمْرِو بْنِ عَطَاءٍ قَالَ: كَانَ مُوسَى بْنُ يَسَارٍ مَعَنَا، يُحَدِّثُ، فَقَالَ لَهُ ابْنُ عَمْرٍو: إِذَا أَنْتَ فَرَغْتَ مِنْ حَدِيثِك فَسَلِّمْ، فَإِنَّكَ فِي صَلَاةٍ.

166. It was narrated to us by Abu Ṭālib Yaḥyā ibn ʿAlī ibn al-Ṭayyib al-Daskarī in Ḥulwān [...] that Muḥammad ibn ʿAmr ibn ʿAṭā' said: "Mūsā ibn Yasār was with us narrating, and Ibn ʿAmr said to him, 'Once you finish narrating, say *salām* (i.e. as one does when exiting prayer), for you are in [a state of] prayer.'"

من قال: التحديث أفضل من صلاة النافلة

Who Said: Narrating Ḥadīth Is Better Than Voluntary Prayer

١٦٧- أَخْبَرَنَا أَبُو الْفَتْحِ هِلَالُ بْنُ مُحَمَّدِ بْنِ جَعْفَرٍ الْحَفَّارُ، قَالَ: حَدَّثَنَا عَلِيُّ بْنُ مُحَمَّدِ بْنِ أَحْمَدَ الْمِصْرِيُّ، قَالَ: سَمِعْتُ أَبَا بَكْرِ بْنَ عَلِيٍّ، يَقُولُ: سَمِعْتُ يُوسُفَ الْقَطَّانَ، يَقُولُ: سَمِعْتُ وَكِيعًا يَقُولُ: لَوْ أَعْلَمُ أَنَّ الصَّلَاةَ أَفْضَلَ مِنَ الْحَدِيثِ مَا حَدَّثْتُ.

167. It was reported to us by Abu 'l-Fatḥ Hilāl ibn Muḥammad ibn Ja'far al-Ḥaffār [...] that Wakī' said: "If I knew that the prayer was better than ḥadīth, I would not narrate."

١٦٨- ذَكَرَ شَيْخُنَا أَبُو الْحَسَنِ عَلِيُّ بْنُ يَحْيَى بْنِ جَعْفَرٍ الْأَصْبَهَانِيُّ، أَنَّ عَبْدَ اللَّهِ بْنَ الْحَسَنِ بْنِ بُنْدَارٍ حَدَّثَهُمْ، قَالَ: سَمِعْتُ عَبْدَ اللَّهِ بْنَ مُحَمَّدِ بْنِ النُّعْمَانِ، يَقُولُ: سَمِعْتُ أَبِي يَقُولُ سَمِعْتُ الْقَعْنَبِيَّ يَقُولُ: لَوْ أَعْلَمُ أَنَّ الصَّلَاةَ أَفْضَلَ مِنْهُ مَا حَدَّثْتُ.

168. It was mentioned by our teacher Abu 'l-Ḥasan 'Alī ibn Yaḥyā ibn Ja'far al-Aṣbahānī [...] that al-Qa'nabī said: "If I knew that the prayer was better than it, I would not narrate."

١٦٩- أَنْبَأَنَا أَحْمَدُ بْنُ مُحَمَّدِ بْنِ الصَّلْتِ الْأَهْوَازِيُّ، قَالَ: حَدَّثَنَا عَبْدُ الْغَافِرِ بْنُ سَلَامَةَ الْحِمْصِيُّ، قَالَ: حَدَّثَنَا أَبُو ثَوْبَانَ يزْدَادُ بْنُ جَمِيلٍ الْبَهْرَانِيُّ قَالَ: سَأَلَ عُمَرُ بْنُ سُهَيْلٍ - رَجُلٌ مِنْ أَصْحَابِ الْحَدِيثِ - الْمُعَافَى بْنَ عِمْرَانَ، فَقَالَ لَهُ: يَا أَبَا عِمْرَانَ! أَيُّ شَيْءٍ أَحَبُّ إِلَيْكَ؟ أُصَلِّي أَوْ أَكْتُبُ الْحَدِيثَ؟ فَقَالَ: كِتَابُ حَدِيثٍ

وَاحِدٍ أَحَبُّ إِلَيَّ مِنْ صَلَاةِ لَيْلَةٍ.

169. We were informed by Aḥmad ibn Muḥammad ibn al-Ṣalt al-Ahwāzī [...] that Abu Thawbān Yazdād ibn Jamīl al-Bahrānī said: "'Umar ibn Suhayl asked a man from amongst the ḥadīth adherents, al-Mu'āfā ibn 'Imrān, 'O Abā 'Imrān, what thing is more beloved to you, that I pray [voluntary prayers] or write down ḥadīth?' He replied, 'Writing one ḥadīth is better to me than praying an [entire] night.'"

وَقَالَ غَيْرُهُ عَنْ عَبْدِ الْغَافِرِ عَمْرِو بْنِ إِسْمَاعِيلَ، بَدَلَ عُمَرَ بْنِ سُهَيْلٍ، [كَذَا قَالَ لَنَا الشَّيْخُ أَبُو بَكْرٍ رَحِمَهُ اللَّهُ].

Other narrators reported it from 'Abd al-Ghāfir with 'Amr ibn Ismā'īl in the place of 'Umar ibn Suhayl, [as was stated to us by al-Shaykh Abu Bakr, may Allah have mercy upon him.]

١٧٠- أَخْبَرَنَا أَبُو عُثْمَانَ سَعِيدُ بْنُ الْعَبَّاسِ بْنِ مُحَمَّدٍ الْقُرَشِيُّ الْهَرَوِيُّ، قَالَ: سَمِعْتُ أَبَا الْعَبَّاسِ عَبْدَ اللَّهِ بْنَ مُحَمَّدِ بْنِ جَعْفَرٍ بِبُوشَنْج، يَقُولُ: سَمِعْتُ أَبَا مُحَمَّدٍ عَبْدَ الرَّحْمَنِ بْنَ مُحَمَّدِ بْنِ إِدْرِيسَ يَقُولُ: خَرَجْتُ إِلَى أَيْلَةَ، إِلَى مُحَمَّدِ بْنِ عَزِيزٍ الْأَيْلِيِّ، فَكَتَبَ لِي أَبِي وَأَبُو زُرْعَةَ إِلَيْهِ - يَعْنِي فِي الْوُصَاةِ - فَجَعَلَ مُحَمَّدُ بْنُ عَزِيزٍ يَقْرَأُ لِي يَوْمَ الْجُمُعَةِ، مَا صَلَّى ذَلِكَ الْيَوْمَ إِلَّا الْجُمُعَةَ رَكْعَتَيْنِ وَالْعَصْرَ أَرْبَعًا. وَكَانَ يَقْرَأُ لِي الْحَدِيثَ، عَلَى أَنَّ قِرَاءَةَ الْحَدِيثِ أَفْضَلُ مِنْ صَلَاةِ التَّطَوُّعِ.

170. It was reported to us by Abu 'Uthmān Sa'īd ibn al-'Abbās ibn Muḥammad al-Qurashī al-Harawī [...] that Abu Muḥammad 'Abd al-Raḥmān ibn Muḥammad ibn Idrīs said: "I went to Ayla, to Muḥammad ibn 'Azīz al-Aylī, and my father wrote for me, and Abu Zur'ah to him—i.e. in a letter requesting him to look after me—and so Muḥammad ibn 'Azīz narrated to me on a Friday, having not prayed anything other than the Friday prayer in two units, and the *'asr* prayer in four units, yet he read to me ḥadīth, on the premise that reading ḥadīth is better than voluntary prayer."

من قال: كتابة الحديث أفضل من صوم التطوع

Who Said: Writing Ḥadīth Is Better Than Voluntary Fasting

١٧١- أَخْبَرَنِي عَبْدُ الْغَفَّارِ بْنُ أَبِي الطَّيِّبِ الْمُؤَدِّبُ، قَالَ: حَدَّثَنَا عُمَرُ بْنُ أَحْمَدَ بْنِ عُثْمَانَ، قَالَ: حَدَّثَنَا مُحَمَّدُ بْنُ أَحْمَدَ بْنِ أَبِي الثَّلْجِ، قَالَ: حَدَّثَنِي جَدِّي، قَالَ: سَأَلْتُ أَحْمَدَ بْنَ حَنْبَلٍ، قُلْتُ: يَا أَبَا عَبْدِ اللَّهِ! أَيُّهُمَا أَحَبُّ إِلَيْكَ: الرَّجُلُ يَكْتُبُ الْحَدِيثَ أَوْ يَصُومُ وَيُصَلِّي؟ قَالَ: يَكْتُبُ الْحَدِيثَ، قُلْتُ: فَمِنْ أَيْنَ فَضَّلْتَ كِتَابَ الْحَدِيثِ عَلَى الصَّوْمِ وَالصَّلَاةِ؟ قَالَ: لِئَلَّا يَقُولَ قَائِلٌ: إِنِّي رَأَيْتُ قَوْمًا عَلَى شَيْءٍ فَاتَّبَعْتُهُمْ.

171. It was reported to me by ʿAbd al-Ghaffār ibn Abi ʿl-Ṭayyib al-Muʾaddib [...] that Muḥammad ibn Aḥmad ibn Abi ʿl-Thalj narrated from his grandfather: "I asked Aḥmad ibn Ḥanbal, 'O Abā ʿAbdillāh, what is more beloved to you, that a man writes ḥadīth, or [voluntarily] fasts and prays?' He replied, 'That he writes ḥadīth." I asked, 'On what basis do you prefer writing ḥadīth over fasting and praying?' He replied, 'So that it is not said: I saw a people doing something and I followed them."

قال الشيخ أبو بكر الحافظ: طَلَبُ الْحَدِيثِ فِي هَذَا الزَّمَانِ أَفْضَلُ مِنْ سَائِرِ أَنْوَاعِ التَّطَوُّعِ لِأَجْلِ دُرُوسِ السُّنَنِ وَخُمُولِهَا، وَظُهُورِ الْبِدَعِ وَاسْتِعْلَاءِ أَهْلِهَا.

Al-Shaykh al-Ḥāfiẓ Abu Bakr [al-Khaṭīb] said: Seeking ḥadīth during this era is better than all other types of voluntary actions, because the *sunan*, [in this era,] have become archaic and unpractised, whilst innovations have become apparent and its people raised to lofty positions.

١٧٢- وَقَدْ أَخْبَرَنَا أَبُو طَاهِرٍ الْعَلَوِيُّ مُحَمَّدُ بْنُ الْحَسَنِ بْنِ زَيْدِ بْنِ الْحَسَنِ بْنِ

أَحْمَدَ بْنِ عِيسَى بْنِ يَحْيَى بْنِ الْحُسَيْنِ بْنِ زَيْدِ بْنِ عَلِيٍّ [بْنِ الْحُسَيْنِ] بْنِ عَلِيِّ بْنِ أَبِي طَالِبٍ بِالرَّيِّ، قَالَ: حَدَّثَنَا أَبُو الْحَسَنِ أَحْمَدُ بْنُ مُحَمَّدِ بْنِ سَهْلٍ الْبَزَّارُ، قَالَ: حَدَّثَنَا مُحَمَّدُ بْنُ أَيُّوبَ، قَالَ: أَخْبَرَنَا عَبْدُ اللَّهِ بْنُ عُمَرَ، قَالَ: سَمِعْتُ يَحْيَى بْنَ يَمَانٍ يَقُولُ: مَا كَانَ طَلَبُ الْحَدِيثِ خَيْرًا مِنْهُ الْيَوْمَ، قُلْنَا يَا أَبَا عَبْدِ اللَّهِ إِنَّهُمْ يَطْلُبُونَهُ، وَلَيْسَ لَهُمْ نِيَّةٌ؟ قَالَ: طَلَبُهُمْ إِيَّاهُ نِيَّةٌ.

172. It was reported to us by Abu Ṭāhir al-'Alwī Muḥammad ibn al-Ḥasan ibn Zayd ibn al-Ḥasan ibn Aḥmad ibn 'Īsā ibn Yaḥyā ibn al-Ḥusayn ibn Zayd ibn 'Alī ibn al-Ḥusayn ibn 'Alī ibn Abī Ṭālib in al-Rayy [...] that Yaḥyā ibn Yamān said: "Seeking ḥadīth has never been better than today." We said: "O Abā 'Abdillāh, they seek it, but do not have the [correct] intention." He replied, "Their mere seeking of it is a [proper] intention."

من كان يستشفي بقراءة الحديث

Who Used to Seek Healing Through Ḥadīth Reading

١٧٣- أَخْبَرَنَا أَحْمَدُ بْنُ مُحَمَّدِ بْنِ غَالِبٍ الْفَقِيهُ، قَالَ: قَالَ لَنَا أَبُو الْحَسَنِ الدَّارَقُطْنِيُّ، قَالَ لَنَا مُحَمَّدُ بْنُ مَخْلَدٍ: كَانَ الرَّمَادِيُّ إِذَا اشْتَكَى شَيْئًا قَالَ: هَاتُوا أَصْحَابَ الْحَدِيثِ، فَإِذَا حَضَرُوا عِنْدَهُ قَالَ: اقْرَؤُوا عَلَيَّ الْحَدِيثَ.

173. It was reported to us by Aḥmad ibn Muḥammad ibn Ghālib al-Faqīh [...] that Muḥammad ibn Makhlad said: “When al-Ramādī would suffer from anything, he would say, ‘Bring me the ḥadīth disciples,’ and when they were in his presence, he would say, ‘Recite ḥadīth upon me.’”

ذكر نهي عمر بن الخطاب رضي الله عنه عن رواية الحديث وبيان وجهه ومعناه

Mentioning ʿUmar ibn al-Khaṭṭāb's Prohibition of Narrating Ḥadīth, and Explanation of Its Reason and Its Meaning

١٧٤- حَدَّثَنَا أَبُو سَعْدٍ أَحْمَدُ بْنُ مُحَمَّدِ بْنِ أَحْمَدَ الْمَالِينِيُّ، قَالَ: أَخْبَرَنَا عَبْدُ اللَّهِ بْنُ عَدِيٍّ الْحَافِظُ، قَالَ: أَخْبَرَنَا أَحْمَدُ بْنُ شُعَيْبٍ النَّسَائِيُّ، قَالَ: حَدَّثَنَا إِسْحَاقُ بْنُ مُوسَى الْأَنْصَارِيُّ.

ح وَحَدَّثَنَا أَبُو سَعْدٍ أَيْضًا، قَالَ: أَخْبَرَنَا عَبْدُ اللَّهِ بْنُ عَدِيٍّ، قَالَ: حَدَّثَنَا أَحْمَدُ بْنُ الْحُسَيْنِ بْنِ نَصْرٍ الْحَذَّاءُ، وَمُحَمَّدُ بْنُ صَالِحِ بْنِ ذَرِيحٍ، وَالْحُسَيْنُ بْنُ عَبْدِ اللَّهِ بْنِ يَزِيدَ، وَإِسْمَاعِيلُ بْنُ حَمَّادٍ أَبُو النَّضْرِ، قَالُوا: حَدَّثَنَا إِسْحَاقُ بْنُ مُوسَى.

ح وأَخْبَرَنِي عَلِيُّ بْنُ أَحْمَدَ الرَّزَّازُ، قَالَ: أَخْبَرَنَا عَلِيُّ بْنُ إِبْرَاهِيمَ بْنِ حَمَّادِ بْنِ إِسْحَاقَ الْقَاضِي، قَالَ: حَدَّثَنَا ابْنُ نَاجِيَةَ، قَالَ: حَدَّثَنَا أَبُو مُوسَى الْأَنْصَارِيُّ وَهُوَ إِسْحَاقُ بْنُ مُوسَى، قَالَ: حَدَّثَنَا مَعْنُ بْنُ عِيسَى، قَالَ: حَدَّثَنَا مَالِكُ بْنُ أَنَسٍ، عَنْ عَبْدِ اللَّهِ بْنِ إِدْرِيسَ، عَنْ شُعْبَةَ، عَنْ سَعْدِ بْنِ إِبْرَاهِيمَ، عَنْ أَبِيهِ، قَالَ:

بَعَثَ عُمَرُ بْنُ الْخَطَّابِ إِلَى عَبْدِ اللَّهِ بْنِ مَسْعُودٍ، وَإِلَى أَبِي الدَّرْدَاءِ، وَإِلَى أَبِي مَسْعُودٍ الْأَنْصَارِيِّ، فَقَالَ: مَا هَذَا الْحَدِيثُ الَّذِي تُكْثِرُونَ عَنْ رَسُولِ اللَّهِ صَلَّى اللهُ عَلَيْهِ وَسَلَّمَ! فَحَبَسَهُمْ بِالْمَدِينَةِ حَتَّى اسْتُشْهِدَ. [لفظهم سواء].

174. It was reported to us via a number of routes [...] that Saʿd ibn Ibrāhīm narrated from his father: "ʿUmar ibn al-Khaṭṭāb wrote to ʿAbdullāh ibn Masʿūd, Abu 'l-Dardā', and to Abu Masʿūd al-Anṣārī, stating, 'What are all these ḥadīth that you narrate from the Messenger of Allah ﷺ?' Then he

confined them to Medina until he was martyred.'" [The wordings of the various narrators are the same.]

قَالَ الشَّيْخُ أَبُو بَكْرٍ: لَمْ يَرْوِ مَالِكٌ عَنْ عَبْدِ اللَّهِ بْنِ إِدْرِيسَ غَيْرَ هَذَا الْحَدِيثِ، وَلَمْ يُحَدِّثْ عَنِ الْكُوفِيِّينَ إِلَّا عَنْهُ. لِأَنَّهُ كَانَ عَلَى مَذْهَبِهِ فِي تَحْرِيمِ النَّبِيذِ، وَلَيْسَ فِي مُوَطَّأ مَعْنٌ.

Al-Shaykh Abu Bakr said: Mālik did not report from 'Abdullāh ibn Idrīs except this ḥadīth, and he did not narrate from a Kufan except him, as he was upon his *madhhab* (i.e. Ibn Idrīs followed the way of Ahl al-Madīnah) in the prohibition of [the drink] *al-nabīdh*. Ma'n was not mentioned in the *Muwaṭṭá*.

١٧٥- أَخْبَرَنَا عَبْدُ الْمَلِكِ بْنُ مُحَمَّدِ بْنِ عَبْدِ اللَّهِ بْنِ بِشْرَانَ الْوَاعِظُ، قَالَ: أَخْبَرَنَا عُمَرُ بْنُ مُحَمَّدٍ الْجُمَحِيُّ بِمَكَّةَ، قَالَ: حَدَّثَنَا عَلِيُّ بْنُ عَبْدِ الْعَزِيزِ، قَالَ: حَدَّثَنَا سَعِيدُ بْنُ مَنْصُورٍ، قَالَ: حَدَّثَنَا خَالِدُ بْنُ عَبْدِ اللَّهِ، عَنْ بَيَانٍ، عَنْ عَامِرٍ الشَّعْبِيِّ،: عَنْ قُرَظَةَ بْنِ كَعْبٍ قَالَ: خَرَجْنَا، فَشَيَّعْنَا عُمَرَ إِلَى صِرَارٍ، ثُمَّ دَعَا بِمَاءٍ، فَتَوَضَّأَ، ثُمَّ قَالَ لنا: تَدْرُونَ لِمَ خَرَجْتُ مَعَكُمْ؟ قُلْنَا: أَرَدْتَ أَنْ تُشَيِّعَنَا وَتُكَرِّمَنَا، قَالَ: إِنَّ مَعَ ذَلِكَ لَحَاجَةٌ خَرَجْتُ لَهَا، إِنَّكُمْ تَأْتُونَ بَلْدَةً، لِأَهْلِهَا دَوِيٌّ بِالْقُرْآنِ كَدَوِيِّ النَّحْلِ، فَلَا تَصُدُّوهُمْ بِالْأَحَادِيثِ عَنْ رَسُولِ اللَّهِ صَلَّى اللهُ عَلَيْهِ وَسَلَّمَ وَأَنَا شَرِيكُكُمْ. قَالَ قُرَظَةُ: فَمَا حَدَّثْتُ بَعْدَهُ حَدِيثًا عَنْ رَسُولِ اللَّهِ صَلَّى اللهُ عَلَيْهِ وَسَلَّمَ.

175. It was reported to us by 'Abd al-Malik ibn Muḥammad ibn 'Abdullāh ibn Bishrān al-Wā'iẓ [...] that Quraẓah ibn Ka'b said: "We went out and were accompanied by 'Umar to Ṣirār, he called for water, performed ablution, and then said to us, 'Do you know why I went out with you?' We replied, 'You wanted to accompany and honour us.' He said, 'Along with that, there is a request for which I came: You will arrive in a land, and its people buzz [in recitation of the] Qur'ān similar to the buzzing of bees. Therefore, do not distract them with *aḥādīth* of the Messenger of Allah ﷺ, and I am your associate in this.'" Quraẓah said, "I did not narrate a ḥadīth from the Messenger of Allah ﷺ after this."

[قَالَ الشَّيْخُ]: إِنْ قَالَ قَائِلٌ: مَا وَجْهُ إِنْكَارِ عُمَرَ عَلَى الصَّحَابَةِ رِوَايَتَهُمْ عَنْ رَسُولِ اللَّهِ صَلَّى اللهُ عَلَيْهِ وَسَلَّمَ وَتَشْدِيدَهُ عَلَيْهِمْ فِي ذَلِكَ؟ قِيلَ لَهُ: إِنَّمَا فَعَلَ ذَلِكَ عُمَرُ احْتِيَاطًا لِلدِّينِ، وَحُسْنَ نَظَرٍ لِلْمُسْلِمِينَ، لِأَنَّهُ خَافَ أَنْ يَنْكُلُوا عَنِ الْأَعْمَالِ وَيَتَّكِلُوا عَلَى ظَاهِرِ الْأَخْبَارِ، وَلَيْسَ حُكْمُ جَمِيعِ الْأَحَادِيثِ عَلَى ظَاهِرِهَا، وَلَا كُلُّ مَنْ سَمِعَهَا عَرَفَ فِقْهَهَا. فَقَدْ يَرِدُ الْحَدِيثُ مُجْمَلًا، وَيُسْتَنْبَطُ مَعْنَاهُ وَتَفْسِيرُهُ مِنْ غَيْرِهِ، فَخَشِيَ عُمَرُ أَنْ يُحْمَلَ حَدِيثٌ عَلَى غَيْرِ وَجْهِهِ، أَوْ يُؤْخَذَ بِظَاهِرِ لَفْظِهِ وَالْحُكْمُ بِخِلَافِ مَا أُخِذَ بِهِ، وَنَحْوٌ مِنْ هَذَا [الْمَعْنَى] الْحَدِيثُ الْآخَرُ:

The *shaykh* said: If one were to ask: What is the reason behind 'Umar chastising the companions from narrating from the Messenger of Allah ﷺ, and him being strict with them on this matter?" It could be said to him that 'Umar did that out of cautiousness for the religion, and out of good judgement for the Muslims, because he feared that they would abstain from performing actions and instead depend upon the apparent [meanings of] narrations, while not all of the rulings of *aḥādīth* are based upon their apparent [meanings], nor does everyone who hears them understand their jurisprudential meaning. It is the case sometimes that a ḥadīth is generally worded, and its meaning and interpretation is extracted from other report[s]. Hence, 'Umar feared that a ḥadīth would be interpreted in the wrong manner, or its apparent meaning be taken whilst its ruling is the opposite of that which was taken to. A similar explanation to this is found in [the following] ḥadīth:

١٧٦- أَخْبَرَنَا أَحْمَدُ بْنُ مُحَمَّدِ بْنِ غَالِبٍ الْخُوَارَزْمِيُّ، قَالَ: قَرَأْتُ عَلَى أَبِي الْعَبَّاسِ بْنِ حَمْدَانَ، حَدَّثَكُمُ الْحُسَيْنُ بْنُ مُحَمَّدِ بْنِ زِيَادٍ الْقَبَّانِيُّ، قَالَ: حَدَّثَنَا أَبُو بَكْرِ بْنُ أَبِي شَيْبَةَ، قَالَ الْخُوَارَزْمِيُّ: وَقَرَأْتُ عَلَى أَبِي بَكْرٍ الْإِسْمَاعِيلِيِّ، أَخْبَرَكَ أَبُو يَعْلَى - يَعْنِي الْمَوْصِلِيَّ -، حَدَّثَنَا خَلَفُ بْنُ هِشَامٍ، قَالَا حَدَّثَنَا أَبُو الْأَحْوَصِ، عَنْ أَبِي إِسْحَاقَ، عَنْ عَمْرِو بْنِ مَيْمُونٍ الْأَوْدِيِّ، عَنْ مُعَاذٍ قَالَ: كُنْتُ رِدْفَ رَسُولِ اللَّهِ صَلَّى اللهُ عَلَيْهِ وَسَلَّمَ عَلَى حِمَارٍ لَهُ، يُقَالُ لَهُ عُفَيْرٌ، فَقَالَ: ((يَا مُعَاذُ! أَتَدْرِي مَا حَقُّ اللَّهِ عَلَى الْعِبَادِ وَمَا حَقُّ الْعِبَادِ عَلَى اللَّهِ؟)) فَقُلْتُ: اللَّهُ وَرَسُولُهُ أَعْلَمُ. قَالَ:

((فَإِنَّ حَقَّ اللَّهِ عَلَى الْعِبَادِ: أَنْ يَعْبُدُوهُ، وَلَا يُشْرِكُوا بِهِ شَيْئًا، وَحَقُّ الْعِبَادِ عَلَى اللَّهِ: أَنَّ لَا يُعَذِّبَ مَنْ لَا يُشْرِكُ بِهِ)). قُلْتُ: أَفَلَا أُبَشِّرُ النَّاسَ؟ قَالَ: ((لَا، فَيَتَّكِلُوا)).

176. It was reported to us by Aḥmad ibn Muḥammad ibn Ghālib al-Khuwārazmī [...] that Mu'ādh said: "I was riding behind the Messenger of Allah ﷺ on a donkey of his, called 'Ufayr, and he said, 'O Mu'ādh, do you know what the right of Allah is upon the slaves, and what the right of the slaves is upon Allah?' I said, 'Allah and His Messenger know best.' He said, 'The right of Allah upon the slaves is that they worship Him and do not associate anything with Him, and the right of the slaves upon Allah is that He does not punish those who do not associate anything with Him.' I said, 'Should I not give glad tidings to the people?' He replied, 'No, [lest] they become slack [and rely upon it, and thus stop performing deeds].'"[121]

هَذَا لَفْظُ حَدِيثِ خلَفٍ، وَحَدِيثُ أَبِي بَكْرٍ نَحْوَهُ، غَيْرَ أَنَّ فِيهِ: قَالَ فَقَالَ معاذ: أَفَلَا أُبَشِّرَ النَّاسَ؟ قَالَ: ((لَا تُبَشِّرْهُمُ، فَيَتَّكِلُوا)).

This is the wording of Khalf, and the ḥadīth of Abu Bakrah is similar, except that it states: Mu'ādh said, "Should I not give glad tidings to the people?" He replied, "Do not give them the glad tidings, lest they become slack [and stop performing deeds]."

١٧٧- أَخْبَرَنَا أَبُو بَكْرٍ أَحْمَدُ بْنُ عَلِيِّ بْنِ مُحَمَّدٍ الْأَصْبَهَانِيُّ الْحَافِظُ بِنَيْسَابُورَ، قَالَ: أَخْبَرَنَا أَبُو عَمْرِو بْنُ حَمْدَانَ، قَالَ: أَخْبَرَنَا عِمْرَانُ بْنُ مُوسَى بْنِ مُجَاشِعٍ، قَالَ: حَدَّثَنَا مُحَمَّدُ بْنُ خَلَّادٍ، قَالَ: حَدَّثَنَا مُعْتَمِرٌ، عَنْ أَبِيهِ، قَالَ: حَدَّثَنَا أَنَسٌ قَالَ: ذُكِرَ لِي أَنَّ النَّبِيَّ صَلَّى اللهُ عَلَيْهِ وَسَلَّمَ قَالَ لِمُعَاذٍ: ((مَنْ لَقِيَ اللَّهَ [عَزَّ وَجَلَّ] لَا يُشْرِكُ - يَعْنِي بِهِ - شَيْئًا، دَخَلَ الْجَنَّةَ)). فَقَالَ: يَا نَبِيَّ اللَّهِ! أَفَلَا أُبَشِّرَ النَّاسَ؟ قَالَ: ((لَا، إِنِّي أَتَخَوَّفُ أَنْ يَتَّكِلُوا)).

177. It was reported to us by Abu Bakr Aḥmad ibn 'Alī ibn Muḥammad al-Aṣbahānī al-Ḥāfiẓ in Naysābūr [...] that Anas said: "It was mentioned to

121 It is *ṣaḥīḥ*. It was reported by al-Bukhārī (2/146), Muslim (1/58), Abu Dāwūd—in a summarised form (2559), al-Tirmidhī (2643), and al-Nasā'ī in *al-Kubrā* (3/443-444).

me that the Prophet ﷺ said to Muʿādh: 'Whomsoever meets Allah not having associated anything with Him, he will enter paradise.' Muʿādh said, 'O Prophet, should I not give the people this glad tiding?' The Prophet replied, 'No, I fear that they will become dependent upon it [and slacken.]'"[122]

١٧٨- وَأَخْبَرَنَا الْحَسَنُ بْنُ أَبِي بَكْرٍ، قَالَ: قَالَ لَنَا أَبُو عَلِيٍّ الطُّومَارِيُّ: كُنَّا عِنْدَ أَبِي الْعَبَّاسِ أَحْمَدَ بْنِ يَحْيَى ثَعْلَبٍ، فَقَالَ لَهُ رَجُلٌ: أَيْشِ مَعْنَى قَوْلِ النَّبِيِّ صَلَّى اللهُ عَلَيْهِ وَسَلَّمَ لِعَلِيٍّ، وَقَدْ أَقْبَلَ أَبُو بَكْرٍ وَعُمَرُ فَقَالَ: ((هَذَانِ سَيِّدَا كُهُولِ أَهْلِ الْجَنَّةِ، لَا تُخْبِرْهُمَا يَا عَلِيُّ؟)) قَالَ: أَشْفَقَ عَلَيْهِمَا مِنَ التَّقْصِيرِ فِي الْعَمَلِ.

178 And it was reported to us by al-Ḥasan ibn Abī Bakr that Abu ʿAlī al-Ṭūmārī said: "We were with Abu 'l-ʿAbbās Aḥmad ibn Yaḥyā Thaʿlab, and a man asked him, 'What is the meaning of the Prophet's ﷺ statement to ʿAlī, when Abu Bakr and ʿUmar were approaching, 'These are the masters of the seniors of the people of paradise, [but] do not tell them [O] ʿAlī.' He replied, 'He was worried that they would fall into shortcomings with regards to performing actions.'"[123]

قَالَ [الشيخ] أَبُو بَكْرٍ [الحافظ]: [قُلْتُ]: وَكَذَلِكَ نَهَى عُمَرُ الصَّحَابَةَ أَنْ يُكْثِرُوا رِوَايَةَ الْحَدِيثِ إِشْفَاقًا عَلَى النَّاسِ أَنْ يَنْكُلُوا عَنِ الْعَمَلِ اتِّكَالًا عَلَى الْحَدِيثِ.

Al-Shaykh Abu Bakr al-Ḥāfiẓ said: This is similar to ʿUmar's prohibition to the companions of excessive narration of ḥadīth, out of worry for people that they would fall short in performing actions and rely solely on ḥadīth [and what was narrated in them that may cause one to depend upon the contents and become negligent when performing acts of worship].

وَفِي تَشْدِيدِ عُمَرَ أَيْضًا عَلَى الصَّحَابَةِ فِي رِوَايَتِهِمْ حِفْظٌ لِحَدِيثِ رَسُولِ اللَّهِ صَلَّى اللهُ عَلَيْهِ وَسَلَّمَ، وَتَرْهِيبٌ لِمَنْ لَمْ يَكُنْ مِنَ الصَّحَابَةِ أَنْ يُدْخِلَ فِي السُّنَنِ مَا لَيْسَ مِنْهَا، لِأَنَّهُ إِذَا رَأَى الصَّحَابِيَّ الْمَقْبُولَ الْقَوْلِ، الْمَشْهُورَ بِصُحْبَةِ النَّبِيِّ صَلَّى اللهُ عَلَيْهِ وَسَلَّمَ، قَدْ تُشُدِّدَ عَلَيْهِ فِي رِوَايَتِهِ، كَانَ هُوَ أَجْدَرُ أَنْ يَكُونَ لِلرِّوَايَةِ أَهْيَبَ،

122 It is *ṣaḥīḥ*, and was reported by al-Bukhārī (1/37).
123 It is *ḍaʿīf*.

وَلِمَا يُلْقِي الشَّيْطَانُ فِي النَّفْسِ مِنْ تَحْسِينِ الْكَذِبِ أَرْهَبَ.

Also, 'Umar's strictness with the companions in their narrations served as a preservation of the ḥadīth of the Messenger of Allah ﷺ, and a warning to other than the companions from introducing into the *sunan* that which is not originally from them. This is because if one sees such strictness applied to the narrations of a companion whose speech is accepted, and is known to have accompanied the Prophet ﷺ, he would find himself more apt [than the companion] in needing wariness in narration, and more wary of the beautification of lying placed in the soul by the devil.

١٧٩- أَخْبَرَنَا أَبُو الْفَرَجِ عَبْدُ السَّلَامِ بْنُ عَبْدِ الْوَهَّابِ الْقُرَشِيُّ بِأَصْبَهَانَ، قَالَ: أَخْبَرَنَا سُلَيْمَانُ بْنُ أَحْمَدَ بْنِ أَيُّوبَ الطَّبَرَانِيُّ، قَالَ: حَدَّثَنَا أَبُو يَزِيدَ الْقَرَاطِيسِيُّ، قَالَ: حَدَّثَنَا أَسَدُ بْنُ مُوسَى، قَالَ: حَدَّثَنَا مُعَاوِيَةُ بْنُ صَالِحٍ، قَالَ: حَدَّثَنِي رَبِيعَةُ بْنُ يَزِيدٍ، عَنْ عَبْدِ اللَّهِ بْنِ عَامِرٍ الْيَحْصِبِيِّ، قَالَ: سَمِعْتُ مُعَاوِيَةَ عَلَى الْمِنبَرِ، بِدِمَشْقَ، يَقُولُ: أَيُّهَا النَّاسُ إِيَّاكُمْ وَأَحَادِيثَ رَسُولِ اللَّهِ صَلَّى اللهُ عَلَيْهِ وَسَلَّمَ إِلَّا حَدِيثًا كَانَ يُذْكَرُ عَلَى عَهْدِ عُمَرَ رَضِيَ اللَّهُ عَنْهُ، فَإِنَّ عُمَرَ كَانَ يُخِيفُ النَّاسَ فِي اللَّهِ عَزَّ وَجَلَّ.

179. It was reported to us by Abu 'l-Faraj 'Abd al-Salām ibn 'Abd al-Wahhāb al-Qurashī in Aṣbahān [...] that 'Abdullāh ibn 'Āmir al-Yaḥṣibī said: "I heard Mu'āwiyah on the pulpit in Damascus stating, 'O people, beware of the aḥādīth of the Messenger of Allah ﷺ, except those which were mentioned during the time of 'Umar ؓ, for 'Umar used to make the people fear for the sake of Allah.'"

وَإِلَى الْمَعْنَى الَّذِي ذَكَرْنَاهُ ذَهَبَ عُمَرُ [رَضِيَ اللَّهُ عَنْهُ] فِي طَلَبِهِ مِنْ أَبِي مُوسَى الْأَشْعَرِيِّ أَنْ يَحْضُرَ مَعَهُ رَجُلًا يَشْهَدُ أَنَّهُ سَمِعَ مِنَ رَسُولِ اللَّهِ صَلَّى اللهُ عَلَيْهِ وَسَلَّمَ حَدِيثَ السَّلَامِ.

[In accordance] to the meaning that we have mentioned, 'Umar [once] sought Abu Mūsā al-Ash'arī to bring with him a man to witness that he heard the ḥadīth of greeting from the Messenger of Allah ﷺ.

١٨٠- أَخْبَرَنَا أَبُو الْحُسَيْنِ عَلِيُّ بْنُ مُحَمَّدِ بْنِ عَبْدِ اللَّهِ بْنِ بِشْرَانَ الْمُعَدِّلُ، قَالَ: أَخْبَرَنَا إِسْمَاعِيلُ بْنُ مُحَمَّدٍ الصَّفَّارُ، قَالَ: حَدَّثَنَا أَحْمَدُ بْنُ مَنْصُورٍ الرَّمَادِيُّ، قَالَ: حَدَّثَنَا عَبْدُ الرَّزَّاقِ، قَالَ: أَخْبَرَنَا مَعْمَرٌ، عَنْ سَعِيدٍ الْجُرَيْرِيِّ، عَنْ أَبِي نَضْرَةَ، عَنْ أَبِي سَعِيدٍ الْخُدْرِيِّ، قَالَ: سَلَّمَ عَبْدُ اللَّهِ بْنُ قَيْسٍ عَلَى عُمَرَ بْنِ الْخَطَّابِ ثَلَاثَ مَرَّاتٍ، فَلَمْ يُؤْذَنْ لَهُ، فَرَجَعَ، فَأَرْسَلَ عُمَرُ فِي أَثَرِهِ، فَقَالَ: لِمَ رَجَعْتَ؟ قَالَ:، إِنِّي سَمِعْتُ رَسُولَ اللَّهِ صَلَّى اللهُ عَلَيْهِ وَسَلَّمَ يَقُولُ: ((إِذَا سَلَّمَ أَحَدُكُمْ ثَلَاثًا، فَلَمْ يُجَبْ، فَلْيَرْجِعْ)). فَقَالَ عُمَرُ: لَتَأْتِيَنِّي عَلَى مَا تَقُولُ بِبَيِّنَةٍ، أَوْ لَأَفْعَلَنَّ بِكَ كَذَا. غَيْرَ أَنَّهُ قَدْ أَوْعَدَهُ، قَالَ: فَجَاءَنَا أَبُو مُوسَى، مُنْتَقِعًا لَوْنُهُ، وَأَنَا فِي حَلَقَةٍ جَالِسٌ، فَقُلْنَا: مَا شَأْنُكَ؟ فَقَالَ: سَلَّمْتُ عَلَى عُمَرَ فَأَخْبَرَنَا خَبَرَهُ، فَهَلْ سَمِعَ أَحَدٌ مِنْكُمْ مِنْ رَسُولِ اللَّهِ صَلَّى اللهُ عَلَيْهِ وَسَلَّمَ هَذَا؟ قَالُوا: نَعَمْ، كُلُّنَا قَدْ سَمِعَهُ، قَالَ: فَأَرْسَلُوا مَعَهُ رَجُلًا مِنْهُمْ حَتَّى أَتَى عُمَرَ، فَأَخْبَرَهُ بِذَلِكَ.

180. It was reported to us by Abu 'l-Ḥusayn 'Alī ibn Muḥammad ibn 'Abdullāh ibn Bishrān al-Mu'addil [...] that Abu Sa'īd al-Khudrī said: "'Abdullāh ibn Qays greeted 'Umar ibn al-Khaṭṭāb [with the Islamic greeting] three times, and he was not allowed [to enter], so he left. 'Umar went after him and asked, 'Why did you leave?' He replied, 'I heard the Messenger of Allah ﷺ state, 'If any of you greets [with the Islamic greeting] three times, and is not answered, then you should leave.' 'Umar said, 'You will have to bring me evidence for what you say, or I will do such-and-such to you.' However, ['Abdullāh] promised him [that he would]." He said: "Abu Mūsā came to us with a [pale face] (lit. changed colour, due to fear etc.), and I was sitting in a gathering. We said, 'What is wrong?' And he replied, 'I greeted 'Umar,' and he told us the story, [then he continued:] 'Has anyone from you heard this from the Messenger of Allah ﷺ?' They said, 'Yes, we all heard it.' So they sent a man with him until he reached 'Umar, and informed him of that.'"[124]

[قَالَ الشَّيْخُ أَبُو بَكْرٍ الْحَافِظُ]: لَمْ يَطْلُبْ عُمَرُ مِنْ أَبِي مُوسَى رَجُلًا يَشْهَدُ مَعَهُ

124 It is *ṣaḥīḥ*. Reported by Muslim (3/1695) and al-Tirmidhī (690).

بِهَذَا الْحَدِيثِ، لِأَنَّهُ كَانَ لَا يَرَى قَبُولَ خَبَرِ الْوَاحِدِ الْعَدْلِ. وَكَيْفَ يَكُونُ ذَلِكَ، وَهُوَ يَقْبَلُ رِوَايَةَ عَبْدِ الرَّحْمَنِ بْنِ عَوْفٍ عَنِ النَّبِيِّ صَلَّى اللهُ عَلَيْهِ وَسَلَّمَ فِي أَخْذِ الْجِزْيَةِ مِنَ الْمَجُوسِ، وَيَعْمَلُ بِهِ، وَلَمْ يَرْوِهِ غَيْرُ عَبْدِ الرَّحْمَنِ [بن عوف]؟ وَكَذَلِكَ حَدِيثُ الضَّحَّاكِ بْنِ سُفْيَانَ الْكِلَابِيِّ، فِي تَوْرِيثِ امْرَأَةِ أَشْيَمَ الضِّبَابِيِّ مِنْ دِيَةِ زَوْجِهَا. وَلَا فَعَلَ عُمَرُ أَيْضًا ذَلِكَ لِأَنَّهُ كَانَ يَتَّهِمُ أَبَا مُوسَى فِي رِوَايَتِهِ، لَكِنْ فَعَلَهُ عَلَى الْوَجْهِ الَّذِي بَيَّنَّاهُ مِنَ الِاحْتِيَاطِ لِحِفْظِ السُّنَنِ، وَالتَّرْهِيبِ فِي الرِّوَايَةِ وَاللَّهُ أَعْلَمُ.

Al-Shaykh Abu Bakr al-Ḥāfiẓ said: 'Umar did not request from Abu Mūsā a man to be a witness with him for this ḥadīth for the reason that 'Umar did not accept singular reports from a trustworthy narrator, and how could this be the case when he accepted the narration of Abd al-Raḥmān ibn 'Awf regarding the Prophet ﷺ collecting the *jizyah* from the Zoroastrians, and acted on it, whilst no one narrated it besides 'Abd al-Raḥmān ibn 'Awf? Likewise is the case for the ḥadīth of al-Ḍaḥḥāk ibn Sufyān al-Kilābī, regarding the wife of Ashyam al-Ḍibabi inheriting from the blood money of her husband. Furthermore, 'Umar did not do this to question Abu Mūsā's [reliableness] in this narration, rather, he did it as we explained before, out of cautiousness in preserving the *sunan*, and inducing fear of narrating [inaccurately], and Allah knows best.

وَقَدْ رُوِيَ عَنْ جَمَاعَةٍ مِنَ الصَّحَابَةِ وَالتَّابِعِينَ الْحَضُّ عَلَى نَشْرِ الْحَدِيثِ وَحَفْظِهِ وَالْمُذَاكَرَةِ بِهِ. وَنَحْنُ نُورِدُ مِنْ ذَلِكَ مَا يَتَيَسَّرُ إِنْ شَاءَ اللَّهُ [تَعَالَى].

It was also narrated from a group of the companions and their followers that they encouraged spreading, preserving, and recalling al-ḥadīth, and we will mention as much of that as is made easy for us, by the will of Allah.

ذكر بعض الروايات عن الصحابة والتابعين في الحث على حفظ الحديث ونشره والمذاكرة به

Mention of Some of the Narrations From the Companions and Their Followers Which Encourage Preserving, Spreading, and Recalling al-Ḥadīth

١٨١- أَخْبَرَنَا أَبُو الْحُسَيْنِ عَلِيُّ بْنُ أَحْمَدَ بْنِ إِبْرَاهِيمَ الْبَزَّارُ بِالْبَصْرَةِ، قَالَ: حَدَّثَنَا أَبُو عَلِيٍّ الْحَسَنُ بْنُ مُحَمَّدِ بْنِ عُثْمَانَ الْفَسَوِيُّ، قَالَ: حَدَّثَنَا يَعْقُوبُ بْنُ سُفْيَانَ، قَالَ: حَدَّثَنَا عَبْدُ الرَّحْمَنِ بْنُ حَمَّادٍ الشُّعَيْثِيُّ، قَالَ: حَدَّثَنَا كَهْمَسٌ، عَنْ عَبْدِ اللَّهِ بْنِ بُرَيْدَةَ، قَالَ: قَالَ عَلِيُّ بْنُ أَبِي طَالِبٍ [عَلَيْهِ السَّلَامُ]: تَزَاوَرُوا وَتَذَاكَرُوا الْحَدِيثَ، فَإِنَّكُمْ إِنْ لَا تَفْعَلُوا يَدْرُسْ.

181. It was reported to us by Abu 'l-Ḥusayn 'Alī ibn Aḥmad ibn Ibrāhīm al-Bazzāz in al-Baṣrah [...] that 'Abdullāh ibn Buraydah said: "'Alī ibn Abī Ṭālib said, 'Visit [each other,] and recall al-ḥadīth, for if you do not, it will fade away.'"

١٨٢- أَخْبَرَنَا أَبُو عَلِيٍّ الْحُسَيْنُ بْنُ يُوسُفَ الْعَتَّابِيُّ، قَالَ: حَدَّثَنَا مُحَمَّدُ بْنُ عَبْدِ اللَّهِ [بْنِ إِبْرَاهِيمَ] الشَّافِعِيُّ، قَالَ: حَدَّثَنَا مُحَمَّدُ بْنُ إِسْمَاعِيلَ التِّرْمِذِيُّ، قَالَ: حَدَّثَنَا مُحَمَّدُ بْنُ عَبْدِ اللَّهِ الْأَنْصَارِيُّ، قَالَ: حَدَّثَنَا كَهْمَسُ بْنُ الْحَسَنِ.

ح وَأَخْبَرَنَا الْقَاضِي أَبُو بَكْرٍ أَحْمَدُ بْنُ الْحَسَنِ بْنِ أَحْمَدَ الْحَرَشِيُّ، قَالَ: حَدَّثَنَا أَبُو الْعَبَّاسِ مُحَمَّدُ بْنُ يَعْقُوبَ الْأَصَمُّ، قَالَ: حَدَّثَنَا الْحَسَنُ بْنُ عَلِيِّ بْنِ عَفَّانَ، قَالَ: حَدَّثَنَا يَحْيَى بْنُ آدَمَ، عَنْ إِسْرَائِيلَ، عَنْ كَهْمَسِ بْنِ الْحَسَنِ، عَنْ عَبْدِ اللَّهِ بْنِ بُرَيْدَةَ، عَنْ عَلِيِّ بْنِ أَبِي طَالِبٍ [عَلَيْهِ السَّلَامُ] قَالَ: تَزَاوَرُوا وَتَذَاكَرُوا الْحَدِيثَ،

وَإِلَّا تَفْعَلُوا يَدْرُسْ.

182. It was reported to us via two routes [...] that ʿAlī ibn Abī Ṭālib said: "Visit [each other,] and recall al-ḥadīth, for if you do not, it will fade away."

١٨٣- أَخْبَرَنَا أَبُو سَعِيدٍ مُحَمَّدُ بْنُ مُوسَى بْنِ الْفَضْلِ الصَّيْرَفِيُّ، قَالَ: حَدَّثَنَا أَبُو الْعَبَّاسِ مُحَمَّدُ بْنُ يَعْقُوبَ الْأَصَمُّ، قَالَ: حَدَّثَنَا عَبْدُ اللَّهِ بْنُ أَحْمَدَ بْنِ حَنْبَلٍ، قَالَ: حَدَّثَنِي أَبِي، قَالَ: حَدَّثَنَا يَحْيَى بْنُ آدَمَ، قَالَ: حَدَّثَنَا أَبُو إِسْرَائِيلَ الْمُلَائِيُّ، عَنْ عَطَاءِ بْنِ السَّائِبِ، عَنْ أَبِي الْأَحْوَصِ، عَنْ عَبْدِ اللَّهِ، قَالَ: تَذَاكَرُوا الْحَدِيثَ، فَإِنَّ حَيَاتَهُ الْمُذَاكَرَةُ.

183. It was reported to us by Abu Saʿīd Muḥammad ib Mūsā ibn al-Faḍl al-Ṣayrafī [...] that ʿAbdullāh said: "Recall al-ḥadīth, for it lives through remembrance."

١٨٤- أَخْبَرَنَا عَلِيُّ بْنُ مُحَمَّدِ بْنِ عَبْدِ اللَّهِ بْنِ بِشْرَانَ، قَالَ: أَخْبَرَنَا دَعْلَجُ بْنُ أَحْمَدَ [بْنِ دَعْلَجٍ]، قَالَ: حَدَّثَنَا ابْنُ شِيرَوَيْهِ، قَالَ: حَدَّثَنَا إِسْحَاقُ، قَالَ: أَخْبَرَنَا جَرِيرٌ، عَنْ يَعْقُوبَ الْقُمِّيِّ.

ح وَحَدَّثَنِي عَبْدُ الْعَزِيزِ بْنُ أَبِي الْحَسَنِ، قَالَ: أَخْبَرَنَا أَبُو زُرْعَةَ مُحَمَّدُ بْنُ يُوسُفَ الْجُرْجَانِيُّ بِمَكَّةَ، قَالَ: أَخْبَرَنَا أَحْمَدُ بْنُ خَالِدٍ الرَّازِيُّ، قَالَ: حَدَّثَنَا مُحَمَّدُ بْنُ حُمَيْدٍ، قَالَ: حَدَّثَنَا يَعْقُوبُ بْنُ عَبْدِ اللَّهِ بْنِ سَعْدٍ، قَالَ: حَدَّثَنَا جَعْفَرُ بْنُ أَبِي الْمُغِيرَةِ، عَنْ سَعِيدِ بْنِ جُبَيْرٍ، عَنِ ابْنِ عَبَّاسٍ قَالَ:

تَذَاكَرُوا هَذَا الْحَدِيثَ، لَا ينفلتْ مِنكُمْ، فَإِنَّهُ لَيْسَ بِمَنْزِلَةِ الْقُرْآنِ، الْقُرْآنُ مَجْمُوعٌ مَحْفُوظٌ، وَإِنَّكُمْ إِنْ لَمْ تَذَاكَرُوا هَذَا الْحَدِيثَ تفلتْ مِنكُمْ، وَلَا يَقُول أَحَدُكُمْ: حَدَّثْتُ أَمْسَ، لَا أُحَدِّثُ الْيَوْمَ، بَلْ حَدَّثْتُ أَمْسَ وَحَدِّثِ الْيَوْمَ وَحَدِّثْ غَدًا، وَاللَّفْظُ لِحَدِيثِ ابْنِ حُمَيْدٍ.

184. It was reported to us via two routes [...] that Ibn ʿAbbās said: "Recall al-ḥadīth, lest it escape you, for it does not have the status of the Qurʾān. The Qurʾān is gathered and preserved [by Allah,] so if you do not recount al-ḥadīth, it will escape you. Let none of you say, 'I narrated yesterday, and I will not narrate today,' rather, [if] you narrated yesterday, then narrate today and the next day." The wording of the narration is that of Ibn Ḥumayd.

١٨٥- أَخْبَرَنَا أَبُو طَالِبٍ مُحَمَّدُ بْنُ الْحُسَيْنِ بْنِ أَحْمَدَ بْنِ عَبْدِ اللَّهِ بْنِ بُكَيْرٍ، قَالَ: أَخْبَرَنَا عَبْدُ اللَّهِ بْنُ إِبْرَاهِيمَ بْنِ مَاسِيٍّ، قَالَ: أَخْبَرَنَا أَبُو أَحْمَدَ بْنُ عَبْدُوسَ، قَالَ: حَدَّثَنَا أَبُو مَعْمَرٍ، قَالَ: حَدَّثَنَا عَبْدُ السَّلَامِ بْنُ حَرْبٍ، عَنْ حَجَّاجٍ، عَنْ عَطَاءٍ، قَالَ: قَالَ ابْنُ عَبَّاسٍ: إِذَا سَمِعْتُمْ مِنَّا شَيْئًا فَتَذَاكَرُوهُ بَيْنَكُمْ.

185. It was narrated to us by Abu Ṭālib Muḥammad ibn al-Ḥusayn ibn Aḥmad ibn ʿAbdillāh ibn Bukayr [...] that Ibn ʿAbbās said: "If you hear something from us, then study it between yourselves."

١٨٦- أَخْبَرَنَا عَبْدُ الرَّحْمَنِ بْنُ عُبَيْدِ اللَّهِ الْحَرْبِيُّ، قَالَ: حَدَّثَنَا أَحْمَدُ بْنُ سَلْمَانَ الْفَقِيهُ، قَالَ: حَدَّثَنَا الْحَسَنُ بْنُ مُكْرَمٍ، قَالَ: حَدَّثَنَا أَبُو النَّضْرِ، قَالَ: حَدَّثَنَا شُعْبَةُ، عَنْ سَعِيدٍ الْجُرَيْرِيِّ، عَنْ أَبِي نَضْرَةَ، عَنْ أَبِي سَعِيدٍ الْخُدْرِيِّ، قَالَ: تَذَاكَرُوا الْحَدِيثَ.

186. It was reported to us by ʿAbd al-Raḥmān ibn ʿUbaydillāh al-Ḥarfī al-Ḥarbī [...] that Abu Saʿīd al-Khudrī said: "Make study of al-ḥadīth."

١٨٧- أَخْبَرَنَا الْحَسَنُ بْنُ أَبِي بَكْرٍ، قَالَ: أَخْبَرَنَا أَبُو سَهْلٍ أَحْمَدُ بْنُ مُحَمَّدِ بْنِ عَبْدِ اللَّهِ بْنِ زِيَادٍ الْقَطَّانُ، قَالَ: حَدَّثَنَا مُحَمَّدُ بْنُ عَبْدِ اللَّهِ بْنِ سُفْيَانَ الزَّيَّاتُ، قَالَ: حَدَّثَنَا عَبْدُ اللَّهِ بْنُ صَالِحٍ، قَالَ: حَدَّثَنَا إِسْرَائِيلُ، عَنْ كَهْمَسٍ، عَنْ أَبِي نَضْرَةَ، عَنْ أَبِي سَعِيدٍ الْخُدْرِيِّ، قَالَ: تَحَدَّثُوا، فَإِنَّ الْحَدِيثَ يُذَكِّرُ بَعْضُهُ بَعْضًا.

187. It was reported to us by al-Ḥasan ibn Abī Bakr [...] that Saʿīd al-Khudrī said: "Narrate, for ḥadīth reminds of other ḥadīth."

١٨٨- أَخْبَرَنَا مُحَمَّدُ بْنُ الْحُسَيْنِ بْنِ أَبِي سُلَيْمَانَ الْمُعَدِّلُ، قَالَ: أَخْبَرَنَا أَحْمَدُ بْنُ جَعْفَرِ بْنِ حَمْدَانَ، قَالَ: حَدَّثَنَا جَعْفَرُ بْنُ مُحَمَّدٍ الْقَاضِي، قَالَ: حَدَّثَنَا الْوَلِيدُ بْنُ عُتْبَةَ، قَالَ: حَدَّثَنَا الْوَلِيدُ بْنُ مُسْلِمٍ، قَالَ: حَدَّثنا عُثْمَانُ بْنُ أَبِي الْعَاتِكَةِ، أَنَّ سُلَيْمَانَ بْنَ حَبِيبٍ حَدَّثَهُ، أَنَّ أَبَا أُمَامَةَ الْبَاهِلِيَّ قَالَ لَهُمْ: إِنَّ هَذَا الْمَجْلِسَ مِنْ بَلَاغِ اللَّهِ إِيَّاكُمْ، وَإِنَّ رَسُولَ اللَّهِ صَلَّى اللهُ عَلَيْهِ وَسَلَّمَ قَدْ بَلَّغَ مَا أُرْسِلَ بِهِ، وَأَنْتُمْ فَبَلِّغُوا عَنَّا أَحْسَنَ مَا تَسْمَعُونَ.

188. It was reported to us by Muḥammad ibn al-Ḥusayn ibn Abī Sulaymān al-Mu'addil [...] that Abu Umāmah al-Bāhilī said: "This gathering is from Allah's message to you, and the Messenger of Allah ﷺ has conveyed what he was sent with, and you all, convey from us the best of what you hear."

١٨٩- أَخْبَرَنَا عَبْدُ السَّلَامِ بْنُ عَبْدِ الْوَهَّابِ الْقُرَشِيُّ، قَالَ: أَخْبَرَنَا سُلَيْمَانُ بْنُ أَحْمَدَ [بْنِ أَيُّوبَ] الطَّبَرَانِيُّ، قَالَ: حَدَّثَنَا أَحْمَدُ بْنُ عَبْدِ الْوَهَّابِ بْنِ نَجْدَةَ، قَالَ: حَدَّثَنَا أَبُو الْيَمَانِ الْحَكَمُ بْنُ نَافِعٍ، قَالَ: حَدَّثَنَا صَفْوَانُ بْنُ عَمْرٍو، عَنْ سُلَيْمِ بْنِ عَامِرٍ، قَالَ: كُنَّا نَجْلِسُ إِلَى أَبِي أُمَامَةَ الْبَاهِلِيِّ، فَيُحَدِّثُنَا حَدِيثًا كَثِيرًا عَنْ رَسُولِ اللَّهِ صَلَّى اللهُ عَلَيْهِ وَسَلَّمَ، فَإِذَا سَكَتَ قَالَ: اعْقِلُوا، بَلِّغُوا عَنَّا كَمَا بُلِّغْتُمْ.

189. It was reported to us by 'Abd al-Salām ibn 'Abd al-Wahhāb al-Qurashī [...] that Sulaym ibn 'Āmir said: "We were sitting with Abu Umāmah al-Bāhilī, and he narrated to us many narrations from the Messenger of Allah ﷺ, and when he fell silent, he said, 'Understand, [and] convey from us as you were conveyed to.'"

١٩٠- قَرَأْتُ عَلَى أَبِي بَكْرٍ الْبَرْقَانِيِّ، عَنْ عَلِيِّ بْنِ عُمَرَ الْحَافِظِ، قَالَ: حَدَّثَنَا إِسْحَاقُ بْنُ مُحَمَّدِ بْنِ الْفَضْلِ الزَّيَّاتُ، قَالَ: حَدَّثَنَا يَحْيَى بْنُ عَيَّاشٍ الْقَطَّانُ، قَالَ: حَدَّثَنَا حَفْصُ بْنُ عُمَرَ الْأَيْلِيُّ، قَالَ: حَدَّثَنَا عَبْدُ اللَّهِ بْنُ الْمُثَنَّى، قَالَ: حَدَّثَنِي عَمَّايَ: النَّضْرُ وَمُوسَى ابْنَا أَنَسٍ، عَنْ أَبِيهِمَا أَنَسِ بْنِ مَالِكٍ، أَنَّهُ أَمَرَهُمَا بِكِتَابَةِ

الْحَدِيثِ وَالْآثَارِ عَنْ رَسُولِ اللَّهِ صَلَّى اللهُ عَلَيْهِ وَسَلَّمَ وَتَعَلُّمِهَا، قَالَ أَنَسٌ: كُنَّا لَا نَعُدُّ عِلْمَ مَنْ لَمْ يَكْتُبْ عِلْمَهُ عِلْمًا.

190. I read upon Abu Bakr al-Barqānī [...] that al-Naḍr and Mūsā—the two sons of Anas—stated in regards to their father that he ordered them to write and learn the ḥadīth and reports from the Messenger of Allah ﷺ. Anas said: "We used to not consider the knowledge of one who did not write down his knowledge to actually be so."

١٩١- أَخْبَرَنَا الْقَاضِي أَبُو بَكْرٍ أَحْمَدُ بْنُ الْحَسَنِ الْحَرَشِيُّ، وَأَبُو سَعِيدٍ مُحَمَّدُ بْنُ مُوسَى الصَّيْرَفِيُّ، قَالَا: حَدَّثَنَا أَبُو الْعَبَّاسِ مُحَمَّدُ بْنُ يَعْقُوبَ الْأَصَمُّ، قَالَ: حَدَّثَنَا الْعَبَّاسُ بْنُ مُحَمَّدٍ الدُّورِيُّ، قَالَ: حَدَّثَنَا الْحِمَّانِيُّ، قَالَ: حَدَّثَنَا الْأَعْمَشُ، عَنْ إِبْرَاهِيمَ، عَنْ عَلْقَمَةَ، قَالَ: تَذَاكَرُوا الْحَدِيثَ، فَإِنَّ حَيَاتَهُ ذِكْرُهُ.

191. It was reported to us by al-Qāḍī Abu Bakr Aḥmad ibn al-Ḥasan al-Harashī [...] that ʿAlqamah said: "Recount al-ḥadīth, for it remains alive through its mention."

١٩٢- أَخْبَرَنَا عَلِيُّ بْنُ أَحْمَدَ بْنِ عُمَرَ الْمُقْرِئُ، قَالَ: أَخْبَرَنَا مُحَمَّدُ بْنُ عَبْدِ اللَّهِ الشَّافِعِيُّ، قَالَ: حَدَّثَنَا مُعَاذُ بْنُ الْمُثَنَّى، قَالَ: حَدَّثَنَا مُسَدَّدٌ، قَالَ: حَدَّثَنَا أَبُو عَوَانَةَ، عَنِ الْمُغِيرَةِ، عَنْ إِبْرَاهِيمَ، عَنْ عَلْقَمَةَ قَالَ: أَطِيلُوا ذِكْرَ الْحَدِيثِ حَتَّى لَا يَدْرُسَ.

192. It was reported to us by ʿAlī ibn Aḥmad ibn ʿUmar al-Muqri' [...] that ʿAlqamah said: "Lengthen in the mention of al-ḥadīth, so that it does not dissipate."

١٩٣- أَخْبَرَنَا مُحَمَّدُ بْنُ عَلِيٍّ الْحَرْبِيُّ، قَالَ: أَخْبَرَنَا عُمَرُ بْنُ إِبْرَاهِيمَ الْمُقْرِئُ، قَالَ: أَخْبَرَنَا عَبْدُ اللَّهِ بْنُ مُحَمَّدِ بْنِ عَبْدِ الْعَزِيزِ، قَالَ: حَدَّثَنَا أَبُو خَيْثَمَةَ، قَالَ: حَدَّثَنَا مُحَمَّدُ بْنُ فُضَيْلٍ، قَالَ: حَدَّثَنَا يَزِيدُ بْنُ أَبِي زِيَادٍ، عَنْ عَبْدِ الرَّحْمَنِ بْنِ أَبِي لَيْلَى قَالَ: إِحْيَاءُ الْحَدِيثِ مُذَاكَرَتُهُ، فَتَذَاكَرُوهُ.

193. It was reported to us by Muḥammad ibn 'Alī al-Ḥarbī [...] that 'Abd al-Raḥmān ibn Abī Laylā said: "Reviving al-ḥadīth is by remembrance of it, so remind [one another] of it."

١٩٤- أَخْبَرَنَا الْحَسَنُ بْنُ أَبِي بَكْرٍ، قَالَ: أَخْبَرَنَا عُثْمَانُ بْنُ أَحْمَدَ الدَّقَّاقُ، قَالَ: حَدَّثَنَا الْحَسَنُ بْنُ سَلَّامٍ، قَالَ: حَدَّثَنَا عَاصِمٌ - يَعْنِي ابْنَ عَلِيٍّ -، قَالَ: حَدَّثَنَا الْمَسْعُودِيُّ، عَنْ حَبِيبِ بْنِ أَبِي ثَابِتٍ، عَنْ طَلْقِ بْنِ حَبِيبٍ قَالَ: تَذَاكَرُوا الْحَدِيثَ فَإِنَّ الْحَدِيثَ يُهَيِّجُ الْحَدِيثَ.

194. It was reported to us by al-Ḥasan ibn Abī Bakr [...] that Ṭalq ibn Ḥabīb said: "Recount al-ḥadīth, for ḥadīth provokes [remembering more] ḥadīth."

١٩٥- أَخْبَرَنَا عَلِيُّ بْنُ أَبِي عَلِيٍّ الْبَصْرِيُّ، قَالَ: حَدَّثَنَا عَلِيُّ بْنُ عَمْرٍو الْحَرِيرِيُّ، قَالَ: حَدَّثَنَا عَبْدُ اللَّهِ بْنُ سُلَيْمَانَ بْنِ الْأَشْعَثِ، قَالَ: حَدَّثَنَا الْعَبَّاسُ بْنُ الْفَرَجِ الرِّيَاشِيُّ، قَالَ: حَدَّثَنَا أَبُو دَاوُدَ الطَّيَالِسِيُّ، قَالَ: حَدَّثَنَا شُعْبَةُ، عَنْ رَجُلٍ، عَنْ أَبِي الْعَالِيَةِ قَالَ: إِذَا حُدِّثْتَ عَنْ رَسُولِ اللَّهِ صَلَّى اللهُ عَلَيْهِ وَسَلَّمَ فَازْدَهِرْ يَعْنِي احْتَفِظْ.

195. It was reported to us by 'Alī ibn Abī 'Alī al-Baṣrī [...] that Abu 'l-'Āliyah said: "If you receive a narration from the Messenger of Allah ﷺ, then prosper (i.e. preserve and memorise it)."

من تمنى رواية الحديث من الخلفاء ورأى أن المحدثين أفضل العلماء

Who From Amongst the Caliphs Wished to Narrate al-Ḥadīth, and Viewed That the Ḥadīth Masters Are the Best of the Scholars

١٩٦- أَخْبَرَنَا أَبُو الْحَسَنِ عَلِيُّ بْنُ الْقَاسِمِ بْنِ الْحَسَنِ الشَّاهِدُ بِالْبَصْرَةِ، قَالَ: حَدَّثَنَا أَبُو عَلِيٍّ الْحَسَنُ بْنُ مُحَمَّدِ بْنِ عُثْمَانَ الْفَسَوِيُّ، قَالَ: حَدَّثَنَا الْحُسَيْنُ بْنُ عُبَيْدِ اللَّهِ الْأَبْزَارِيُّ، قَالَ: حَدَّثَنَا إِبْرَاهِيمُ بْنُ سَعِيدٍ الْجَوْهَرِيُّ قَالَ: لَمَّا فَتَحَ الْمَأْمُونُ مِصْرَ، قَامَ فَرَجٌ الْأَسْوَدُ فَقَالَ: الْحَمْدُ لِلَّهِ يَا أَمِيرَ الْمُؤْمِنِينَ الَّذِي كَفَاكَ أَمْرَ عَدُوِّكَ، وَأَدَانَ لَكَ الْعِرَاقَيْنِ وَالشَّامَاتِ وَمِصْرَ، وَأَنْتَ ابْنُ عَمِّ رَسُولِ اللَّهِ صَلَّى اللهُ عَلَيْهِ وَسَلَّمَ.

196. It was reported to us by Abu 'l-Ḥasan ʿAlī ibn al-Qāsim ibn al-Ḥasan al-Shāhid in al-Baṣrah [...] that Ibrāhīm ibn Saʿīd al-Jawharī said: "When al-Māmūn conquered Egypt, Faraj al-Aswad stood and said, 'All thanks are due to Allah, O Commander of the Faithful, who has sufficed you with the [outcome] of your enemy, lent you [rule over] Iraq, Greater Syria and Egypt, all while you are [also] the paternal cousin of the Messenger of Allah ﷺ.'

فَقَالَ لَهُ: وَيْحَكَ يَا فَرَجُ! إِلَّا أَنَّهُ بَقِيَتْ لِي خَلَّةٌ، وَهُوَ أَنْ أَجْلِسَ فِي مَجْلِسٍ، وَمُسْتَمْلي يَجِيءُ، فَيَقُولُ: مَنْ ذَكَرْتَ رَضِيَ اللَّهُ عَنْكَ؟ فَأَقُولُ: حَدَّثَنَا الْحَمَّادَانِ: حَمَّادُ بْنُ سَلَمَةَ بْنِ دِينَارٍ وَحَمَّادُ بْنُ زَيْدِ بْنِ دِرْهَمٍ قَالَا، حَدَّثَنَا ثَابِتٌ الْبُنَانِيُّ، عَنْ أَنَسِ بْنِ مَالِكٍ أَنَّ النَّبِيَّ صلّى الله عليه وسلم قَالَ: ((مَنْ عَالَ ابْنَتَيْنِ أَوْ ثَلَاثًا، أَوْ أُخْتَيْنِ أَوْ ثَلَاثًا حَتَّى يَمُتْنَ، أَوْ يَمُوتَ عَنْهُنَّ، كَانَ مَعِي كَهَاتَيْنِ فِي الْجَنَّةِ، وَأَشَارَ بِالْمُسَبِّحَةِ وَالْوُسْطَى)).

Al-Maʾmūn replied, 'Woe to you O Faraj! Except that I still have one need; it is that I sit in a gathering, and one seeking dictation comes and says, 'Who did you mention, may Allah be pleased with you?' And I respond, 'It was narrated to us by the two Ḥammāds, Ḥammād ibn Salamah ibn Dīnār and Ḥammād ibn Zayd ibn Dirham from Thābit al-Bunānī, on the authority of Anas ibn Mālik that the Prophet ﷺ said: 'Whoever supports two or three daughters, or two or three sisters until they die, or until he dies, he will be similar to these two with me in paradise,' and he [put together] his index and middle fingers.'"[125]

قَالَ الشَّيْخُ أَبُو بَكْرٍ الْحَافِظُ: فِي هَذَا الْخَبَرِ غَلَطٌ فَاحِشٌ، وَيُشْبِهُ أَنْ يَكُونَ الْمَأْمُونُ رَوَاهُ عَنْ رَجُلٍ، عَنِ الْحَمَّادَيْنِ، وَذَلِكَ أَنَّ مَوْلِدَ الْمَأْمُونِ كَانَ فِي سَنَةِ سَبْعِينَ وَمِئَةٍ، وَمَاتَ حَمَّادُ بْنُ سَلَمَةَ فِي سَنَةِ سَبْعٍ وَسِتِّينَ وَمِئَةٍ، قَبْلَ مَوْلِدِهِ بِثَلَاثِ سِنِينَ، وَأَمَّا حَمَّادُ بْنُ زَيْدٍ فَمَاتَ فِي سَنَةِ تِسْعٍ وَسَبْعِينَ وَمِئَةٍ.

Al-Shaykh Abu Bakr al-Ḥāfiẓ said: This narration has a horrendous mistake, and it is more likely that al-Maʾmūn narrated it from a man from the two Ḥammāds, as al-Maʾmūn was born in the year one hundred and seventy, whilst Ḥammād ibn Salamah died during the year one hundred and sixty-seven, before the birth of al-Maʾmūn by three years. As for Ḥammād ibn Zayd, he died during the year one hundred and seventy-nine.

١٩٧- حَدَّثَنِي مُحَمَّدُ بْنُ يُوسُفَ النَّيْسَابُورِيُّ، قَالَ: أَخْبَرَنِي أَبُو عَبْدِ اللَّهِ الْحُسَيْنُ بْنُ مُحَمَّدِ بْنِ أَحْمَدَ الرَّقِّيُّ، قَالَ: حَدَّثَنَا أَحْمَدُ بْنُ عُبَيْدِ بْنِ أَحْمَدَ [بْنِ عُبَيْدٍ] الصَّفَّارُ، قَالَ: حَدَّثَنَا أَحْمَدُ بْنُ عَلِيٍّ الْقَاضِي، قَالَ: حَدَّثَنَا مُحَمَّدُ بْنُ إِبْرَاهِيمَ، قَالَ: حَدَّثَنَا مُحَمَّدُ بْنُ عَبْدِ اللَّهِ الْمُقْرِئُ، قَالَ: حَدَّثَنَا يَحْيَى بْنُ أَكْثَمَ، قَالَ: قَالَ [لِي] الرَّشِيدُ: مَا أَنْبَلُ الْمَرَاتِبِ؟ قُلْتُ: مَا أَنْتَ فِيهِ يَا أَمِيرَ الْمُؤْمِنِينَ، قَالَ: فَتَعْرِفُ أَجَلَّ مِنِّي؟ قُلْتُ: لَا، قَالَ: لَكِنِّي أَعْرِفُهُ: رَجُلٌ فِي حَلَقَةٍ يَقُولُ: حَدَّثَنَا

125 [T] The words of the Prophet ﷺ from, "Whoever supports..." to the end of the Prophetic ḥadīth are *ṣaḥīḥ*. It was reported by Aḥmad (3/147-148). See *al-Ṣaḥīḥah* (295, 296).

فُلَانٌ عَنْ فُلَانٍ قَالَ: قَالَ رَسُولُ اللَّهِ صَلَّى اللهُ عَلَيْهِ وَسَلَّمَ. قَالَ: قُلْتُ: يَا أَمِيرَ الْمُؤْمِنِينَ! هَذَا خَيْرٌ مِنْكَ، وَأَنْتَ ابْنُ عَمِّ رَسُولِ اللَّهِ صَلَّى اللهُ عَلَيْهِ وَسَلَّمَ، وَوَلِيُّ عَهْدِ الْمُسْلِمِينَ؟ قَالَ: نَعَمْ، وَيْلَكَ، هَذَا خَيْرٌ مِنِّي، لِأَنَّ اسْمَهُ مُقْتَرِنٌ بِاسْمِ رَسُولِ اللَّهِ صَلَّى اللهُ عَلَيْهِ وَسَلَّمَ، لَا يَمُوتُ أَبَدًا، نَحْنُ نَمُوتُ وَنَفْنَى، وَالْعُلَمَاءُ بَاقُونَ مَا بَقِيَ الدَّهْرُ.

197. It was narrated to me by Muḥammad ibn Yūsuf al-Naysābūrī [...] that Yaḥyā ibn Akhtham said: "Al-Rashīd asked me, 'What is the noblest status?'

I replied, 'The one that you find yourself in, O Commander of the Faithful.'

He said, 'Do you know anyone more honourable than me?'

I replied, 'No.'

He then said, 'I do, it is a man in a gathering saying, 'It was narrated to us by so-and-so, from so-and-so, who said, 'The Messenger of Allah ﷺ said...'''

He continued:

"I said, 'O Commander of the Faithful, this [person] is better than you, whilst you are the paternal cousin of the Messenger of Allah ﷺ, and the guardian of the Muslims?'

He replied, 'Yes, woe to you, he is better than me, due to his name being connected to the name of the Messenger of Allah ﷺ, and [so he] never perishes. We however, die, and fade away, whilst the scholars remain until [the end of] time.'"

١٩٨- أَخْبَرَنَا أَبُو بَكْرٍ أَحْمَدُ بْنُ مُحَمَّدِ بْنِ غَالِبٍ الْفَقِيهُ، قَالَ: حَدَّثَنَا أَبُو بَكْرٍ مُحَمَّدُ بْنُ عَمْرِو بْنِ عَلِيِّ بْنِ عَمْرَوَيْهِ الْإِسْفَرَايِينِيُّ بِهَا إِمْلَاءً، قَالَ: سَمِعْتُ خَيْثَمَةَ بْنَ سُلَيْمَانَ الْقُرَشِيَّ، بِأَطْرَابُلُسَ، يَقُولُ: سَمِعْتُ ابْنَ أَبِي الْخَنَاجِرِ يَقُولُ: كُنَّا فِي مَجْلِسِ يَزِيدَ بْنِ هَارُونَ [بِبَغْدَادَ]، وَالنَّاسُ قَدِ اجْتَمَعُوا فِيهِ، فَمَرَّ الْمُتَوَكِّلُ مَعَ جَيْشِهِ، فَنَظَرَ إِلَى مَجْلِسِ يَزِيدَ بْنِ هَارُونَ، فَلَمَّا نَظَرَ إِلَيْهِ قَالَ: هَذَا الْمُلْكُ.

198. It was reported to us by Abu Bakr Aḥmad ibn Muḥammad ibn Ghālib al-Faqīh [...] that Ibn Abi 'l-Khanājir said: "We were sitting in the gathering of Yazīd ibn Hārūn in Baghdad, and the people had congregated there. Al-Mutawakkil passed by with his army, and he looked to the gathering of Yazīd ibn Hārūn, and when he did so, he said, "This is [the true] king.""

قَالَ الشَّيْخُ [أبو بكر الحافظ]: [قُلْتُ]: هَكَذَا رَوَى هَذَا الْخَبَرَ خَيْثَمَةُ، وَفِيهِ وَهْمٌ فَاحِشٌ، وَخَطَأٌ ظَاهِرٌ. وَذَلِكَ أَنْ يَزِيدَ بْنِ هَارُونَ مَاتَ فِي سَنَةِ سِتٍّ وثمانين[١٢٦]، وَوُلِدَ الْمُتَوَكِّلُ فِي سَنَةِ سَبْعٍ وثمانين[١٢٧]، وَلَعَلَّ الْمَارَّ بِيَزِيدَ فِي جَيْشِهِ كَانَ الْمَأْمُونُ، وَاللَّهُ أَعْلَمُ.

Al-Shaykh Abu Bakr al-Ḥāfiẓ said: I say: This is how Khaythamah narrated this report, and it has a grave misunderstanding and clear mistake. This is because Yazīd ibn Hārūn died in the year eighty-six, whilst al-Mutawakkil was born in the year eighty-seven. Perhaps the one who passed by with his army was al-Ma'mūn. And Allah knows best.

١٩٩- أَخْبَرَنِي مُحَمَّدُ بْنُ أَحْمَدَ بْنِ مُوسَى الشِّيرَازِيُّ الْوَاعِظُ، قَالَ: أَخْبَرَنَا أَحْمَدُ بْنُ مُحَمَّدِ بْنِ عِمْرَانَ، قَالَ: حَدَّثَنَا الْحُسَيْنُ بْنُ الْقَاسِمِ الْكَوْكَبِيُّ، قَالَ: حَدَّثَنَا أَبُو الْعَبَّاسِ الْكُدَيْمِيُّ، قَالَ: حَدَّثَنَا عُمَرُ بْنُ حَبِيبٍ الْعَدَوِيُّ الْقَاضِي قَالَ: قَالَ لِي أَمِيرُ الْمُؤْمِنِينَ الْمَأْمُونُ: مَا طَلَبَتْ مِنِّي نَفْسِي شَيْئًا إِلَّا وَقَدْ نَالَتْهُ مَا خَلَا هَذَا الْحَدِيثَ، فَإِنِّي كُنْتُ أُحِبُّ أَنْ أَقْعُدَ عَلَى كُرْسِيٍّ، وَيُقَالُ لِي: مَنْ حَدَّثَكَ؟ فَأَقُولُ: حَدَّثَنِي فُلَانٌ عَنْ فُلَانٍ. قَالَ: فَقُلْتُ: افعَلْ يَا أَمِيرَ الْمُؤْمِنِينَ، [فَلِمَ لَا تُحَدِّثُ]، قَالَ: لَا يَصْلُحُ الْمُلْكُ وَالْخِلَافَةُ مَعَ الْحَدِيثِ لِلنَّاسِ.

199. It was reported to me by Muḥammad ibn Aḥmad ibn Mūsā al-Shīrāzī al-Wā'iẓ (the preacher) [...] that 'Umar ibn Ḥabīb al-'Adawī al-Qāḍī said: "Al-Ma'mūn, the Commander of the Faithful, said to me, 'My self has not sought something from me except that it received it, that is besides narrating

126 [T] In another manuscript it says: (وَمِائَتَيْنِ), i.e. and two hundred.
127 [T] In another manuscript it says: (وَمِائَتَيْنِ), i.e. and two hundred.

ḥadīth. Indeed, I wish that I could sit on a chair, and have it said to me, 'Who narrated to you?' And I reply, 'So-and-so narrated to me from so-and-so."

I said, 'Then do so O Commander of the Faithful, what prevents you from narrating ḥadīth?'

He replied, 'Kingship and the Caliphate are not appropriate alongside [narrating] ḥadīth for people.'"

كَانَ الْمَأْمُونُ أَعْظَمَ خُلَفَاءِ بَنِي الْعَبَّاسِ عِنَايَةً بِالْحَدِيثِ، كَثِيرَ الْمُذَاكَرَةِ بِهِ، شَدِيدَ الشَّهْوَةِ لِرِوَايَتِهِ، مَعَ أَنَّهُ قَدْ حَدَّثَ أَحَادِيثَ كَثِيرَةً لِمَنْ كَانَ يَأْنَسُ بِهِ مِنْ خَاصَّتِهِ، وَكَانَ يُحِبُّ إِمْلَاءَ الْحَدِيثِ فِي مَجْلِسٍ عَامٍّ، يَحْضُرُ سَمَاعَهُ كُلُّ أَحَدٍ، فَكَانَ يُدَافِعُ نَفْسَهُ بِذَلِكَ حَتَّى عَزَمَ عَلَى فِعْلِهِ.

Al-Māmūn was the Abbasid caliph who gave the most care to al-ḥadīth. He would often make sessions for recalling ḥadīth and had a great desire to narrate it, even though he had narrated many aḥadīth to his inner-circle, with whom he would enjoy company. He [also] used to enjoy the dictation of ḥadīth in a general gathering, wherein everyone would hear it, and he would keep considering it for himself until he became resolved to do so.

٢٠٠- فَحَدَّثَنِي مُحَمَّدُ بْنُ يُوسُفَ الْقَطَّانُ، قَالَ: أَخْبَرَنَا مُحَمَّدُ بْنُ عَبْدِ اللَّهِ بْنِ نُعَيْمٍ الضَّبِّيُّ، قَالَ: أَخْبَرَنَا مُحَمَّدُ بْنُ أَحْمَدَ بْنِ تَمِيمٍ الْقَنْطَرِيُّ بِبَغْدَادَ، قَالَ: حَدَّثَنَا الْحُسَيْنُ بْنُ فَهْمٍ، قَالَ: حَدَّثَنَا يَحْيَى بْنُ أَكْثَمَ الْقَاضِي، قَالَ: قَالَ لِيَ الْمَأْمُونُ يَوْمًا: يَا يَحْيَى! أُرِيدُ أَنْ أُحَدِّثَ؟ فَقُلْتُ: وَمَنْ أَوْلَى بِهَذَا الْحَدِيثِ مِنْ أَمِيرِ الْمُؤْمِنِينَ؟ فَقَالَ: ضَعُوا لِي مِنْبَرًا بِالْحَلْبَةِ، فَصَعِدَ وَحَدَّثَ، فَأَوَّلُ حَدِيثٍ حَدَّثَنَا بِهِ: عَنْ هُشَيْمٍ، عَنْ أَبِي الْجَهْمِ، عَنِ الزُّهْرِيِّ، عَنْ أَبِي سَلَمَةَ، عَنْ أَبِي هُرَيْرَةَ عَنِ النَّبِيِّ صَلَّى اللهُ عَلَيْهِ وَسَلَّمَ قَالَ: ((امْرُؤُ الْقَيْسِ صَاحِبُ لِوَاءِ الشُّعَرَاءِ إِلَى النَّارِ))، ثُمَّ حَدَّثَ بِنَحْوِ مِنْ ثَلَاثِينَ حَدِيثًا، ثُمَّ نَزَلَ، فَقَالَ: يَا يَحْيَى! كَيْفَ رَأَيْتَ مَجْلِسَنَا؟ فَقُلْتُ: أَجَلُّ مَجْلِسٍ يَا أَمِيرَ الْمُؤْمِنِينَ، تَفَقَّهَ الْخَاصُّ وَالْعَامُّ. فَقَالَ: لَا،

وَحَيَاتِكَ، مَا رَأَيْتُ لَكُمْ حَلَاوَةً، وَإِنَّمَا الْمَجْلِسُ لِأَصْحَابِ الْخُلْقَانِ وَالْمَحَابِرِ - يَعْنِي أَصْحَابَ الْحَدِيثِ -.

200. It was narrated to me by Muḥammad ibn Yūsuf al-Qaṭṭān [...] that Yaḥyā ibn Aktham al-Qāḍī said: "One day, al-Ma'mūn said to me, 'O Yaḥyā, I wish to narrate ḥadīth.'

So I said, 'And who is more worthy of [narrating] ḥadīth than the Commander of the Faithful?'

He said, 'Place a pulpit for me in the field,' then he ascended and narrated. The first ḥadīth he narrated was that of Hushaym—Abu 'l-Jahm—al-Zuhrī—Abu Salamah—Abu Hurayrah, that the Prophet ﷺ said: 'Imru 'l-Qays is the flag-bearer of the poets to the Hellfire.'[128] He narrated around thirty ḥadīth, and then descended, and said: 'O Yaḥyā, how did you view our gathering?'

I replied, 'It was of the most honourable gatherings, O Commander of the Faithful. The eminent and general [people] both learned from it.'

Then he said, 'No, by your life, I have not tasted its sweetness with you, rather [that sweetness is found in] the gatherings of those who hold to rags and inkwells,' i.e. the ḥadīth disciples."

٢٠١- أَخْبَرَنِي أَبُو الْقَاسِمِ الْأَزْهَرِيُّ، أَخْبَرَنَا عُبَيْدُ اللَّهِ بْنُ عُثْمَانَ بْنِ يَحْيَى الدَّقَّاقُ، أَخْبَرَنَا عَلِيُّ بْنُ الْحُسَيْنِ الْأَصْبَهَانِيُّ، حَدَّثَنِي عَمِّي، حَدَّثَنِي ابْنُ أَبِي سَعْدٍ، قَالَ: حَدَّثَنِي حُسَيْنُ بْنُ قُدَّاسٍ، قَالَ: سَمِعْتُ مُوسَى بْنَ دَاوُدَ يَقُولُ: دَخَلَ مُحَمَّدُ بْنُ سُلَيْمَانَ بْنِ عَلِيٍّ الْمَسْجِدَ الْحَرَامَ فَرَأَى أَصْحَابَ الْحَدِيثِ يَمْشُونَ خَلْفَ رَجُلٍ مِنَ الْمُحَدِّثِينَ، مُلَازِمِينَ لَهُ، فَالتَفَتَ إِلَى مَنْ مَعَهُ، فَقَالَ: لَأَنْ يَطَأَ هَؤُلَاءِ عَقِبِي

128 [T] The Prophetic ḥadīth is *ḍa'īf jiddan*. Ibn 'Adī said, "It is *munkar* with this *isnād*. It was not narrated except by this Abu 'l-Jahm, and it was not narrated from Abu 'l-Jahm except by Hushaym. I do not know of Abu 'l-Jahm narrating from al-Zuhrī or other than him except this ḥadīth. Many ḥadīth masters spoke about this *isnād*, such as Ibn al-Jawzī, Ibn Abī Ḥātim, al-Dhahabī, and al-Haythamī. It was reported by Aḥmad in *al-Musnad* (2/228), Ibn 'Adī in *al-Kāmil* (7/2598 and 2755) amongst others.

كَانَ أَحَبَّ إِلَيَّ مِنَ الْخِلَافَةِ.

201. It was reported to me by Abu 'l-Qāsim al-Azharī [...] that Mūsā ibn Dāwūd said: "Muḥammad ibn Sulaymān ibn 'Alī entered al-Masjid al-Ḥarām, and he saw the ḥādīth adherents walking behind a man from amongst the ḥadīth masters, keeping close to him, so he turned to those he was with and said, 'For them to walk behind me is more beloved to me than kingship.'"

من التذ بالتحديث ومجالسة أصحاب الحديث

Those Who Take Pleasure in Narrating, and in Sitting With the Ḥadīth Adherents

٢٠٢- أَخْبَرَنَا الْحَسَنُ بْنُ أَبِي بَكْرٍ، أَخْبَرَنَا إِسْمَاعِيلُ بْنُ عَلِيٍّ الْخُطَبِيُّ، حَدَّثَنَا مُحَمَّدُ بْنُ عِيسَى الْوَاسِطِيُّ، حَدَّثَنَا مُحَمَّدُ بْنُ الصَّبَّاحِ الْجَرْجَرَائِيُّ، عَنْ سُفْيَانَ بْنِ عُيَيْنَةَ قَالَ: قَالَ مُطَرِّفٌ: لَأَنْتُمْ أَحَبُّ إِلَيَّ مُجَالَسَةً مِنْ أَهْلِي.

202. It was reported to us by al-Ḥasan ibn Abī Bakr [...] that Sufyān ibn ʿUyaynah said: "Muṭarrif said, 'In sitting with, you are more beloved to me than my family.'"

٢٠٣- أَخْبَرَنَا مُحَمَّدُ بْنُ الْحَسَنِ بْنِ أَحْمَدَ الْأَهْوَازِيُّ، قَالَ: سَمِعْتُ مُحَمَّدَ بْنَ أَحْمَدَ بْنِ إِسْحَاقَ الدَّقَّاقَ بِالْأَهْوَازِ، قَالَ: سَمِعْتُ يُوسُفَ بْنَ يَعْقُوبَ، قَالَ: سَمِعْتُ أَبِي قَالَ: سَمِعْتُ يَزِيدَ بْنَ هَارُونَ يَقُولُ: أَصْحَابُ الْحَدِيثِ قَدْ آذَرُونِي، وَإِذَا غَابُوا عَنِّي غَمُّونِي.

203. It was reported to us by Muḥammad ibn al-Ḥasan ibn Aḥmad al-Ahwāzī [...] that Yazīd ibn Hārūn said: "The ḥadīth adherents have harmed me, yet when they are absent they cause me grief."

٢٠٤- أَخْبَرَنَا أَبُو حَازِمٍ الْأَعْرَجُ بِنَيْسَابُورَ، أَخْبَرَنَا أَبُو أَحْمَدَ بْنُ أَحْمَدَ الْعَبْدِيُّ بِجُرْجَانَ، قَالَ: قَالَ أَبُو خَلِيفَةَ: سَمِعْتُ مُحَمَّدَ بْنَ حَفْصٍ أَبَا عَبْدِ الرَّحْمَنِ يَقُولُ: كَثُرَ أَصْحَابُ الْحَدِيثِ عَلَى يَحْيَى بْنِ سَعِيدٍ الْقَطَّانِ فَتَبَرَّمَ بِهِمْ، فَقُلْتُ: تُحِبُّ أَنْ يُحْبَسُوا عَنْكَ؟ فَقَالَ: أَمَّا عَنْ قِلِي، فَلَا.

204. It was reported to us by Abu Ḥāzim al-Aʿraj in Naysābūr [...] that Muḥammad ibn Ḥafṣ Abu ʿAbd al-Raḥmān said: "The ḥadīth adherents

became numerous around Yaḥyā ibn Sa'īd al-Qaṭṭān, and he became annoyed with them. I said, 'Would you like that they stay away from you?' He replied, '[I do not complain] out of contempt, so no.'"

٢٠٥- أَخْبَرَنِي مُحَمَّدُ بْنُ الْحُسَيْنِ الْقَطَّانُ، أَخْبَرَنَا دَعْلَجُ بْنُ أَحْمَدَ، أَخْبَرَنَا أَحْمَدُ بْنُ عَلِيٍّ الْأَبَّارُ، حَدَّثَنَا عُبَيْدُ اللَّهِ بْنُ عُمَرَ، قَالَ: سَمِعْتُ حَمَّادَ بْنَ زَيْدٍ يَقُولُ: قَالَ لِي أَبُو جَبَلَةَ: يَا أَبَا إِسْمَاعِيلَ! أَلَمْ تَرَ إِلَى مَا عَمِلَ بِي أَصْحَابُ الْحَدِيثِ الْيَوْمَ؟ فَقُلْتُ: وَأَيُّ شَيْءٍ عَمِلُوا بِكَ؟ قَالَ: قَالُوا لِي: هُوَ ذَا نَجِيءُ، [إِلَى] السَّاعَةِ أَنْتَظِرُهُمْ، مَا جَاءُوا.

205. It was reported to me by Muḥammad ibn al-Ḥusayn al-Qaṭṭān [...] that Ḥammād ibn Zayd said: "Abu Jabalah said to me, 'O Abā Ismā'īl! Did you not see what the ḥadīth adherents did to me today?'

I replied, 'And what did they do to you?'

He said, 'They said to me, 'We will come.' I have been waiting until this moment, yet they have not come.'"

٢٠٦- أَخْبَرَنَا أَبُو بَكْرٍ الْبَرْقَانِيُّ، قَالَ: قَرَأْتُ عَلَى مُحَمَّدِ بْنِ عَلِيِّ بْنِ النَّضْرِ حَدَّثَكُمْ أَحْمَدُ بْنُ عَمْرِو بْنِ عُثْمَانَ، حَدَّثَنَا عَبْدُ اللَّهِ بْنُ أَبِي سَعْدٍ، حَدَّثَنَا مُحَمَّدُ بْنُ عَبْدِ اللَّهِ بْنِ عُلْوَانَ، قَالَ: قُلْتُ لِبِشرِ بْنِ الْحَارِثِ: لِمَ لَا تُحَدِّثُ؟ قَالَ: أَنَا أَشْتَهِي أُحَدِّثُ، وَإِذَا اشْتَهَيْتُ شَيْئًا تَرَكْتُهُ.

206. It was reported to us by Abu Bakr al-Barqānī [...] that Muḥammad ibn 'Abdullāh ibn 'Ulwān said: "I said to Bishr ibn al-Ḥārith, 'Why do you not narrate?' He replied, 'I desire to narrate, and when I desire something I abandon it.'"

٢٠٧- أَخْبَرَنَا مُحَمَّدُ بْنُ أَحْمَدَ بْنِ رِزْقٍ، حَدَّثَنَا إِسْمَاعِيلُ بْنُ عَلِيٍّ الْخُطَبِيُّ، حَدَّثَنَا الْحَارِثُ بْنُ مُحَمَّدِ بْنِ أَبِي أُسَامَةَ، قَالَ: قَالَ لِي بَعْضُ أَصْحَابِنَا: سَمِعْتُ يَحْيَى بْنَ أَكْثَمَ الْقَاضِي يَقُولُ: وُلِّيتُ الْقَضَاءَ، وَقَضَاءَ الْقُضَاةِ، وَالْوِزَارَةَ، وَكَذَا وَكَذَا، مَا

سُرِرْتُ بِشَيْءٍ كَسُرُورِي بِقَوْلِ الْمُسْتَمْلِي: مَنْ ذَكَرْتَ رَضِيَ اللَّهُ عَنْكَ؟

207. It was reported to us by Muḥammad ibn Aḥmad ibn Rizq [...] that Yaḥyā ibn Aktham al-Qāḍī said: "I was appointed to the judiciary, as the chief of judges, as a minister, and as such-and-such, however, I was never as happy as I was with the statement of the *mustamlī* (i.e. one seeking dictation), 'Who did you narrate from, may Allah be pleased with you?'"

٢٠٨- أَخْبَرَنَا أَبُو إِسْحَاقَ إِبْرَاهِيمُ بْنُ مَخْلَدٍ الْقَاضِي، قَالَ: حَدَّثَنَا مُحَمَّدُ بْنُ أَحْمَدَ بْنِ إِبْرَاهِيمَ الْحَكِيمِيُّ، قَالَ: حَدَّثَنَا حَمْدَانُ بْنُ عَلِيٍّ، قَالَ: سَمِعْتُ عَبْدَ الصَّمَدِ بْنَ النُّعْمَانِ يَقُولُ: كُنَّا يَوْمًا عِنْدَ قَيْسٍ - يَعْنِي ابْنَ الرَّبِيعِ - فَلَمَّا رَأَى النَّاسَ عِنْدَهُ، ضَرَبَ بِيَدِهِ إِلَى لِحْيَتِهِ فَقَالَ: الْحَمْدُ لِلَّهِ، بَعْدَ كَسَادٍ طَوِيلٍ.

208. It was reported to us by Abu Isḥāq Ibrāhīm ibn Mukhlad al-Qāḍī [...] that ʿAbd al-Ṣamad ibn al-Nuʿmān said: "We were once with Qays (meaning Ibn al-Rabīʿ) and when he saw the people with him, he struck his beard with his hand and said, 'All praise is due to Allah, [now they come] after a long recession.'"

٢٠٩- أَخْبَرَنَا إِسْمَاعِيلُ بْنُ أَحْمَدَ الضَّرِيرُ الْحِيرِيُّ، قَالَ: أَخْبَرَنَا زَاهِرُ بْنُ أَحْمَدَ السَّرَخْسِيُّ، قَالَ: حَدَّثَنَا أَبُو لَبِيدٍ السَّامِيُّ، قَالَ: حَدَّثَنَا مَحْمُودٌ يَعْنِي ابْنَ غَيْلَانَ، قَالَ: حَدَّثَنَا عَبْدُ الرَّزَّاقِ قَالَ: سَمِعْتُ مَعْمَرًا يَقُولُ: مَا مِنْ بِضَاعَةٍ أَشَدُّ عَلَى صَاحِبِهَا إِذَا بَارَتْ مِنْ هَذَا الْحَدِيثِ.

209. It was reported to us by Ismāʿīl ibn Aḥmad al-Ḍarīr al-Ḥīrī [...] that Maʿmar said: "There is no merchandise more difficult on the one who carries it than al-ḥadīth, if there is no market for it."

٢١٠- أَخْبَرَنَا الْحَسَنُ بْنُ أَبِي بَكْرٍ، أَخْبَرَنَا أَبِي، أَنَّ عَبْدَ الْعَزِيزِ بْنَ أَحْمَدَ الْغَافِقِيَّ، حَدَّثَهُمْ بِمِصْرَ، قَالَ: حَدَّثَنَا عَلِيُّ بْنُ عَبْدِ الرَّحْمَنِ بْنِ الْمُغِيرَةِ، قَالَ: حَدَّثَنَا يَعْقُوبُ بْنُ كَعْبٍ، قَالَ: حَدَّثَنَا يَحْيَى بْنُ الْيَمَانِ قَالَ: سَمِعْتُ سُفْيَانَ الثَّوْرِيَّ يَقُولُ: لَوْ لَمْ

يَأْتُونِي لَأَتَيْتُهُمْ فِي بُيُوتِهِمْ - يَعْنِي أَصْحَابَ الْحَدِيثِ -.

210. It was reported to us by al-Ḥasan ibn Abī Bakr [...] that Sufyān al-Thawrī said: "If they do not come to me, I would go to them in their houses (i.e. the ḥadīth adherents)."

٢١١- أَخْبَرَنَا أَبُو نَصْرٍ أَحْمَدُ بْنُ الْحُسَيْنِ الْقَاضِي بِالدِّينَوَرِ، أَخْبَرَنَا أَبُو بَكْرٍ أَحْمَدُ بْنُ مُحَمَّدِ بْنِ إِسْحَاقَ السُّنِّيُّ الْحَافِظُ، حَدَّثَنَا مُحَمَّدُ بْنُ حَمْدَانَ بْنِ سُفْيَانَ، حَدَّثَنَا مُحَمَّدُ بْنُ عَبْدِ النُّورِ الْخَزَّازُ، حَدَّثَنَا الْحَسَنُ بْنُ الرَّبِيعِ الْبُورَانِيُّ قَالَ: قَالَ سُفْيَانُ الثَّوْرِيُّ: أُحَذِّرُكُمْ وَنَفْسِيَ الشَّهْوَةَ الْخَفِيَّةَ، وَإِنَّهَا لَفِي قَوْلِي لَكُمْ: لَا تَأْتُونِي، وَلَوْ لَمْ تَأْتُونِي لَأَتَيْتُكُمْ، وَلَوْ لَمْ أُحَدِّثْكُمْ لَحَدَّثْتُ الْجُدْرَانَ.

211. It was reported to us by Abu Naṣr Aḥmad ibn al-Ḥusayn al-Qāḍī in Dīnawar [...] that Sufyān al-Thawrī said: "I warn you all and myself from the hidden desire, and it is found in my statement: Do not come to me. [Indeed,] if you did not come to me I would come to you, and if I did not narrate to you I would narrate to the walls."

٢١٢- حَدَّثَنَا أَبُو طَالِبٍ يَحْيَى بْنُ عَلِيِّ بْنِ الطَّيِّبِ الْعِجْلِيُّ، بِحُلْوَانَ، أَخْبَرَنَا أَبُو بَكْرٍ مُحَمَّدُ بْنُ إِبْرَاهِيمَ الْمُقْرِئُ، حَدَّثَنَا عُمَرُ بْنُ عُثْمَانَ الرُّعَيْنِيُّ، بِأَنْطَاكِيَّةَ، قَالَ: سَمِعْتُ إِبْرَاهِيمَ بْنَ سَعِيدٍ الْجَوْهَرِيَّ يَقُولُ: فِي حَدِيثِ رَسُولِ اللَّهِ صَلَّى اللهُ عَلَيْهِ وَسَلَّمَ الشَّهْوَةُ الْخَفِيَّةُ قَالَ: مِنَ الشَّهْوَةِ الْخَفِيَّةِ أَنْ أَقُولَ لَكُمْ: لَا تَجِيئُونِي، وَأَنَا أَشْتَهِي أَنْ تَجِيئُونِي.

212. It was narrated to us by Abu Ṭālib Yaḥyā ibn 'Alī ibn al-Ṭayyib al-'Ijlī in Ḥulwān [...] that Ibrāhīm ibn Sa'īd al-Jawharī said: "There is a hidden desire in the ḥadīth of the Messenger of Allah ﷺ. Amongst the hidden desire[s] is when I say to you: Do not come to me, even though I desire for you to come to me.'"

✡✡✡

أخر الجزء الثاني من شرف أصحاب الحديث وصلى الله على محمد خير خلقه

وسلم تسليما يتلوه في الجزء الثالث إن شاء الله تعالى: ذكر ما رواه الصالحون في المنام لأصحاب الحديث من الحباء والإكرام والحمد لله رب العالمين.

This ends the second portion of *The Eminence of the Ḥadīth Adherents*, peace and blessings of Allah be upon the best of His creation. The author will commence the third portion with his words: Mentioning the Bestowment and Honouring of the Ḥadīth Adherents, Seen in the Dreams of the Righteous. And praise be to Allah, the Lord of the worlds.

الجزء الثالث من كتاب:

شرف أصحاب الحديث

تصنيف

الشيخ الإمام الحافظ أبو بكر أحمد بن علي بن ثابت الخطيب البغدادي

رواية الشيخ الأمين: أبي محمد هبة الله بن أحمد بن محمد الأكفاني عنه.

رواية الشيخ: أبي عبد الله محمد بن حمزة بن محمد بن أبي الصقر القرشي عنه.

رواية: الشيخ الإمام العالم البارع الحافظ أبو محمد عبد القادر ابن عبد الله الرهاوي عنه.

سماع: صاحبه الفقير إلى رحمة الله تعالى أبو عبد الله محمد بن أحمد بن الحسن بن عبد الله الهكاري عنه.

والحمد لله أولا وآخرا، والصلاة على سيدنا محمد النبي ظاهرا وباطنا وعلى آله وسلم تسليما.

ذكر ما رآه الصالحون في المنام لأصحاب الحديث من الحباء والإكرام

Mentioning the Bestowment and Honouring of the Ḥadīth Adherents, Seen in the Dreams of the Righteous

حدثنا الشيخ الإمام العالم الحافظ قدوة الحفاظ جمال الدين أبو محمد عبد القادر بن عبد الله الرهاوي، أحسن الله توفيقه، بالموصل، يوم الثلاثاء سادس عشرين ذو الحجة سنة اثنتين وتسعين وخمس مائة، قال: أخبرنا الشيخ الأمين أبو عبد الله محمد بن حمزة بن محمد بن أبي جميل القرشي، قال: أخبرنا الشيخ الأمين الصالح أبو محمد هبة الله بن أحمد الأكفاني، قال: أخبرنا الشيخ الإمام الحافظ أبو بكر أحمد بن علي بن ثابت الخطيب البغدادي - رحمه الله - قال:

[The chain of narration for part three.]

٢١٣- أَخْبَرَنَا الْحَسَنُ بْنُ أَبِي بَكْرٍ، حَدَّثَنَا أَحْمَدُ بْنُ كَامِلٍ الْقَاضِي، قَالَ: حَدَّثَنَا أَحْمَدُ بْنُ حَرْبِ بْنِ مُسَمِّعٍ، قَالَ: حَدَّثَنَا الْعَيْشِيُّ، قَالَ: حَدَّثَنَا مَهْدِيُّ بْنُ مَيْمُونٍ، قَالَ: حَدَّثَنَا عُثْمَانُ بْنُ عُبَيْدٍ الرَّاسِبِيُّ، قَالَ: سَمِعْتُ أَبَا الطُّفَيْلِ يُحَدِّثُ، عَنْ حُذَيْفَةَ، عَنِ النَّبِيِّ صَلَّى اللهُ عَلَيْهِ وَسَلَّمَ قَالَ: ((ذَهَبَتِ النُّبُوَّةُ، فَلَا نُبُوَّةَ بَعْدِي، وَبَقِيَتِ الْمُبَشِّرَاتُ: رُؤْيَا الْمُسْلِمِ الْحَسَنَةُ، يَرَاهَا الْمُسْلِمُ أَوْ تُرَى لَهُ)).

213. It was reported to us by al-Ḥasan ibn Abī Bakr [...] that Ḥudayfah narrated from the Prophet ﷺ: "Prophethood has ended, there is no prophethood after me, whilst glad tidings remain, [which are seen through] the good dreams of the Muslim; seen by the Muslim[s], or seen of him."[129]

129 It is *ḥasan*. It was reported by al-Ṭabarānī in *al-Kabīr* (3/200), al-Bazzār in *al-Musnad, Kashf al-Astār* (2121). I say: This *sanad* is *ḥasan*. Abu Ṭufayl is a younger (*ṣaghīr*) Companion, and his name is ʿĀmir ibn Wāthilah. ʿUthmān ibn ʿUbayd al-Rāsibī was mentioned by Ibn Ḥibbān in *al-Thiqāt* (5/159), and Ibn Abī Ḥātim in *al-Jarḥ wa*

٢١٤- أَخْبَرَنَا أَبُو نُعَيْمٍ أَحْمَدُ بْنُ عَبْدِ اللَّهِ الْحَافِظُ، قَالَ: حَدَّثَنَا عَبْدُ اللَّهِ بْنُ جَعْفَرِ بْنِ أَحْمَدَ بْنِ فَارِسٍ، قَالَ: حَدَّثَنَا يُونُسُ بْنُ حَبِيبٍ، قَالَ: حَدَّثَنَا أَبُو دَاوُدَ، قَالَ: حَدَّثَنَا حَرْبُ بْنُ شَدَّادٍ، قَالَ: حَدَّثَنَا يَحْيَى بْنُ أَبِي كَثِيرٍ، قَالَ: حَدَّثَنَا أَبُو سَلَمَةَ بْنُ عَبْدِ الرَّحْمَنِ، قَالَ: نُبِّئْتُ أَنَّ عُبَادَةَ بْنَ الصَّامِتِ، سَأَلَ النَّبِيَّ صَلَّى اللهُ عَلَيْهِ وَسَلَّمَ عَنْ قَوْلِ اللَّهِ [عَزَّ وَجَلَّ]: **﴿الَّذِينَ آمَنُوا وَكَانُوا يَتَّقُونَ ﴿٦٣﴾ لَهُمُ الْبُشْرَى فِي الْحَيَاةِ الدُّنْيَا وَفِي الْآخِرَةِ﴾** [يونس: ٦٣، ٦٤] قَالَ: ((هِيَ الرُّؤْيَا الصَّالِحَةُ، يَرَاهَا الرَّجُلُ الْمُسْلِمُ أَوْ تُرَى لَهُ)).

214. It was reported to us by Abu Nu'aym Aḥmad ibn 'Abdullāh al-Ḥāfiẓ [...] that Abu Salamah 'Abd al-Raḥmān said: "I was told that 'Ubādah ibn al-Ṣamat asked the Prophet ﷺ regarding Allah's statement: **{Those who believed and were fearful of Allah, for them are good tidings in the worldly life and in the Hereafter.}**[130] The Prophet ﷺ said, 'It is a good dream seen by a Muslim man, or seen about him.'"[131]

٢١٥- أَخْبَرَنَا أَبُو الْحُسَيْنِ عَلِيُّ بْنُ مُحَمَّدِ بْنِ عَبْدِ اللَّهِ الْمُعَدِّلُ، قَالَ: أَخْبَرَنَا الْحُسَيْنُ بْنُ صَفْوَانَ الْبَرْذَعِيُّ، قَالَ: حَدَّثَنَا عَبْدُ اللَّهِ بْنُ مُحَمَّدِ بْنِ أَبِي الدُّنْيَا، قَالَ: حَدَّثَنِي [إِسْحَاقُ] النَّرْسِيُّ، قَالَ: حَدَّثَنِي أَبُو عَبْدِ اللَّهِ الْمَرْوَزِيُّ،: أَنَّ رَجُلًا، رَأَى يَزِيدَ بْنِ هَارُونَ بَعْدَ مَوْتِهِ فِي النَّوْمِ، فَقَالَ لَهُ: مَا فَعَلَ اللَّهُ بِكَ؟ قَالَ: أَبَاحَنِي الْجَنَّةَ. قَالَ: بِالْقُرْآنِ؟ قَالَ: لَا. قَالَ: فَبِمَاذَا؟ قَالَ: بِالْحَدِيثِ.

215. It was reported to us by Abu 'l-Ḥusayn 'Alī ibn Muḥammad ibn 'Abdullāh al-Mu'addil [...] that Abu 'Abdullāh al-Marwazī said that a man saw

---

'l-Ta'dīl (1/3/158). The latter said, "I asked my father in regards to 'Uthmān ibn 'Ubayd, and he replied, 'His affair is straight/upright (*mustaqīm*).'" [T] It has many *shawāhid* (witnessing reports), mentioned in *Irwā' al-Ghalīl*, under ḥadīth 2473.

130 Yūnus: 63-64

131 Its *isnād* is *munqati'* (broken/cut off). This is between Abu Salamah and 'Ubādah ibn al-Ṣāmat, for Abu Salamah did not hear from him, and he explicitly stated this in the narration. It was reported by al-Tirmidhī (2275), Ibn Mājah (3898) and al-Dārimī (2136).

Yazīd ibn Hārūn in a dream after he had died, and the man said to him, "What did Allah do with you?"

He [replied], "He allowed me [to enter] paradise."

The man asked, "Was it due to the Qur'ān?"

He replied, "No."

The man then asked, "Then due to what?"

He said, "Due to al-ḥadīth."

٢١٦- أَخْبَرَنِي مُحَمَّدُ بْنُ الْمُظَفَّرِ بْنِ عَلِيٍّ الْمُقْرِئُ الدِّينَوَرِيُّ، قَالَ: حَدَّثَنَا إِبْرَاهِيمُ بْنُ مُحَمَّدٍ الْمُزَكِّي بِبَغْدَادَ، قَالَ: سَمِعْتُ أَحْمَدَ بْنَ مُحَمَّدٍ الْحِيرِيَّ الْمُزَكِّي، قَالَ: حَدَّثَنِي عَبْدُ اللَّهِ بْنُ الْحَارِثِ الصَّنْعَانِيُّ، قَالَ: سَمِعْتُ حَوْثَرَةَ بْنَ مُحَمَّدٍ الْمَنْقَرِيَّ الْبَصْرِيَّ، يَقُولُ: رَأَيْتُ يَزِيدَ بْنَ هَارُونَ الْوَاسِطِيَّ فِي الْمَنَامِ بَعْدَ مَوْتِهِ بِأَرْبَعِ لَيَالٍ، فَقُلْتُ: مَا فَعَلَ اللَّهُ بِكَ؟ قَالَ: تَقَبَّلَ اللَّهُ مِنِّي الْحَسَنَاتِ وَتَجَاوَزَ عَنِّي السَّيِّئَاتِ، وَوَهَبَ لِي التَّبِعَاتِ. قُلْتُ: وَمَا كَانَ بَعْدَ ذَلِكَ؟ قَالَ: وَهَلْ يَكُونُ مِنَ الْكَرِيمِ إِلَّا الْكَرَمُ! غَفَرَ لِي ذُنُوبِي، وَأَدْخَلَنِي الْجَنَّةَ. قُلْتُ: بِمَا نِلْتَ الَّذِي نِلْتَ؟ قَالَ: بِمَجَالِسِ الذِّكْرِ، وَقَوْلِي الْحَقَّ، وَصِدْقِي فِي الْحَدِيثِ، وَطُولِ قِيَامِي فِي الصَّلَاةِ وَصَبْرِي عَلَى الْفَقْرِ، قُلْتُ: وَمُنْكَرٌ وَنَكِيرٌ حَقٌّ؟ قَالَ: إِي وَاللَّهِ الَّذِي لَا إِلَهَ إِلَّا هُوَ، لَقَدْ أَقْعَدَانِي وَسَأَلَانِي، فَقَالَا لِي: مَنْ رَبُّكَ؟ وَمَا دِينُكَ؟ وَمَنْ نَبِيُّكَ؟ فَجَعَلْتُ أَنْفُضُ لِحْيَتِي الْبَيْضَاءَ مِنَ التُّرَابِ، فَقُلْتُ: مِثْلِي يُسْأَلُ؟ أَنَا يَزِيدُ بْنُ هَارُونَ الْوَاسِطِيُّ، وَكُنْتُ فِي دَارِ الدُّنْيَا سِتِّينَ سَنَةً أُعَلِّمُ النَّاسَ؟ قَالَ أَحَدُهُمَ: صَدَقَ، هُوَ يَزِيدُ بْنُ هَارُونَ، نَمْ نَوْمَةَ الْعَرُوسِ، فَلَا رَوْعَةَ عَلَيْكَ بَعْدَ الْيَوْمِ، قَالَ أَحَدُهُمَ: أَكَتَبْتَ عَنْ حَرِيزِ بْنِ عُثْمَانَ؟ قُلْتُ: نَعَمْ، وَكَانَ ثِقَةً فِي الْحَدِيثِ، قَالَ: ثِقَةٌ وَلَكِنَّهُ كَانَ يُبْغِضُ عَلِيًّا أَبْغَضَهُ اللَّهُ [عَزَّ وَجَلَّ].

216. It was reported to me by Muḥammad ibn al-Muẓaffar ibn 'Alī al-Muqri'

al-Dīnawarī [...] that Ḥawtharah ibn Muḥammad al-Manqarī al-Baṣrī said: "I saw Yazīd ibn Hārūn al-Wāsiṭī in a dream four nights after he had died, and I [asked], 'What did Allah do with you?'

He replied, 'Allah accepted my good deeds, and forgave my sins, and freed me from all consequences.'

I said, 'And what happened after that?'

He replied, 'And is there anything other than bounty (*al-karam*) from the One who is All-Generous (al-Karīm)? He forgave my sins, and entered me into paradise.'

I asked, 'How did you receive what you received?'

He said, 'By the gatherings of *dhikr*, stating the truth, honesty in narrating, standing long in prayer, and my patience upon poverty.'

I asked, 'Are Munkar and Nakīr real?'

He replied, 'Yes, by Allah, other than whom there is no true diety besides, they sat me down and enquired from me, asking, 'Who is your Lord? What is your religion? Who is your prophet?' I started to shake off the dirt from my beard, and said, 'Someone like me is asked, [whilst] I am Yazīd ibn Hārūn al-Wāsiṭī, and I spent sixty years in the worldly life teaching people?' One of them said, 'He is truthful, he is Yazīd ibn Hārūn. Sleep like a bride, for there is no fear for you after today.' One of them then asked, 'Did you write [ḥadīth narrated] from Ḥarīẓ bin 'Uthmān?' I replied, 'Yes, and he was trustworthy in ḥādīth narration.' The angel then said, 'He was trustworthy, however, he hated 'Alī, may Allah hate him.'"

٢١٧- قَرَأْتُ عَلَى أَبِي بَكْرٍ الْبَرْقَانِيِّ، عَنْ إِبْرَاهِيمَ بْنِ مُحَمَّدِ بْنِ يَحْيَى النَّيْسَابُورِيِّ، قَالَ: أَخْبَرَنَا مُحَمَّدُ بْنُ إِسْحَاقَ الثَّقَفِيُّ، قَالَ: حَدَّثَنِي عَلِيُّ بْنُ أَحْمَدَ الرَّقِّيُّ السَّوَّاقُ، قَالَ: حَدَّثَنَا زَكَرِيَّا بْنُ عَدِيٍّ، قَالَ: رَأَيْتُ ابْنَ الْمُبَارَكِ فِي النَّوْمِ، فَقُلْتُ: مَا صَنَعَ اللَّهُ بِكَ؟ قَالَ: غَفَرَ لِي بِرِحْلَتِي.

217. I read upon Abu Bakr al-Barqānī [...] that Zakariyyā ibn 'Adī said, "I saw Ibn al-Mubārak in a dream, and I asked, 'What did Allah do with you?' He replied, 'He forgave me due to my travels [in the pursuit of knowledge.]'"

٢١٨- أَنْبَأَنَا أَبُو سَعْدٍ الْمَالِينِيُّ، قَالَ: حَدَّثَنَا عَبْدُ اللَّهِ بْنُ عَدِيٍّ، قَالَ: حَدَّثَنَا أَحْمَدُ بْنُ حَفْصٍ، قَالَ: حَدَّثَنَا أَحْمَدُ بْنُ سَعِيدٍ الدَّارِمِيُّ، قَالَ: سَمِعْتُ الْعَلَاءَ، يَقُولُ: أَخْبَرَنِي رَجُلٌ، قَالَ: رَأَيْتُ عَبْدَ اللَّهِ بْنَ الْمُبَارَكِ فِي الْمَنَامِ، فَقُلْتُ: مَا فَعَلَ بِكَ رَبُّكَ؟ قَالَ: غَفَرَ لِي بِرِحْلَتِي فِي الْحَدِيثِ.

218. We were informed by Abu Sa'd al-Mālīnī [...] that al-'Alā' stated that a man informed him: "I saw 'Abdullāh ibn al-Mubārak in a dream and asked him, 'What did your Lord do with you?' He replied, 'He forgave me for my travels [in pursuit] of ḥadīth.'"

٢١٩- أَخْبَرَنَا مُحَمَّدُ بْنُ أَحْمَدَ بْنِ رِزْقٍ الْبَزَّازُ، أَخْبَرَنَا عُثْمَانُ بْنُ أَحْمَدَ الدَّقَّاقُ.

ح وَأَخْبَرَنَا مُحَمَّدُ بْنُ الْحُسَيْنِ الْقَطَّانُ، قَالَ: حَدَّثَنَا إِسْمَاعِيلُ بْنُ مُحَمَّدٍ الصَّفَّارُ، قَالَا حَدَّثَنَا جَعْفَرُ بْنُ مُحَمَّدٍ الصَّائِغُ، قَالَ: حَدَّثَنَا أَبُو مُعَاوِيَةَ الْغَلَابِيُّ، قَالَ: حَدَّثَنَا أَبُو بَحْرٍ الْبَكْرَاوِيُّ، عَنْ صَاحِبٍ لَهُمْ، كَانَ يَطْلُبُ الْحَدِيثَ، قَالَ: مَاتَ، فَرَآهُ فِي النَّوْمِ، فَقَالَ: مَا صَنَعْتَ؟ قَالَ: غَفَرَ لِي، قَالَ: بِأَيِّ شَيْءٍ؟ قَالَ: بِطَلَبِي الْحَدِيثَ.

219. It was reported to us via two routes [...] that Abu Baḥr al-Bakrāwī narrated that a companion of his used to seek ḥadīth, and [Abu Baḥr] said that he died, and he saw him in a dream. He asked him, "What did Allah do with you?"

He replied, "He forgave me."

Abu Baḥr then asked, "Due to what?"

The man replied, "Due to my pursuit of al-ḥadīth."

٢٢٠- أَخْبَرَنِي أَحْمَدُ بْنُ مُحَمَّدِ بْنِ غَالِبٍ الْخُوَارَزْمِيُّ، قَالَ: أَخْبَرَنَا مُحَمَّدُ بْنُ الْعَبَّاسِ الْخَزَّازُ، قَالَ: حَدَّثَنَا عُبَيْدُ اللَّهِ بْنُ عَبْدِ الرَّحْمَنِ السكريُّ، قَالَ: حَدَّثَنِي مُحَمَّدُ بْنُ حَجَّةَ، قَالَ: سَمِعْتُ مُحَمَّدَ بْنَ الْخَلِيلِ، صَاحِبَنَا، وَكَانَ مِنْ خِيَارِ النَّاسِ، قَالَ: رَأَيْتُ سُلَيْمَانَ الشَّاذَكُونِيَّ بَعْدَ مَا تُوُفِّيَ، فِي هَيْئَةٍ حَسَنَةٍ، فَقُلْتُ لَهُ:

يَا أَبَا أَيُّوبَ! مَا فَعَلَ اللَّهُ بِكَ؟ قَالَ: غَفَرَ لِي، قُلْتُ: بِمَ؟ قَالَ: بِالْحَدِيثِ.

220. It was reported to me by Aḥmad ibn Muḥammad ibn Ghālib al-Khuwārazmī [...] that Muḥammad ibn Ḥajjah said: "I heard Muḥammad ibn al-Khalīl—who was our companion and from the best of people—state, 'I saw Sulaymān al-Shādhakūnī [in a dream] after he died in a good state, and so I asked him, 'O Abā Ayyūb, what did Allah do with you?'

He replied, 'He forgave me.'

I then asked, 'Due to what?'

He replied, 'Due to al-ḥadīth.'"

٢٢١- كَتَبَ إِلَيَّ أَبُو مُحَمَّدٍ عَبْدُ الرَّحْمَنِ بْنُ عُثْمَانَ الدِّمَشْقِيُّ، يَذْكُرُ أَنَّ أَبَا الْحسن أَحْمَدَ بْنَ جَعْفَرٍ الصَّيْدَلَانِيَّ الْبَغْدَادِيَّ أَخْبَرَهُمْ بِدِمَشْقَ، قَالَ: حَدَّثَنَا الْحُسَيْنُ بْنُ عُبَيْدِ اللَّهِ الِابْزَارِيُّ، قَالَ: حَدَّثَنِي حُبَيْشُ بْنُ مُبَشِّرٍ، قَالَ: رَأَيْتُ يَحْيَى بْنَ مَعِينٍ فِي النَّوْمِ، فَقُلْتُ: مَا فَعَلَ اللَّهُ بِكَ؟ قَالَ: مَهَّدَ لِي بَيْنَ الْمِصْرَاعَيْنِ - يَعْنِي مَا بَيْنَ بَابِي الْجَنَّةِ - ثُمَّ ضَرَبَ بِيَدِهِ إِلَى كُمِّهِ، فَأَخْرَجَ دَرَجًا، [يَعْنِي] وَقَالَ: إِنَّمَا نِلْنَا مَا نِلْنَا بِهَذَا - يَعْنِي كِتَابَةَ الْحَدِيثِ -.

221. Abu Muḥammad 'Abd al-Raḥmān ibn 'Uthmān al-Dimashqī wrote to me mentioning that [...] Ḥubaysh ibn Mubas͟hir said: "I saw Yaḥyā ibn Ma'īn in a dream and asked him, 'What did Allah do with you?'

He replied, 'He prepared a way for me between the two gates of paradise.' Then he moved his hand to his sleeve, took out a scroll, and said, 'We received what we received due to this (i.e. writing al-ḥadīth).'"

٢٢٢- قَرَأْتُ عَلَى أَبِي بَكْرٍ الْبَرْقَانِيِّ، عَنْ إِبْرَاهِيمَ بْنِ مُحَمَّدٍ النَّيْسَابُورِيِّ، قَالَ: أَخْبَرَنَا مُحَمَّدُ بْنُ إِسْحَاقَ الثَّقَفِيُّ، قَالَ: سَمِعْتُ مُحَمَّدَ بْنَ أَحْمَدَ بْنِ بِنْتِ مُعَاوِيَةَ بْنِ عَمْرٍو، قَالَ: سَمِعْتُ أَبَا إِسْحَاقَ بْنَ إِبْرَاهِيمَ، مُسْتَمْلِيَّ أَبِي هَمَّامٍ، قَالَ: رَأَيْتُ أَبَا هَمَّامٍ فِي النَّوْمِ، وَعَلَى رَأْسِهِ قَنَادِيلُ مُعَلَّقَةٌ، قُلْتُ: يَا أَبَا هَمَّامٍ! مَا هَذِهِ الْقَنَادِيلُ؟

قَالَ: هَذَا أُعْطِيْتُ بِحَدِيثِ الشَّفَاعَةِ، وَهَذَا بِحَدِيثِ الْحَوْضِ، قَالَ: فَجَعَلَ يَقُولُ مِنْ هَذِهِ الْأَشْيَاءِ.

222. I read upon Abu Bakr al-Barqānī [...] that Abu Isḥāq ibn Ibrāhīm, the *mustamlī* of Abī Hammām, said: "I saw Abu Hammām in a dream and above his head there were hanging lamps, so I asked, 'O Abā Hammām what are these lamps?'

He replied, 'This one was given for [narrating] the ḥadīth of intercession, and this one for [narrating] the ḥadīth of the fountain.' He continued in mention of such things."

٢٢٣- أَخْبَرَنَا عَلِيُّ بْنُ الْحُسَيْنِ بْنِ دُومَا النِّعَالِيُّ، قَالَ: حَدَّثَنَا بَكَّارُ بْنُ أَحْمَدَ بْنِ بَكَّارٍ الْمُقْرِئُ، إِمْلَاءً، قَالَ: حَدَّثَنَا أَحْمَدُ بْنُ مُحَمَّدِ بْنِ شَاهِينَ، قَالَ: حَدَّثَنِي مُحَمَّدُ بْنُ كُرْدُوسٍ، قَالَ: حَدَّثَنَا عَلِيُّ بْنُ آدَمَ الْخَرَّاطُ، مَوْلَى عُمَرَ بْنِ الْخَطَّابِ، قَالَ: حَدَّثَنَا سُفْيَانُ بْنُ عُيَيْنَةَ، قَالَ: حَدَّثَنَا خَلَفٌ، صَاحِبُ الْخُلْقَانِ، قَالَ: كَانَ لِي صِدِّيقٌ، يَطْلُبُ مَعِي الْحَدِيثَ، فَمَاتَ، فَأُرِيتُهُ فِي مَنَامِي، وَعَلَيْهِ ثِيَابٌ خُضْرٌ جُدُدٌ يَجُولُ فِيهَا. فَقُلْتُ لَهُ: أَلَسْتَ كُنْتَ تَطْلُبُ مَعِي الْحَدِيثَ؟ فَمَا هَذَا الَّذِي أَرَى؟ قَالَ: كُنْتُ أَكْتُبُ مَعَكُمُ الْحَدِيثَ، فَلَمْ يَمُرَّ بِي حَدِيثٌ، فِيهِ ذِكْرُ مُحَمَّدٍ صَلَّى اللهُ عَلَيْهِ وَسَلَّمَ إِلَّا كَتَبْتُ فِي أَسْفَلِهِ: صَلَّى اللهُ عَلَيْهِ وَسَلَّمَ فَكَافَأَنِي رَبِّي [عَزَّ وَجَلَّ] بِهَذَا الَّذِي تَرَى عَلَيَّ.

223. It was reported to us by 'Alī ibn al-Ḥusayn ibn Dūmā al-Ni'ālī [...] that Khalaf, the companion of al-Khulqān said: "I used to have a friend who sought ḥadīth with me. He died, and I saw him in a dream, and he was walking about wearing new green garments. I asked him. 'Did you not use to seek ḥadīth with me? What is this I see?'

He [replied], 'I used to write ḥadīth with you, and there was not a narration that passed me which mentioned Muḥammad ﷺ except that I wrote his honorific (peace and blessings be on him) underneath it, so my Lord contented me with this you see on me.'"

قَالَ الشَّيْخُ أَبُو بَكْرٍ [الْحَافِظُ]: [قُلْتُ]: قَدْ وَرَدَ عَنْ رَسُولِ اللَّهِ صَلَّى اللهُ عَلَيْهِ وَسَلَّمَ مَا يُصَدِّقُ هَذَا الْخَبَرَ فِي حَدِيثٍ.

Al-Shaykh Abu Bakr al-Ḥāfiẓ said: I say: That which confirms this narration was transmitted from the Messenger of Allah ﷺ in a ḥadīth:

٢٢٤- حَدَّثَنَاهُ عِيسَى بْنُ غَسَّانَ الْبَصْرِيُّ، بِهَا إِمْلَاءً، قَالَ: حَدَّثَنَا أَبُو الْعَبَّاسِ مُحَمَّدُ بْنُ أَحْمَدَ بْنِ أَبِي غَسَّانَ الدَّقَّاقُ، قَالَ: حَدَّثَنَا عَبْدُ اللَّهِ بْنُ مُحَمَّدٍ الْخُمْرِيُّ، قَالَ: حَدَّثَنَا مُحَمَّدُ بْنُ مَهْدِيِّ بْنِ هِلَالٍ، قَالَ: حَدَّثَنَا مُحَمَّدُ بْنُ يَزِيدَ بْنِ خُنَيْسٍ، قَالَ: حَدَّثَنَا عَبْدُ الرَّحْمَنِ بْنُ مُحَمَّدٍ الثَّقَفِيُّ، عَنْ عَبْدِ الرَّحْمَنِ بْنِ هُرْمُزَ، عَنْ أَبِي هُرَيْرَةَ، قَالَ: قَالَ رَسُولُ اللَّهِ صَلَّى اللهُ عَلَيْهِ وَسَلَّمَ: ((مَنْ كَتَبَ فِي كِتَابِهِ: صَلَّى اللهُ عَلَيْهِ وَسَلَّمَ، لَمْ تَزَلِ الْمَلَائِكَةُ تَسْتَغْفِرُ - يَعْنِي لَهُ - مَا دَامَ فِي كِتَابِهِ)).

224. It was narrated to us by 'Īsā ibn Ghassān al-Baṣrī—in al-Baṣrah via dictation—[...] that Abu Hurayrah reported from the Messenger of Allah ﷺ: "Whoever writes in his book "peace and blessings be on him," the angels will continue to seek forgiveness (i.e. for that person) as long as it is in his book."[132]

٢٢٥- حَدَّثَنِي أَبُو صَالِحٍ أَحْمَدُ بْنُ عَبْدِ الْمَلِكِ الْمُؤَذِّنُ، قَالَ: سَمِعْتُ أَبَا عَبْدِ اللَّهِ الْحُسَيْنَ بْنَ مُحَمَّدِ بْنِ أَحْمَدَ الْحَلَبِيَّ، بِدِمَشْقَ، يَقُولُ: سَمِعْتُ أَحْمَدَ بْنَ عَطَاءٍ الرُّوذْبَارِيَّ، يَقُولُ سَمِعْتُ أَبَا صَالِحٍ عَبْدَ اللَّهِ بْنَ صَالِحٍ الصُّوفِيَّ يَقُولُ: رُئِيَ بَعْضُ أَصْحَابِ الْحَدِيثِ فِي الْمَنَامِ، فَقِيلَ: مَا فَعَلَ اللَّهُ [عَزَّ وَجَلَّ] بِكَ؟ قَالَ: غَفَرَ لِي. فَقِيلَ لَهُ: بِأَيِّ شَيْءٍ؟ فَقَالَ: بِصَلَاتِي فِي كُتُبِي عَلَى رَسُولِ اللَّهِ صَلَّى اللهُ عَلَيْهِ وَسَلَّمَ.

225. It was narrated to me by Abu Ṣāliḥ Aḥmad ibn 'Abd al-Malik al-Mu'adhin [...] that Abu Ṣāliḥ 'Abdullāh ibn Ṣāliḥ al-Ṣūfī said: "One of the ḥadīth adherents was seen in a dream, and it was asked, 'What did Allah do with

132 It is *mawḍū'*, and it has been covered, see narration number sixty.

you?'

He replied, 'He forgave me.'

He was then asked, 'For what?'

He replied, 'For my salutations upon the Messenger of Allah ﷺ in my books.'"

ذكر أخبار ربما أشكلت على سامعيها وبيان الإشكال الواقع في وجوهها ومعانيها

Mentioning Some of the Narrations That May Be Obscure to Those Who Hear Them, and Clarifying the Obscurity That Occurs in Their Apparent Wording and Meanings

٢٢٦- أَخْبَرَنِي مُحَمَّدُ بْنُ الْحُسَيْنِ بْنِ الْفَضْلِ الْقَطَّانُ، قَالَ: أَخْبَرَنَا دَعْلَجُ بْنُ أَحْمَدَ، قَالَ: أَخْبَرَنَا أَحْمَدُ بْنُ عَلِيٍّ الْأَبَّارُ، قَالَ: حَدَّثَنَا أَبُو عَمَّارٍ - يَعْنِي الْحُسَيْنَ بْنَ حُرَيْثٍ - قَالَ: سَمِعْتُ الْفَضْلَ بْنَ مُوسَى، يَذْكُرُ عَنِ الْفُضَيْلِ، قَالَ: قَالَ الْمُغِيرَةُ: مَا طَلَبَ أَحَدٌ هَذَا الْحَدِيثَ إِلَّا قَلَّتْ صَلَاتُهُ.

226. It was reported to me by Muḥammad ibn al-Ḥusayn ibn al-Faḍl al-Qaṭṭān [...] that al-Mughīrah said: "One does not seek after ḥadīth except that his prayer becomes less."

٢٢٧- أَخْبَرَنَاهُ أَحْمَدُ بْنُ مُحَمَّدِ بْنِ غَالِبٍ الْخُوَارَزْمِيُّ، قَالَ: قُرِئَ عَلَى أَبِي إِسْحَاقَ الْمُزَكِّي وَأَنَا أَسْمَعُ، حَدَّثَكُمْ أَبُو الْحَسَنِ مُحَمَّدُ بْنُ أَحْمَدَ بْنِ زُهَيْرٍ، قَالَ: حَدَّثَنَا يُوسُفُ بْنُ عِيسَى الْمَرْوَزِيُّ، قَالَ: حَدَّثَنَا الْفَضْلُ بْنُ مُوسَى السِّينَانِيُّ، قَالَ: قَالَ مُغِيرَةُ ... وَذَكَرَ مِثْلَهُ، إلا أَنَّهُ لَمْ يَذْكُرْ فِي الْإِسْنَادِ فُضَيْلًا.

227. It was reported to us by Aḥmad ibn Muḥammad ibn Ghālib al-Khuwārazmī [...] that al-Mughīrah stated the like of this, except that he did not mention Fuḍayl in its chain of narration.

قَالَ الشَّيْخُ أَبُو بَكْرٍ الْحَافِظُ: خَرَجَ هَذَا الْكَلَامُ مِنْ مُغِيرَةَ عَلَى حَالِ نَفْسِهِ، وَلَعَلَّهُ كَانَ يُكْثِرُ صَلَاةَ النَّوَافِلِ، فَإِذَا سَعَى فِي طَلَبِ الْحَدِيثِ إِلَى الْمَوَاضِعِ الْبَعِيدَةِ، كَانَ ذَلِكَ قَاطِعًا لَهُ عَنْ بَعْضِ نَوَافِلِهِ، فَقَالَ هَذَا الْقَوْلَ، وَلَوْ أَمْعَنَ مُغِيرَةُ النَّظَرَ، لَعَلِمَ أَنَّ

سَعْيُهُ فِي طَلَبِ الْحَدِيثِ أَفْضَلُ مِنْ صَلَاتِهِ.

Al-Shaykh Abu Bakr al-Ḥāfiẓ said: This statement was said by al-Mughīrah about himself. Perhaps he used to pray an abundance of voluntary prayers, and when he would embark to far places in pursuit of ḥadīth, this would stop him from praying some of his voluntary prayers. Hence, he said this statement, and if Mughīrah had pondered over it, he would have known that his travels in the pursuit of ḥadīth were better than his [voluntary] prayers.

٢٢٨- أَخْبَرَنِي الْحُسَيْنُ بْنُ عَلِيٍّ الطَّنَاجِيرِيُّ، قَالَ: حَدَّثَنَا عُمَرُ بْنُ أَحْمَدَ الْوَاعِظُ، وَأَخْبَرَنَا عُبَيْدُ اللَّهِ بْنُ أَحْمَدَ الصَّيْرَفِيُّ، قَالَ: حَدَّثَنَا أَحْمَدُ بْنُ عِمْرَانَ، قَالَا: حَدَّثَنَا عَبْدُ الْغَافِرِ بْنُ سَلَامَةَ - زَادَ عُمَرُ: الْحِمْصِيُّ، ثُمَّ اتَّفَقَا -، قَالَ: قَالَ أَبُو ثَوْبَانَ مَزْدَاذُ بْنُ جَمِيلٍ: سَأَلَ عَمْرُو بْنُ إِسْمَاعِيلَ رَجُلٌ مِنْ أَصْحَابِ الْحَدِيثِ، الْمُعَافَى بْنُ عِمْرَانَ فَقَالَ لَهُ: يَا أَبَا عِمْرَانَ! أَيُّ شَيْءٍ أَحَبُّ إِلَيْكَ؟ أُصَلِّي أَوْ أَكْتُبُ الْحَدِيثَ؟ فَقَالَ: كِتَابُ حَدِيثٍ وَاحِدٍ أَحَبُّ إِلَيَّ مِنْ صَلَاةِ لَيْلَةٍ.

228. It was reported to me via two routes [...] that Abu Thawbān Mazdādh ibn Jamīl said: "ʿAmr ibn Ismāʿīl, a man from the ḥadīth disciples, asked al-Muʿāfā ibn ʿImrān, 'O Abā ʿImrān, what is more beloved to you, that I pray [voluntarily], or that I write down the ḥadīth?' He replied, 'Writing down one ḥadīth is more beloved to me than praying for an entire night.'"

٢٢٩- أَنْبَأَنَا أَبُو سَعْدٍ الْمَالِينِيُّ، أَخْبَرَنَا عَبْدُ اللَّهِ بْنُ عَدِيٍّ الْحَافِظُ، حَدَّثَنَا أَبُو الْخَصِيبِ أَحْمَدُ بْنُ الْمَسْتَنِيرِ الْمِصِّيصِيُّ، قَالَ: سَمِعْتُ عَبْدَةَ يَقُولُ: سَمِعْتُ ابْنَ الْمُبَارَكِ يَقُولُ: لَوْ عَلِمْتُ أَنَّ الصَّلَاةَ أَفْضَلُ مِنَ الْحَدِيثِ مَا حَدَّثْتُكُمْ.

229. We were informed by Saʿd al-Mālīnī [...] that Ibn al-Mubārak said: "If I knew that [voluntary] prayer is better than ḥadīth, I would not narrate to you."

٢٣٠- أَخْبَرَنَا الْقَاضِي أَبُو بَكْرٍ الْحِيرِيُّ، وَأَبُو سَعِيدٍ الصَّيْرَفِيُّ، قَالَا حَدَّثَنَا أَبُو

الْعَبَّاسِ مُحَمَّدُ بْنُ يَعْقُوبَ الْأَصَمُّ، قَالَ: سَمِعْتُ الرَّبِيعَ بْنَ سُلَيْمَانَ، يَقُولُ: سَمِعْتُ الشَّافِعِيَّ يَقُولُ: طَلَبُ الْعِلْمِ أَفْضَلُ مِنْ صَلَاةِ النَّافِلَةِ.

230. It was reported to us via two routes [...] that al-Shāfiʿī said: "Seeking knowledge is better than voluntary prayer.

وَقَدْ رُوِيَ عَنْ شُعْبَةَ بْنِ الْحَجَّاجِ نَحْوٌ مِنْ قَوْلِ مُغِيرَةَ:

A statement similar to that of Mughīrah was narrated from Shuʿbah ibn al-Ḥajjāj:

٢٣١- أَخْبَرَنَا أَبُو الْحَسَنِ مُحَمَّدُ بْنُ أَحْمَدَ بْنِ رِزْقٍ الْبَزَّازُ، حَدَّثَنَا عُثْمَانُ بْنُ أَحْمَدَ الدَّقَّاقُ، حَدَّثَنَا الْحَسَنُ بْنُ مُكْرَمٍ، حَدَّثَنَا أَبُو الْوَلِيدِ قَالَ:

ح وَأَخْبَرَنَا أَحْمَدُ بْنُ مُحَمَّدِ بْنِ غَالِبٍ الْفَقِيهُ، قَالَ: قُرِئَ عَلَى إِسْحَاقَ النِّعَالِيِّ، وَأَنَا أَسْمَعُ، حَدَّثَكُمْ أَبُو خَلِيفَةَ، قَالَ: سَمِعْتُ أَبَا الْوَلِيدِ يَقُولُ: سَمِعْتُ شُعْبَةَ يَقُولُ: إِنَّ هَذَا الْحَدِيثَ يَصُدُّكُمْ عَنْ ذِكْرِ اللَّهِ وَعَنِ الصَّلَاةِ، فَهَلْ أَنْتُمْ مُنْتَهُونَ.

231. It was reported to us via two routes [...] that Shuʿbah said: "Indeed this ḥadīth deters you from the remembrance of Allah and [voluntary] prayer, so will you stop?"

قَالَ أَبُو خَلِيفَةَ: يُرِيدُ شُعْبَةُ، رَحِمَهُ اللَّهُ، أَنَّ أَهْلَهُ يُضَيِّعُونَ الْعَمَلَ بِمَا يَسْمَعُونَ مِنْهُ وَيَتَشَاغَلُونَ بِالْمُكَاثَرَةِ بِهِ، أَوْ نَحْوَ ذَلِكَ، وَالْحَدِيثُ لَا يُصَدُّ عَنْ ذِكْرِ اللَّهِ، بَلْ يَهْدِي إِلَى أَمْرِ اللَّهِ، وَذَكَرَ كَلَامًا.

Abu Khalīfah said: "What Shuʿbah ﷺ meant, was that his family would neglect acting upon what they heard from him, and instead focussed on increasing [the number of narrations that they came to know or memorise], or something similar to that. [Furthermore,] al-ḥadīth does not deter one away from the remembrance of Allah, rather, it guides to the [worship] (lit. affair) of Allah." And he mentioned other things.

٢٣٢- حَدَّثَنِي الْحَسَنُ بْنُ أَبِي طَالِبٍ، حَدَّثَنَا عَبْدُ الْوَاحِدِ بْنُ عَلِيٍّ اللِّحْيَانِيُّ، حَدَّثَنَا عَبْدُ اللَّهِ بْنُ سُلَيْمَانَ بْنِ عِيسَى الْقَاضِي، حَدَّثَنَا إِسْحَاقُ بْنُ إِبْرَاهِيمَ بْنِ هَانِئٍ، قَالَ: سَمِعْتُ أَبَا عَبْدِ اللَّهِ - يَعْنِي أَحْمَدَ بْنَ حَنْبَلٍ، وَسُئِلَ عَنْ قَوْلِ شُعْبَةَ: إِنَّ هَذَا الْحَدِيثَ يَصُدُّكُمْ عَنْ ذِكْرِ اللَّهِ وَعَنِ الصَّلَاةِ، فَهَلْ أَنْتُمْ مُنْتَهُونَ؟، فَقَالَ: لَعَلَّ شُعْبَةَ كَانَ يَصُومُ، فَإِذَا طَلَبَ الْحَدِيثَ وَسَعَى فِيهِ، يَضْعُفُ، فَلَا يَصُومُ، أَوْ يُرِيدُ شَيْئًا مِنْ أَعْمَالِ الْبِرِّ، فَلَا يَقْدِرُ أَنْ يَفْعَلَهُ لِلطَّلَبِ، فَهَذَا مَعْنَاهُ.

232. It was narrated to me by al-Ḥasan ibn Abī Ṭālib [...] that Isḥāq ibn Ibrāhīm ibn Ḥani' said: "I heard Abu 'Abdillāh (meaning Aḥmad ibn Ḥanbal) being asked about the statement of Shuʿbah, 'Indeed this ḥadīth deters you from the remembrance of Allah and [voluntary] prayer, so will you stop?' He answered, 'Perhaps Shuʿbah used to fast, and when he would pursue al-ḥadīth and travel for it, he would become weak, and not fast. Or [maybe] he was referring to an action of righteousness that he would not be able to perform due to his pursuit of it. So this is the meaning.'"

[قُلْتُ]: وَلَيْسَ يَجُوزُ لِأَحَدٍ أَنْ يَقُولَ: كَانَ شُعْبَةُ يُثَبِّطُ عَنْ طَلَبِ الْحَدِيثِ، وَكَيْفَ يَكُونُ كَذَلِكَ، وَقَدْ بَلَغَ مِنْ قَدْرِهِ أَنْ سُمِّيَ أَمِيرَ الْمُؤْمِنِينَ فِي الْحَدِيثِ؟ كُلُّ ذَلِكَ لِأَجْلِ طَلَبِهِ لَهُ وَاشْتِغَالِهِ بِهِ، وَلَمْ يَزَلْ طُولَ عُمُرِهِ يَطْلُبُهُ حَتَّى مَاتَ عَلَى غَايَةِ الْحِرْصِ فِي جَمْعِهِ، لَا يَشْتَغِلُ بِشَيْءٍ سِوَاهُ، وَيَكْتُبُ عَنْ مَنْ دُونَهُ فِي السِّنِّ وَالْإِسْنَادِ، وَكَانَ مِنْ أَشَدِّ أَصْحَابِ الْحَدِيثِ عِنَايَةً بِمَا سَمِعَ، وَأَحْسَنِهِمْ إِتْقَانًا لِمَا حَفِظَ.

I say: It is not allowed for anyone to say that Shuʿbah discouraged the seeking of al-ḥadīth. How could this be, whilst he had reached a status which made him worthy of being titled "the commander of the faithful" in ḥadīth? All of this was a result of him pursuing ḥadīth and busying himself with it, and he continued doing so his entire life until he died, giving the utmost concern to gathering it, and he would not [busy himself with] anything else. He used to write down from those who were less than him in age and lower in the chain of narration. He was one of the most diligent from amongst the ḥadīth disciples in giving care to what he heard, and amongst the best of them in perfecting what he memorised.

٢٣٣- أَخْبَرَنَا عُبَيْدُ اللَّهِ بْنُ أَحْمَدَ الصَّيْرَفِيُّ، وَحَمْزَةُ بْنُ مُحَمَّدِ بْنِ طَاهِرٍ الدَّقَّاقُ، قَالَا: أَخْبَرَنَا أَحْمَدُ بْنُ إِبْرَاهِيمَ بْنِ الْحَسَنِ، حَدَّثَنَا عَبْدُ اللَّهِ بْنُ مُحَمَّدٍ الْبَغَوِيُّ، حَدَّثَنِي عَبَّاسٌ - هُوَ ابْنُ مُحَمَّدٍ - حَدَّثَنَا أَبُو بَكْرِ بْنُ أَبِي الْأَسْوَدِ، قَالَ: قَالَ عَبْدُ الرَّحْمَنِ: كَانَ سُفْيَانُ يَقُولُ: شُعْبَةُ أَمِيرُ الْمُؤْمِنِينَ فِي الْحَدِيثِ.

233. It was reported to us by ʿUbaydullāh ibn Aḥmad al-Ṣayrafī and Ḥamzah ibn Muḥammad ibn Ṭāhir al-Daqqāq [...] that Sufyān said: "Shuʿbah is 'the commander of the faithful' in al-ḥadīth."

٢٣٤- أَخْبَرَنَا مُحَمَّدُ بْنُ أَحْمَدَ بْنِ رِزْقٍ، أَخْبَرَنَا أَحْمَدُ بْنُ [إِسْحَاقَ] الْبُنْدَارُ، حَدَّثَنَا عَلِيُّ بْنُ أَحْمَدَ بْنِ النَّضْرِ، قَالَ: سَمِعْتُ مُحَمَّدَ بْنَ عَبْدِ الرَّحْمَنِ بْنِ سَهْمٍ، قَالَ: سَمِعْتُ بَقِيَّةَ بْنَ الْوَلِيدِ، يَقُولُ: سَمِعْتُ شُعْبَةَ بْنَ الْحَجَّاجِ يَقُولُ: إِنِّي لَأُذَاكِرُ الْحَدِيثَ فَيَفُوتُنِي فَأَمْرَضُ.

234. It was reported to us by Muḥammad ibn Aḥmad ibn Rizq [...] that Shuʿbah ibn al-Ḥajjāj said: "I used to revise ḥadīth, and [some of it] would escape me, and thus I would fall ill."

٢٣٥- أَخْبَرَنَا مُحَمَّدُ بْنُ الْحُسَيْنِ الْقَطَّانُ، أَخْبَرَنَا عَبْدُ اللَّهِ بْنُ جَعْفَرِ بْنِ دُرُسْتَوَيْهِ الْفَارِسِيُّ، حَدَّثَنَا يَعْقُوبُ بْنُ سُفْيَانَ، حَدَّثَنَا مُجَاهِدُ بْنُ مُوسَى، حَدَّثَنَا أَبُو كَامِلٍ مُظَفَّرُ بْنُ مُدْرِكٍ قَالَ: ذَكَرُوا لِشُعْبَةَ حَدِيثًا، لَمْ يَسْمَعْهُ، فَجَعَلَ يَقُولُ: وَاحُزْنَاهُ.

235. It was reported to us by Muḥammad ibn al-Ḥusayn al-Qaṭṭān [...] that Abu Kāmil Muẓaffar ibn Mudrik said: "People mentioned a ḥadīth to Shuʿbah which he had not heard, and he began to stay, 'Oh my sorrow!'"

٢٣٦- أَخْبَرَنَا إِبْرَاهِيمُ بْنُ مَخْلَدٍ الْقَاضِي، حَدَّثَنَا أَبُو عَبْدِ اللَّهِ مُحَمَّدُ بْنُ أَحْمَدَ بْنِ إِبْرَاهِيمَ الْحَكِيمِيُّ، حَدَّثَنَا مُحَمَّدُ بْنُ الْعَبَّاسِ الْخُرَاسَانِيُّ، قَالَ: سَمِعْتُ عَاصِمًا - يَعْنِي ابْنَ عَلِيٍّ - يَقُولُ: حَدَّثَنِي أَخِي الْحَسَنُ بْنُ عَلِيٍّ، قَالَ: قَالَ لِي شُعْبَةُ: يَا حَسَنُ! رُبَّمَا ذَاكَرَنِي قَيْسُ بْنُ الرَّبِيعِ حَدِيثَ أَبِي حُصَيْنٍ، فَأَتَمَنَّى أَنَّ السَّقْفَ

وَقَعَ عَلَيَّ، فَقَتَلَنِي وَقَتَلَهُ.

236. It was reported to us by Ibrāhīm ibn Makhlad al-Qāḍī [...] that al-Ḥasan ibn ʿAlī said: "Shuʿbah told me, "O Ḥasan, when Qays ibn al-Rabīʿ reminded me of the ḥadīth of Abu Ḥusayn, I wished that the ceiling fell on me, and killed me and him (i.e. due to shame).'"

٢٣٧- حَدَّثَنَا أَبُو سَعْدٍ الْمَالِينِيُّ، أَخْبَرَنَا عَبْدُ اللَّهِ بْنُ عَدِيٍّ الْحَافِظُ، حَدَّثَنَا إِبْرَاهِيمُ بْنُ عَبْدِ اللَّهِ بْنِ أَيُّوبَ، حَدَّثَنَا أَبِي، حَدَّثَنَا عَلِيُّ بْنُ عَاصِمٍ، قَالَ: جَاءَ شُعْبَةُ إِلَى خَالِدٍ الْحَذَّاءِ، فَقَالَ: يَا أَبَا مُنَازِلٍ! عِنْدَكَ حَدِيثٌ حَدِّثْنِي بِهِ؟ وَكَانَ خَالِدٌ عَلِيلًا، فَقَالَ لَهُ: أَنَا وَجِعٌ، فَقَالَ: إِنَّمَا هُوَ وَاحِدٌ؟ فَحَدَّثَهُ بِهِ، فَلَمَّا فَرَغَ قَالَ: مُتْ إِذَا شِئْتَ.

237. It was narrated to us by Abu Saʿd al-Mālīnī [...] that ʿAlī ibn ʿĀṣim said: "Shuʿbah came to Khālid al-Ḥadhā' and said, 'O Aba 'l-Munāzil, do you have a ḥadīth to narrate to me?'

Khālid, who was sickly, replied to him, 'I am in agony.'

So Shuʿbah said, '[Even for] only one?'

Then Khālid narrated to him, and when he was done, Shuʿbah said, 'Die now if you wish.'"

خبر لسفيان الثوري

Narrations Regarding Sufyān al-Thawrī

٢٣٨- أَخْبَرَنَا أَبُو سَعِيدٍ مُحَمَّدُ بْنُ مُوسَى الصَّيْرَفِيُّ، حَدَّثَنَا أَبُو الْعَبَّاسِ مُحَمَّدُ بْنُ يَعْقُوبَ الْأَصَمُّ، حَدَّثَنَا مُحَمَّدُ بْنُ إِسْحَاقَ الصَّغَانِيُّ، حَدَّثَنَا عَلِيُّ بْنُ قَادِمٍ.

ح وَأَخْبَرَنَا مُحَمَّدُ بْنُ الْحُسَيْنِ بْنِ الْفَضْلِ الْقَطَّانُ، حَدَّثَنَا عَلِيُّ بْنُ عَبْدِ الرَّحْمَنِ الْكُوفِيُّ، حَدَّثَنَا أَحْمَدُ بْنُ حَازِمٍ، قَالَ: سَمِعْتُ عَلِيَّ بْنَ قَادِمٍ، يَقُولُ:

سَمِعْتُ سُفْيَانَ الثَّوْرِيَّ يَقُولُ: لَوَدِدْتُ أَنِّي لَمْ أَكُنْ دَخَلْتُ فِي شَيْءٍ مِنْهُ - يَعْنِي الْحَدِيثَ -، وَلَوَدِدْتُ أَنِّي أَفْلَتُ [مِنْهُ]، لَا عَلَيَّ وَلَا لِي. وَاللَّفْظُ لِابْنِ الْفَضْلِ.

238. It was reported to us via two routes [...] that 'Alī ibn Qādim said: "I heard Sufyān al-Thawrī say: 'How I wish that I did not enter in anything of it (meaning al-ḥadīth), and that I was freed from it, [so that] there would be nothing against me or for me.'" And the wording is that of Ibn Faḍl's narration.

٢٣٩- أَخْبَرَنَا الْقَاضِي أَبُو بَكْرٍ أَحْمَدُ بْنُ الْحَسَنِ الْحَرَشِيُّ، حَدَّثَنَا مُحَمَّدُ بْنُ يَعْقُوبَ الْأَصَمُّ، حَدَّثَنَا الْخَضِرُ بْنُ أَبَانَ الْهَاشِمِيُّ، حَدَّثَنَا مُحَمَّدُ بْنُ بِشْرٍ، قَالَ: سَمِعْتُ سُفْيَانَ الثَّوْرِيَّ يَقُولُ: لَيْتَنِي أَنْجُو مِنْهُ كَفَافًا - يَعْنِي الْحَدِيثَ -.

239. It was reported to us by al-Qāḍī Abu Bakr Aḥmad ibn al-Ḥasan al-Ḥarashī [...] that Muḥammad ibn Bishr said: "I heard Sufyān al-Thawrī say, 'I wish I could be saved from it completely.'" Meaning al-ḥadīth.

قَالَ أَبُو بَكْرٍ الْخَطِيبُ رَحِمَهُ اللَّهُ: إِنَّمَا قَالَ سُفْيَانُ هَذَا خَوْفًا عَلَى نَفْسِهِ أَنْ لَا يَكُونَ قَامَ بِحَقِّ الْحَدِيثِ، وَالْعَمَلِ بِهِ، فَخَشِيَ أَنْ يَكُونَ ذَلِكَ حُجَّةً عَلَيْهِ مِثْلَ مَا:

Abu Bakr al-Khaṭīb ﷺ said: Sufyān said this out of fear for himself in not fulfilling the rights of al-ḥadīth and acting upon it. Hence, he feared that it would be an evidence against him, as seen [in the following narration:]

٢٤٠- أَخْبَرَنَا أَبُو الْحَسَنِ أَحْمَدُ بْنُ مُحَمَّدِ بْنِ أَحْمَدَ بْنِ مُوسَى بْنِ هَارُونَ بْنِ الصَّلْتِ الْأَهْوَازِيُّ، حَدَّثَنَا مُحَمَّدُ بْنُ مَخْلَدٍ الْعَطَّارُ، حَدَّثَنَا مُوسَى - يَعْنِي ابْنَ هَارُونَ - حَدَّثَنَا مُحَمَّدٌ - هُوَ ابن نُعَيْمِ بْنِ الْهَيْصَمِ -، قَالَ: رَأَيْتُ بِشْرَ بْنَ الْحَارِثِ، وَقَدْ جَاءَ أَصْحَابُ الْحَدِيثِ، فَقَالَ لَهُمْ بِشْرٌ: مَا هَذَا الَّذِي أَرَى مَعَكُمْ قَدْ أَظْهَرْتُمُوهُ؟ قَالُوا: يَا أَبَا نَصْرٍ، نَطْلُبُ الْعِلْمَ، لَعَلَّ اللَّهَ يَنْفَعُ بِهِ يَوْمًا، قَالَ: عَلِمْتُمْ أَنَّهُ يَجِبُ عَلَيْكُمْ فِيهِ زَكَاةٌ كَمَا يَجِبُ عَلَى أَحَدِكُمْ إِذَا مَلَكَ مِائَتَيْ دِرْهَمٍ خَمْسَةُ دَرَاهِمَ، فَكَذَلِكَ يَجِبُ عَلَى أَحَدِكُمْ إِذَا سَمِعَ مائَتَيْ حَدِيثٍ، فَلْيَعْمَلْ مِنْهَا بِخَمْسَةِ أَحَادِيثَ، وَإِلَّا فَانْظُرُوا أَيْشٍ يَكُونُ هَذَا عَلَيْكُمْ غَدًا.

240. It was reported to us by Abu 'l-Ḥasan Aḥmad ibn Muḥammad ibn Aḥmad ibn Mūsā ibn Hārūn ibn al-Ṣalt al-Ahwāzī [...] that Muḥammad, i.e. Ibn Nu'aym ibn al-Hayṣam, said: "I saw Bishr al-Ḥārith, and the ḥadīth disciples had come, and he said to them, 'What is this I see with you which you display?'

They said, 'O Abā Naṣr, we seek knowledge, so perhaps Allah will bring benefit with it someday.'

Bishr said, 'Know that an obligatory toll (*zakāt*) is upon you for it. Just as five dirhams would be due on you if you owned two hundred dirhams, likewise, it would be obligatory upon you—if one amongst you heard two hundred ḥadīths—that he act upon five of them, or else consider that this may be held against you tomorrow.'"

٢٤١- أَخْبَرَنَا مُحَمَّدُ بْنُ أَحْمَدَ بْنِ رِزْقٍ، حَدَّثَنَا أَبُو عَلِيِّ بْنُ الصَّوَّافِ، حَدَّثَنَا مَحْمُودٌ أَبُو مُحَمَّدٍ الْمَرْوَزِيُّ إِمْلَاءً، حَدَّثَنَا أَبُو مُعَاذٍ الْجَارُودُ بْنُ مُعَاذٍ التِّرْمِذِيُّ، حَدَّثَنَا عُمَرُ، عَنْ مَالِكِ بْنِ مِغْوَلٍ، قَالَ: سَمِعْتُ الشَّعْبِيَّ يَقُولُ: لَوَدِدْتُ أَنِّي لَمْ

أَتَعَلَّمْ مِنْ هَذَا الْعِلْمِ شَيْئًا.

241. It was reported to us by Muḥammad ibn Aḥmad ibn Rizq [...] that Mālik ibn Mighwal said: "I heard al-Shaʿbī say, 'How I wish that I had not learned any of this knowledge.'"

قَالَ: إِنَّمَا قَالَ ذَلِكَ الشَّعْبِيُّ مَخَافَةَ أَنْ لَا يَقُومَ بِحَقِّهِ وَلَا بِشُكْرِهِ.

He (i.e. al-Khaṭīb) said: Al-Shaʿbī said this because he feared that he would not fulfil its rights or be thankful [enough for it].

٢٤٢- حَدَّثَنَا أَبُو طَالِبٍ يَحْيَى بْنُ عَلِيِّ بْنِ الطَّيِّبِ الدَّسْكَرِيُّ، حَدَّثَنَا أَبُو بَكْرِ بْنُ الْمُقْرِئِ بِأَصْبَهَانَ، حَدَّثَنَا بَكْرُ بْنُ مُحَمَّدٍ الْمِصِّيصِيُّ، حَدَّثَنَا إِبْرَاهِيمُ بْنُ سَعِيدٍ، قَالَ: سَمِعْتُ أَبَا قَطَنٍ عَمْرَو بْنَ الْهَيْثَمِ يَقُولُ: قَالَ شُعْبَةُ: مَا أَنَا مُقِيمٌ عَلَى شَيْءٍ أَخْوَفُ عَلَيَّ أَنْ يُدْخِلَنِي النَّارَ مِنْهُ - يَعْنِي الْحَدِيثَ -.

242. It was narrated to us by Abu Ṭālib Yaḥyā ibn ʿAlī ibn al-Ṭayyib al-Daskarī [...] that Shuʿbah said: "There is nothing that I do which I am more fearful of entering me into the Hellfire than it." Meaning al-ḥadīth.

قَالَ: وَقَالَ ابْنُ عَوْنٍ: لَيْتَ أَنِّي نَجَوْتُ كَفَافًا.

He said: And Ibn ʿAwn said, "I wish that I was saved from it completely."

٢٤٣- أَخْبَرَنَا أَبُو عَبْدِ اللَّهِ الْحُسَيْنُ بْنُ عُمَرَ بْنِ بَرْهَانٍ الْغَزَّالُ الشَّيْخُ الصَّالِحُ، حَدَّثَنَا عَبْدُ الْبَاقِي بْنُ قَانِعٍ [الْقَاضِي]، حَدَّثَنَا أَبُو غَالِبٍ عَلِيُّ بْنُ أَحْمَدَ، حَدَّثَنَا يَزِيدُ بْنُ عَبْدِ الرَّحِيمِ بْنِ مُصْعَبٍ، قَالَ: سَمِعْتُ أَبِي يَقُولُ: سَمِعْتُ سُفْيَانَ الثَّوْرِيَّ يَقُولُ: مَنْ يَزْدَدْ عِلْمًا يَزْدَدْ وَجَعًا، وَلَوْ لَمْ أَعْلَمْ لَكَانَ أَيْسَرَ لِحُزْنِي.

243. It was reported to us by Abu ʿAbdillāh al-Ḥusayn ibn ʿUmar ibn Bar-hān al-Ghazzāl al-Shaykh al-Ṣāliḥ [...] that Sufyān al-Thawrī said: "One whom increases in knowledge, also increases in pain. Indeed, if I did not attain [this] knowledge, it would have eased my sadness."

٢٤٤- أَخْبَرَنَا الْقَاضِي أَبُو بَكْرٍ أَحْمَدُ بْنُ الْحَسَنِ الْحَرَشِيُّ، حَدَّثَنَا أَبُو الْعَبَّاسِ مُحَمَّدُ بْنُ يَعْقُوبَ الْأَصَمُّ، حَدَّثَنَا عَبْدُ اللَّهِ بْنُ هِلَالِ بْنِ الْفُرَاتِ، حَدَّثَنَا أَحْمَدُ - يَعْنِي ابْنَ أَبِي الْحَوَارِيِّ - حَدَّثَنَا مُحَمَّدُ بْنُ نُعَيْمٍ الْمَوْصِلِيُّ، عَنِ الْمُعَافَى بْنِ عِمْرَانَ، قَالَ: سَمِعْتُ سُفْيَانَ - يَعْنِي ابْنَ سَعِيدٍ الثَّوْرِيَّ - يَقُولُ: وَدِدْتُ أَنَّ كُلَّ حَدِيثٍ فِي صَدْرِي، وَكُلَّ حَدِيثٍ حَفِظَهُ الرِّجَالُ عَنِّي، نُسِخَ مِنْ صَدْرِي وَصُدُورِهِمْ. فَقُلْتُ: يَا أَبَا عَبْدِ اللَّهِ! ذَا الْعِلْمُ الصَّحِيحُ، وَذَا السُّنَّةُ الْوَاضِحَةُ الَّتِي قَدْ بَيَّنْتَهَا، تَمَنَّى أَنْ تُنْسَخَ مِنْ صَدْرِكَ وَصُدُورِ الرِّجَالِ؟ قَالَ: اسْكُتْ، وَمَا يُدْرِيكَ، أَلَسْتُ أُرِيدُ أَنْ أَقِفَ يَوْمَ الْقِيَامَةِ حَتَّى أُسْأَلَ عَنْ كُلِّ مَجْلِسٍ جَلَسْتُهُ، وَعَنْ كُلِّ حَدِيثٍ حَدَّثْتُهُ، أَيْشٍ أَرَدْتُ بِهِ.

244. It was reported to us by al-Qāḍī Abu Bakr Aḥmad ibn al-Ḥasan al-Ḥarashī [...] that al-Muʿāfā ibn ʿImrān said: "I heard Sufyān—i.e. Ibn Saʿīd al-Thawrī—say: 'How I wish that every ḥadīth in my heart, and every ḥadīth that men memorised from me would be erased from my heart and theirs.'

I said, 'O Abā ʿAbdillāḥ! This is correct knowledge, and the clear Sunnah which you manifested, yet you wish that it is erased from the chests of men and yours?'

He replied, 'Be silent, for you do not understand. Would I want to stand on the Day of Resurrection and be asked about every gathering I sat in, and every ḥadīth I narrated, and what my intention was with it?'"

فَقَدْ بَيَّنَ سُفْيَانُ فِي هَذَا الْحَدِيثِ الْمَعْنَى الَّذِي لِأَجْلِهِ خَافَ عَلَى نَفْسِهِ، وَقَدْ قِيلَ: إِنَّمَا خَافَ سُفْيَانُ عَلَى نَفْسِهِ مِنَ الْحَدِيثِ، وَتَمَنَّى أَنَّهُ لَمْ يَكُنْ دَخَلَ فِيهِ، لِأَنَّ حُبَّ الْإِسْنَادِ وَشَهْوَةَ الرِّوَايَةِ غَلَبَا عَلَى قَلْبِهِ، حَتَّى كَانَ يُحَدِّثُ عَنِ الضُّعَفَاءِ، وَمَنْ لَا يُحْتَجُّ بِرِوَايَتِهِ. فَمَنِ اشْتُهِرَ مِنْهُمْ بِاسْمِهِ ذَكَرَ كُنْيَتَهُ تَدْلِيسًا لِلرِّوَايَةِ عَنْهُ، فَخَافَ عَلَى نَفْسِهِ مِنْ هَذَا الْفِعْلِ، وَقَدْ كَرِهَ التَّدْلِيسَ وَالرِّوَايَةَ عَنِ الضُّعَفَاءِ جَمَاعَةٌ مِنْ أَئِمَّةِ الْعُلَمَاءِ.

[The author said:] Sufyān explained in this ḥadīth the reason why he feared for himself. And it was said that Sufyān feared for himself due to al-ḥadīth and wished that he did not engage in it because his love of the *isnād* and the desire to narrate prevailed over his heart, such that he began narrating ḥadīth from weak narrators, and from those whose narrations are not used as evidence. Whomsoever amongst them were known by their names (i.e. to be weak or rejected narrators), he would [not mention their names and instead] use their nicknames, concealing that this person was the narrator whom he narrated from (i.e. performing *al-tadlīs*). Hence, he feared for himself due to his falling into this action. A [large] body of the scholastic masters detested *al-tadlīs* and narrating from weak narrators.

٢٤٥- أَخْبَرَنِي عُبَيْدُ اللَّهِ بْنُ أَبِي الْفَتْحِ الْفَارِسِيُّ، أَخْبَرَنَا مُحَمَّدُ بْنُ الْمُظَفَّرِ، حَدَّثَنَا عَبْدُ اللَّهِ بْنُ مُحَمَّدِ بْنِ جَعْفَرٍ الْقَزْوِينِيُّ بِمِصْرَ، حَدَّثنا أَبُو زُرْعَةَ عُبَيْدُ اللَّهِ بْنُ عَبْدِ الْكَرِيمِ، قَالَ قَالَ لِي مُسَدَّدٌ: قَالَ يَحْيَى: كَانَ سُفْيَانُ الثَّوْرِيُّ قَدْ غَلَبَ عَلَيْهِ شَهْوَةُ الْحَدِيثِ.

245. It was reported to me by 'Ubaydullāh ibn Abi 'l-Fatḥ al-Fārisī [...] that Yaḥyā said: "Sufyān al-Thawrī was overwhelmed by the desire for al-ḥadīth."

٢٤٦- وَأَخْبَرَنَا الْحَسَنُ بْنُ أَبِي بَكْرٍ، حَدَّثَنَا مُحَمَّدُ بْنُ عَلِيِّ بْنِ الْهَيْثَمِ الْمُقْرِئُ، حَدَّثَنَا يَزِيدُ الْبَادَا، قَالَ: سَمِعْتُ عُبَيْدَ اللَّهِ بْنَ عُمَرَ، قَالَ: سَمِعْتُ يَحْيَى بْنَ سَعِيدٍ يَقُولُ: مَا أَخَافُ عَلَى سُفْيَانَ شَيْئًا إِلَّا حُبَّهُ لِلْحَدِيثِ.

246. It was reported to us by al-Ḥasan ibn Abī Bakr [...] that Yaḥyā ibn Sa'īd said: "I do not fear anything for Sufyān except his [excessive] love for [narrating] ḥadīth."

٢٤٧- أَخْبَرَنَا مُحَمَّدُ بْنُ أَحْمَدَ بْنِ رِزْقٍ، أَخْبَرَنَا جَعْفَرُ بْنُ مُحَمَّدِ بْنِ نُصَيْرٍ الْخُلْدِيُّ، حَدَّثَنَا مُحَمَّدُ بْنُ عَبْدِ اللَّهِ بْنِ سُلَيْمَانَ الْحَضْرَمِيُّ، حَدَّثَنَا أَحْمَدُ بْنُ سِنَانٍ، حَدَّثَنَا عَبْدُ الرَّحْمَنِ بْنُ مَهْدِيٍّ، قَالَ: كُنَّا نَكُونُ عِنْدَ سُفْيَانَ، كَأَنَّهُ قَدْ وَافَقَ الْحِسَابَ، فَلَا نَجْتَرِئُ أَنْ نُكَلِّمَهُ، فَنُعَرِّضُ بِذِكْرِ الْحَدِيثِ [قَالَ]: فَيَذْهَبُ ذَاكَ

الْخُشُوعُ، فَإِنَّمَا هُوَ: حَدَّثَنَا وَحَدَّثَنَا.

247. It was reported to us by Muḥammad ibn Aḥmad ib Rizq [...] that 'Abd al-Raḥmān ibn Mahdī said: "We would be with Sufyān, and he would be as if he was confronted with the Recompense, and we would not dare say anything to him, but we would distract him by mentioning narrations, and that sobriety would disappear, and he would commence [stating,] '[So-and-so] narrated to us, and [so-and-so] narrated to us.'"

٢٤٨- أَخْبَرَنَا مُحَمَّدُ بْنُ الْحُسَيْنِ بْنِ الْفَضْلِ الْقَطَّانُ، أَخْبَرَنَا عَبْدُ اللَّهِ بْنُ جَعْفَرِ بْنِ دُرُسْتَوَيْهِ، حَدَّثَنَا يَعْقُوبُ بْنُ سُفْيَانَ، قَالَ: حَدَّثَنِي أَبُو سَعِيدٍ الْأَشَجُّ، حَدَّثَنَا ابْنُ يَمَانٍ قَالَ: سَمِعْتُ سُفْيَانَ يَقُولُ: فِتْنَةُ الْحَدِيثِ أَشَدُّ مِنْ فِتْنَةِ الذَّهَبِ وَالْفِضَّةِ.

248. It was reported to us by Muḥammad ibn al-Ḥusayn ibn al-Faḍl al-Qaṭṭān [...] that Sufyān said, "The trial of al-ḥadīth is greater than that of gold and silver."

٢٤٩- وَأَخْبَرَنَا ابْنُ الْفَضْلِ، أَخْبَرَنَا ابْنُ دُرُسْتَوَيْهِ، حَدَّثَنَا يَعْقُوبُ بْنُ سُفْيَانَ، قَالَ: حَدَّثَنِي أَحْمَدُ بْنُ الْخَلِيلِ، قَالَ: سَمِعْتُ أَبَا نُوحٍ قُرَادًا يَقُولُ: قَالَ شُعْبَةُ: نِعْمَ الرَّجُلُ سُفْيَانُ لَوْلَا أَنَّهُ يُقَمِّشُ - يَعْنِي يَأْخُذُ مِنَ النَّاسِ كُلِّهِمْ -.

249. It was reported to us by Ibn al-Faḍl [...] that Shu'bah said: "What a great man Sufyān is, except that he takes from everywhere (i.e. narrates from everyone)."

٢٥٠- أَخْبَرَنِي عُبَيْدُ اللَّهِ بْنُ أَبِي الْفَتْحِ، أَخْبَرَنَا مُحَمَّدُ بْنُ الْمُظَفَّرِ، حَدَّثَنَا عَبْدُ اللَّهِ بْنُ مُحَمَّدِ بْنِ جَعْفَرٍ، حَدَّثَنِي أَبُو إِسْمَاعِيلَ التِّرْمِذِيُّ، قَالَ: قُلْتُ لِمُحَمَّدِ بْنِ عَبْدِ اللَّهِ بْنِ نُمَيْرٍ قَوْلُ سُفْيَانَ الثَّوْرِيِّ: مَا أَخَافُ عَلَى نَفْسِي غَيْرَ الْحَدِيثِ، مِنْ أَيِّ جِهَةٍ هَذَا؟ قَالَ: لِأَنَّهُ كَانَ يُحَدِّثُ عَنِ الضُّعَفَاءِ.

250. It was reported to me by 'Ubaydullāh ibn Abi 'l-Fatḥ [...] that Abu Ismā'īl al-Tirmidhī said: "I mentioned to Muḥammad ibn 'Abdullāh ibn Numayr the statement of Sufyān al-Thawrī, 'I do not fear anything for my-

self except al-ḥadīth,' [and asked him,] 'In what way?'

He replied, 'Because he used to narrate from weak narrators.'"

خبر لمغيرة بن مقسم الضبي

Narrations Regarding Mughīrah ibn Miqsam al-Ḍabbī

٢٥١- أَخْبَرَنِي مُحَمَّدُ بْنُ الْحُسَيْنِ [بْنِ الْفَضْلِ] الْقَطَّانُ، أَخْبَرَنَا دَعْلَجُ بْنُ أَحْمَدَ، أَخْبَرَنَا أَحْمَدُ بْنُ عَلِيٍّ الْأَبَّارُ، حَدَّثَنَا عَوْنُ بْنُ سَلَّامٍ، حَدَّثَنَا عَبْثَرٌ، قَالَ: سَمِعْتُ مُغِيرَةَ يَقُولُ: كَانَ مَرَّةً خِيَارُ النَّاسِ يَطْلُبُونَ الْحَدِيثَ، فَصَارَ الْيَوْمَ شِرَارُ النَّاسِ يَطْلُبُونَ الْحَدِيثَ، لَوِ اسْتَقْبَلْتُ مِنْ أَمْرِي مَا اسْتَدْبَرْتُ، مَا حَدَّثْتُ.

251. It was reported to me by Muḥammad ibn al-Ḥusayn ibn al-Faḍl al-Qaṭṭān [...] that Mughīrah said: "There was a time when the best of people would seek ḥadīth, and now the worst of people seek it. If I had the chance to go back and do things differently, I would not have narrated."

٢٥٢- وَأَخْبَرَنَا مُحَمَّدُ بْنُ أَحْمَدَ بْنِ رِزْقٍ، قَالَ: أَخْبَرَنَا مُحَمَّدُ بْنُ الْحَسَنِ بْنِ زِيَادٍ النَّقَّاشُ، حَدَّثَنَا أَبُو أَحْمَدَ مُحَمَّدُ بْنُ عَبْدُوسٍ، حَدَّثَنَا أَبُو مَعْمَرٍ، حَدَّثَنَا عَبْثَرٌ، قَالَ: سَمِعْتُ مُغِيرَةَ يَقُولُ: لَوِ اسْتَقْبَلْتُ مِنْ أَمْرِي مَا اسْتَدْبَرْتُ مَا حَدَّثْتُ.

252. It was reported to us by Muḥammad ibn Aḥmad ibn Rizq [...] that Mughīrah said: "If I had the chance to go back and do things differently, I would not have narrated."

قَالَ الشَّيْخُ أَبُو بَكْرٍ [الْحَافِظُ]: طَلَبَةُ الْعِلْمِ عَلَى طَبَقَاتٍ، وَرُبَّمَا حَضَرَ عِنْدَ الْعَالِمِ مِنْ كَتَبَةِ الْحَدِيثِ مَنْ لَمْ تَطُلْ مُدَّتُهُ فِي طَلَبِهِ، فَيَتَأَدَّبُ بِأَدَبِهِ، وَكَانَ مُغِيرَةُ - وَاللَّهُ أَعْلَمُ - قَدْ رَأَى بَعْضَ أُولَئِكَ فِي مَجْلِسِهِ، فَشَاهَدَ مِنْ سُوءِ أَدَبِهِ، وَقُبْحِ عِشْرَتِهِ مَا أَغْضَبَهُ، فَقَالَ هَذَا الْقَوْلَ، وَلَيْسَ تَكَادُ مَجَالِسُ الْعِلْمِ تَخْلُو مِنْ حُضُورِ مَنْ ذَكَرْنَا وَصْفَهُ، وَنَسْأَلُ اللَّهَ أَنْ يَرْزُقَنَا تَأَدُّبًا وَعَمَلًا بِالْعِلْمِ، بِفَضْلِهِ وَرَحْمَتِهِ.

Al-Shaykh Abu Bakr al-Ḥāfiẓ said: There are levels to the seekers of knowledge, and perhaps there is one present in the gathering of a scholar who is writing ḥadīth but has not spent a lengthy time in his pursuit [of ḥadīth] so as to be disciplined by its etiquettes. [Perhaps]—and Allah knows best—Mughīrah had seen some of those students in his gathering, and witnessed their bad manners and unpleasant companionship, which made him angry and hence, he said this statement. The gatherings of knowledge are almost never free from those who we described. We ask Allah to bless us with manners and action upon knowledge, by His grace and mercy.

٢٥٣- أَخْبَرَنَا إِبْرَاهِيمُ بْنُ مَخْلَدٍ الْقَاضِي، حَدَّثَنَا أَبُو بَكْرٍ مُحَمَّدُ بْنُ عَبْدِ اللَّهِ بْنِ صَالِحٍ الْأَبْهَرِيُّ، قَالَ: سَمِعْتُ ابْنَ أَبِي دَاوُدَ، يَقُولُ: سَمِعْتُ عِيسَى بْنَ حَمَّادٍ زُغْبَةَ قَالَ: سَمِعْتُ اللَّيْثَ بْنَ سَعْدٍ يَقُولُ، - وَقَدْ أَشْرَفَ عَلَى أَصْحَابِ الْحَدِيثِ فَرَأَى مِنْهُمْ شَيْئًا - فَقَالَ: مَا هَذَا؟ أَنْتُمْ إِلَى يَسِيرٍ مِنَ الْأَدَبِ أَحْوَجُ مِنْكُمْ إِلَى كَثِيرٍ مِنَ الْعِلْمِ.

253. It was reported to us by Ibrāhīm ibn Makhlad al-Qāḍī [...] that ʿĪsā ibn Ḥammād Zughbah said: "I heard al-Layth ibn Saʿd say, whilst he was around [some of] the ḥadīth adherents and saw something [he disliked] from them, 'What is this? You are more in need of a little bit of manners than you are of a lot of knowledge.'"

٢٥٤- أَخْبَرَنَا مُحَمَّدُ بْنُ أَحْمَدَ بْنِ رِزْقٍ، حَدَّثَنَا أَبُو عَلِيٍّ بْنُ الصَّوَّافِ، حَدَّثَنَا عَبَّاسُ بْنُ أَحْمَدَ الْوَشَّاءُ، حَدَّثَنَا سُرَيْجٌ، حَدَّثَنَا سُفْيَانُ قَالَ: نَظَرَ عُبَيْدُ اللَّهِ بْنُ عُمَرَ إِلَى أَصْحَابِ الْحَدِيثِ وَزِحَامِهِمْ، فَقَالَ: شِنْتُمُ الْعِلْمَ وَذَهَبْتُمْ بِنُورِهِ، وَلَوْ أَدْرَكَنَا وَإِيَّاكُمْ عُمَرَ بْنَ الْخَطَّابِ لَأَوْجَعَنَا ضَرْبًا.

254. It was reported to us by Muḥammad ibn Aḥmad ibn Rizq [...] that Sufyān said: "ʿUbaydullāh ibn ʿUmar looked at the ḥadīth adherents and their crowding, and said, 'You have tarnished knowledge and done away with its light. If ʿUmar had got a hold of me and you, it is certain that he would have beaten us.'"

خبر لسفيان الثوري

Regarding a Narration of Sufyān al-Thawrī

٢٥٥- أَخْبَرَنَا الْقَاضِي أَبُو بَكْرٍ أَحْمَدُ بْنُ الْحَسَنِ الْحَرَشِيُّ، حَدَّثَنَا أَبُو الْعَبَّاسِ مُحَمَّدُ بْنُ يَعْقُوبَ الْأَصَمُّ، حَدَّثَنَا الْحَضَرُ بْنُ أَبَانَ الْهَاشِمِيُّ، حَدَّثَنَا مُحَمَّدُ بْنُ بِشْرٍ، قَالَ: سَمِعْتُ سُفْيَانَ يَقُولُ: لَوْ كَانَ هَذَا مِنَ الْخَيْرِ لَنَقَصَ كَمَا يَنْقُصُ الْخَيْرُ - يَعْنِي الْحَدِيثَ -.

255. It was reported to us by al-Qāḍī Abu Bakr Aḥmad ibn al-Ḥasan al-Ḥarashī [...] that Muḥammad ibn Bishr said: "I heard Sufyān say, 'If this is something good then it could decrease, just as [any other] goodness decreases (he is referring to al-ḥadīth).'"

٢٥٦- أَخْبَرَنِي مُحَمَّدُ بْنُ الْحُسَيْنِ بْنِ الْفَضْلِ الْقَطَّانُ، أَخْبَرَنَا دَعْلَجُ بْنُ أَحْمَدَ، أَخْبَرَنَا أَحْمَدُ بْنُ عَلِيٍّ الْأَبَّارُ، حَدَّثَنَا عَلِيُّ بْنُ حُجْرٍ، قَالَ: سَمِعْتُ خَلَفَ بْنَ خَلِيفَةَ، يَقُولُ: سَمِعْتُ سُفْيَانَ بْنَ سَعِيدٍ يَقُولُ أَرَى كُلَّ شَيْءٍ مِنْ أَنْوَاعِ الْخَيْرِ يَنْقُصُ، وَهَذَا الْحَدِيثُ إِلَى زِيَادَةٍ. فَأَظُنُّ أَنَّهُ لَوْ كَانَ مِنْ أَسْبَابِ الْخَيْرِ لَنَقَصَ أَيْضًا.

256. It was reported to me by Muḥammad ibn al-Ḥusayn ibn al-Faḍl al-Qaṭṭān [...] that Khalaf ibn Khalīfah said: "I heard Sufyān ibn Saʿīd say, 'I see that all kinds of good decrease, whilst ḥadīth increases. I think that if it was one of the causes of goodness, then it would decrease as well.'"

[قَالَ أَبُو بَكْرٍ]: أَخَذَ بَعْضُ النَّاسِ هَذَا الْكَلَامِ فَنَظَمَهُ شِعْرًا.

Abu Bakr said: Some people took this statement and composed poetry based upon it.

أَنْشَدَنَا أَبُو بَكْرٍ أَحْمَدُ بْنُ مُحَمَّدِ بْنِ غَالِبٍ الْخُوَارَزْمِيُّ، وَلَمْ يُسَمِّ قَائِلَهُ:

It was recited to me by Aḥmad ibn Muḥammad ibn Ghālib al-Khuwārazmī, without mentioning its composer:

أَرَى الْخَيْرَ فِي الدُّنْيَا يَقِلُّ كَثِيرُهُ
وَيَنْقُصُ جِدًّا وَالْحَدِيثُ يَزِيدُ
فَلَوْ كَانَ خَيْرًا كَانَ كَالْخَيْرِ كُلِّهِ
وَلَكِنَّ شَيْطَانَ الْحَدِيثِ يَزِيدُ
وَلِابْنِ مَعِينٍ فِي الرِّجَالِ مَقَالَةٌ
سَيُسْأَلُ عَنْهَا وَالْمَلِيكُ شَهِيدُ
فَإِنْ يَكُ صِدْقًا فَهُوَ فِي الْحُكْمِ غِيبَةٌ
وَإِنْ يَكُ كَذِبًا فَالْحِسَابُ شَدِيدُ

I see the plentiful goodness in this world decrease, decreasing greatly whilst ḥadīth increases.

If it was good then it would have been like all goodness, however the devil of ḥadīth increases it.

Ibn Maʿīn said something about people, which he will be asked about and the King (i.e. Allah) witnesses [everything].

If it is truthful then it is considered backbiting, and if it is a lie than the recompense is severe.

قَالَ الشَّيْخُ أَبُو بَكْرٍ [الْحَافِظُ]: وَلَيْسَ الْأَمْرُ عَلَى مَا ذَهَبَ إِلَيْهِ الشَّاعِرُ مِنْ أَنَّ إِبَانَةَ الْعُلَمَاءِ لِأَحْوَالِ الرُّوَاةِ غِيبَةٌ، بَلْ هِيَ نَصِيحَةٌ، وَلَهُمْ فِي إِظْهَارِهَا أَعْظَمُ الْمَثُوبَةِ لِكَوْنِهَا مِمَّا يَجِبُ عَلَيْهِمْ كَشْفُهُ وَلَا يَسَعُهُمْ إِخْفَاءُهُ وَسَتْرُهُ.

Al-Shaykh Abu Bakr al-Ḥāfiẓ said: The claim of the poet that the scholars clarifying the states of the narrators is backbiting is not correct, rather it is an advice. As such, they will be rewarded greatly for showing [the statuses of people] because it is obligatory for them to show this, and they cannot hide and conceal it.

٢٥٧- أَخْبَرَنِي عَلِيُّ بْنُ أَحْمَدَ الرَّزَّازُ، أَخْبَرَنَا عَلِيُّ بْنُ مُحَمَّدِ بْنِ سَعِيدٍ الْمَوْصِلِيُّ، حَدَّثَنَا أَبُو الْوَجِيهِ صَالِحُ بْنُ مُوسَى، حَدَّثَنَا أَحْمَدُ بْنُ حَنْبَلٍ، حَدَّثَنَا عَفَّانُ، حَدَّثَنَا يَحْيَى بْنُ سَعِيدٍ، قَالَ: سَأَلْتُ شُعْبَةَ، وَسُفْيَانَ بْنَ سَعِيدٍ، وَسُفْيَانَ بْنَ عُيَيْنَةَ وَمَالِكَ بْنَ أَنَسٍ عَنْ رَجُلٍ لَا يَحْفَظُ أَوْ يُتَّهَمُ فِي الْحَدِيثِ، فَقَالُوا جَمِيعًا: بَيِّنْ أَمْرَهُ.

257. It was reported to me by ʿAlī ibn Aḥmad al-Razzāz [...] that Yaḥyā ibn Saʿīd said: "I asked Shuʿbah, Sufyān ibn Saʿīd, Sufyān ibn ʿUyaynah and Malik ibn Anas regarding a man who does not memorise, or is aspersed [upon] in ḥadīth, and they all said, 'His affair is obvious.'"

٢٥٨- كَتَبَ إِلَيَّ أَبُو مُحَمَّدٍ عَبْدُ الرَّحْمَنِ بْنُ عُثْمَانَ الدِّمَشْقِيُّ، وَحَدَّثَنِيهِ عَنْهُ مُحَمَّدُ بْنُ يُوسُفَ النَّيْسَابُورِيُّ، أَنَّ أَبَا الْمَيْمُونِ عَبْدَ الرَّحْمَنِ بْنَ عَبْدِ اللَّهِ الْبَجَلِيَّ أَخْبَرَهُمْ، قَالَ: أَخْبَرَنَا أَبُو زُرْعَةَ - هُوَ عَبْدُ الرَّحْمَنِ بْنُ عَمْرٍو النَّصْرِيُّ - قَالَ: سَمِعْتُ أَبَا مُسْهِرٍ، يُسْأَلُ عَنِ الرَّجُلِ، يَغْلَطُ وَيَهِمُ وَيُصَحِّفُ، فَقَالَ: بَيِّنْ أَمْرَهُ. فَقُلْتُ لِأَبِي مُسْهِرٍ: أَتَرَى ذَلِكَ مِنَ الْغِيبَةِ؟ قَالَ: لَا.

258. It was written to me by Abu Muḥammad ʿAbd al-Raḥmān ibn ʿUthmān al-Dimashqī [...] that Abu Zurʿah ʿAbd al-Raḥmān ibn ʿAmr al-Naṣrī said: "I heard Abu Mus-hir being asked about a man who makes mistakes, is delusional, and misreads, and he replied, 'His affair is obvious.' So I said to Abu Mus-hir, 'Do you consider that to be backbiting?' He replied, 'No.'"

قَالَ أَبُو بَكْرٍ: وَقَدِ اسْتَوْفَيْنَا الْكَلَامَ فِي هَذَا الْمَعْنَى فِي كِتَابِنَا الْمَعْرُوفِ بِـ(الْكِفَايَةِ) فَغَنِيْنَا عَنْ إِعَادَتِهِ فِي هَذَا الْكِتَابِ، ثُمَّ نَعُودُ إِلَى الْكَلَامِ فِي مَعْنَى أَوَّلِ الْفَصْلِ فَنَقُولُ:

Abu Bakr said: We provided a lengthy discourse in regard to this meaning in our book which is famously referred to as *al-Kifāyah*, thus there is no need to repeat it in this book. So, I will point out the meaning of the reports mentioned at the beginning of this chapter:

إِنَّ الثَّوْرِيَّ عَنَى بِقَوْلِهِ الَّذِي تَقَدَّمَ ذِكْرُنَا لَهُ، غَرَائِبَ الْأَحَادِيثِ وَمَنَاكِيرَهَا، دُونَ مَعْرُوفِهَا وَمَشْهُورِهَا، لِأَنَّ الْأَخْبَارَ الشَّاذَّةَ وَالْأَحَادِيثَ الْمُنْكَرَةَ أَكْثَرُ مِنْ أَنْ تُحْصَى. فَرَأَى الثَّوْرِيُّ أَنْ لَا خَيْرَ فِيهَا، إِذْ رِوَايَةُ الثِّقَاتِ بِخِلَافِهَا، وَعَمَلَ الْفُقَهَاءُ عَلَى ضِدِّهَا. وَقَدْ وَرَدَ عَنْ جَمَاعَةٍ مِنَ الْعُلَمَاءِ سِوَى الثَّوْرِيِّ كَرَاهَةُ الِاشْتِغَالِ بِهَا، وَذَهَابِ الْأَوْقَاتِ فِي طَلَبِهَا.

What al-Thawrī intended with his statement that we mentioned, is the *gharīb* (strange) and *munkar* (rejected) aḥadīth, not the *ma'rūf* (well-known) or *mashhūr* (famous). This is because the irregular narrations and rejected aḥadīth are more than can be counted. Hence, al-Thawrī viewed that there is no good in them, since the narrations of the trustworthy are contrary to them, and the actions of the jurists are the opposite of them. It was narrated from a group of scholars other than al-Thawrī that they disliked busying one's self with them, and wasting time seeking them.

٢٥٩- أَخْبَرَنَا أَبُو حَازِمٍ عُمَرُ بْنُ أَحْمَدَ الْعَبْدَوِيُّ، أَخْبَرَنَا مُحَمَّدُ بْنُ عَبْدِ اللَّهِ بْنِ إِبْرَاهِيمَ السَّلِيطِيُّ، حَدَّثَنَا جَعْفَرُ بْنُ مُحَمَّدِ بْنِ الْحُسَيْنِ، الْمَعْرُوفُ بِالتُّرْكِيِّ، حَدَّثَنَا يَحْيَى بْنُ يَحْيَى، أَخْبَرَنَا مُحَمَّدُ بْنُ جَابِرٍ، عَنِ الْأَعْمَشِ، عَنْ إِبْرَاهِيمَ قَالَ: كَانُوا يَكْرَهُونَ غَرِيبَ الْكَلَامِ وَغَرِيبَ الْحَدِيثِ.

259. It was reported to us by Abu Ḥāzim 'Umar ibn Aḥmad al-'Abdawī [...] that Ibrāhīm said: "The scholars used to dislike the strange in speech and the strange in narrations."

٢٦٠- قَرَأْتُ عَلَى مُحَمَّدِ بْنِ الْحُسَيْنِ الْقَطَّانِ، عَنْ دَعْلَجِ بْنِ أَحْمَدَ، قَالَ: حَدَّثَنَا مُوسَى بْنُ هَارُونَ، حَدَّثَنَا بِشْرُ بْنُ الْوَلِيدِ، قَالَ: سَمِعْتُ أَبَا يُوسُفَ يَقُولُ: لَا تُكْثِرُوا مِنَ الْحَدِيثِ الْغَرِيبِ الَّذِي لَا يَجِيءُ بِهِ الْفُقَهَاءُ، وَآخِرُ أَمْرِ صَاحِبِهِ أَنْ يُقَالَ لَهُ:

كَذَّابٌ.

260. I read upon Muḥammad ibn al-Ḥusayn al-Qaṭṭān [...] that Abu Yūsuf said: "Do not seek to increase in knowledge of *gharīb* (lit. strange) ḥadīth that the jurists do not utilise, for the end affair of such a person is that he is called a liar."

٢٦١- حَدَّثَنَا عَبْدُ الْعَزِيزِ بْنُ أَبِي الْحَسَنِ الْقَرِمِيسِينِيُّ، لَفْظًا، أَخْبَرَنَا عَبْدُ اللَّهِ بْنُ مُوسَى الْهَاشِمِيُّ، حَدَّثَنَا ابْنُ بُدَيْنَا، قَالَ: سَمِعْتُ الْمَرُّوذِيَّ، يَقُولُ: سَمِعْتُ أَحْمَدَ بْنَ حَنْبَلٍ يَقُولُ: تَرَكُوا الْحَدِيثَ وَأَقْبَلُوا عَلَى الْغَرَائِبِ، مَا أَقَلَّ الْفِقْهَ فِيهِمْ!

261. It was narrated to us by ʿAbd al-ʿAzīz ibn Abi ʿl-Ḥasan al-Qarimīsīnī [...] that Aḥmad ibn Ḥanbal said: "They abandoned ḥadīth and went to the strange narrations, how low is their understanding!"

قَالَ أَبُو بَكْرٍ: وَلَيْسَ يَجُوزُ الظَّنُّ بِالثَّوْرِيِّ أَنَّهُ قَصَدَ بِقَوْلِهِ الَّذِي ذَكَرْنَاهُ صِحَاحَ الْأَحَادِيثِ، وَمَعْرُوفَ السُّنَنِ، وَكَيْفَ يَجُوزُ ذَلِكَ وَهُوَ الْقَائِلُ فِيمَا:

Abu Bakr said: It is not allowed to assume that al-Thawrī meant the authentic aḥādīth through his statement, or the known *sunan*, and how could that be the case whilst:

٢٦٢- أَخْبَرَنِي أَبُو الْقَاسِمِ الْأَزْهَرِيُّ، حَدَّثَنَا عُبَيْدُ اللَّهِ بْنُ أَحْمَدَ الْمُقْرِئُ، حَدَّثَنَا الْحُسَيْنُ بْنُ إِسْمَاعِيلَ، حَدَّثَنَا مُحَمَّدُ بْنُ عَمْرِو بْنِ حَنَانٍ، حَدَّثَنَا بَقِيَّةُ، حَدَّثَنَا عَبْدُ الرَّحْمَنِ بْنُ خَالِدٍ، عَنْ سُفْيَانَ الثَّوْرِيِّ قَالَ: أَكْثِرُوا مِنَ الْأَحَادِيثِ، فَإِنَّهَا سِلَاحٌ.

262. It was reported to me by Abu ʿl-Qāsim al-Azharī [...] that Sufyān al-Thawrī said: "Increase [in knowledge of] aḥādīth, for indeed they serve as a weapon."

٢٦٣- أَخْبَرَنَا مُحَمَّدُ بْنُ أَحْمَدَ بْنِ رِزْقٍ، حَدَّثَنَا مُحَمَّدُ بْنُ عُمَرَ الْحَافِظُ، حَدَّثَنِي عَبْدُ اللَّهِ بْنُ بِشْرٍ، حَدَّثَنَا زَيْدُ بْنُ أَخْزَمَ، حَدَّثَنَا ابْنُ زَيْدٍ - كَذَا فِي كِتَابِي عَنِ ابْنِ رِزْقٍ، وَالصَّوَابُ: ابْنُ دَاوُدَ - قَالَ: سَمِعْتُ الثَّوْرِيَّ يَقُولُ: يَنْبَغِي لِلرَّجُلِ أَنْ يُكْرِهَ

وَلَدَهُ عَلَى طَلَبِ الْحَدِيثِ. يَقُولُ: فَإِنَّهُ مَسْئُولٌ عَنْهُ.

263. It was reported to us by Muḥammad ibn Aḥmad ibn Rizq [...] that al-Thawrī said: "A man should force his son to seek ḥadīth, for he is responsible over him."

٢٦٤- أَخْبَرَنَا عَلِيُّ بْنُ أَبِي عَلِيٍّ الْبَصْرِيُّ، حَدَّثَنَا أَحْمَدُ بْنُ إِبْرَاهِيمَ بْنِ الْحَسَنِ، حَدَّثَنَا عَبْدُ اللَّهِ بْنُ مُحَمَّدِ بْنِ عَبْدِ الْعَزِيزِ، حَدَّثَنَا أَبُو يَعْقُوبَ إِسْحَاقُ بْنُ أَبِي إِسْرَائِيلَ، قَالَ: سَمِعْتُ يَحْيَى بْنَ يَمَانٍ، قَالَ: سَمِعْتُ سُفْيَانَ يَقُولُ: مَا أَعْلَمُ شَيْئًا يُطْلَبُ بِهِ اللَّهُ [عَزَّ وَجَلَّ] هُوَ أَفْضَلُ مِنَ الْحَدِيثِ، فَقَالَ لَهُ إِنْسَانٌ: إِنَّهُمْ يَطْلُبُونَهُ بِغَيْرِ نِيَّةٍ؟ قَالَ: طَلَبُهُمْ لَهُ نِيَّةٌ.

264. It was reported to us by 'Alī ibn Abī 'Alī al-Baṣrī [...] that Yaḥyā ibn Yamān said: "I heard Sufyān say, 'I do not know anything with which Allah is sought better than al-ḥadīth.' A person asked him, 'They seek it, but do not have the [proper] intention?' He said, 'Their mere seeking of it is an intention.'"

٢٦٥- أَخْبَرَنَا مُحَمَّدُ بْنُ أَحْمَدَ بْنِ رِزْقٍ، أَخْبَرَنَا عُثْمَانُ بْنُ أَحْمَدَ الدَّقَّاقُ، حَدَّثَنَا جَعْفَرُ بْنُ مُحَمَّدِ بْنِ شَاكِرٍ الزَّاهِدُ الصَّائِغُ، حَدَّثَنَا أَبُو مُعَاوِيَةَ الْغَلَابِيُّ، حَدَّثَنِي وَكِيعٌ قَالَ: سَمِعْتُ سُفْيَانَ، يَقُولُ: لَا نَعْلَمُ شَيْئًا مِنَ الْأَعْمَالِ أَفْضَلَ مِنْ طَلَبِ الْعِلْمِ وَالْحَدِيثِ، لِمَنْ حَسُنَتْ فِيهِ نِيَّتُهُ.

265. It was reported to us by Muḥammad ibn Aḥmad ibn Rizq [...] that Sufyān said: "We do not know any action better than the seeking of knowledge and ḥadīth; for the one who has a good intention in doing so."

٢٦٦- أَخْبَرَنِي مُحَمَّدُ بْنُ الْحُسَيْنِ الْقَطَّانُ، أَخْبَرَنَا دَعْلَجُ بْنُ أَحْمَدَ، أَخْبَرَنَا أَحْمَدُ بْنُ عَلِيٍّ الْأَبَّارُ، حَدَّثَنَا أَحْمَدُ بْنُ هَاشِمٍ، حَدَّثَنَا ضَمْرَةُ قَالَ: كَانَ سُفْيَانُ الثَّوْرِيُّ رُبَّمَا حَدَّثَ بِعَسْقَلَانَ، وَصُورَ، يَبْتَدِئُهُمْ، ثُمَّ يَقُولُ: انْفَجَرَتِ الْعُيُونُ، انْفَجَرَتِ الْعُيُونُ، يَعْجَبُ مِنْ نَفْسِهِ، وَرُبَّمَا حَدَّثَ الرَّجُلَ فَيَقُولُ لَهُ: هَذَا خَيْرٌ لَكَ مِنْ وَلَايَتِكَ

عَسْقَلَانَ وَصُورَ.

266. It was reported to me by Muḥammad ibn al-Ḥusayn al-Qaṭṭān [...] that Ḍamrah said: "Sufyān al-Thawrī was perhaps narrating in 'Asqalān, and Tyre; he would begin and then say, 'The eyes have burst, the eyes have burst,' to express admiration of himself. And sometimes he would narrate to a man who would state to him [afterwards], 'This is better for you than governing 'Asqalān and Tyre.'"

خبر لمالك بن أنس وعبد الله بن إدريس

Regarding a Narration of Mālik ibn Anas, and of 'Abdullāh ibn Idrīs

٢٦٧- أَخْبَرَنَا أَبُو بَكْرٍ أَحْمَدُ بْنُ مُحَمَّدِ بْنِ غَالِبٍ الْفَقِيهُ، قَالَ: قَرَأْتُ عَلَى عَلِيِّ بْنِ أَحْمَدَ الْبَرْقَانِيِّ، بِهَا حَدَّثَكُمْ مُحَمَّدُ بْنُ أَحْمَدَ بْنِ مَسْعُودٍ، حَدَّثَنَا مُحَمَّدُ بْنُ إِدْرِيسَ - يَعْنِي أَبَا حَاتِمٍ الرَّازِيَّ -، قَالَ: سَمِعْتُ عَلِيَّ بْنَ مُحَمَّدٍ الطَّنَافِسِيَّ قَالَ: قَالَ عَبْدُ اللَّهِ بْنُ إِدْرِيسَ فِي الْإِكْثَارِ: كُنَّا نَقُولُ: الْإِكْثَارُ مِنَ الْحَدِيثِ جُنُونٌ.

267. It was reported to us by Abu Bakr Aḥmad ibn Muḥammad ibn Ghālib al-Faqīh [...] that 'Alī ibn Muḥammad al-Ṭanāfisī said: "'Abdullāh ibn Idrīs said regarding excess [in ḥadīth], 'We used to say: Excessiveness in ḥadīth is madness.'"

قَالَ الطَّنَافِسِيُّ: صَدَقَ.

Al-Ṭanāfisī said, "He spoke the truth."

قَالَ أَبُو حَاتِمٍ: وَحَدَّثَنِي أَبُو الطَّاهِرِ بْنُ السَّرْحِ، قَالَ: سَمِعْتُ ابْنَ وَهْبٍ، يَذْكُرُ عَنْ مَالِكٍ قَالَ: مَا أَكْثَرَ أَحَدٌ مِنَ الْحَدِيثِ فَأَنْجَحَ.

Abu Ḥātim said, "It was narrated to me by Abu 'l-Ṭāhir ibn al-Sarḥ that he heard Ibn Wahb mentioning that Mālik said, 'No person who is excessive in ḥadīth is successful.'"

قَالَ الشَّيْخُ الْحَافِظُ: وَقَدْ حُفِظَ عَنْ عَبْدِ الرَّزَّاقِ بْنِ هَمَّامٍ، فِي الْإِكْثَارِ مِنَ الْحَدِيثِ مَا يُقَارِبُ هَذَا الْمَعْنَى.

Al-Shaykh al-Ḥāfiẓ said: It was passed on from 'Abd al-Razzāq ibn Hammām regarding excessiveness in ḥadīth something with a similar meaning to this.

٢٦٨- أَخْبَرَنَا مُحَمَّدُ بْنُ عُمَرَ بْنِ جَعْفَرٍ الْحَرْفِيُّ، أَخْبَرَنَا أَحْمَدُ بْنُ جَعْفَرٍ الْخُتُلِّيُّ، حَدَّثَنَا أَحْمَدُ بْنُ عَلِيٍّ الْأَبَّارُ، حَدَّثَنَا عَبْدُ الرَّحْمَنِ بْنُ بِشْرٍ النَّيْسَابُورِيُّ، قَالَ: سَمِعْتُ عَبْدَ الرَّزَّاقِ يَقُولُ: كُنَّا نَظُنُّ أَنَّ كَثْرَةَ الْحَدِيثِ خَيْرٌ، فَإِذَا هُوَ شَرٌّ كُلُّهُ.

268 It was reported to us by Muḥammad ibn 'Umar ibn Ja'far al-Ḥarfī [...] that 'Abd al-Raḥmān ibn Bishr al-Naysābūrī said: "I heard 'Abd al-Razzāq state, 'We used to think that excessiveness in ḥadīth is good, however it is entirely bad.'"

قَالَ الشَّيْخُ الْحَافِظُ: وَهَذَا الْكَلَامُ كُلُّهُ قَرِيبٌ مِنْ كَلَامِ الثَّوْرِيِّ فِي ذَمِّ شَوَاذِّ الْحَدِيثِ، وَالْمَعْنَى فِيهِمَا سَوَاءٌ، إِنَّمَا كَرِهَ مَالِكٌ وَابْنُ إِدْرِيسَ وَغَيْرُهُمَا الْإِكْثَارَ مِنْ طَلَبِ الْأَسَانِيدِ الْغَرِيبَةِ وَالطُّرُقِ الْمُسْتَنْكَرَةِ كَأَسَانِيدِ: حَدِيثِ الطَّائِرِ، وَطُرُقِ حَدِيثِ الْمِغْفَرِ، وَغُسْلِ الْجُمُعَةِ، وَقَبْضِ الْعِلْمِ، وَإِنَّ أَهْلَ الدَّرَجَاتِ ....، وَمَنْ كَذَبَ عَلَيَّ ....، وَلَا نِكَاحَ إِلَّا بِوَلِيٍّ ... وَغَيْرَ ذَلِكَ مِمَّا يَتَتَبَّعُ أَصْحَابُ الْحَدِيثِ طُرُقَهُ وَيُعْنَوْنَ بِجَمْعِهِ، وَالصَّحِيحُ مِنْ طُرُقِهِ أَقَلُّهَا.

These statements are all similar and have the same meaning to that of al-Thawrī which dispraises the irregular [narrations amongst] the ḥadīth [corpus.] Mālik, Ibn Idrīs, and others disliked excessively seeking strange routes of narrations and detested odd chains of narration, such as the chains of narration of the ḥadīth of the bird, the routes of the ḥadīth of *al-mighfar* (a mail coif, i.e. head armour), of bathing on Friday, that of knowledge being taken away, that of the people of levels [...], whoever purposely lies about me [...], there is no marriage without a male guardian [...], and other narrations which the ḥadīth disciples search extensively for their routes and strive in gathering them, whilst the authentic routes are the least of them.

وَأَكْثَرُ مَنْ يَجْمَعُ ذَلِكَ الْأَحْدَاثُ مِنْهُمْ، فَيَتَحَفَّظُونَهَا وَيُذَاكِرُونَ بِهَا، وَلَعَلَّ أَحَدَهُمْ لَا يَعْرِفُ مِنَ الصِّحَاحِ حَدِيثًا، وَتَرَاهُ يَذْكُرُ مِنَ الطُّرُقِ الْغَرِيبَةِ وَالْأَسَانِيدِ الْعَجِيبَةِ

الَّتِي أَكْثَرُهَا مَوْضُوعٌ، وَجُلُّهَا مَصْنُوعٌ، مَا لَا يَنْتَفِعُ بِهِ. وَقَدْ أَذْهَبَ مِنْ عُمُرِهِ جُزْءًا فِي طَلَبِهِ، وَهَذِهِ الْعِلَّةُ، هِيَ الَّتِي اقْتَطَعَتْ أَكْثَرَ مَنْ فِي عَصْرِنَا مِنْ طَلَبَةِ الْحَدِيثِ عَنِ التَّفَقُّهِ بِهِ، وَاسْتِنْبَاطِ مَا فِيهِ مِنَ الْأَحْكَامِ.

[Furthermore,] the majority of the ḥadīth adherents who busy themselves in gathering such [information] are their young. They would then preserve them and remind [each other] of them, and perhaps some of them would not know any authentic ḥadīth, yet you see them mentioning the irregular routes and strange chains of narration which are mostly fabricated, and mostly made-up, from which there is no benefit. They would perhaps spend portions of their lives seeking them, and this is a problem that has faced many of those who seek ḥadīth in our time, which has barred them from understanding aḥādīth and extracting the rulings that they contain.

وَقَدْ فَعَلَ مُتَفَقِّهَةُ زَمَانِنَا كَفِعْلِهِمْ، وَسَلَكُوا فِي ذَلِكَ سَبِيلَهُمْ، وَرَغِبُوا عَنْ سَمَاعِ السُّنَنِ مِنَ الْمُحَدِّثِينَ، وَشَغَلُوا أَنْفُسَهُمْ بِتَصَانِيفِ الْمُتَكَلِّمِينَ. فَكِلَا الطَّائِفَتَيْنِ ضَيَّعَ مَا يَعْنِيهِ وَأَقْبَلَ عَلَى مَا لَا فَائِدَةَ لَهُ فِيهِ.

The claimants of *fiqh* (jurisprudence) in our time have done the same, treading the path of the former party. They turned away from listening to the *sunan* from the ḥadīth masters, and busied themselves with the treatises of the philosophers. Hence, both parties deprived [themselves of] what benefits them and gravitated towards that in which there is no benefit for them.

٢٦٩- أَخْبَرَنَا أَبُو بَكْرٍ الْبَرْقَانِيُّ، حَدَّثَنَا يَعْقُوبُ بْنُ مُوسَى الْأَرْدَبِيلِيُّ، حَدَّثَنَا أَحْمَدُ بْنُ طَاهِرِ بْنِ النَّجْمِ، حَدَّثَنَا سَعِيدُ بْنُ عَمْرٍو الْبَرْذَعِيُّ، قَالَ: سَمِعْتُ أَبَا زُرْعَةَ - يَعْنِي الرَّازِيَّ - يَقُولُ: كَتَبَ إِلَيَّ أَبُو ثَوْرٍ: لَمْ يَزَلْ هَذَا الْأَمْرُ فِي أَصْحَابِكَ حَتَّى شَغَلَهُمْ عَنْهُ إِحْصَاءُ عَدَدِ رُوَاةِ: ((مَنْ كَذَبَ عَلَيَّ مُتَعَمِّدًا ...)) فَغَلَبَهُمْ هَؤُلَاءِ الْقَوْمُ عَلَيْهِ.

269. It was reported to us by Abu Bakr al-Barqānī [...] that Abu Zurʿah al-Rāzī said: "Abu Thawr wrote to me, 'The authority of this science remained amongst your associates until they became busy counting the number of narrators of [the ḥadīth]: 'Whoever purposely lies about me', as then those

people overcame them in this matter.'"

أخبار لسليمان بن مهران الأعمش

Reports From Sulaymān ibn Mihrān al-Aʿmash

٢٧٠- أَخْبَرَنَا الْقَاضِي أَبُو بَكْرٍ أَحْمَدُ بْنُ الْحَسَنِ بْنِ [أَحْمَدَ] الْحَرَشِيُّ، حَدَّثَنَا أَبُو الْعَبَّاسِ مُحَمَّدُ بْنُ يَعْقُوبَ الْأَصَمُّ، حَدَّثَنَا إِبْرَاهِيمُ بْنُ سُلَيْمَانَ الْبُرُلُّسِيُّ، حَدَّثَنَا يُوسُفُ بْنُ يَعْقُوبَ الصَّفَّارُ، قَالَ: سَمِعْتُ أَبَا مُعَاوِيَةَ يَقُولُ: قَالَ الْأَعْمَشُ: لَأَنْ أَتَصَدَّقَ بِكِسْرَةٍ أَحَبُّ إِلَيَّ مِنْ أَنْ أُحَدِّثَ بِسَبْعِينَ حَدِيثًا. فَذَكَرْتُ ذَلِكَ لِأَبِي أُسَامَةَ، فَقَالَ: قَدْ سَمِعْتُ الْأَعْمَشَ يَقُولُ ذَلِكَ.

270. It was reported to us by al-Qāḍī Abu Bakr Aḥmad ibn al-Ḥasan ibn Aḥmad al-Ḥarashī [...] that Abu Muʿāwiyah said: "I heard al-Aʿmash say, 'It is more beloved to me to give a morsel in charity than it is to narrate seventy ḥadīth.'" "I[133] mentioned this to Abu Usāmah who replied, 'I heard al-Aʿmash stating that.'"

٢٧١- أَخْبَرَنِي مُحَمَّدُ بْنُ الْحُسَيْنِ الْقَطَّانُ، أَخْبَرَنَا دَعْلَجُ بْنُ أَحْمَدَ، أَخْبَرَنَا أَحْمَدُ بْنُ عَلِيٍّ الْأَبَّارُ، حَدَّثَنَا عَلِيُّ بْنُ خَشْرَمٍ، قَالَ: سَمِعْتُ حَفْصَ بْنَ غِيَاثٍ يَقُولُ: قِيلَ لِلْأَعْمَشِ: لَوْ حَدَّثْتَنَا؟ فَقَالَ: لَأَنْ أَتَصَدَّقَ بِعَرْقٍ أَوْ رَغِيفٍ، أَحَبُّ إِلَيَّ مِنْ أَنْ أُحَدِّثَكُمْ بِعَشَرَةِ أَحَادِيثَ.

271. It was reported to me by Muḥammad ibn al-Ḥusayn al-Qaṭṭān [...] that Ḥafṣ ibn Ghiyāth said: "Al-Aʿmash was asked, 'Why do you not narrate to us?' He replied, 'It is more beloved to me to give a bone with little meat upon it (*ʿarq*)[134] or a loaf of bread in charity, than to narrate to you ten

133 [T] This is most likely the narrator Yūsuf ibn Yaʿqūb al-Ṣaffār, who narrated that he heard this from Abu Muʿāwiyah. Abu Usāmah most likely refers to Ḥammād ibn Usāmah , one of the students of al-Aʿmash. And Allah knows best.

134 [T] In *Sharḥ Ṣaḥīḥ Muslim* (hadith 300), al-Nawawī said, "It is a bone with a little meat remaining upon it, and this is the most famous definition of the word. Abu

aḥādīth.'"

٢٧٢- أَخْبَرَنَا أَبُو الْفَتْحِ هِلَالُ بْنُ مُحَمَّدِ بْنِ جَعْفَرٍ الْحَفَّارُ، أَخْبَرَنَا إِسْمَاعِيلُ بْنُ مُحَمَّدٍ الصَّفَّارُ، حَدَّثَنَا إِبْرَاهِيمُ بْنُ الْوَلِيدِ الْجَشَّاشُ، حَدَّثَنَا أَحْمَدُ بْنُ يُونُسَ الْكُوفِيُّ، حَدَّثَنَا أَبُو بَكْرِ بْنُ عَيَّاشٍ، عَنِ الْأَعْمَشِ، قَالَ: مَا فِي الدُّنْيَا قَوْمٌ شَرٌّ مِنْ أَصْحَابِ الْحَدِيثِ.

272. It was reported to us by Abu 'l-Fatḥ Hilāl ibn Muḥammad ibn Ja'far al-Ḥaffār [...] that Abu Bakr ibn 'Ayyāsh reported from al-A'mash: "There are no people more evil upon this earth than the ḥadīth disciples."

قَالَ أَبُو بَكْرٍ: فَأَنْكَرْتُهَا عَلَيْهِ حَتَّى رَأَيْتُ مِنْهُمْ مَا أَعْلَمُ.

Abu Bakr [ibn 'Ayyāsh] said, "I [remained] critical of him for saying that until I saw of them what I now know."

٢٧٣- أَخْبَرَنَا أَحْمَدُ بْنُ مُحَمَّدِ بْنِ غَالِبٍ الْخُوَارَزْمِيُّ، قَالَ: سَمِعْتُ أَبَا الْقَاسِمِ الْأَنْبُذُونِيَّ، يَقُولُ قُرِئَ عَلَى أَبِي عَلِيٍّ الْحَسَنِ بْنِ مُحَمَّدِ بْنِ عَنْبَرٍ الْبَغْدَادِيِّ، حَدَّثَكُمُ الْقَوَارِيرِيُّ، قَالَ: قَالَ لِي يَزِيدُ بْنُ زُرَيْعٍ: قَالَ الْأَعْمَشُ: لَوْ كَانَتْ لِي أَكْلُبٌ، كُنْتُ أُرْسِلُهَا عَلَى أَصْحَابِ الْحَدِيثِ.

273. It was reported to us by Aḥmad ibn Muḥammad ibn Ghālib al-Khuwārazmī [...] that al-A'mash said: "If I had dogs, I would set them upon the ḥadīth adherents."

٢٧٤- أَخْبَرَنَا مُحَمَّدُ بْنُ أَحْمَدَ بْنِ رِزْقٍ، أَخْبَرَنَا عُثْمَانُ بْنُ أَحْمَدَ الدَّقَّاقُ، حَدَّثَنَا عَبْدُ الْمَلِكِ بْنُ مُحَمَّدٍ، قَالَ: حَدَّثَنِي أَبُو بِشْرِ بْنُ سَلِيطٍ، قَالَ: سَمِعْتُ عَبْدَ اللَّهِ بْنَ دَاوُدَ، يَقُولُ: سَمِعْتُ الْأَعْمَشَ، يَقُولُ: لَوْ خَلَا هَذَا الْبَابُ لِأَصْحَابِ الْحَدِيثِ لَسَرَقُوا حَدِيدَهُ.

'Ubayd said that it is a measure of meat. Al-Khalīl said that it is a bone without meat upon it."

274. It was reported to us by Muḥammad ibn Aḥmad ibn Rizq [...] that al-Aʿmash said: "If this door was left alone with the ḥadīth adherents, they would steal its metal."

قَالَ الشَّيْخُ أَبُو بَكْرٍ [الحافظ]: كَانَ الْأَعْمَشُ سَيِّءَ الْخُلُقِ، جَافِيَ الطَّبْعِ، بَخِيلًا بِالْحَدِيثِ، عَسِيرًا فِي الرِّوَايَةِ، وَأَخْبَارُهُ عِنْدَ أَهْلِ الْعِلْمِ فِي ذَلِكَ مَشْهُورَةٌ، فَمِنْهَا مَا:

Al-Shaykh Abu Bakr al-Ḥāfiẓ said: Al-Aʿmash had bad manners, was harsh in his constitution, stingy with ḥadīth, difficult in narrating, and the stories of this are well-known amongst the people of knowledge. From them are [the following]:

٢٧٥- أَخْبَرَنَا أَبُو الْحَسَنِ أَحْمَدُ بْنُ مُحَمَّدِ بْنِ أَحْمَدَ بْنِ الصَّلْتِ الْأَهْوَازِيُّ، أَخْبَرَنَا مُحَمَّدُ بْنُ مَخْلَدٍ الْعَطَّارُ، حَدَّثَنَا عَلِيُّ بْنُ سَهْلٍ، حَدَّثَنَا عَفَّانُ، حَدَّثَنَا أَبُو عَوَانَةَ، قَالَ: جَاءَ رَقَبَةُ بْنُ مَصْقَلَةَ إِلَى الْأَعْمَشِ، فَسَأَلَهُ عَنْ شَيْءٍ، فَكَلَحَ وَجْهُهُ، فَقَالَ لَهُ رَقَبَةُ: أَمَا وَاللَّهِ، مَا عَلِمْتُكَ لَدَائِمُ الْقُطُوبِ، سَرِيعُ الْمَلَالِ، مُسْتَخِفٌ بِحَقِّ الزُّوَّارِ لَكَأَنَّمَا تَسْعِطُ الْخَرْدَلَ إِذَا سُئِلَتَ الْحِكْمَةَ.

275. It was reported to us by Abu 'l-Ḥasan Aḥmad ibn Muḥammad ibn Aḥmad ibn al-Ṣalt al-Ahwāzī [...] that Abu ʿAwānah said: "Raqabah ibn Maṣqalah came to al-Aʿmash, and asked him about something, to which he displayed a frown upon his face. Raqabah said to him, 'By Allah, I have not known you except to be one who is always frowning, easily bored, and who belittles the rights of the guest. It is as if you are sniffing a mustard seed when asked for a wisdom.'"

٢٧٦- أَخْبَرَنَا أَحْمَدُ بْنُ مُحَمَّدِ بْنِ غَالِبٍ، قَالَ قَرَأْتُ عَلَى أَبِي الْحَسَنِ الْكُرَاعِيِّ، أَخْبَرَكُمْ أَبُو حَامِدٍ أَحْمَدُ بْنُ عَلِيٍّ الْكُشْمَيْهَنِيُّ، قَالَ: سَمِعْتُ عَلِيَّ بْنَ خَشْرَمٍ، قَالَ: سَمِعْتُ عِيسَى بْنَ يُونُسَ يَقُولُ: خَرَجْنَا فِي جَنَازَةٍ، وَرَجُلٌ مِنْ أَصْحَابِ الْحَدِيثِ يَقُودُ الْأَعْمَشَ. فَلَمَّا رَجَعْنَا مِنَ الْجَنَازَةِ، عَدَلَ بِهِ عَنِ الطَّرِيقِ، فَلَمَّا

أَصْحَرَ، قَالَ لَهُ: يَا أَبَا مُحَمَّدٍ! أَتَدْرِي أَيْنَ أَنْتَ؟ أَنْتَ فِي جَبَّانَةِ كَذَا. لَا وَاللَّهِ لَا أُرُدُّكَ حَتَّى تَمْلَأَ أَلْوَاحِي حَدِيثًا. قَالَ: اكْتُبْ. فَلَمَّا مَلَأَ الْأَلْوَاحَ وَضَعَهَا فِي حِجْرِهِ، وَأَخَذَ بِيَدِ الْأَعْمَشِ، يَقُودُهُ. فَلَمَّا دَخَلَ الْكُوفَةَ، لَقِيَهُ بَعْضُ مَعَارِفِهِ، فَدَفَعَ الْأَلْوَاحَ إِلَيْهِ، فَلَمَّا انْتَهَى الْأَعْمَشُ إِلَى بَابِهِ، تَعَلَّقَ بِهِ، وَقَالَ: خُذُوا الْأَلْوَاحَ مِنَ الْفَاسِقِ. قَالَ: يَا أَبَا مُحَمَّدٍ! قَدْ فَاتَتْ. فَلَمَّا أَيِسَ مِنْهُ، قَالَ: كُلُّ مَا حَدَّثْتُكَ كَذِبٌ، قَالَ الْفَتَى: أَنْتَ أَعْلَمُ بِاللَّهِ مِنْ أَنْ تَكْذِبَ.

276. It was reported to us by Aḥmad ibn Muḥammad ibn Ghālib [...] that 'Īsā ibn Yūnus said: "We went to a funeral, and a person from the ḥadīth adherents was leading al-A'mash (i.e. due to his bad eyesight), and when we left the funeral, he strayed al-A'mash from the way [back], and when he became distant, he said to him, 'O Abā Muḥammad, do you know where you are? You are in [such-and-such] graveyard. By Allah, I will not return you until you fill my tablets with ḥadīth.'

Al-A'mash said, 'Write ...'

And when he filled the tablets, he placed them in his lap, and took the hand of al-A'mash and guided him. When they entered Kūfah, someone he (i.e. the ḥadīth adherent) knew met up with him, and he gave him the tablets. When al-A'mash reached his home, he held onto him, and said, 'Take the tablets from the sinner.' The man said: 'O Abā Muḥammad, it is too late.' And when al-A'mash gave up, he said, 'Everything I narrated to you was a lie.' And the young man said, 'You are too knowledgeable in Allah to lie.'"

٢٧٧- أَخْبَرَنِي أَبُو الْقَاسِمِ الْأَزْهَرِيُّ، حَدَّثَنَا عُمَرُ بْنُ أَحْمَدَ الْوَاعِظُ، حَدَّثَنَا عَبْدُ اللَّهِ بْنُ سُلَيْمَانَ، حَدَّثَنَا أَحْمَدُ بْنُ حَرْبٍ الطَّائِيُّ، قَالَ: سَمِعْتُ مُحَمَّدَ بْنَ عُبَيْدٍ قَالَ: كَانَ الْأَعْمَشُ لَا يَدَعُ أَحَدًا يَقْعُدُ بِجَنْبِهِ، فَإِنْ قَعَدَ إِنْسَانٌ، قَطَعَ الْحَدِيثَ وَقَامَ، وَكَانَ مَعَنَا رَجُلٌ يَسْتَثْقِلُهُ، قَالَ: فَجَاءَ، فَجَلَسَ بِجَنْبِهِ، وَظَنَّ أَنَّ الْأَعْمَشَ لَا يَعْلَمُ، وَفَطِنَ الْأَعْمَشُ، فَجَعَلَ يَتَنَخَّمُ، وَيَبْزُقُ عَلَيْهِ، وَالرَّجُلُ سَاكِتٌ، مَخَافَةَ أَنْ يَقْطَعَ الْحَدِيثَ.

277. It was reported to me by Abu 'l-Qāsim al-Azharī [...] that Muḥammad ibn 'Ubayd said: "Al-Aʿmash would never let anyone sit next to him, and if someone would do so, he would stop [narrating] the ḥadīth and get up. There was a man with us whom he disliked, and he came and sat next to him, thinking that al-Aʿmash did not know, however al-Aʿmash realised, so he began to cough up and spit at him, but the man remained silent out of fear that he would stop [narrating] the ḥadīth."

٢٧٨- أَخْبَرَنِي مُحَمَّدُ بْنُ الْحُسَيْنِ الْقَطَّانُ، أَخْبَرَنَا دَعْلَجُ بْنُ أَحْمَدَ، أَخْبَرَنَا أَحْمَدُ بْنُ عَلِيٍّ الْأَبَّارُ، حَدَّثَنَا الْحَسَنُ بْنُ عَلِيٍّ، حَدَّثَنَا أَبُو أُسَامَةَ، قَالَ: سَأَلَ حَفْصُ بْنُ غِيَاثٍ الْأَعْمَشَ عَنْ إِسْنَادِ حَدِيثٍ، فَأَخَذَ بِحَلْقِهِ، فَأَسْنَدَهُ إِلَى حَائِطٍ، وَقَالَ: هَذَا إِسْنَادُهُ.

278. It was reported to me by Muḥammad ibn al-Ḥusayn al-Qaṭṭān [...] that Abu Usāmah said: "Ḥafṣ ibn Ghiyāth asked al-Aʿmash regarding the chain of narration of a ḥadīth, and he grabbed his throat, pressed him against the wall, and said, 'This is its chain of narration.'"

٢٧٩- أَخْبَرَنَا رِضْوَانُ بْنُ مُحَمَّدٍ الدِّينَوَرِيُّ، قَالَ: سَمِعْتُ أَبَا بَكْرِ بْنَ لَالٍ بِهَمَذَانَ، يَقُولُ سَمِعْتُ الْخَلِيلَ بْنَ عَبْدِ اللَّهِ، يَقُولُ: سَمِعْتُ عَلِيَّ بْنَ صَالِحٍ، يَقُولُ سَمِعْتُ عَبْدَ اللَّهِ بْنَ مُحَمَّدٍ الرَّازِيَّ، يَقُولُ: أَخْبَرَنَا جَرِيرٌ، قَالَ: كُنَّا نَأْتِي الْأَعْمَشَ، وَكَانَ لَهُ كَلْبٌ يُؤْذِي أَصْحَابَ الْحَدِيثِ، قَالَ: فَجِئْنَاهُ يَوْمًا، وَقَدْ مَاتَ، فَهَجَمْنَا عَلَيْهِ، فَلَمَّا رَآنَا بَكَى، ثُمَّ قَالَ: هَلَكَ مَنْ كَانَ يَأْمُرُ بِالْمَعْرُوفِ وَيَنْهَى عَنِ الْمُنْكَرِ!

279. It was reported to us by Riḍwān ibn Muḥammad al-Dīnawarī [...] that Jarīr said: "We used to go to al-Aʿmash, and he had a dog that used to harm the ḥadīth adherents. We came to him one day and the dog had died, so we rushed to him, and when he saw us he cried and said, 'The one who used to command the good and forbid the evil has died!'"

قَالَ الشيخ الحافظ: وَأَخْبَارُ الْأَعْمَشِ فِي هَذَا الْمَعْنَى كَثِيرَةٌ جِدًّا، وَكَانَ مَعَ سُوءِ خُلُقِهِ، ثِقَةٌ فِي حَدِيثِهِ، عَدْلًا فِي رِوَايَتِهِ، ضَابِطًا لِمَا سَمِعَهُ، مُتْقِنًا لِمَا حِفْظَهُ،

فَرَحَلَ النَّاسُ إِلَيْهِ، وَتَهَافَتُوا فِي السَّمَاعِ عَلَيْهِ، فَكَانَ أَصْحَابُ الْحَدِيثِ رُبَّمَا طَلَبُوا مِنْهُ أَنْ يُحَدِّثَهُمْ، فَيَمْتَنِعُ عَلَيْهِمْ وَيُلِحُّونَ فِي الطَّلَبِ، وَيُبْرِمُونَهُ بِالْمَسْأَلَةِ، فَيَغْضَبُ وَيَسْتَقْبِلُهُمْ بِالذَّمِّ حَتَّى إِذَا سَكَنَتْ فَوْرَتُهُ، وَذَهَبَتْ ضَجْرَتُهُ، أَعْقَبَ الْغَضَبَ صُلْحًا، وَأَبْدَلَ الذَّمَّ مَدْحًا.

Al-Shaykh al-Ḥāfiẓ said: The stories of al-Aʿmash are numerous, and even though he had bad character, he was *thiqah* (reliable) in his ḥadīth, trustworthy in his transmission, precise in what he heard, and accurate in what he memorised. Hence, people travelled and rushed to hear from him. The ḥadīth disciples would sometimes ask him to narrate to them, and he would refuse. They would insist, and tire him with the issue, and he would grow angry and meet them with dispraise, until his rage calmed, his anger went away, and he would follow his outburst with reconciliation, and exchange his disparagement for praise.

٢٨٠- أَخْبَرَنَا مُحَمَّدُ بْنُ أَحْمَدَ بْنِ رِزْقٍ، أَخْبَرَنَا جَعْفَرٌ الْخُلْدِيُّ، حَدَّثَنَا مُحَمَّدُ بْنُ عَبْدِ اللَّهِ بْنِ سُلَيْمَانَ، حَدَّثَنَا إِسْمَاعِيلُ بْنُ بَهْرَامَ، حَدَّثَنَا مُحَمَّدُ بْنُ عُبَيْدٍ، عَنِ الْأَعْمَشِ قَالَ: أُحِبُّ إِذَا رَأَيْتُ الشَّيْخَ لَمْ يَكْتُبِ الْحَدِيثَ أَصْفَعُ لَهُ.

280. It was reported to us by Muḥammad ibn Aḥmad ibn Rizq [...] that al-Aʿmash said: "If I were to see an elder who has not written ḥadīth, I would love to slap him."

٢٨١- وَأَخْبَرَنِي أَحْمَدُ بْنُ مُحَمَّدِ بْنِ إِسْحَاقَ الْمُقْرِئُ، أَخْبَرَنَا عُمَرُ بْنُ إِبْرَاهِيمَ بْنِ كَثِيرٍ، حَدَّثَنَا أَبُو بَكْرٍ أَحْمَدُ بْنُ الْقَاسِمِ، أَخُو أَبِي اللَّيْثِ [الْفَرَائِضِيُّ]، حَدَّثَنَا أَبُو هَمَّامٍ، حَدَّثَنَا أَبُو مُعَاوِيَةَ الضَّرِيرُ قَالَ: سَمِعْتُ سُلَيْمَانَ الْأَعْمَشَ يَقُولُ: مَنْ لَمْ يَطْلُبِ الْحَدِيثَ أَشْتَهِي أَنْ أَصْفَعَهُ بِنَعْلِي.

281. It was reported to me by Aḥmad ibn Muḥammad ibn Isḥāq al-Muqri' [...] that Sulaymān al-Aʿmash said: "I would like to slap whoever does not seek ḥadīth with my sandal."

٢٨٢- أَخْبَرَنِي الْقَاضِي أَبُو نَصْرٍ أَحْمَدُ بْنُ الْحُسَيْنِ الدِّينَوَرِيُّ، حَدَّثَنَا أَبُو بَكْرٍ أَحْمَدُ بْنُ مُحَمَّدِ بْنِ إِسْحَاقَ السُّنِّيُّ الْحَافِظُ، حَدَّثَنِي عَلِيُّ بْنُ أَحْمَدَ الْجُرْجَانِيُّ، قَالَ: سَمِعْتُ أَحْمَدَ بْنَ عَلِيٍّ، يَقُولُ: سَمِعْتُ عَبْدَ الرَّزَّاقِ، يَقُولُ سَمِعْتُ سُفْيَانَ يَقُولُ، سَمِعْتُ الْأَعْمَشَ يَقُولُ: لَوْ كُنْتُ بَاقِلَّانِيًّا اسْتَقْذَرْتُمُونِي، وَلَوْلَا هَذِهِ الْأَحَادِيثُ لَكُنَّا مع الْبَقَّالِينَ بِالسَّوِيَّةِ.

282. It was reported to me by al-Qāḍī Abu Naṣr Aḥmad ibn al-Ḥusayn al-Dīnawarī [...] that al-Aʿmash said: "If I was a grocer you would consider me despicable, and if it were not for these aḥādīth we would be equal to grocers."

٢٨٣- أَخْبَرَنَا عَلِيُّ بْنُ أَحْمَدَ الرَّزَّازُ، حَدَّثَنَا مُحَمَّدُ بْنُ أَحْمَدَ بْنِ إِبْرَاهِيمَ الْأَصْبَهَانِيُّ، حَدَّثَنَا أَبُو بَكْرٍ مُحَمَّدُ بْنُ الْحَسَنِ بْنِ أَحْمَدَ بْنِ مُحَمَّدِ بْنِ الْحَسَنِ بْنِ حَفْصٍ الْهَمَذَانِيُّ، حَدَّثَنَا أَحْمَدُ بْنُ مَهْدِيٍّ، حَدَّثَنَا الْفُرَاتُ بْنُ مَحْبُوبٍ، قَالَ: سَمِعْتُ أَبَا بَكْرِ بْنَ عَيَّاشٍ يَقُولُ: لَمْ يَزَلِ الْأَعْمَشُ يَطْلُبُ الْحَدِيثَ حَتَّى مَاتَ.

283. It was reported to us by ʿAlī ibn Aḥmad al-Razzāz [...] that Abu Bakr ibn ʿAyyāsh said, "Al-Aʿmash continued to seek ḥadīth until he died."

٢٨٤- أَخْبَرَنِي مُحَمَّدُ بْنُ الْحُسَيْنِ بْنِ الْفَضْلِ، أَخْبَرَنَا دَعْلَجُ بْنُ أَحْمَدَ.

ح وَأَخْبَرَنَا ابن الْفَضْلَ أَيْضًا وَالْحَسَنَ بْنَ أَبِي بَكْرٍ، قَالَا أَخْبَرَنَا أَبُو سَهْلٍ أَحْمَدُ بْنُ مُحَمَّدِ بْنِ عَبْدِ اللَّهِ بْنِ زِيَادٍ الْقَطَّانُ، قَالَ أَبُو سَهْلٍ حَدَّثَنَا؛ وَقَالَ دَعْلَجٌ: أَخْبَرَنَا أَحْمَدُ بْنُ عَلِيِّ بْنِ الْأَبَّارِ، حَدَّثَنَا أَبُو نُعَيْمٍ الْحَلَبِيُّ، حَدَّثَنَا عَطَاءُ بْنُ مُسْلِمٍ الْحَلَبِيُّ، قَالَ: كَانَ الْأَعْمَشُ إِذَا غَضِبَ عَلَى أَصْحَابِ الْحَدِيثِ قَالَ: لَا أُحَدِّثُكُمْ وَلَا كَرَامَةَ، وَلَا تَسْتَأْهِلُونَهُ، وَلَا يُرَى عَلَيْكُمْ أَثَرُهُ، فَلَا يَزَالُونَ بِهِ حَتَّى يَرْضَى، فَيَقُولُ: نَعَمْ وَكَرَامَةٌ، وَكَمْ أَنْتُمْ فِي النَّاسِ! وَاللَّهِ لَأَنْتُمْ أَعَزُّ مِنَ الذَّهَبِ الْأَحْمَرِ.

284. It was reported to us via two routes [...] that ʿAṭāʾ ibn Muslim al-Ḥalabī

said: "When al-Aʿmash would get angry with the ḥadīth disciples, he would say, 'I will not narrate to you and there is no reverence [for you,] you do not deserve it, and its effects are not shown upon you.' So they would continue to insist upon him until he would become pleased and accept, and then say: 'Yes and [out of] reverence [for you,] how rare you are amongst people! By Allah, you are more precious than red gold.'"

[ويحكى مثل هذا الفعل عن أبي بكر بن عياش]

[A Similar Action Was Narrated From Abu Bakr ibn 'Ayyāsh][135]

قَالَ أَبُو بَكْرٍ: وَيُحْكَى مِثْلُ هَذَا الْفِعْلِ عَنْ أَبِي بَكْرِ بْنِ عَيَّاشٍ:

Abu Bakr said: A similar action was narrated from Abu Bakr ibn 'Ayyāsh:

٢٨٥- أَخْبَرَنَا أَبُو بَكْرٍ الْبَرْقَانِيُّ، أَخْبَرَنَا مُحَمَّدُ بْنُ عَبْدِ اللَّهِ بْنِ خُمَيْرَوَيْهِ الْهَرَوِيُّ، أَخْبَرَنَا الْحُسَيْنُ بْنُ إِدْرِيسَ، قَالَ: قَالَ ابْنُ عَمَّارٍ: سَمِعْتُ أَبَا بَكْرِ بْنَ عَيَّاشٍ يَقُولُ: أَصْحَابُ الْحَدِيثِ هُمْ شَرُّ الْخَلْقِ، هُمُ الْمُجَّانُ، هُمْ كَذَا، هُمْ كَذَا، وَوَصَفَ أَشْيَاءَ ثُمَّ سَكَتَ. قَالَ: ثُمَّ يَقُولُ: هَؤُلَاءِ أَصْحَابُ الْحَدِيثِ، هُمْ مِنْ خِيَارِ النَّاسِ، هُمْ كَذَا هُمْ كَذَا. قَالَ فَقُلْتُ لَهُ: أَيُّ شَيْءٍ بَدَا لَكَ فِيهِمْ؟ قَالَ: إِنَّ الرَّجُلَ مِنْهُمْ يَلْزَمُنِي فِي حَدِيثٍ، فَلَا يَزَالُ بِي حَتَّى يَسْمَعَهُ، وَلَوْ شَاءَ لَذَهَبَ، فَقَالَ: حَدَّثَنَا أَبُو بَكْرِ بْنُ عَيَّاشٍ، مَنْ كَانَ يَقُولُ لَهُ: إِنَّكَ لَمْ تَسْمَعْهُ؟

285. It was reported to us by Abu Bakr al-Barqānī [...] that Ibn 'Ammār said, "I heard Abu Bakr ibn 'Ayyāsh say, 'The ḥadīth adherents are the most evil of creation, they are impudent, they are this, they are that,' giving certain characteristics and then falling quiet, and then he would say, 'These are the ḥadīth adherents, they are amongst the best of people, they are this, they are that.'

Then, I asked him, 'What did you see of them?'

He replied, 'A man from amongst them would stick to me, and insist upon me until he heard a ḥadīth. However, if he wanted to, he could leave and say, 'It was narrated to us by Abu Bakr ibn 'Ayyāsh,' and who could deny that

---

135 [T] This is not under a separate heading in the Arabic text, however we have made it so here to keep a consistent chaptering style.

he heard it?'"

٢٨٦- أَخْبَرَنِي أَبُو عَلِيٍّ عَبْدُ الرَّحْمَنِ بْنُ مُحَمَّدِ بْنِ فَضَالَةَ النَّيْسَابُورِيُّ الْحَافِظُ بِالرَّيِّ، أَخْبَرَنَا إِبْرَاهِيمُ بْنُ أَحْمَدَ الْمُسْتَمْلِي بِبَلْخَ، قَالَ: سَمِعْتُ مُحَمَّدَ بْنَ حَامِدٍ أَبَا عَمْرٍو، يَقُولُ: سَمِعْتُ عِيسَى بْنَ عَبْدِ الرَّحْمَنِ، يَقُولُ: سَمِعْتُ مُحَمَّدَ بْنَ هِشَامٍ الْعَبسِي يَقُولُ: كُنَّا إِذَا أَتَيْنَا أَبَا بَكْرِ بْنَ عَيَّاشٍ، وَهُوَ طَيِّبُ النَّفْسِ، فَإِذَا رَآنَا يَقُولُ: خَيْرُ قَوْمٍ عَلَى وَجْهِ الْأَرْضِ، يُحْيُونَ سُنَّةَ النَّبِيِّ صَلَّى اللهُ عَلَيْهِ وَسَلَّمَ، وَإِذَا أَتَيْنَاهُ وَهُوَ عَلَى غَيْرِ ذَلِكَ، يَقُولُ: شَرُّ قَوْمٍ عَلَى وَجْهِ الْأَرْضِ، عَقُّوا الْآبَاءَ وَالْأُمَّهَاتِ، وَتَرَكُوا الصَّلَوَاتِ فِي الْجَمَاعَاتِ.

286. It was reported to me by Abu 'Alī 'Abd al-Raḥmān ibn Muḥammad ibn Faḍālah al-Naysābūrī al-Ḥāfiẓ in al-Rayy [...] that Muḥammad ibn Hishām al-'Abasī[136] said: "When we would go to Abu Bakr ibn 'Ayyāsh while he was in a good mood, he would see us and he would say, 'The best of people upon the face of the earth, they revive the Sunnah of the Prophet ﷺ.' And when we would come to him whilst he was in another state, he would say, 'The most evil of people upon the face of the earth, they are undutiful to their parents, and abandon praying in congregation.'"

قَالَ الشَّيْخُ: وَكَانَ أَبُو بَكْرٍ عَسِيرًا فِي الْحَدِيثِ.

Al-Shaykh said: Abu Bakr was strict/tough [in relation to] ḥadīth.

٢٨٧- فَأَخْبَرَنَا الْحَسَنُ بْنُ أَبِي بَكْرٍ، أَخْبَرَنَا مُحَمَّدُ بْنُ الْحَسَنِ بْنِ زِيَادٍ النَّقَّاشُ، سَمِعْتُ يُوسُفَ بْنَ الْحُسَيْنِ يَقُولُ: سَمِعْتُ أَحْمَدَ بْنَ أَبِي الْحَوَارِيِّ، قَالَ: قَدِمْتُ الْكُوفَةَ، فَلَقِيتُ أَبَا بَكْرِ بْنَ عَيَّاشٍ، فَقُلْتُ: حَدِّثْنِي، فَإِنِّي رَجُلٌ غَرِيبٌ، فَقَالَ: أَهْلُ بَلَدِي أَحَقُّ مِنْكَ، قُلْتُ: إِنِّي مِنْ أَهْلِ الشَّامِ! قَالَ: ذَاكَ أَبْعَدُ لَكَ.

287. It was reported to us by al-Ḥasan ibn Abī Bakr [...] that Aḥmad ibn Abī al-Ḥawārī said: "I reached Kufah, and I met Abu Bakr ibn 'Ayyāsh, and

---

136 [T] This has also been mentioned as (القيسي).and (العيثي).

said, 'Narrate to me, for I am an unknown man.'

He replied, 'The people of my land are more worthy than you.'

I said, 'I am from the people of al-Shām.'

He replied, 'That is worse for you.'"

٢٨٨- حَدَّثَنِي عَبْدُ الْعَزِيزِ بْنُ أَبِي الْحَسَنِ الْقَرِمِيسِينِيُّ، حَدَّثَنَا مُحَمَّدُ بْنُ أَحْمَدَ الْمُفِيدُ، حَدَّثَنَا الْحَسَنُ بْنُ إِسْمَاعِيلَ الرَّبَعِيُّ، حَدَّثَنَا الْأَخْنَسِيُّ قَالَ: سَمِعْتُ أَبَا بَكْرِ بْنَ عَيَّاشٍ يَقُولُ: لَوْ أَعْلَمُ أَنَّ أَحَدًا، يَطْلُبُ هَذَا الْعِلْمَ، يَتَدَيَّنُ بِهِ، لَأَتَيْتُ مَنْزِلَهُ حَتَّى أُحَدِّثَهُ، أَتُرَوْنِي لَا أَسْتَقْبِحُ مَا أَصْنَعُ بِكُمْ! إِنِّي لَأَعْلَمُ أَنَّكُمْ أَهْلُهُ، وَلَوْ تَرَكْتُمُوهُ ذَهَبَ.

288. It was narrated to me by 'Abd al-'Azīz ibn Abi 'l-Ḥasan al-Qarimīsīnī [...] that Abu Bakr ibn 'Ayyāsh said: "If I knew that someone seeks this knowledge and practices it, I would go to his house to narrate to him. Do you think that I do not dislike what I do with you! I know that you are its people, and that it will disappear if you abandon it."

قَالَ أَبُو بَكْرٍ: وَمِنْ مُسْتَطْرَفِ أَخْبَارِ أَبِي بَكْرِ بْنِ عَيَّاشٍ مَعَ أَصْحَابِ الْحَدِيثِ مَا:

Abu Bakr said: From the most interesting narrations regarding Abu Bakr ibn 'Ayyāsh['s interactions] with the ḥadīth disciples is:

٢٨٩- أَخْبَرَنَاهُ أَبُو مَنْصُورٍ مُحَمَّدُ بْنُ عِيسَى بْنِ عَبْدِ الْعَزِيزِ الْهَمَذَانِيُّ، حَدَّثَنَا صَالِحُ بْنُ أَحْمَدَ الْحَافِظُ، أَخْبَرَنَا أَحْمَدُ بْنُ مُحَمَّدٍ الْمُقْرِئُ قِرَاءَةً، حَدَّثَنَا مُحَمَّدُ بْنُ عَبْدِ الْغَفَّارِ قَالَ: حَضَرْتُ أَحْمَدَ بْنَ بُدَيْلٍ الْكُوفِيَّ، وَقَدْ أَطَافَ بِهِ أَصْحَابُ الْحَدِيثِ، وَذَكَرُوا عُسْرَهُ. فَقَالَ: وَكَيْفَ لَوْ رَأَيْتُمْ أَبَا بَكْرِ بْنَ عَيَّاشٍ؟ قَالُوا: كَيْفَ كَانَ؟ قَالَ: حَضَرْتُ مَعَ أَبِي كُرَيْبٍ وَيَحْيَى بْنِ آدَمَ، وَمَعَهُمْ فُلَانٌ الْهَاشِمِيُّ، فَسَأَلُوهُ أَنْ يُحَدِّثَهُمْ بِعَشَرَةِ أَحَادِيثَ، فَقَالَ: لَا، وَلَا حَدِيثَيْنِ، قَالُوا: فَحَدِّثْنَا بِحَدِيثَيْنِ؟ قَالَ: وَلَا بنصف حَدِيثٍ. قِيلَ: فَحَدِّثْنَا بِنِصْفِ حَدِيثٍ؟ قَالَ: فَقَالَ: اخْتَارُوا إِنْ

شِئْتُمُ الْإِسْنَادَ، وَإِنْ شِئْتُمُ الْحَدِيثَ، قَالَ: فَقَالَ يَحْيَى بْنُ آدَمَ، وَكَانَ شَيْخَنَا: يَا أَبَا بَكْرٍ! أَنْتَ عِنْدَنَا إِسْنَادٌ، فَهَاتِ، فَقَالَ أَبُو بَكْرٍ: قَالَ رَسُولُ اللَّهِ صَلَّى اللهُ عَلَيْهِ وَسَلَّمَ ... وَذَكَرَ الْحَدِيثَ.

289. [...] That which we were informed of by Abu Manṣūr Muḥammad ibn 'Īsā ibn 'Abd al-'Azīz al-Hamadhānī [...] that Muḥammad ibn 'Abd al-Ghaffār said: "I attended [the gathering] of Aḥmad ibn Budayl al-Kūfī, and the ḥadīth adherents had come around him and mentioned his toughness. He said, 'Imagine if you had seen Abu Bakr ibn 'Ayyāsh.'

They asked, 'How was he?'

He replied, 'I attended [his gathering] with Abu Kurayb and Yaḥyā ibn Ādam, and with them was [so-and-so] al-Hāshimī, and they asked Abu Bakr ibn 'Ayyāsh to narrate to them ten aḥādīth, and he said: 'No not even two.'

So they asked, 'Then narrate two ḥadīth to us.'

He replied, 'Not even half of a ḥadīth.'

So it was asked, 'Then narrate to us half of a ḥadīth.'

He replied, 'Then choose either the *isnād* or the ḥadīth.'

So Yaḥyā ibn Ādam, who was our teacher, said, 'O Abā Bakr! You are an *isnād* to us, so give us [a ḥadīth].'

Then, Abu Bakr said: 'The Messenger of Allah ﷺ said ...' and mentioned a ḥadīth."

٢٩٠- أَخْبَرَنَا أَحْمَدُ بْنُ مُحَمَّدِ بْنِ غَالِبٍ، قَالَ: قَرَأْتُ عَلَى أَبِي الْحَسَنِ الْمَحْمُودِيِّ، حَدَّثَكُمْ مُحَمَّدُ بْنُ عَلِيٍّ الْحَافِظُ، حَدَّثَنَا أَبُو الدَّرْدَاءِ، عَنْ بَعْضِ أَصْحَابِهِ قَالَ: قِيلَ لِأَبِي بَكْرِ بْنِ عَيَّاشٍ: حَدِّثْنَا، قَالَ: لَا أَفْعَلُ، قَالُوا حَدِيثٌ وَاحِدٌ؟ فَقَالَ: حَدَّثَنَا مُغِيرَةُ قَالَ: رَأَيْتُ الشَّعْبِيَّ يُدَحْرِجُ الدَّنَّ.

290. It was reported to us by Aḥmad ibn Muḥammad ibn Ghālib [...] that Abu 'l-Dardā' narrated from one of his associates: "Abu Bakr ibn 'Ayyāsh was asked, 'Narrate to us.'

He replied, 'I will not.'

They said, 'A single ḥadīth?'

He said, 'Al-Mughīrah narrated to us, he said: 'I saw al-Shaʿbī rolling a large vessel.'"

[قَالَ أَبُو بَكْرٍ]: فَانْظُرْ إِلَى نَكِدِ أَبِي بَكْرٍ لَمَّا أَضْجَرَهُ أَصْحَابُ الْحَدِيثِ، وَسَأَلُوهُ أَنْ يُحَدِّثَهُمْ حَدِيثًا وَاحِدًا، كَيْفَ حَدَّثَهُمْ بِمَا لَا خَيْرَ فِيهِ، وَلَا فَائِدَةَ لِمُسْتَمِعِيهِ، وَقَدْ وَرَدَ عَنْ أَبِي بَكْرٍ قَوْلٌ ظَاهِرٌ بِفَضْلِ أَصْحَابِ الْحَدِيثِ:

Abu Bakr said: Look at the bad attitude of Abu Bakr [ibn 'Ayyāsh] when he was annoyed by the ḥadīth adherents, and they asked him to narrate [just] one ḥadīth to them. [And look at] how he narrated something to them of no goodness or benefit to its audience, despite the virtue of the ḥadīth adherents being narrated explicitly from Abu Bakr:

٢٩١- حُدِّثْتُ عَنْ عَبْدِ الْعَزِيزِ بْنِ جَعْفَرٍ الْفَقِيهِ، قَالَ: حَدَّثَنَا أَبُو بَكْرٍ الْخَلَّالُ، أَخْبَرَنَا مُحَمَّدُ بْنُ إِدْرِيسَ، قَالَ: سَمِعْتُ حَمْزَةَ بْنَ سَعِيدٍ الْمَرْوَزِيَّ، قَالَ: سَمِعْتُ أَبَا بَكْرِ بْنَ عَيَّاشٍ، وَضَرَبَ بِيَدِهِ عَلَى كَتِفِ يَحْيَى بْنِ آدَمَ، فَقَالَ: وَيْلَكَ يَا يَحْيَى! فِي الدُّنْيَا قَوْمٌ أَفْضَلُ مِنْ أَصْحَابِ الْحَدِيثِ؟!

291. It was narrated to me from 'Abd al-'Azīz ibn Jaʿfar al-Faqīh [...] that Ḥamzah ibn Saʿīd al-Marwazī said: "I heard Abu Bakr ibn 'Ayyāsh say, whilst he hit the shoulder of Yaḥyā ibn Ādam with his hand: 'Woe to you O Yaḥyā! Is there a people in this world better than the ḥadīth disciples?!'"

٢٩٢- حَدَّثَنِي أَبُو طَالِبٍ يَحْيَى بْنُ عَلِيٍّ [بْنِ الطَّيِّبِ] الدَّسْكَرِيُّ حَدَّثَنَا ضِرَارُ بْنُ رَافِعٍ الْهَرَوِيُّ، قَالَ: سَمِعْتُ أَبَا بَكْرٍ مُحَمَّدَ بْنَ أَحْمَدَ يَقُولُ: حَدَّثَنَا مُحَمَّدُ بْنُ عَبْدَانَ، حَدَّثَنَا سَعِيدُ بْنُ يَحْيَى بْنِ الْأَزْهَرِ قَالَ: سَمِعْتُ أَبَا بَكْرِ بْنَ عَيَّاشٍ يَقُولُ: مَا رَأَيْتُ قَوْمًا خَيْرًا مِنْ أَصْحَابِ الْحَدِيثِ، يَتَرَدَّدُ إِلَيَّ أَحَدُهُمْ فِي الْكَلِمَةِ مِرَارًا، وَلَوْ شَاءَ أَنْ يَقُولَ سَمِعْتُ أَبَا بَكْرِ بْنَ عَيَّاشٍ لَقَالَ.

292. It was narrated to me by Abu Ṭālib Yaḥyā ibn ʿAlī ibn al-Ṭayyib al-Daskarī [...] that Abu Bakr ibn ʿAyyāsh said: "I have not seen a people better than the ḥadīth disciples. One of them would continuously come to me to hear a word many times, although if he wished just to say, 'I heard Abu Bakr ibn ʿAyyāsh [state] ...' he could do so."

٢٩٣- أَخْبَرَنَا أَبُو نُعَيْمٍ الْحَافِظُ، حَدَّثَنَا عَبْدُ اللَّهِ بْنُ مُحَمَّدِ بْنِ جَعْفَرٍ، حَدَّثَنَا إِبْرَاهِيمُ بْنُ مُحَمَّدِ بْنِ الْحَسَنِ، حَدَّثَنَا هَنَّادُ بْنُ السَّرِيِّ قَالَ: خَرَجَ أَبُو بَكْرِ بْنُ عَيَّاشٍ يَوْمًا، وَأَصْحَابُ الْحَدِيثِ بِبَابِهِ، فَقَالَ: هَؤُلَاءِ خِيَارُ النَّاسِ، لَوْ شَاءُوا رَجَعُوا فَقَالُوا: قَدْ سَمِعْنَا.

293. It was reported to us by Abu Nuʿaym al-Ḥāfiẓ [...] that Hannād ibn al-Sarī said: "Abu Bakr ibn ʿAyyāsh went out one day, and the ḥadīth adherents were at his door, and he said, 'These are the best of people, if they wished they could go back and say, 'We heard ...'"

[خاتمة]

[Conclusion][137]

[قَالَ أَبُو بَكْرٍ]: قَدْ ذَكَرْنَا فِي كِتَابِنَا هَذَا مِنْ فَضْلِ الْحَدِيثِ وَأَهْلِهِ الْمَخْصُوصِينَ بِحِفْظِهِ وَنَقْلِهِ، مَا فِيهِ كِفَايَةٌ عَمَّا سِوَاهُ، وَغُنْيَةٌ لِمَنْ سَمِعَهُ وَوَعَاهُ.

Abu Bakr said: In this book of ours, we have mentioned the virtues of ḥadīth and its people who are privileged to memorise and transmit it, enough to suffice from anything else, and enough to suffice one who hears and understands it.

وَأَنَا أَذْكُرُ بَعْدَ [في كتابي] هَذَا، [إِنْ شَاءَ اللَّهُ] فِي كِتَابٍ مُفْرَدٍ: (أَخْلَاقَ الرَّاوِي وَآدَابَ الْوَاعِي)، وَمَا يَجِبُ عَلَيْهِمَا، وَيُسْتَحَبُّ مِنْهُمَا، وَيُكْرَهُ لَهُمَا، إِذْ لَا غَنَاءَ لِأَحَدٍ مِنْ أَصْحَابِ الْحَدِيثِ عَنْ مَعْرِفَةِ ذَلِكَ.

I will mention, after this book of mine, Allah willing, a book dedicated to the mannerisms of a narrator and manners of the [hearer] (*Akhlāqu 'l-Rāwī wa Ādābu 'l-Wā'ī*), [mentioning] what is obligatory upon them, preferred from them, and disliked for them, for no one from amongst the ḥadīth disciples can do without knowing that.

وَنَسْأَلُ اللَّهَ الْمَعُونَةَ عَلَى مَا نَبْتَغِيهِ، وَالْعِصْمَةَ مِنَ الْخَطَإِ وَالزَّلَلِ فِيهِ، إِنَّهُ عَلَى كُلِّ شَيْءٍ قَدِيرٌ.

We ask Allah to aid us in what we want, to preserve us from mistaking and erring in it, for He is over all things able.

آخر كتاب شرف أصحاب الحديث، والحمد لله حق حمده وصلواته على خير

137 [T] This chapter heading was added by us.

خلقه محمد النبي وآله وصحبه وعلى التابعين من بعدهم.

This is the end of the book *Sharaf Aṣḥābi 'l-Ḥadīth*, and praise be to Allah, the [manner of] praise He is rightful to, and His salutations be upon the best of creation, the Prophet Muḥammad; upon his family, his Companions and those who follow after them.

نصيحة أهل الحديث

للإمام الحافظ أحمد بن علي بن ثابت

المعروف بـ: «الخطيب البغدادي»

(٣٩٢ - ٤٦٣)

[خطبة المصنف]
[The Author's Opening][138]

بِسم الله الرَّحْمَن الرَّحِيم.

In the Name of Allah the Most Gracious the Most Merciful.

قَالَ الْخَطِيب أَبُو بكر أَحْمد بن عَليّ بن ثَابت الْحَافِظ رَحمَه الله تَعَالَى:

Al-Khaṭīb Abu Bakr Aḥmad ibn ʿAlī ibn Thābit al-Ḥāfiẓ ﷺ said:

رسمت فِي هَذَا الْكتاب لصَاحب الحَدِيث خَاصَّة وَلغيره عَامَّة مَا أقوله نصيحة مني لَهُ وغيرة عَلَيْهِ، وَهُوَ أَن يتَمَيَّز عَمَّن رَضِي لنَفسِهِ بِالْجَهْلِ وَلم يكن فِيهِ معنى يلْحقهُ بِأَهْل الْفضل، وَينظر فِيمَا أذهب فِيهِ مُعظم وقته، وَقطع بِهِ أَكثر عمره، من كتب حَدِيث رَسُولُ اللَّهِ صَلَّى اللَّهُ عَلَيْهِ وَسلم وَجمعه، ويبحث عَن علم مَا أَمر بِهِ من معرفَة حَلَاله وَحَرَامه، وخاصه وعامه، وفرضه وندبه، وإباحته وحظره، وناسخه ومنسوخه، وَغير ذَلِك من أَنْوَاع علومه قبل فَوت إِدْرَاك ذَلِك.

I compiled this book for the ḥadīth disciple specifically, and for others in general, and in it there is advice from me to him, [out of] jealousy [to protect] him, and it is that he differentiate himself from those who accepted ignorance for themselves, and who do not have any reason to be attributed to the people of virtue. [Moreover,] that he look at what he spends (lit. spent) most of his time and life doing, from writing and gathering the ḥadīth of the Messenger of Allah ﷺ, and investigating regarding the knowledge that he is required [to know]; to understand the permissible and the forbidden of it, the specific and the general of it, the obligatory and the voluntary of it, the allowed and the prohibited of it, the abrogating and abrogated of it, and

138 [T] Note the sub-headings are not from the words of the author. We have added them to make the text more digestible.

other types of its sciences, before his time to do so runs out.

۞۞۞

[الفصل]

[Section]

١- فَقَدْ أَخْبَرَنَا أَبُو الْحَسَنِ مُحَمَّدُ بْنُ أَحْمَدَ بْنِ رِزْقَوَيْهِ، ثَنَا مُحَمَّدُ بْنُ أَحْمَدَ بْنِ إِسْحَاقَ بْنِ إِبْرَاهِيمَ السَّرَخْسِيُّ، ثَنَا مُحَمَّدُ بْنُ الْمُنْذِرِ الْهَرَوِيُّ، قَالَ ثَنَا الْحَسَنُ بْنُ عَامِرٍ النَّصِيبِيُّ، قَالَ سَمِعْتُ أَحْمَدَ بْنَ صَالِحٍ يَقُولُ قَالَ الشَّافِعِيّ: تَفَقَّهْ قَبْلَ أَن تَرَأَّسَ فَإِذَا تَرَأَّسْتَ فَلَا سَبِيلَ إِلَى التَّفَقُّهِ.

1. It was reported to us by Abu 'l-Ḥasan Muḥammad ibn Aḥmad ibn Rizqawayh [...] that al-Shāfi'ī said:"Gain understanding [in religion] before you are in leadership, for after you assume leadership, there is no way to do so."

٢- أَخْبَرَنَا عُبَيْدُ اللَّهِ بْنُ أَبِي الْفَتْحِ الْفَارِسِيُّ، أَنَا عُمَرُ بْنُ أَحْمد بن عُثْمَان الْوَاعِظ، نا موسى بْنُ عُبَيْدِ اللَّهِ بْنِ يَحْيَى، قَالَ حَدثنِي عبد اللَّهِ بْنُ أَبِي سَعْدٍ، حَدَّثَنِي أَبُو مُحَمَّدٍ الْمَرْوَزِيُّ، قَالَ كَانَ يُقَالُ: إِنَّمَا تَقْبَلُ الطِّينَةُ الْخَتْمَ مَا دَامَتْ رَطْبَةً. أَي أَن الْعلم يَنبغي أن يطْلب فِي طراوة السِّنِّ.

2. It was reported to us by 'Ubaydullāh ibn Abi 'l-Fatḥ al-Fārisī [...] that Abu Muḥammad al-Marwazī said: "It used to be said, 'Clay [is moulded] by a stamp, so long as it is moist." Meaning that knowledge must be sought at a tender age.

٣- قَالَ وَجَاءَ عَنْ أَمِيرِ الْمُؤْمِنِينَ عُمَرَ بْنِ الْخَطَّابِ رَضِيَ اللَّهُ عَنْهُ، أَنَّهُ قَالَ تَفَقَّهُوا قَبْلَ أَنْ تُسَوَّدُوا.

3. It was narrated that the Commander of the Faithful, 'Umar ibn al-Khaṭṭāb ﷺ said: "Gain understanding before you gain leadership." This was narrated to us [via a number of routes (listed below):][139]

---

139 The author here has preceded with the text before the chain of narration. This is a

أَخْبَرَنَاهُ عَلِيُّ بْنُ مُحَمَّدِ بْنِ عَبْدِ اللَّهِ الْمُعَدَّلُ، أَنَا إِسْمَاعِيلُ بْنُ مُحَمَّدٍ الصَّفَّارُ، ثَنَا سَعْدَانُ بْنُ نَصْرٍ، ثَنَا وَكِيعٌ، عَنِ ابْنِ عَوْنٍ.

وَأَخْبَرَنَا مُحَمَّدُ بْنُ أَحْمَدَ بْنِ رِزْقٍ، أَنَا عُثْمَانُ بْنُ أَحْمَدَ الدَّقَّاقُ، ثَنَا حَنْبَلُ بْنُ إِسْحَاقَ، ثَنَا بكار بن مُحَمَّد، حدثنا عَبْدُ اللَّهِ بْنُ عَوْنٍ.

وَأَنَا الْحَسَنُ بْنُ أَبِي بَكْرٍ، أَنَا أَبُو سَهْلٍ أَحْمَدُ بْنُ مُحَمَّدِ بْنِ عَبْدِ اللَّهِ بْنِ زِيَادٍ الْقَطَّانُ، ثَنَا مُحَمَّدُ بْنُ غَالِبِ بْنِ حَرْبٍ.

وَأَخْبَرَنَا أَبُو الْفَرَجِ مُحَمَّدُ بْنُ عُمَرَ بْنِ مُحَمَّدٍ الْجَصَّاصُ، أَنَا أَحْمَدُ بْنُ يُوسُفَ بْنِ خَلَّادٍ الْعَطَّارُ، نَا أَحْمَدُ بْنُ عَلِيٍّ - هُوَ الْخَزَّازُ -، قَالَا ثَنَا هوذة، عن ابن عَوْنٍ.

وَأَخْبَرَنَا الْحَسَنُ بْنُ أَبِي الْحَسَنِ، نَا أَبُو بَكْرٍ مُحَمَّدُ بْنُ جَعْفَرِ بْنِ مُحَمَّدٍ الْأَدَمِيُّ الْقَارِئُ، ثَنَا مُحَمَّدُ بْنُ الْقَاسِمِ مَوْلَى بَنِي هَاشِمٍ، ثَنَا أَزْهَرُ، عَنِ ابْنِ عَوْنٍ، عَنْ مُحَمَّدٍ، عَنِ الْأَحْنَفِ.

وَفِي حَدِيثِ وَكِيعٍ وَبَكَّارٍ، عَنِ ابْنِ سِيرِينَ، عَنِ الْأَحْنَفِ بْنِ قَيْسٍ، قَالَ: قَالَ عُمَرُ بْنُ الْخَطَّابِ: تَفَقَّهُوا قَبْلَ أَنْ تُسَوَّدُوا.

أَخْبَرَنَا الْحَسَنُ بْنُ أَبِي بَكْرٍ أَنَا أَحْمَدُ بْنُ إِسْحَاقَ بن ينخاب الطَّيِّبِيُّ، ثَنَا مُحَمَّدُ بْنُ يُونُسَ الْقُرَشِيُّ، ثَنَا أَزْهَرُ، ثَنَا ابْنُ عَوْنٍ، عَنِ الْحَسَنِ، عَنِ الْأَحْنَفِ بْنِ قَيْسٍ، قَالَ: قَالَ عُمَرُ بْنُ الْخَطَّابِ: تَفَقَّهُوا قَبْلَ أَنْ تُسَوَّدُوا.

كَذَا قَالَ: عَنِ الْحَسَنِ، وَالصَّوَابُ عَنِ ابْنِ سِيرِينَ كَمَا ذَكَرْنَاهُ أَوَّلًا، وَاللَّهُ أَعْلَمُ.

[End.]

---

method which is allowed and utilised by the masters of this science. Al-Dhahabī said in *al-Mūqiẓah* (p. 52), "From the allowed [practices] is to precede the text which is heard over the chain of narration and vice versa (ومن الترخيص تقديم متن سمعه على الإسناد وبالعكس)."

٤- أَخْبَرَنَا أَبُو الْحَسَنِ أَحْمَدُ بْنُ عَلِيِّ بْنِ الْحَسَنِ الْبَادَا، أَنَا دَعْلَجُ بْنُ أَحْمَدَ ثَنَا عَلِيُّ بْنُ عَبْدِ الْعَزِيزِ، قَالَ: قَالَ أَبُو عُبَيْدٍ فِي حَدِيثِ عُمَرَ: تَفَقَّهُوا قَبْلَ أَنْ تُسَوَّدُوا، يَقُولُ: تَعَلَّمُوا الْعِلْمَ مَا دُمْتُمْ صِغَارًا قَبْلَ أَنْ تَصِيرُوا سَادَةً رُؤَسَاءَ مَنْظُورٍ إِلَيْكُمْ، فَإِنْ لَمْ تَعَلَّمُوا قَبْلَ ذَلِكَ اسْتَحْيَيْتُمْ أَنْ تَعَلَّمُوا بَعْدَ الْكِبَرِ فَبَقِيتُمْ جُهَّالًا تَأْخُذُونَ مِنَ الْأَصَاغِرِ، فَيُزْرِي ذَلِكَ بِكُمْ، وَهَذَا شَبِيهٌ بِحَدِيثِ عَبْدِ اللَّهِ: لَنْ يَزَالَ النَّاسُ بِخَيْرٍ مَا أَخَذُوا الْعِلْمَ عَنْ أَكَابِرِهِمْ فَإِذَا أَتَاهُمْ مِنْ أَصَاغِرِهِمْ فَقَدْ هَلَكُوا.

4. It was reported to us by Abu 'l-Ḥasan Aḥmad ibn ʿAlī ibn al-Ḥasan al-Bādā [...] that Abu ʿUbayd said regarding the statement of ʿUmar, "Gain understanding before you gain leadership":

"Learn knowledge as long as you are young, before you are the elders and leaders whom are looked at. If you do not learn before this, you will have shyness to learn after growing old, thus you will remain ignorant, and you will take [your knowledge] from the young, which will be degrading for you. This is similar to the narration of ʿAbdullāh, 'People will continue to be in [a state of] goodness as long as they take their knowledge from their elders, [however] if it comes from the young, then they are doomed.'"

قَالَ أَبُو عُبَيْدٍ: وَفِي الْأَصَاغِرِ تَفْسِيرٌ آخَرُ بَلَغَنِي عَنِ ابْنِ الْمُبَارَكِ أَنَّهُ كَانَ يَذْهَبُ بِالْأَصَاغِرِ إِلَى أَهْلِ الْبِدَعِ وَلَا يَذْهَبُ إِلَى السِّنِّ.

Abu ʿUbayd said: "There is another interpretation of "those who are lesser" (al-aṣāghir), which was transmitted to me from Ibn al-Mubārak. It is that al-aṣāghir refers to the people of innovation, and not to [those lesser in] age."

٥- أَخْبَرَنَا عَبْدُ الْمَلِكِ بْنُ مُحَمَّدِ بْنِ عبد الله الواعظ، أَنَا عُمَرُ بْنُ مُحَمَّدِ بْنِ أَحْمَدَ الْجُمَحِيُّ، ثَنَا عَلِيُّ بْنُ عَبْدِ الْعَزِيزِ، ثَنَا مُحَمَّدُ بْنُ عَمَّارٍ الْمَوْصِلِيُّ ثَنَا عَفِيفُ بْنُ سَالِمٍ، عَنِ ابْنِ لَهِيعَةَ، عَنْ بَكْرِ بْنِ سَوَادَةَ، عَنْ أَبِي أُمَيَّةَ الْجُمَحِيِّ - رَضِيَ اللَّهُ عَنْهُ - قَالَ: سُئِلَ رَسُولُ اللَّهِ صَلَّى اللَّهُ عَلَيْهِ وَسَلَّمَ عَنْ أَشْرَاطِ السَّاعَةِ، قَالَ:

((إِنَّ مِنْ أَشْرَاطِهَا أَنْ يُلْتَمَسَ الْعِلْمُ عِنْدَ الْأَصَاغِرِ)).

5. It was reported to us by ʿAbd al-Malik ibn Muḥammad ibn ʿAbdullāh [...] that Abu Umayyah al-Jumaḥiyyi ﷺ said: "The Messenger of Allah ﷺ was asked about the signs of the hour, and he said, 'Amongst its signs is that knowledge will be sought from the young.'"[140]

٦- وَقَالَ عَلِيٌّ: نَا مُسْلِمُ بْنُ إِبْرَاهِيمَ، نَا شُعْبَةُ، عَنْ أَبِي إِسْحَاقَ، عَنْ سَعِيدِ بْنِ وَهْبٍ، عَنْ عَبْدِ اللَّهِ، قَالَ: لَا يَزَالُ النَّاسُ بِخَيْرٍ مَا أَخَذُوا الْعِلْمَ عَنْ أَكَابِرِهِمْ، وَعَنْ أُمَنَائِهِمْ وعلمائهم، فَإِذَا أَخَذُوا مِنْ صِغَارِهِمْ وَشِرَارِهِمْ هَلَكُوا.

6. ʿAlī reports from Muslim ibn Ibrāhīm [...] that ʿAbdullāh said: "People will continue to be in [a state of] goodness so long as they take knowledge from their elders, from the trustworthy, and from the scholars. [However] they will perish if they begin to take it from their young and wicked."

٧- أَخْبَرَنَا أَبُو الْحَسَنِ مُحَمَّدُ بْنُ عَبْدِ الْوَاحِدِ بْنِ مُحَمَّدِ بْنِ جَعْفَرٍ، نَا أَبُو عُمَرَ مُحَمَّدُ بْنُ الْعَبَّاسِ الْخَزَّازُ، أَنَا عُبَيْدُ اللَّهِ بْنُ عَبْدِ الرَّحْمَنِ السُّكَّرِيُّ، عَنْ عَبْدِ اللَّهِ بْنِ مُسْلِمِ بن قُتَيْبَة الدينَوَري قَالَ:

سَأَلْت عَنْ قَوْلِهِ: لَا يَزَالُ النَّاسُ بِخَيْرٍ مَا أَخَذُوا الْعِلْمَ عَنْ أَكَابِرِهِمْ، يُرِيدُ: لَا يَزَالُ النَّاسُ بِخَيْرٍ مَا كَانَ عُلَمَاؤُهُمُ الْمَشَايِخَ، وَلَمْ يَكُنْ عُلَمَاؤُهُمُ الْأَحْدَاثَ، لِأَنَّ الشَّيْخَ قَدْ زَالَتْ عَنْهُ مُتْعَةُ الشَّبَابِ، وَحِدَّتُهُ، وَعَجَلَتُهُ، وَسَفَهُهُ، وَاسْتَصْحَبَ التَّجْرِبَةَ وَالْخِبْرَةَ، فَلَا يَدْخُلُ عَلَيْهِ فِي عِلْمِهِ الشُّبْهَةُ، وَلَا يَغْلِبُ عَلَيْهِ الْهَوَى، وَلَا يَمِيلُ بِهِ الطَّمَعُ، وَلَا يَسْتَزِلُّهُ الشَّيْطَانُ اسْتِزْلَالَ الْحَدَثِ، وَمَعَ السِّنِّ الْوَقَارُ وَالْجَلَالَةُ وَالْهَيْبَةُ، وَالْحَدَثُ قَدْ تَدْخُلُ عَلَيْهِ هَذِهِ الْأُمُورُ الَّتِي أُمِنَتْ عَلَى الشَّيْخِ فَإِذَا دَخَلَتْ عَلَيْهِ وَأَفْتَى، هَلَكَ وَأَهْلَكَ.

---

140 Its chain of narration is *mursal*. It was reported by Ibn al-Mubārak in *al-Zuhd* (61).

7. It was reported to us by Abu 'l-Ḥasan Muḥammad ibn 'Abd al-Wāḥid ibn Muḥammad ibn Ja'far [...] that 'Abdullāh ibn Muslim ibn Qutaybah al-Dīnawarī said: "It was asked regarding [the] statement, 'People will continue to be in [a state of] goodness so long as they take knowledge from their elders': What he meant was that people will continue to be in [a state of goodness] so long as their scholars are their elders, and not the young. This is because the elders no longer have the desires of the young, their intensity, hastiness, and foolishness, and they have gained practice and experience. Hence, doubt does not enter his knowledge, desire does not overcome him, greed does not deviate him, and the devil does not cause him to make mistakes as he does with the young. Also, along with age comes composure, dignity, and prestige. Such issues may occur to the young which the elder is safe from, and if they do, and they (i.e. the young) issue judgements and rulings, then they are doomed, and they will cause doom."

[الفصل]

[Section]

قَالَ الْخَطِيبُ: وَلَا يُقْتَنَعُ بِأَنْ يكون روايا حسب ومحدثنا فَقَطْ.

Al-Khaṭīb said: It is not sufficient that one is only a narrator, or only a scholar of ḥadīth.

٨- فَقَدْ أَخْبَرَنَا أَبُو نُعَيْمٍ الْحَافِظُ إِبْرَاهِيمُ بْنُ عَبْدِ اللَّهِ الْمُعَدَّلُ، نَا أَحْمَدُ بْنُ عَلِيٍّ الْأَنْصَارِيُّ - وَمَوْلِدُهُ بِأَصْبَهَانَ - نَا أَبُو الصَّلْتِ الْهَرَوِيّ، نَا عَلِيُّ بْنُ مُوسَى الرِّضَا، عَنْ أَبِيهِ، عَنْ جَدِّهِ، عَنْ آبَائِهِ، أَنَّ رَسُولَ اللَّهِ صَلَّى اللَّهُ عَلَيْهِ وَسَلَّمَ قَالَ: ((كُونُوا دُرَاةً وَلَا تَكُونُوا رُوَاةً، حَدِيثٌ تَعْرِفُونَ فِقْهَهُ خَيْرٌ مِنْ أَلْفِ حَدِيثٍ تَرْوُونَهُ)).

8. It was reported to us by Abu Nu'aym al-Ḥāfiẓ Ibrāhīm ibn 'Abdullāh al-Mu'addal [...] that 'Alī ibn Mūsā al-Riḍā narrated from his father, from his grandfather, who narrated from his fathers, that the Messenger of Allah ﷺ said: "Be those who understand and not be those who [just] narrate. One ḥadīth that you understand is better than a thousand ḥadīth that you

narrate."[141]

٩- أَخْبَرَنَا أَحْمَدُ بْنُ أَبِي جَعْفَرٍ الْقَطِيعِيُّ، أَنَا عَلِيُّ بْنُ عَبْدِ الْعَزِيزِ البردعي، نَا عَبْدُ الرَّحْمَنِ بْنُ أَبِي حَاتِمٍ، قَالَ: فِي كِتَابِي عَنِ الرَّبِيعِ بْنِ سُلَيْمَانَ، قَالَ سَمِعْتُ الشَّافِعِيَّ وَذُكِرَ مَنْ يَحْمِلُ الْعِلْمَ جُزَافًا - فَقَالَ: هَذَا مِثْلُ حَاطِبِ لَيْلٍ يَقْطَعُ حِزْمَةَ حَطَبٍ فَيَحْمِلُهَا وَلَعَلَّ فِيهَا أَفْعَى فَتَلْدَغُهُ وَهُوَ لَا يَدْرِي.

9. It was reported to us by Aḥmad ibn Abī Jaʿfar al-Qaṭīʿī [...] that al-Rabīʿ ibn Sulayman said: "I heard al-Shāfiʿī state, after those who aimlessly carry knowledge were mentioned: 'This [person] is like one who cuts a bundle of wood at night and then carries it; perhaps there might be a snake therein and it would bite him whilst he does not know."

قَالَ الرَّبِيعُ: يَعْنِي الَّذِينَ لَا يَسْأَلُونَ عَنِ الْحُجَّةِ مِنْ أَيْنَ.

Al-Rabīʿ said: "Meaning those who do not ask where the evidence is from."

١٠- أَخْبَرَنَا أَبُو الْحَسَنِ أَحْمَدُ بْنُ مُحَمَّدِ بْنِ أَحْمَدَ الْعَتِيقِيُّ، أَنَا أَبُو مُسْلِمٍ مُحَمَّدُ بْنُ أَحْمَدَ بْنِ عَلِيٍّ الْكَاتِبُ الْمُعَبِّرُ نَا أَبُو بَكْرٍ مُحَمَّدُ بْنُ الْحَسَنِ بْنِ دُرَيْدٍ قَالَ: سُئِلَ بَعْضُهُمْ مَتَى يَكُونُ الْأَدَبُ ضَارًّا؟ قَالَ: إِذَا نَقَصَتِ الْقَرِيحَةُ وَكَثُرَتِ الرِّوَايَةُ.

10. It was reported to us by Abu 'l-Ḥasan Aḥmad ibn Muḥammad ibn Aḥmad al-ʿAtīqī [...] that Muḥammad ibn al-Ḥasan ibn Durayd said: "Some were asked, 'When does literature become harmful?' [They] replied, 'When ingenuity lessens, and narrations become more prevalent.'"

١١- أَخْبَرَنَا الْقَاضِي أَبُو الْعَلَاءِ مُحَمَّدُ بْنُ عَلِيٍّ الْوَاسِطِيُّ، أَنَا أَبُو الْحَسَنِ مُحَمَّدُ

141 This report is fabricated. Abu 'l-Ṣalt al-Harawī is a *kadhāb* (liar) who reported a fabricated parchment from ʿAlī al-Riḍā. And Ibn Ṭāhir said about ʿAlī al-Riḍā, "He has reported strange statements from his father." Al-Ḥāfiẓ al-Dhahabī commented upon the statement of Ibn Ṭāhir in *al-Mīzān* (3/158), "It is important to verify if the *isnād* is firmly established to him, if not, then people have lied upon him and fabricated an entire parchment. He did not lie upon his grandfather Jaʿfar al-Ṣādiq."

بْنُ جَعْفَرٍ التَّمِيمِيُّ الْكُوفِيُّ، قَالَ: قَالَ لَنَا أَبُو الْعَبَّاسِ بْنُ عُقْدَةَ يَوْمًا - وَقَدْ سَأَلَهُ رَجُلٌ عَنْ حَدِيثٍ - فَقَالَ: أَقِلُّوا مِنْ هَذِهِ الْأَحَادِيثِ فَإِنَّهَا لَا تَصْلُحُ إِلَّا لِمَنْ عَلِمَ تَأْوِيلَهَا.

11. It was reported to us by al-Qāḍī Abu 'l-'Alā Muḥammad ibn 'Alī al-Wāsiṭī that Abu 'l-Ḥasan Muḥammad ibn Ja'far al-Tamīmī al-Kūfī said: "Abu 'l-Abbās ibn 'Uqdah said to us one day, after being asked by a man about ḥadīth, 'Do not narrate much of these aḥādīth, for they are useless except to those who know their meanings.'"

فَقَدْ رَوَى يَحْيَى بْنُ سُلَيْمَانَ، عَنِ ابْنِ وَهْبٍ، قَالَ سَمِعْتُ مَالِكًا يَقُولُ: كَثِيرٌ مِنْ هَذِهِ الْأَحَادِيثِ ضَلَالَةٌ، لَقَدْ خَرَجَتْ مِنِّي أَحَادِيثُ لَوَدِدْتُ أَنِّي ضُرِبْتُ بِكُلِّ حَدِيثٍ مِنْهَا سَوْطَيْنِ وَأَنِّي لَمْ أُحَدِّثْ بِهِ.

Yaḥyā ibn Sulaymān reported from Ibn Wahb that he heard Mālik state: "Many of these aḥādīth are misguidance, some aḥādīth have come from me and I wish that I would be lashed twice for each ḥadīth, and that I never narrated them.'

[الفصل]

[Section]

وَلَعَلَّهُ يَطُولُ عُمْرُهُ فَتَنْزِلُ بِهِ نَازِلَةٌ فِي دِينِهِ يَحْتَاجُ أَنْ يَسْأَلَ عَنْهَا فَقِيهَ وَقْتِهِ وَعَسَى أَنْ يَكُونَ الْفَقِيهُ حَدِيثَ السِّنِّ، فيستحي أَوْ يَأْنَفُ مِنْ مَسْأَلَتِهِ وَيُضَيِّعُ أَمْرَ اللَّهِ فِي تَرْكِهِ تَعَرُّفَ حُكْمِ نَازِلَتِهِ.

Perhaps one would live a long life, and be afflicted with a novel issue in his religion, wherein he would need to ask a jurist of his time, and perhaps the jurist would be a young person, and thus [the person who needed to ask] would shy away or haughtily abstain from asking him, and hence lose out on knowing the command of Allah by abstaining from learning the ruling of his case.

١٢- أَخْبَرَنَا عَبْدُ الْمَلِكِ بن مُحَمَّدُ عن عُمَرَ بْنِ مُحَمَّدٍ الْجُمَحِيِّ نَا عَلِيُّ بْنُ عَبْدِ الْعَزِيزِ، نَا أَبُو نُعَيْم: الْفَضْلُ بْنُ دُكَيْنٍ، عَنْ سَعْدِ بْنِ أَوْسٍ الْعَبْسِيِّ الْكَاتِبِ، عَنْ بِلَالِ بْنِ يَحْيَى، أَنَّ عُمَرَ قَالَ: قَدْ عَلِمْتُ مَتَى صَلَاحُ النَّاسِ وَمَتَى فَسَادُهُمْ، إِذَا جَاءَ الْفِقْهُ مِنْ قِبَلِ الصَّغِيرِ اسْتَعْصَى عَلَيْهِ الْكَبِيرُ، وَإِذَا جَاءَ الْفِقْهُ مِنْ قبل الْكَبِير تَابعه الصَّغِير فاهتديا.

12. It was reported to us by ʿAbd al-Malik ibn Muḥammad ibn ʿUmar ibn Muḥammad al-Jumḥiyyi [...] that ʿUmar said: "I came to know when the people are upright and when they are corrupt: When *fiqh* (jurisprudence) comes from the young, the elders will abstain from it; whereas when *fiqh* comes from the elders, the young will follow them and thus both parties are guided."

فَإِن أَدْرَكَهُ التَّوْفِيقُ مِنَ اللَّهِ عَزَّ وَجَلَّ وَسَأَلَ الْفَقِيهَ لَمْ يَأْمَنْ أَنْ يَكُونَ بِحَضْرَتِهِ مَنْ يَدْرِي بِهِ وَيَلُومُهُ عَلَى عَجْزِهِ فِي مُقْتَبَلِ عمره إِذْ فَرَّطَ فِي التَّعْلِيمِ فَيَنْقَلِبُ حِينَئِذٍ وَاجِمًا وَعَلَى مَا سَلَفَ مِنْ تَفْرِيطِهِ نَادِمًا.

And if success from Allah touches the elder and he asks the [younger] jurist, it may be possible that with his attendance, he may be met by one who knows of him, and censures him for his failure during his prime years, if he was negligent in seeking knowledge. This will cause him to turn away sullenly, and [brood] over what passed of negligence sorrowfully.

١٣- حَدَّثَنِي أَبُو طَاهِرٍ مُحَمَّدُ بْنُ أَحْمَدَ بْنِ عَلِيٍّ الْأُشْنَانِيُّ، نَا أَحْمَدُ بْنُ إِسْحَاقَ النَّهَاوَنْدِيُّ، نَا الْحَسَنُ بْنُ عَبْدِ الرَّحْمَنِ بْنِ خَلَّادٍ، نَا عَبْدُ اللَّهِ بْنُ أَحْمَدَ بْنِ مَعْدَانَ، نَا أَحْمَدُ بْنُ حَرْبٍ الْمَوْصِلِيُّ، قَالَ سَمِعْتُ مُحَمَّدَ بْنَ عُبَيْدٍ يَقُولُ جَاءَ رَجُلٌ وَافِرُ اللِّحْيَةِ إِلَى الْأَعْمَش فَسَأَلَهُ عَنْ مَسْأَلَةٍ مِنْ مَسَائِلِ الصِّبْيَانِ، يَحْفَظُهَا الصِّبْيَانُ، فَالْتَفَتَ إِلَيْنَا الْأَعْمَشُ فَقَالَ: انْظُرُوا إِلى لحيته تحتمل أَرْبَعَةَ آلَافِ حَدِيثٍ وَمَسْأَلَتُهُ مَسْأَلَةُ الصِّبْيَانِ.

13. It was narrated to me by Abu Ṭāhir Muḥammad ibn Aḥmad ibn ʿAlī al-Ushnānī [...] that Muḥammad ibn ʿUbayd said: "A man with a large beard came to al-Aʿmash and asked him about a [rudimentary] issue which is memorised by children, and al-Aʿmash turned to us and said, 'Look at his beard, it could carry four thousand ḥadīth, yet his issue [queried about] is that of a child.'"

[الفصل]

[Section]

وَلْيَعْلَمْ أَنَّ الْإِكْثَارَ مِنْ كُتُبِ الْحَدِيثِ وَرِوَايَتِهِ لَا يَصِيرُ بِهَا الرَّجُلُ فَقِيهًا، إِنَّمَا يَتَفَقَّهُ بِاسْتِنْبَاطِ مَعَانِيهِ وإنعام التفكر فِيهِ.

It should be known that authoring numerous books of ḥadīth and narrating them does not make one a jurist. Rather, one becomes a jurist through extracting its meanings and closely examining them.

١٤- حَدَّثَنِي مُحَمَّدُ بْنُ أَحْمَدَ الْأُشْنَانِيُّ، نَا أَحْمَدُ بْنُ إِسْحَاقَ النَّهَاوَنْدِيُّ، نَا الْحَسَنُ بْنُ عَبْدِ الرَّحْمَنِ، حَدَّثَنِي أَحْمَدُ بْنُ مُحَمَّدِ بْنِ سُهَيْلٍ الْفَقِيهُ، نَا مُحَمَّدُ بْنُ إِسْمَاعِيلَ أَبُو عَبْدِ اللَّهِ الْأَصْبَهَانِيُّ بِمَكَّةَ، نَا مُصْعَبٌ الزُّبَيْرِيُّ، قَالَ سَمِعْتُ مَالِكَ بْنَ أَنَسٍ قَالَ لِابْنَيْ أُخْتِهِ - أَبِي بَكْرٍ وَإِسْمَاعِيلَ ابْنَيْ أَبِي أُوَيْسٍ -: أَرَاكُمَا تُحِبَّانِ هَذَا الشَّأْنَ وَتَطْلُبَانِهِ، قَالَا: نَعَمْ، قَالَ: إِنْ أَحْبَبْتُمَا أَنْ تَنْتَفِعَا بِهِ وَيَنْفَعَ اللَّهُ بِكُمَا فَأَقِلَّا مِنْهُ وَتَفَقَّهَا.

14. It was narrated to me by Muḥammad ibn Aḥmad al-Ushnānī [...] that Muṣʿab al-Zubayrī said: "I heard Mālik ibn Anas say to his two nephews, Abu Bakr and Ismāʿīl, the sons of Abu Uways, 'I see that you like this discipline and seek it.'

They said, 'Yes.'

Mālik then said, 'If you would like to benefit from it, and that Allah [causes] benefit through you, then seek it less and gain *fiqh* (jurisprudence) [in your religion.]'"

١٥- أَخْبَرَنَا مُحَمَّدُ بْنُ الْحُسَيْنِ الْقَطَّانُ، أَنَا عَبْدُ اللَّهِ بْنُ إِسْحَاقَ بْنِ إِبْرَاهِيمَ الْبَغَوِيُّ، نَا أَحْمَدُ بْنُ السَّرِيِّ، نَا سَهْلُ بْنُ زَنْجَلَةَ، نَا سُفْيَانُ، عَنْ إِسْمَاعِيلَ بْنِ أُمَيَّةَ عَنِ الْأَعْمَشِ، قَالَ: لَمَّا سَمِعْتُ الْحَدِيثَ قُلْتُ لَوْ جَلَسْتُ إِلَى سَارِيَةٍ أُفْتِي النَّاسَ، قَالَ فَجَلَسْتُ إِلَى سَارِيَةٍ فَكَانَ أَوَّلُ مَا سَأَلُونِي عَنْهُ لَمْ أَدْرِ مَا هُوَ!

15. It was reported to us by Muḥammad ibn al-Ḥusayn al-Qaṭṭān [...] that al-Aʿmash said: "When I heard ḥadīth, I thought that I could [just] sit by the column and give rulings to people." He continued, "So I sat by a column, and the first thing they asked me about I had no knowledge of!"

❁❁❁

[الفصل]

[Section]

١٦- أَخْبَرَنَا مُحَمَّدُ بْنُ أَحْمَدَ بْنِ عَلِيٍّ الدَّقَّاقُ، نَا أَحْمَدُ بْنُ إِسْحَاقَ النَّهَاوَنْدِيُّ، قَالَ: نَا ابْنُ خَلَادٍ، نا أَبُو عُمَرَ أَحْمَدُ بْنُ مُحَمَّدِ بْنِ سُهَيْلٍ، قَالَ حَدَّثَنِي رَجُلٌ - ذَكَرَهُ - مِنْ أَهْلِ الْعِلْمِ - قَالَ ابْنُ خَلَّادٍ وَأُنْسِيتُ أَنَا اسْمَهُ - قَالَ:

وَقَفَتِ امْرَأَةٌ عَلَى مَجْلِسٍ فِيهِ يَحْيَى بْنُ مَعِينٍ وَأَبُو خَيْثَمَةَ وَخَلَفُ بْنُ سَالِمٍ فِي جَمَاعَةٍ يَتَذَاكَرُونَ الْحَدِيثَ، فَسَمِعَتْهُمْ يَقُولُونَ قَالَ رَسُولُ اللَّهِ صَلَّى اللَّهُ عَلَيْهِ وَسَلَّمَ قَدْ رَوَاهُ فُلَانٌ وَمَا حَدَّثَ بِهِ غَيْرُ فُلَانٍ، فَسَأَلَتْهُمْ عَنِ الْحَائِضِ تُغَسِّلُ الْمَوْتَى، وَكَانَتْ غَاسِلَةً؟ فَلَمْ يُجِبْهَا أَحَدٌ مِنْهُمْ، وَجَعَلَ بَعْضُهُمْ يَنْظُرُ إِلَى بَعْضٍ، فَأَقْبَلَ أَبُو ثَوْرٍ، فَقَالُوا لَهَا: عَلَيْكِ بِالْمُقْبِلِ، فَالْتَفَتَتْ إِلَيْهِ وَقَدْ دَنَا مِنْهَا، فَسَأَلَتْهُ، فَقَالَ تُغَسِّلُ الْمَيِّتَ لِحَدِيثِ الْقَاسِمِ عَنْ عَائِشَةَ أَنَّ النَّبِيَّ صَلَّى اللَّهُ عَلَيْهِ وَسَلَّمَ قَالَ لَهَا: ((أَمَا إِنَّ حَيْضَتَكِ لَيْسَتْ فِي يَدِكِ))، وَلِقَوْلِهَا: كُنْتُ أَفْرُقُ رَأْسَ رَسُولِ اللَّهِ صَلَّى اللَّهُ عَلَيْهِ وَسَلَّمَ بِالْمَاءِ وَأَنَا حَائِضٌ، قَالَ أَبُو ثَوْرٍ: فَإِذَا فَرَقَتْ رَأْسَ الْحَيِّ فَالْمَيِّتُ أَوْلَى

بِهِ، فَقَالُوا: نَعَمْ رَوَاهُ فُلَانٌ، وَحَدَّثَنَاهُ فُلَانٌ، وَيَعْرِفُونَهُ مِنْ طُرُقِ كَذَا، وَخَاضُوا فِي الطُّرُقِ، فَقَالَتِ الْمَرْأَةُ: فَأَيْنَ كُنْتُمْ إِلَى الْآنَ!

16. It was reported to us by Muḥammad ibn Aḥmad ibn ʿAlī al-Daqqāq [...] that Ibn Khallād reported from Abu ʿUmar Aḥmad ibn Muḥammad ibn Suhayl from a man amongst the scholars, whom Ibn Khallād forgot the name of: "A woman stood at a gathering that included Yaḥyā ibn Maʿīn, Abu Khaythamah, Khalaf ibn Sālim, and a group of people reviewing ḥadīth, and she heard them say, 'The Messenger of Allah ﷺ said, and so-and-so narrated it, and only so-and-so narrated it from him,' so she asked them if a menstruating woman [is allowed to] wash the dead having performed major ritual purification [beforehand,] and none of them answered her, and they began to look at each other.

Abu Thawr came and they told her, "You must ask the one who is approaching.'

So she turned to him, and he had drawn closer to her, so she asked him, and he [replied,] 'She is allowed to wash the dead, due to the ḥadīth of al-Qāsim from ʿĀishah [who said] that the Prophet ﷺ told her, 'Your menstruation is not in your hand,' and due to [ʿĀishah's] statement, 'I used to part the Prophet's ﷺ hair with water while I was menstruating.' Abu Thawr said, 'Therefore, if she parted the hair of the living, then there is more reason [that she is allowed to touch] the dead.'

Those sitting in the gathering said, 'Yes, it was reported by so-and-so, and it was narrated to us by so-and-so, and it is known through these routes,' then they started to mention the routes. Upon this, the woman said, 'Where were you beforehand!'"

[الفصل]
[Section]

قَالَ: وَإِنَّمَا أَسْرَعَتْ أَلْسِنَةُ الْمُخَالِفِينَ إِلَى الطَّعْنِ عَلَى الْمُحَدِّثِينَ لَجَهْلِهِمْ أُصُولَ الْفِقْهِ وَأَدِلَّتَهُ فِي ضِمْنِ السُّنَنِ، مَعَ عَدَمِ مَعْرِفَتِهِمْ بِمَوَاضِعِهَا، فَإِذَا عرف صَاحِبُ

الْحَدِيثِ بِالتَّفَقُّهِ خَرِسَتْ عَنْهُ الْأَلْسُنُ وَعَظُمَ مَحَلُّهُ فِي الصُّدُورِ وَالْأَعْيُنِ، وَخَشِيَ مَنْ كَانَ عَلَيْهِ يَطْعَنُ.

[The author] said: The tongues of those who oppose hastened towards criticising the people of ḥadīth, due to their ignorance in the principles of jurisprudence and its evidences within the *sunan*, and their lack of knowledge as to where they occur [within it]. Hence, if a ḥadīth disciple is known for his understanding, the tongues are muted regarding him, his status is magnified in the hearts and eyes, and the one who criticised him becomes fearful of doing so.

١٧- أَنْبَأَنَا مُحَمَّدُ بْنُ عَبْدِ اللَّهِ الْحِنَّائِيُّ، نَا جَعْفَرُ بْنُ مُحَمَّدِ بْنِ نُصَيْرٍ الْخَلَدِيُّ، نَا عَبْدُ اللَّهِ بْنُ جَابِرٍ الطَّرَسُوسِيُّ، نَا مُحَمَّدُ بْنُ الْعَرْجِيِّ الْعَسْكَرِيُّ، قَالَ: سَمِعْتُ مُسْلِمًا الْجَرْمِيَّ، قَالَ: سَمِعْتُ وَكِيعًا يَقُولُ: لَقِيَنِي أَبُو حَنِيفَة فَقَالَ لِي: لَوْ تَرَكْتَ كِتَابَةَ الْحَدِيثِ وَتَفَقَّهْتَ أَلَيْسَ كَانَ خَيْرًا؟ قُلْتُ: أَفَلَيْسَ الْحَدِيثُ يَجْمَعُ الْفِقْهَ كُلَّهُ، قَالَ: مَا تَقُولُ فِي امْرَأَة ادَّعَت الْحمل وَأنكر الزَّوْجُ؟ فَقُلْتُ لَهُ: حَدَّثَنِي عَبَّادُ بْنُ مَنْصُورٍ، عَنْ عِكْرِمَةَ عَنِ ابْنِ عَبَّاس - رَضِي الله عَنْهُمَا -: أَنَّ النَّبِيَّ صَلَّى اللَّهُ عَلَيْهِ وَسَلَّمَ لَاعَنَ بِالْحَمْلِ. فَتَرَكَنِي فَكَانَ بَعْدَ ذَلِكَ إِذَا رَآنِي فِي طَرِيقٍ أَخَذَ فِي طَرِيقٍ آخَرَ.

17. We were informed by Muḥammad ibn 'Abdillāh al-Ḥinā'ī [...] that Wakī' said: "Abu Ḥanīfah met me and said to me: 'If you were to leave writing down ḥadīth and learn *fiqh*, would that not be better?'

I said, 'Is not *fiqh* in its entirety gathered in ḥadīth?'

Abu Ḥanīfah then said, 'What do you say about a woman who claims to be pregnant and the husband denies it?'

I replied, 'It was narrated to me by 'Abbād ibn Manṣūr from 'Ikrimah from Ibn 'Abbās ﷺ that the Prophet ﷺ performed the *li'ān* procedure in the case of pregnancy.'

Upon this he left me, and after that, when he would see me taking one way, he would take another."

١٨- أَخْبَرَنِي الْحَسَنُ بْنُ مُحَمَّدِ بْنِ الْحَسَنِ الْخَلَّالُ، نَا مُحَمَّدُ بْنُ الْعَبَّاسِ الْخَزَّازُ، نَا أَبُو بَكْرِ بْنُ أَبِي دَاوُدَ، نَا عَلِيُّ بْنُ خَشْرَمٍ، قَالَ: سَمِعْتُ وَكِيعًا غير مرة، يَقُولُ: يَا فتْيَانُ، تَفَهَّمُوا فِقْهَ الْحَدِيثِ، فَإِنَّكُمْ إِنْ تَفَهَّمْتُمْ فِقْهَ الْحَدِيثِ لَمْ يَقْهَرْكُمْ أَهْلُ الرَّأْيِ.

18. It was reported to me by al-Ḥasan ibn Muḥammad ibn al-Ḥasan al-Khallāl [...] that 'Alī ibn Khashram said: "I heard Wakī' say more than once, 'O young people! Learn the *fiqh* (understanding) of the ḥadīth, for if you learn the understanding of ḥadīth, the people of *al-rảy* will not overcome you.'"

١٩- أَخْبَرَنَا الْحَسَنُ بْنُ الْحُسَيْنِ بْنِ الْعَبَّاسِ النِّعَالِيُّ، أَنَا أَبُو بَكْرٍ أَحْمَدُ بْنُ جَعْفَرِ بْنِ مُحَمَّدِ بْنِ سَلْمٍ الْخُتَّلِيُّ، نَا أَحْمَدُ بْنُ عَلِيٍّ الْأَبَّارُ، نَا عَلِيُّ بْنُ خَشْرَمٍ الْمَرْوَزِيُّ، قَالَ سَمِعْتُ وَكِيعًا، يَقُولُ لِأَصْحَابِ الْحَدِيثِ: لَوْ أَنَّكُمْ تَفَقَّهْتُمُ الْحَدِيثَ وَتَعَلَّمْتُمُوهُ، مَا غَلَبَكُمْ أَصْحَابُ الرَّأْيِ، مَا قَالَ أَبُو حَنِيفَةَ فِي شَيْءٍ يُحْتَاجُ إِلَيْهِ إِلَّا وَنَحْنُ نَرْوِي فِيهِ بَابًا.

19. It was reported to us by al-Ḥasan ibn al-Ḥusayn ibn al-'Abbās al-Ni'ālī [...] that Aḥmad ibn 'Alī al-Abbār said: "I heard Wakī' tell the ḥadīth disciples, 'If you were to seek understanding and knowledge of ḥadīth, the people of *al-rảy* would not overcome you. Abu Ḥanīfah never gave his opinion in any matter that is needed except that we can narrate a chapter about it.'"

[الفصل]
[Section]

قَالَ - رَحمَه الله -: وَلَا بُد لِلْمُتَفَقِّهِ مِنْ أُسْتَاذٍ يَدْرُسُ عَلَيْهِ، وَيَرْجِعُ فِي تَفْسِيرِ مَا أَشْكَلَ عليْهِ، ويتعرف مِنْهُ طرق الِاجْتِهَادِ، وَمَا يُفَرِّقُ بِهِ بَيْنَ الصِّحَّةِ وَالْفَسَادِ.

The author ﷺ said: The one training in understanding must have a teacher to study with, to explain the things that are unclear to him, to learn the ways of diligent enquiry from him, and how to differentiate between what is correct and what is false.

٢٠- وَقَدْ أَخْبَرَنَا أَبُو الْفَتْحِ عَبْدُ الْكَرِيمِ بْنُ مُحَمَّدِ بْنِ أَحْمَدَ بِنِ الْقَاسِمِ الْمَحَامِلِيُّ، قَالَ: نَا عُمَرُ بْنُ أَحْمَدَ بْنِ عُثْمَانَ الْمَرْوَرُوذِيِّ، نَا الْحُسَيْنُ بْنُ أَحْمَدَ بْنِ صَدَقَةَ، نَا أَحْمَدُ بْنُ أَبِي خَيْثَمَةَ، أَخْبَرَنِي سُلَيْمَانُ بْنُ أَبِي شَيْخٍ قَالَ أَخْبَرَنِي بعض الْكُوفِيِّينَ، قَالَ: قِيلَ لِأَبِي حَنِيفَةَ - [رَحِمَهُ اللَّهُ] -فِي الْمَسْجِدِ حَلْقَةٌ يَنْظُرُونَ فِي الْفِقْهِ فَقَالَ: لَهُمْ رَأْسٌ؟ قَالُوا: لَا، قَالَ لَا يَفْقَهُ هَؤُلَاءِ أَبَدًا.

20. It was reported to us by Abu 'l-Fatḥ 'Abd al-Karīm ibn Muḥammad ibn Aḥmad ibn al-Qāsim al-Maḥāmilī [...] that Sulaymān ibn Abī Shaykh said: "Some of the people of Kufa informed me that it was said to Abu Ḥanīfah ﷺ, 'There is a gathering in the *masjid* wherein they examine jurisprudence.'

He asked, 'Do they have a [teacher]?'

They replied, 'No.'

He said, 'They will never gain understanding.'"

٢١- أَخْبَرَنَا الْحَسَنُ بْنُ أَبِي طَالِبٍ، أَنَا عَلِيُّ بْنُ عَمْرٍو الْحَرِيرِيُّ، أَنَّ عَلِيَّ بْنَ مُحَمَّدِ بْنِ كَاسٍ النَّخَعِيَّ حَدَّثَهُمْ، قَالَ: نَا إِبْرَاهِيمُ بْنُ إِسْحَاقَ الزُّهْرِيُّ، نَا أَبُو نُعَيْمٍ، قَالَ: كُنْتُ أَمُرُّ عَلَى زُفَرَ وَهُوَ مُحْتَبٍ بِثَوْبٍ، فَيَقُولُ: يَا أَحْوَلُ تَعَالَ حَتَّى أُغَرْبِلَ لَكَ أَحَادِيثَكَ، فَأُرِيهِ مَا قَدْ سَمِعْتُ، فَيَقُولُ: هَذَا يُؤْخَذُ بِهِ، وَهَذَا لَا يُؤْخَذُ بِهِ، وَهَذَا هَاهُنَا نَاسِخٌ وَهَذَا مَنْسُوخٌ.

21. It was reported to us by al-Ḥasan ibn Abī Ṭālib [...] that Abu Nuʿaym said: "I used to pass by Zufar [ibn Hudhayl] while he was covered with a cloak, and he would say, 'Come O squint-eyed so that I may sift through your aḥādīth for you,' so I would narrate to him what I heard, and he would say, 'This [ḥadīth] can be taken from, and this one cannot; this one here abrogates and this one is abrogated.'"

٢٢- حَدَّثَنِي مُحَمَّدُ بْنُ عَلِيٍّ الصُّورِيُّ إِمْلَاءً، أَنَا عَبْدُ الرَّحْمَنِ بْنُ عُمَرَ الْمِصْرِيُّ، نَا مُحَمَّدُ بْنُ أَحْمَدَ بْنِ عَبْدِ اللَّهِ بْنِ وَرْكَانَ الْعَامِرِيُّ، نَا إِبْرَاهِيمُ بْنُ أَبِي دَاوُدَ، نَا عَلِيُّ بْنُ مَعْبَدٍ، نَا عُبَيْدُ اللَّهِ بْنُ عَمْرٍو، قَالَ: جَاءَ رَجُلٌ إِلَى الْأَعْمَشِ فَسَأَلَهُ عَنْ مَسْأَلَةٍ وَأَبُو حَنِيفَةَ جَالِسٌ، فَقَالَ الْأَعْمَشُ: يَا نُعْمَانُ قُلْ فِيهَا، فَأَجَابَهُ، فَقَالَ الْأَعْمَشُ: مِنْ أَيْنَ قُلْتَ هَذَا؟ فَقَالَ: مِنْ حَدِيثِكَ الَّذِي حَدَّثْتَنَاهُ، قَالَ: نَعَمْ نَحْنُ صَيَادِلَةٌ وَأَنْتُمْ أَطِبَّاءُ.

22. It was narrated to me by Muḥammad ibn ʿAlī al-Ṣūrī [...] that ʿUbay-dullāh ibn ʿAmr said: "A man came to al-Aʿmash and asked him about a matter whilst Abu Ḥanīfah was present, and al-Aʿmash said, 'O Nuʿmān, say something about it.'

So Abu Ḥanīfah answered [the man], and al-Aʿmash said, 'Upon what basis did you say this?'

Abu Ḥanīfah replied, 'From your ḥadīth that you narrated to us.'

Al-Aʿmash then said, 'Yes, we are the pharmacists, and you are the doctors.'"

٢٣- أَخْبَرَنَا الْقَاضِي أَبُو عَبْدِ اللَّهِ الْحُسَيْنُ بْنُ عَلِيٍّ الصَّيْمَرِيُّ، أَنَا عَبْدُ اللَّهِ بْنُ مُحَمَّدٍ الشَّاهِدُ، نَا مكرم بن أَحْمَدَ، نَا أَحْمَدُ بْنُ عَطِيَّةَ.

وَأَخْبَرَنَا الْحَسَنُ بْنُ عَلِيٍّ الْجَوْهَرِيُّ، أَنَا مُحَمَّدُ بْنُ الْعَبَّاسِ الْخَزَّازُ، نَا أَبُو بَكْرٍ عَبْدُ اللَّهِ بْنُ مُحَمَّدِ بْنِ زِيَادٍ النَّيْسَابُورِيُّ، قَالَ: سَمِعْتُ أَبَا إِبْرَاهِيمَ الْمُزَنِيَّ، قَالَ: أَنَا عَلِيُّ بْنُ مَعْبَدٍ، نَا عُبَيْدُ اللَّهِ بْنُ عَمْرٍو، قَالَ:

كُنَّا عِنْدَ الْأَعْمَشِ وَهُوَ يَسْأَلُ أَبَا حَنِيفَةَ عَنْ مَسَائِلَ وَيُجِيبُهُ أَبُو حَنِيفَةَ فَيَقُولُ لَهُ الْأَعْمَشُ مِنْ أَيْنَ لَكَ هَذَا؟ فَيَقُولُ أَنْتَ حَدَّثْتَنَا عَنْ إِبْرَاهِيمَ بِكَذَا وَحَدَّثْتَنَا عَنِ الشَّعْبِيِّ بِكَذَا، قَالَ فَكَانَ الْأَعْمَشُ عِنْدَ ذَلِكَ يَقُولُ: يَا مَعْشَرَ الْفُقَهَاءِ أَنْتُمُ الْأَطِبَّاءُ وَنَحْنُ الصَّيَادِلَةُ. وَاللَّفْظُ لِحَدِيثِ الصَّيْمَرِيِّ.

23. It was reported to us via two chains of narration [...] that 'Ubaydullāh ibn 'Amr said: "We were with al-A'mash while he was asking Abu Ḥanīfah about issues, and when Abu Ḥanīfah would answer him, al-A'mash would ask him, 'Where did you get that from?' And he would reply, 'You narrated such and such to us from Ibrāhīm, and narrated such and such to us from al-Sha'bī." He continued: "So, al-A'mash would say after that, 'O jurists, you are the doctors, and we are the pharmacists.'" The wording is according to the narration of al-Ṣaymarī (i.e. the first chain of narration).

٢٤- أَخْبَرَنَا أَبُو مُسْلِمٍ جَعْفَرُ بْنُ بَابِيٍّ الْفَقِيهُ الْجِيلِيُّ، أنا أَبُو بَكْرٍ مُحَمَّدُ بْنُ إِبْرَاهِيمَ بْنِ الْمُقْرِي بِأَصْبَهَانَ، نَا مُحَمَّدُ بْنُ خَالِد بن يزيد البرذعي، قَالَ سَمِعْتُ عَطِيَّةَ بْنَ بَقِيَّةَ، يَقُولُ: قَالَ لِي أَبِي: كُنْتُ عِنْدَ شُعْبَةَ بْنِ الْحَجَّاجِ إِذْ قَالَ لِي: يَا أَبَا مُحَمَّدٍ إِذَا جَاءَتْكُمْ مَسْأَلَةٌ مُعْضِلَةٌ مَنْ تَسْأَلُونَ عَنْهَا؟ قَالَ: قُلْتُ فِي نَفْسِي: هَذَا رَجُلٌ قَدْ أَعْجَبَتْهُ نَفْسُهُ، قَالَ: قُلْتُ: يَا أَبَا بسطَام نوجه إِلَيْك وَإِلَى أَصْحَابك حَتَّى تفوتونا.

24. It was reported to us by Abu Muslim Ja'far ibn Bābī al-Faqīh al-Jīlī [...] that 'Atiyyah ibn Baqiyyah said: "My father said to me, 'I was with Shu'bah ibn al-Ḥajjāj when he said to me, 'O Abā Muḥammad, if an enigmatic matter came before you, who would you ask regarding it?''

Baqiyyah said, 'I thought to myself that this man is [afflicted] with self-amazement, and I said, 'O Abā Bisṭām, we would turn to you and your companions so that you could give us the religious edict.''

قَالَ: فَمَا كَانَ إِلَّا هُنَيْهَةً إِذْ جَاءَهُ رَجُلٌ، فَقَالَ: يَا أَبَا بِسْطَامٍ رَجُلٌ ضَرَبَ رَجُلًا عَلَى أُمِّ رَأْسِهِ فَادَّعَى الْمَضْرُوبُ أَنَّهُ انْقَطَعَ شَمُّهُ، قَالَ: فَجَعَلَ شُعْبَةُ يَتَشَاغَلُ عَنْهُ يَمِينًا وَشِمَالًا، فَأَوْمَأْتُ إِلَى الرَّجُلِ أَنْ أَلِحَّ عَلَيْهِ، فَالْتَفَتَ إِلَيَّ، وَقَالَ: يَا أَبَا يحمد مَا أَشَدَّ الْبَغْيَ عَلَى أَهْلِهِ، لَا وَاللَّهِ مَا عِنْدِي فِيهِ شَيْءٌ، وَلَكِن أفته أَنْت، قُلْتُ: يَسْأَلُكَ وَأُفْتِيهِ أَنَا؟ قَالَ فَإِنِّي قَدْ سَأَلْتُكَ، قَالَ: قُلْتُ: سَمِعْتُ الْأَوْزَاعِيَّ وَالزُّبَيْدِيَّ يَقُولَانِ: يُدَقُّ الْخَرْدَل دقا بَالغا ثمَّ يشمهم، فَإِنْ عَطَسَ كَذَبَ وَإِنْ لَمْ يَعْطِسْ صَدَقَ. قَالَ: جِئْتَ بِهَا يَا فَقِيهُ وَاللَّهِ لَا يَعْطِسُ رجل انْقَطع شمه أبدا.

He continued, 'A short while after, a man came to him and said, 'O Abā Bisṭām, one man hit another man on his head, and the one who was hit claimed that he can no longer smell.' Shuʿbah began to busy himself right and left, so I signalled to the man to press him, and Shuʿbah turned to me and said, 'O Abā Yuḥmad, how harsh is transgression upon those who deserve it, by Allah, I have nothing to say about it, so you give him the ruling.'

I said, 'He asks you, and I give him the edict?'

He replied, 'I have asked you.'

So I said, 'I heard al-Awzāʿī and al-Zubaydī both say, 'Mustard seed should be ground finely, and then he should smell them; if he sneezes then he has lied, and if he does not then he has said the truth.'

The man said, 'You have done it O jurist, by Allah, no man who is unable to smell would sneeze.'"

[تم الكتاب]

[We have completed the book.]